雜技與戲曲發展之研究

—— 從先秦角觝到元代雜劇

蔡 欣 欣 著

戲曲研究系列
曾 永 義 主 編

文史哲出版社印行

國家圖書館出版品預行編目資料

雜技與戲曲發展之研究：從先秦角牴到元代雜劇 / 蔡欣欣著. -- 初版. -- 臺北市：文史哲, 民 87
面 ： 公分. -- (戲曲研究系列 ; 2)
參考書目 ：面
ISBN 957-549-181-5(平裝)

1.中國戲曲 - 歷史與批評 2.民俗藝術 3.雜耍

824.8 87016249

戲曲研究系列 ②

曾永義主編

雜技與戲曲發展之研究
—— 從先秦角牴到元代雜劇

著 者：蔡 欣 欣
出 版 者：文 史 哲 出 版 社
登記證字號：行政院新聞局版臺業字五三三七號
發 行 人：彭 正 雄
發 行 所：文 史 哲 出 版 社
印 刷 者：文 史 哲 出 版 社
臺北市羅斯福路一段七十二巷四號
郵政劃撥帳號：一六一八〇一七五
電話 886-2-23511028 · 傳眞 886-2-23965656
實價新臺幣五〇〇元
中 華 民 國 八 十 七 年 十 二 月 初 版

ISBN 957-549-181-5

曾 序

文史哲出版社負責人彭正雄先生，在我心目中是個「傻子」。我常說當今充滿「聰明人」要一夜成名一日致富掠勢奪權無所不用其極的社會裏，要找一個「傻子」，眞比礦脈中挖顆鑽石還難。彭先生的「傻」，是長年以來不計成本選擇最冷門的文史哲全家動員的來爲學界服務，所以他出的書，儘是品質高銷路差的學術著作，但也爲此嘉惠了許多讀書人，他也成爲大家的朋友。

某次相見，我問彭先生是否繼續「傻」下去？有我近年指導的博碩士論文，都屬戲曲研究，共六本，可成一系列，保證具水準、有創發，尤其論題新，可供學者參考。彭先生即刻答應，說：「你開口了，我會猶疑嗎？」而我深信，我這六位學生是不會辜負彭先生提攜之美意的。

被收在文史哲《戲曲研究系列》的六本論文，有兩本博士論文四本碩士論文。其著者有李惠綿、蔡欣欣兩位現任大學副教授，其餘許子漢、游宗蓉、林宗毅、郝譽翔等四位正攻讀博士學位。

李惠綿在他們六位中年輩稍高，由臺大中文系所學士、碩士、博士一路上來。她雖然因小兒痲痺症行動不便，但治學做事教書認眞負責，一如常人。她做研究生時，得過教育部學術論文獎和散文創作獎；負責編輯《關漢卿國際學術研討會論文集》，她於十個月內就使之出版；兼任講師教大一國文時，陳校長曾經特別寫信感謝她，由於她的愛心和鍥而不捨，挽救了一個要拋棄自己的學生。我稱惠綿叫「萬靈丹」，因爲許多我胡塗或偷懶的事，找她幫忙，都可以獲得解決。我的老師王叔岷教授高齡八十有三，屢次向我嘉許惠綿，說她讀書、做人都非常好。她唯一的毛病是非常熱心，因此不免也有失落的惆悵。

惠綿研究戲曲，主攻理論。我說一般研究戲曲理論的，多不以問題爲主軸作系統性的探討，每致支離破碎，甚至不知所云。我要惠綿將環繞論題的課題一一找出，然後從縱橫兩剖面去全盤分析和歸納，融會貫通述其來龍去脈，如此對學術才有眞貢獻。惠綿碩士論文《王驥德曲論研究》、博士論文《元明清戲曲搬演論研究》便因此都採取了這種主題式的研究方法。

惠綿的碩士論文已由臺大文學院文史叢刊出版。她博士論文的題目，我原本給的是「元明清劇學研究」。所以給她大題目，是因爲我認爲涉獵要從廣博入手，才能選取最有心得的菁華來結撰成篇，且可以避免因執其一隅而有顧此失彼的弊病。惠綿雖然只提出劇學中的「搬演論」做爲博士論文，但就分量而言，已綽綽有餘。因爲劇場上搬演，以演員爲主體，而戲曲演員必兼備「唱做念打」的技藝，以充任腳色行當，扮飾劇中人物，使之「形神合一」，倘又具姿容之美，則堪稱「色藝雙全」。惠綿經此理念架構了色藝論、度曲論、曲白論、身段論、腳色論、形神論六大主題。實以色藝論爲綱領，由「藝」之觀點而開展出度曲論等四大主題，而以形神論統合，說明由藝入道的歷程，也象徵表演藝術的最高境界。這六大主題環環相扣，首尾呼應，無不貫穿元明清三代，以剖析其精義、掌握其旨趣，以見其源流脈絡。也因此能於時賢所講究之京戲搬演經驗與規律之外，並以雜劇、戲文、傳奇、崑劇爲對象內涵而廣開視野、建立體系，其成果自然有令人刮目相看的地方。

惠綿爲了做這個題目，文獻資料之外，還看了許多舞臺和錄影帶中的戲曲演出；爲了「度曲論」要弄通語言聲韻學，向楊秀芳教授請教，獲得了不少啓示。

記得民國七十九年夏日我首次到上海，杯酒之間和上海戲劇學院的陳多教授談到彼此所指導的研究生，沒想李惠綿和葉長海的博碩士論文，題目幾乎相同。他們如出一轍的都以王驥德的曲學爲碩士論文，緊接的博士論文，葉長海以《中國戲劇學史稿》，李惠綿也初擬「元明清劇學研究」，其題目也甚爲相近。往昔海峽兩岸互相禁閉，學術訊息極難交流，所以陳多先生和我都認爲我們這兩位指導教授，眞是「英雄所見」。葉長海教授是戲曲學術界的菁英，所著自不同凡響；惠綿年紀雖然較輕，著作的出版也較晚，但研究方法不同，當然也有可觀。

蔡欣欣的文學士、碩士、博士都在政治大學獲得。我對於其他大學研究生找我指導論文，有個起碼的條件，即必須至少到臺大聽我一門課，因爲我覺得這樣才叫「親炙」。不止老師要知道學生的讀書能力；學生更要了解老師的治學態度方法與性情襟抱爲人。學生對於老師，好的方面多學習，壞的方面也要避免。

欣欣在臺大聽了我兩年的課，參加我主持的研究計畫做田野調查工作；並協助洪惟助教授和我兩度到大陸蘇州、南京、上海、杭州、郴州、北京去錄製六大崑劇團的代表劇目作爲「崑劇選粹」，凡一百三十三齣。這些龐大的崑劇經典戲可作教學、觀賞、研究之用。欣欣不辭勞苦，爲崑劇藝術文化的保存和傳揚，盡了很大的力氣。

欣欣的碩士論文是《臺灣地區現存雜技考述》，所以給她這樣的題目，一方面是因為那時我正用心用力從事臺灣民俗技藝的維護與發揚工作，請她加入行列，從田野的實務經驗去採擷學術的具體資料，是極有意義的事，而對此，友人吳騰達教授給她不少協助；另一方面我認為戲曲和雜技的關係非常密切，有此為基礎，可以作進一步的研究。欣欣果然以《雜技與戲曲發展之研究》作為博士論文。

欣欣的碩士論文可以說是記錄和探討臺灣民間雜技較為深入和完整的著作。她的博士論文，也尚沒有人這樣深入的寫過。只是和李惠綿一樣，也因為我給的題目太大，所以截取「從先秦角觝到元代雜劇」這部分提出。其實要探討雜技和戲曲發展的關係，非常的煩雜。單就資料而言，要從歷代筆記叢談去篩檢散樂百戲的相關記載，以便了解雜技在各時代的面貌；要從戲曲史論、戲曲理論、劇場藝術，以及劇種演進規律等專論和著作為基礎，用來建構雜技與戲曲之間互為脈動的關係；還要蒐集各種相關的考古文物圖版、出土研究報告，以此來和文獻相印證；同時也要涉獵中國音樂、舞蹈、曲藝、體育、武術等相關學科，求其更周延地關照到雜技與戲曲的關聯。而最重要的是從劇本中找直接資料，所以在閱讀浩繁的劇本時，不可絲毫苟且。對此，欣欣都努力做到了，她的戲曲根基也因此打得很堅實；而她對此論題的研究又能界定以結合社火歌舞，或搭配武術競技，或運用說唱藝術，具有耍弄戲玩、驚險奇幻的「雜耍特技」為主體，探究戲曲從先秦角觝到元代雜劇的發展中，雜技對於戲曲的題材內容、武打技藝、歌舞身段、腳色行當、妝扮穿關等方面的影響，給予雜技在中國戲曲上應有的地位，並建立其與戲曲發展交流的脈絡體系。就因爲欣欣以如此辛勤的功夫和周密的思考，所以她的論文像個有機體，體系網絡完備而靈動，證據確鑿，頗有前賢所未及之言，對學術自然有很大的貢獻。

記得欣欣曾向我說，醫生認爲她免疫系統失調不適宜懷孕，而她懷孕了。我說，一個小生命到你身上來，你就要好好的完成他；你一年不必上課、不必做論文，全心全力去面對，一定會順利。果然，欣欣母子均安，他先生和家人以及我們都很高興。而欣欣做事是傾其所能的，包括把看戲關涉到戲劇研究，她就古今中外無所不看。我只希望她多留意身體的「老毛病」，好讓關愛她的人放心。

許子漢在中文系很特出，他之進入中文系，比起我當年更値得「稱道」。我念台南一中，物理有時還考全班第一，數學化學也不差，只因爲英文五音不全，就毅然決然以臺大中文系爲第一志願，幸運的得爲榜首。許子漢則是他那年大專聯考的甲組狀元，臺大電機系的第一名，竟轉到中文系來。我不知道子漢是否和我一樣，曾被師長同學親友議論甚至嘲笑，說是「自我栽進冷門科系」。但子漢到中文系來同樣「氣勢如虹」，「第一」和他結了不解之緣，無論學期成績或入學成績，他都「第一」到底，連李惠綿所保持的博士班入學考試超過平均八十分的紀錄都被他打破了。而子漢一點驕氣也沒有，他的學姊最喜歡找他「麻煩」，不管如何費心費力，他從不推辭。他讀書也都能自給自足，無須家裏接濟。他參加我主持的「古蹟與民藝」展演工作，北中南奔波，都能做得很完好。

子漢的碩士論文是《元雜劇聯套研究》。元雜劇的規律謹嚴，就套式而言，那些曲牌在前，那些曲牌在後，那些曲牌要連用，以及其與宮調聲情，如何配搭劇情，都有一定的規矩，隨意不得。對於聯套規律的研究，前人大抵只及於表象且未盡全體，直到鄭師因百《北曲套式彙錄詳解》，才作完整的觀察。子漢就在因百師的基礎上更進一步深入研究，他的可貴處是能將套式與劇情結合，考察其中的關係，從而歸納出各宮調所適用劇情之形態，並與元人芝菴《唱論》之「宮調聲情說」相印證，以袪學者之疑。也因此，子漢能發現聯套單位之層次爲「曲牌與曲段」，聯套規律有獨用或連用、必要性、使用次數、排列次序等四項要素，聯套單位有一般情節鋪敍、反覆情節之鋪敍、平緩情節之鋪敍、劇情轉變之鋪敍、補綴唱段、高潮唱段、場面引導、場面之收束或區隔等八種用法。子漢這本論文可以說是目前研究元雜劇聯套最詳密的著作，很値得學者參考。

記得去年春天，我和子漢在台大長興街宿舍的庭院散步。那時我正寫作一篇散文，題爲「宿舍的園林」，描寫前年九月被颱風摧殘前後的園林景況。我對園林中好些樹木的名字不清楚，便隨意問問子漢。沒想他幾乎無所不知的一一告訴我。我很詫異，他說室友有念植物系的，平時常向他們請教。即此可見子漢的好學，也難怪他「一路第一」，雖然研究戲曲，其他科目的造詣也都很好。

游宗蓉師專畢業，在小學教過書，插班臺大中文系，碩士班選我課時，我就看出她很用功，讀書富於心得，一直到現在，我仍給她最高分數，去年她也以第一名考取博士班。她不太說話，掛電話到史坦福大學給我，也只有三言兩語；但事情交給她做，無不做得整整齊齊，她的每篇期末報告，都可以當論文發表。

宗蓉的碩士論文《元雜劇排場研究》，和子漢的《元雜劇聯套研究》，簡直是「蓮開並蒂」，而他們正是一對新婚未久的夫妻。

宗蓉和子漢的結合，多少和我這個老師有些關係。我對他們兩位很欣賞，又覺得他們的性情和對表演藝術的喜好都頗爲接近。於是我有意安排他們一起爲我整理研究室，我家裏書房和學校研究室之亂都簡直成「書災」，子漢和宗蓉光爲我一張書桌和它周圍所堆積的書本，就足足用了三天的功夫，方才把它遷移到新闢的戲曲研究室裏。過了些時日，我和子漢閒話，問他有沒有女朋友，他說有，再問他是誰，他有點靦腆的說是宗蓉。從此我常給他們戲劇音樂舞蹈的入場券，好讓他們可以攜手同賞，他們和欣欣一樣，因研究戲曲，無戲不看。

宗蓉這篇論文的緣起，是我常在課堂上強調「排場」的重要，認爲眞正的戲曲結構在排場的處理，鑑賞戲曲也應當從排場入手。今人論戲曲結構但講情節布置，就與小說不殊；評騭戲曲優劣偏重曲文，就等同詩詞。宗蓉因此乃就二百三十五本元代和元明間的雜劇詳加剖析，將元雜劇的排場劃分標準分爲基本與變化兩種原則；歸納排場轉移爲基本模式、時空轉換、人物更替等三種模式，並討論其與套式變化之間的相應關係；而以關目分量的輕重爲首要基準，分元雜劇排場爲引場、主場、過場、短場、收場五種類型，同時討論其對全劇的作用，及其與腳色人物、套式、賓白、科汎、穿關等之間的互動關聯；而元雜劇的一個排場結構，以起中合三段式爲基型，由此又可進一步分爲單式與複式兩種結構型式。最後宗蓉又就元雜劇全本排場的承轉配搭規律加以條理，區分各類型態，從而說明各種型態對搬演效果的影響。

元雜劇排場的研究由我發其端緒，徐扶明先生亦有相同的見解，現在宗蓉的這本論文可以說鉅細靡遺完完全全的把這個問題探究了；而如果能與子漢的論文並觀，則更可以相得益彰。我很高興他夫妻倆能徹底遍讀元雜劇，現在宗蓉加入我為教育部所做的「俗文學教材編輯計畫」，並且正以「元明雜劇比較研究」作為博士論文題目，進行研究；子漢則以「明清傳奇排場研究」為題，埋頭撰寫博士論文，看他們夫妻研究學問照樣相攜並舉、亦步亦趨，我不禁油然心喜。

林宗毅也是臺大中文系所到博士班一路上來，他與子漢同年級。我想他的純樸木訥是祖傳的，理由是他和李栩鈺結婚時，用了一部遊覽車把師長同學從台北請到台中，可見他一家人的誠懇；但是他和家人卻不知如何接待客人，連我這個證婚人都要在雙方家長面前自我介紹一番，也因此我常在師生聚會杯酒談心時，要他如何向人表示敬意。試想社會不離人際關係，應當要懂得起碼的應對，否則彼此就難於了解和溝通。

宗毅的性情也因為純樸木訥，所以讀起書來很能聚精會神，對於很煩瑣的問題都能耐心的處理和解決。我看清這點，所以當他找我做碩士論文時，我說，《西廂記》是北雜劇最著名的作品，版本之多，問題之雜，以及相關學術論述之難計其數，真教人望而生畏；但如果勇敢的向它挑戰，用主題學的方法，釐清《西廂記》研究的來龍去脈，逐一論其功過得失而參以己見，所謂「西廂學」必可逐步建立。我又說，你正富於春秋，前輩的成果已擺在那裏，趕緊投入，就能夠及早建立「西廂學」。

宗毅於是將《西廂記》所存在的問題逐一檢閱之後，選擇兩個問題作深入的探討，而以《西廂記二論》為碩士論文。其第一論「西廂記之淵源、改編和主題異動」，將六百年來共三十四家

《西廂記》的續作和改編本，就其本事來源、情節內容和流變歷程進行考證和分析，從而分類探討其主題異動的情形。其第二論「西廂記版本所具之深層意義」，首先觀察晚明《西廂記》傳刻本大量湧現的時代意義，其次探討晚明《西廂記》評點的發展，針對王世貞、徐渭、李贄、湯顯祖、陳繼儒等人的鑑賞性評點著眼，則可以看出戲曲觀念的演進情形，及其與人性解放的時代思潮息息相關。另外又針對金聖歎的批改《西廂》探討，掌握其底本與批評的內在模式，予以較中肯的評價；並從其律詩分解說連鎖到其戲曲分節的意義，從而印證了金氏是從「文章」的角度評析《西廂記》的藝術內涵。

宗毅不止檢討了臺港和大陸《西廂記》的研究情況，並且對「西廂學」也有所展望。其附錄還包括〈西廂記研究論著索引彙整〉、〈晚明西廂記版本一覽表〉、〈中研院史語所傅斯年圖書館所藏西廂記俗曲微卷索引〉，凡此都可以看出他從事學問所做的扎實功夫。他正孜孜矻矻的要完成「西廂學」的研究。

記得兩年前，我召集了中研院文哲所的華瑋、王瑷玲和臺大的沈冬、林鶴宜、洪淑苓、李惠綿、許子漢、林宗毅等每星期二上午共同研讀戲曲，由我指定論題，大家發表心得和見解，最後我作總結。爲了這樣的「讀曲會」，他們常熬夜準備，因此討論時每個人的意見都洋洋灑灑；而凡是涉及版本源流、字斟句酌的問題，幾乎就是宗毅的專長，因爲他做學問是一頭栽進去的。

郝譽翔和游宗蓉同年級，也是臺大中文系所到博士班。她寫散文和小說已經有名氣，都得過獎；中央副刊主編梅新，常對我誇獎她。聯合副刊辦過兩岸戲曲和歌仔戲的座談會，我都推薦她記錄，瘂弦和陳義芝爲此很欣賞她的文筆。最近她到聯副幫忙，瘂弦來信說「譽翔表現極佳，眞名師出高徒也。」使我也與有榮焉。她的英文頗佳，我爲此把她介紹給魏淑珠教授，到惠特曼大學去擔任教學助理並進修一年，她閱讀英文論著的能力因此又提高不少。

譽翔所以用《民間目連戲中庶民文化之探討：以宗教、道德、小戲爲核心》作爲碩士論文，是因爲民國八十一年的寒假，我帶領譽翔等幾位同學到廣西、貴州、上海等地去作戲曲的田野調查，譽翔蒐集了不少有關目連戲、地戲和儺戲的資料；而我又認爲譽翔才學俱佳，有跨越綜合戲曲學、社會學、民俗學、宗教學的能力，所以要她從事這方面的研究。

譽翔知道目連戲在宗教祭典中上演，結合驅邪除疫和超度亡魂的儀式，保留戲劇原始的風貌，是一個「動態的文化標本」，乃從宗教、道德、小戲三方面來透視其彼此之間的關係，以及它們如何組成目連戲繁多複雜的面貌。從道德而言，目連戲充分反映庶民的倫理觀和價值觀，其體系是以父子倫爲主軸的「差序格局」，所以講究服從權威；而女性則因與生俱來的「血湖」之罪，只能寄望子嗣的拯救，才有超脫的可能。從小戲而言，因其務在滑稽，又占據目連戲演出的大半，使得觀衆在狂歡的時空中宣洩平日的壓抑，並可使原先的社會秩序獲得不斷反省與修正的機會。由於譽翔能運用中西理論，結合田野調查的成果，加上其文字清暢，所以她的論文，可讀性很高。

最近文化單位委託中華民俗藝術基金會和歷史文學會好幾個規畫研究的案子，我邀請幾位具相關專長的友人來分擔主持，而以博碩士班研究生爲專兼任助理，藉此訓練研究生田野調查和治學處事的能力。其中重要的一環是研究計畫的撰寫，我要譽翔寫下範本並領導以協助同學，她費了很多心力和勞力才使整個委託案完成手續，如期展開工作。我想她的學弟妹們，還有待她多提攜。

以上對惠綿等六位我近年指導完成學位的學生，其爲人和他們所撰著的博碩士論文要旨作了簡介。惠綿現任臺大中文系副教授，欣欣現任政大中文系副教授，其餘四位都在臺大中研所博士班，子漢、宗毅爲四年級，宗蓉、譽翔爲二年級。他們都得過趙廷箴獎學金或薛明敏論文獎，在學術研究上已初步獲得肯定，我希望他們趁著年富力強，從各方面打好根基，也不要忘了我強調的「人間愉快」和「多看別人好處」的道理，那麼雲程既軔，前途必然未可限量；如此也才對得起彭正雄先生「不惜血本」地出版這套書的深意。

中華民國八十五年八月十二日 **曾永義** 序於史坦福大學

後記：這套書就要出版了，我的徒兒們都很感激也很興奮。兩三年來，他們的身分也有些變遷，許子漢、郝譽翔、林宗毅皆已取得博士學位。林宗毅現任靜宜大學中文系助理教授，許子漢和郝譽翔都在東華大學中文系擔任助理教授。游宗蓉的博士論文也即將完成。我對我的徒兒們有像父母親看孩子長大的感覺。

中華民國八十七年十一月二十五日

自　序

彷彿冥冥中註定了要與戲曲結緣吧！雖然從小到大的生長環境中，並沒有與戲曲相遇的契機，但總會在夢境裡看到自己在戲班的身影。只是由於個性的使然，從高中到大學，縱然幾度在戲曲社團中徘徊進出，但總覺得伏首在浩瀚如海的戲曲典籍中與劇作家秉燭談心，或是聆賞著千姿百態的舞台風韻與戲中人顧盼傳情，更能投合自己的心志。所以，在選擇學術研究的專業領域時，毫不猶豫地便以戲曲為首要目標。

在政大一十二載的求學生涯中，與古典戲曲照面的機會並不算太多，只有大二時在顏天佑老師的導引下，窺探了古典戲曲的門徑；而後只得向外校探求展開「求經」的歲月：於是或奔馳在陰雨霏霏的陽明山上，或漫步在繁花似錦的杜鵑道中，或穿梭在古樸厚實的臥龍城裡等。雖然南來北往的車程極其辛苦，但卻得以瞻仰戲曲界各「山頭」的風範，也在諸位師長們的諄諄教誨下，對於古典戲曲有了更進一步的體悟與認知。

而其中最要感謝的當是我的指導教授曾永義先生，他開啓了我另一片天地，將戲曲與民俗生動鮮明地聯繫了起來。在曾師的引領下，我實際地參與了各種研究計畫的執行，在日晒雨淋下交出了一張張田野訪查的成績單，也開拓了學習的視野，奠定了學理的根基；而曾師更在為人處事上，以他豁達大度的人生哲學指點著我，在面對各種身心的困境時，都要無畏無懼不求不忮，以坦蕩開闊的胸襟志向面對挑戰。

從碩士論文到博士論文，我都在曾師的指導下，選擇了「雜技」作爲研究的主題。雜技，爲一切遊戲技藝的總稱，在長久的流傳發展過程裡，與人們的生活習俗、情感信仰緊密依附；其囊括了各類的表演技藝，在彼此不斷地撞擊涵養下，遂逐漸獨立分化成不同的藝術門類，也成爲戲曲生發孕育成長的溫床。

在碩士論文中，我以《台灣地區現存雜技考述》爲題，透過文獻資料的整理爬梳，以及田野口述的記錄採訪，對台灣地區的雜技小戲初步做了全面的考察。在這段寫作的過程中，我親炙了鄉土文化之美，也感受到傳統藝術的式微，更認知到理論必須與實務相互印證配合。

因此在博士班就學期間，我有更多歷練的機會，跟隨著洪惟助教授執行了一系列的崑曲傳習、保存錄影、辭典編輯等計劃，在台灣與大陸間奔波往返，也接觸了彼岸眾多戲曲學者與演員，在治學的方法上有了更多的觸發。所以曾師遂請洪師同時擔任我博士論文的指導教授，以《雜技與戲曲發展之研究》爲題，探究中國戲曲在生成茁壯的歷史長河中，與雜技孕育、參雜、結合、融合等不同的發展關係。

檢視歷來的戲曲史著，雖然對二者之間的關聯性有所闡發，但並未形成系統性的論述與整體史觀的建構，因此這樣的課題雖有開創性與建設性，然而在資料的尋訪上卻極爲艱辛龐雜。所幸師長們都給予大力的協助，如李殿魁老師、牛川海老師、貢敏先生等人的藏書都隨我「搜刮借閱」；而北京的周育德先生、王衛民先生、南京的胡忌先生與上海的蔣星煜先生等，也都在資料的蒐集與觀念的啓發上多有助益，這都是我要深深致上謝忱的。

而我也要特別感謝文史哲出版社的彭伯伯，願意給我機會出版。雖然畢業至今已將近三年半載，陸續又發現到不少相關的資料，可以在論文的基礎上延伸補充，然而我卻沒有進行修改，因爲這是一個學習階段的見證。不過我會在未來後續的研究中，繼續深入地挖掘探究。

回顧所來徑，所要感謝的人實在太多，尤其是王安祈老師與李惠棉學姊對我砥礪最多。基於對戲曲的摯愛與性情的契合，我們擁有比同門姊妹更深厚的情誼，無論在學術討論抑或生活細節上，她們倆都給予我中肯的意見與體貼的關懷。而家人的護持與體諒，是支撐著我不斷前進的最大動力：父母一輩子爲我們子女操勞，還要憂慮掛心我的身體狀況；外子打點家中的大小事務，細心地呵護照料著我們；女兒也能包容我的繁忙，貼心地隨著我在戲曲的世界中悠游成長。謹將這本小書，獻給親愛的家人與師長友朋，誠摯的感謝你們爲我付出的一切。

戊寅年葭月欣欣書於雲韶軒

雜技與戲曲發展之研究

── 從先秦角舐到元代雜劇

目　次

圖錄說明

彩色圖版

第 一 章

彩圖①：舞蹈紋彩陶盆，轉引自王克芬《中國舞蹈發展史》

彩圖②：布日格斯太岩畫，轉引自蓋山林《陰山岩畫》

彩圖③：陝西長安客省莊k140號戰國末年出土的銅飾牌，轉引自邵文良《中國古代體育文物圖集》

彩圖④：河南密縣漢墓打虎亭二號墓，轉引自邵文良《中國古代體育文物圖集》

彩圖⑤：山東臨沂金雀山九號墓出土的彩繪帛畫，轉引自《中國戲曲志·山東卷》

彩圖⑥：蚩尤臉譜，轉引自《中國陝西社火臉譜》

彩圖⑦：陝西半坡村彩陶紋，轉引自《中國藝術》

彩圖⑧：《文康樂》，轉引自《中國藝術》

彩圖⑨：《蘭陵王》，轉引自王克芬《中國舞蹈發展史》

彩圖⑩：吐魯番阿斯塔那 206 號墓唐宦者俑，轉引自《中國古文明》

第 二 章

彩圖⑪：金代繁峙岩山寺壁畫酒樓說唱圖，轉引自廖奔《宋金戲曲文物與民俗》

彩圖⑫：山東濟南無影山漢墓出土《西漢雜技樂舞俑群》，轉引自《中國古文明》

彩圖⑬：山西晉城市治底村東嶽天齊廟舞樓，轉引自廖奔《宋金戲曲文物與民俗》

彩圖⑭：山西省沁水縣郭壁村崔府君廟舞樓，轉引自廖奔《宋金戲曲文物與民俗》

彩圖⑮：山西省陽城縣屯城村東嶽廟金代戲台、石柱，轉引自《中華戲曲》第四輯

彩圖⑯：山西運城漢墓東漢綠釉陶樓《中國戲曲志·山西卷》，《中國藝術》

彩圖⑰：清明上河圖（惲公孚藏本），轉引自王安祈《明代傳奇之劇場及其藝術》

彩圖⑱：稷山馬村五號金墓雜劇雕磚，轉引自《中國戲曲志·山西卷》

彩圖⑲：河南禹縣白沙宋墓大曲壁畫，轉引自廖奔《宋金戲曲文物與民俗》

彩圖⑳：河北宣化遼大曲壁畫，轉引自廖奔《宋金戲曲文物與民俗》

彩圖㉑：四川廣元南宋墓雜劇圖，轉引自廖奔《宋金戲曲文物與民俗》

彩圖㉒：山西垣曲縣坡底村宋金雜劇雕磚，轉引自廖奔《宋金戲曲文物與民俗》

彩圖㉓：宋雜劇絹畫《眼藥酸》，轉引自廖奔《宋金戲曲文物與民俗》

彩圖㉔：稷山縣馬村四號金墓雜劇雕磚，轉引自《中國戲曲志·

山西卷》

彩圖㉕：宋蘇漢臣《五瑞圖》，轉引自故宮《嬰戲圖》

彩圖㉖：稷山縣馬村二號金墓雜劇雕磚，轉引自《中國戲曲志·山西卷》

彩圖㉗：侯馬市金代董墓雕磚戲台及戲俑，轉引自《中國大百科·戲曲曲藝》

彩圖㉘：洪洞縣霍山明應王殿忠都秀作場壁畫，轉引自《中國古代服飾》

彩圖㉙：宋《蹴鞠圖銅鏡》，轉引自邵文良《中國古代體育文物圖集》

彩圖㉚：稷山馬村八號金墓雜劇雕磚，轉引自《中國戲曲志·山西卷》

第　三　章

彩圖㉛：長沙馬王堆二號西漢墓槨出土博具，轉引自《中國考古文物之美》

彩圖㉜：阿斯塔那唐墓「圍棋士女圖」，轉引自邵文良《中國古代體育文物圖集》

彩圖㉝：廣勝寺水神廟明應王殿「捶丸」壁畫，轉引自邵文良《中國古代體育文物圖集》

彩圖㉞：廣勝寺水神廟明應王殿「對弈」壁畫，轉引自邵文良《中國古代體育文物圖集》

彩圖㉟：宋蘇漢臣貨郎圖，轉引自故宮《嬰戲圖》

彩圖㊱：遠城西里莊墓元雜劇壁畫，轉引自《中國戲曲志·山西卷》

彩圖㊲：吉林高句麗墓角觝壁畫，轉引自邵文良《中國古代體育

文物圖集》

彩圖㊳：甘肅敦煌莫高窟第290窟北周《太子相撲圖》，轉引自邵文良《中國古代體育文物圖集》

彩圖㊴：山西省右玉縣寶寧寺，第五十七幅《往古九流百家諸士藝術衆》，轉引自傅起鳳、傅騰龍《中國雜技史》

彩圖㊵：山西省右玉縣寶寧寺第五十八幅《一切巫師神女散樂伶官族橫亡魂諸鬼衆》，轉引自廖奔《宋金戲曲文物與民俗》

彩圖㊶：敦煌壁畫《張義潮宋國夫人出行圖》，轉引自傅起鳳、傅騰龍著《中國雜技史》

彩圖㊷：新絳吳嶺莊元墓雜劇磚雕，轉引自《中國戲曲志·山西卷》

彩圖㊸：敦煌莫高窟220窟壁畫，轉引自《敦煌藝術寶庫》

彩圖㊹：清代《昇平樂事》，轉引自故宮《嬰戲圖》

彩圖㊺：明仇英《人物圖》，轉引自故宮《嬰戲圖》

黑白圖版

第 一 章

圖①：溝南石埡岩畫，轉引自蓋山林《陰山岩畫》

圖②：庫溝水庫山峰西側岩畫，轉引自蓋山林《陰山岩畫》

圖③：拖林溝原始舞蹈圖，轉引自蓋山林《陰山岩畫》

圖④：雲南開化鼓腰部樂舞圖，轉引自《中國古代銅鼓》

圖⑤：雲南江川李家山M24：36號鼓腰樂舞圖，轉引自《中國古代銅鼓》

圖⑥：山東沂南東漢畫像石《蚩尤持五兵》，轉引自《沂南古畫

像石墓發掘報告》

圖⑦：湖北江陵鳳凰山秦墓木蓖角觝圖，轉引自邵文良《中國古代體育文物圖集》

圖⑧：河南鄭州新通橋西漢擊刺畫像磚，轉引自邵文良《中國古代體育文物圖集》

圖⑨：〈滾石成雷圖〉畫像石，轉引自彭松《中國舞蹈史》

圖⑩：南陽縣阮堂東漢畫像石〈戲豹舞羆圖〉，轉引自《南陽兩漢畫像石》

圖⑪：山東徐州銅山紅樓東漢畫像石，轉引自傅起鳳、傅騰龍《中國雜技史》

圖⑫：〈魚舞〉、〈龍舞〉圖，轉引自《山東沂南漢墓畫像石》

圖⑬：山東嘉祥武士祠漢墓畫像石〈水人弄蛇圖〉，轉引自傅起鳳、傅騰龍《中國雜技史》

圖⑭：山東戴氏享堂的魚龍樂舞百戲畫象石，轉引自傅起鳳、傅騰龍《中國雜技史》

圖⑮：山東嘉祥縣劉村洪福院〈吐火施鞭圖〉，轉引自傅起鳳、傅騰龍《中國雜技史》

圖⑯：河南新野漢墓畫像磚，轉引自傅起鳳、傅騰龍《中國雜技史》

圖⑰：《信西古樂圖·呑劍圖》，轉引自傅起鳳、傅騰龍《中國雜技史》

圖⑱：河南方城東關漢畫像石〈鬥獸畫像圖〉，轉引自《中國美術全集·畫像石畫像磚》

圖⑲：南陽市魏公橋東漢畫像石〈搏虎圖〉，轉引自《南陽兩漢畫像石》

圖⑳：〈鬥虎圖〉，轉引自《河南新鄭漢代畫像磚》

圖㉑： 四川東漢郫縣石棺圖像，轉引自《四川漢代畫像石》

圖㉒：《弄踏謠娘》泥俑，轉引自《文物》〈阿那斯塔 336 號墓所出戲弄俑五例〉

圖㉓：《弄踏謠娘》男泥俑，轉引自《文物》〈阿那斯塔 336 號墓所出戲弄俑五例〉

圖㉔：「大面」舞泥俑，轉引自《文物》〈阿那斯塔 336 號墓所出戲弄俑五例〉

圖㉕：浙江省黃岩縣靈石寺塔戲劇磚，轉引自《中華戲曲》第十五輯

第 二 章

圖㉖：南宋饒州瓷俑，轉引自劉念茲《戲曲文物叢考》

圖㉗：東漢四川郫縣新勝鄉宴飲樂舞百戲畫像，轉引自《中國美術史全集·畫像石畫像磚》

圖㉘：東漢四川郫縣新勝鄉《宴飲樂舞百戲畫像》，轉引自《中國美術史全集·畫像石畫像磚》

圖㉙：河南滎陽石棺宋雜劇線刻，轉引自《宋金元戲曲文物圖論》

圖㉚：河南登封中嶽廟金代廟圖與露台摹本，轉引自《宋金元戲曲文物圖論》

圖㉛：查樓圖，轉引自《唐土名勝圖會》初集卷四〈京師、外城〉

圖㉜：河南溫縣宋散樂雕磚，轉引自《宋金元戲曲文物圖論》

圖㉝：山西浮山宋墓單人雜劇壁畫，轉引自《宋金元戲曲文物圖論》

圖㉞：南宋朱玉《燈戲圖》，轉引自《宋金元戲曲文物圖論》

圖㉟：山西省新絳縣南范庄金墓，轉引自廖奔《宋金戲曲文物與

第　三　章

凡　例

一、本文中所引述的二十五史史料，悉依據北京中華書局所編輯的二十五史校注本（北京中華書局出版，1959.9第一版，1989.9湖北第十一次印刷），於其下直接標註卷數，頁碼。

二、本文中所引述的資料，若出自《叢書集成新編》（新文豐出版社公司印行，1985.1版），則於其後直接標注《叢書》冊數，卷數與頁碼。

三、本文中所引述的資料，若出自景印《文淵閣四庫全書》（臺灣商務印書館發行，1983版），則於其後直接標注《四庫》冊數，卷數與頁碼。

四、本文中所引述的資料，若出自中國戲曲研究院主編《中國古典戲曲論著集成》（中國戲劇出版社出版，1959.7第一版，1982.11第四次印刷)，則於其後直接標注《戲曲論著集成》冊數，卷數與頁碼。

五、本文中所引述的《東京夢華錄》、《西湖老人繁盛錄》、《都城紀勝》《武林舊事》、《夢粱錄》五種記敘宋代都城生活與風土民情的文獻資料，悉依據《東京夢華錄》外四種（大立出版社出版，1970.10出版），卷數頁碼直接標注於後。

六、本文中所引述的唐人詩文，若依據清聖祖御訂《全唐詩》(文史哲出版社，1987.12版），卷數頁碼直接標注於後。

七、任中敏，原名任訥，筆名二北、半塘。著有《唐戲弄》、《優語集》與《教坊記校訂》等書。本文中凡引用其著作，皆以其本名任中敏稱之。

八、基於現代學術規格與行文簡潔之故，文中所引用前學的著作意見，一律皆以名氏稱之，不另加稱謂。而本人曾受教請益的師長，將於謝詞中提出致謝。

圖版說明

彩色圖版

黑白圖版

彩圖①：舞蹈紋彩陶盆，轉引自王克芬《中國舞蹈發展史》

彩圖③：陝西長安客省莊k140號戰國末年出土的銅飾牌，轉引自邵文良《中國古代體育文物圖集》

彩圖②：布日格斯太岩畫，轉引自蓋山林《陰山岩畫》

彩圖④：河南密縣漢墓打虎亭二號墓，轉引自邵文良《中國古代體育文物圖集》

彩圖⑤：山東臨沂金雀山九號墓出土的彩繪帛畫，轉引自《中國戲曲志·山東卷》

彩圖⑧：《文康樂》，轉引自《中國藝術》

彩圖⑥：蚩尤臉譜，轉引自《中國陝西社火臉譜》

彩圖⑦：陝西半坡村彩陶紋，轉引自《中國藝術》

彩圖⑨：《蘭陵王》，轉引自王克芬《中國舞蹈發展史》

彩圖⑩：吐魯番阿斯塔那206號墓唐宦者俑，轉引自《中國古文明》

彩圖⑪：金代繁峙岩山寺壁畫酒樓說唱圖，轉引自廖奔《宋金戲曲文物與民俗》

彩圖⑫：山東濟南無影山漢墓出土《西漢雜技樂舞俑群》，轉引自《中國古文明》

彩圖⑬：山西晉城市治底村東嶽天齊廟舞樓，轉引自廖奔《宋金戲曲文物與民俗》

彩圖⑭：山西省沁水縣郭壁村崔府君廟舞樓，轉引自廖奔《宋金戲曲文物與民俗》

彩圖⑮：山西省陽城縣屯城村東嶽廟金代戲台、石柱，轉引自《中華戲曲》第四輯

彩圖⑯：山西運城漢墓東漢綠釉陶樓《中國戲曲志·山西卷》，《中國藝術》

彩圖⑰：清明上河圖(惲公孚藏本)轉引自王安祈《明代傳奇之劇場及其藝術》

彩圖⑱：稷山馬村五號金墓雜劇雕磚，轉引自《中國戲曲志·山西卷》

彩圖⑲：河南禹縣白沙宋墓大曲壁畫，轉引自廖奔《宋金戲曲文物與民俗》

彩圖⑳：河北宣化遼大曲壁畫，轉引自廖奔《宋金戲曲文物與民俗》

彩圖㉑：四川廣元南宋墓雜劇圖，轉引自廖奔《宋金戲曲文物與民俗》

彩圖㉒：山西垣曲縣坡底村宋金雜劇雕磚，轉引自廖奔《宋金戲曲文物與民俗》

彩圖㉓：宋雜劇絹畫《眼藥酸》轉引自廖奔《宋金戲曲文物與民俗》

彩圖㉔：稷山縣馬村四號金墓雜劇雕磚，轉引自《中國戲曲志·山西卷》

彩圖㉕：宋蘇漢臣《五瑞圖》，
轉引自故宮《嬰戲圖》

彩圖㉖：稷山縣馬村二號金墓雜劇雕
磚，轉引自《中國戲曲志·
山西卷》

彩圖㉗：侯馬市金
代董墓雕
磚戲台及
戲俑，轉
引自《中
國大百科
·戲曲曲
藝》

彩圖㉘：洪洞縣霍山明應王殿忠都秀作場壁畫，轉引自《中國古代服飾》

彩圖㉙：宋《蹴鞠圖銅鏡》，轉引自邵文良《中國古代體育文物圖集》

彩圖㉚：稷山馬村八號金墓雜劇雕磚，轉引自《中國戲曲志·山西卷》

第　三　章

彩圖㉛：長沙馬王堆二號西漢墓槨出土博具，轉引自《中國考古文物之美》

彩圖㉟：宋蘇漢臣貨郎圖，轉引自故宮《嬰戲圖》

彩圖㉜：阿斯塔那唐墓「圍棋士女圖」轉引自邵文良《中國古代體育文物圖集》

彩圖㉝：廣勝寺水神廟明應王殿「捶丸」壁畫，轉引自邵文良《中國古代體育文物圖集》

彩圖㉞：廣勝寺水神廟明應王殿「對弈」壁畫，轉引自邵文良《中國古代體育文物圖集》

彩圖㊱：遠城西里莊墓元雜劇壁畫，轉引自《中國戲曲志·山西卷》

彩圖㊲：吉林高句麗墓角觝壁畫，轉引自邵文良《中國古代體育 文物圖集》

彩圖㊳：甘肅敦煌莫高窟第 290 窟北周《太子相撲圖》，轉引自邵文良《中國古代體育文物圖集》

彩圖㊴：山西省右玉縣寶寧寺，第五十七幅《往古九流百家諸士藝術眾》，轉引自傅起鳳、傅騰龍著《中國雜技史》

彩圖㊵：山西省右玉縣寶寧寺第五十八幅《一切巫師神女散樂伶官族橫亡魂諸鬼衆》，轉引自廖奔《宋金戲曲文物與民俗》

彩圖㊶：敦煌壁畫《張義潮宋國夫人出行圖》，轉引自傅起鳳、傅騰龍著《中國雜技史》

彩圖㊷：新絳吳嶺莊元墓雜劇磚雕，轉引自《中國戲曲志·山西卷》

彩圖㊸：敦煌莫高窟220窟壁畫，轉引自《敦煌藝術寶庫》

彩圖㊹：清代《昇平樂事》轉引自故宮《嬰戲圖》

彩圖㊺：明仇英《人物圖》轉引自故宮《嬰戲圖》

圖①：溝南石堐岩畫，轉引自蓋山林《陰山岩畫》

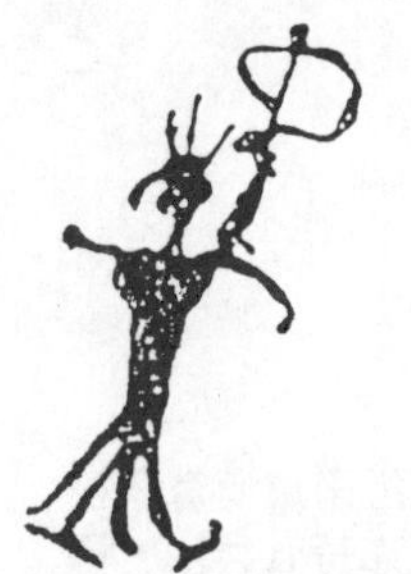
圖②：庫溝水庫山峰西側岩畫，轉引自蓋山林《陰山岩畫》

圖③：拖林溝原始舞蹈圖，轉引自蓋山林《陰山岩畫》

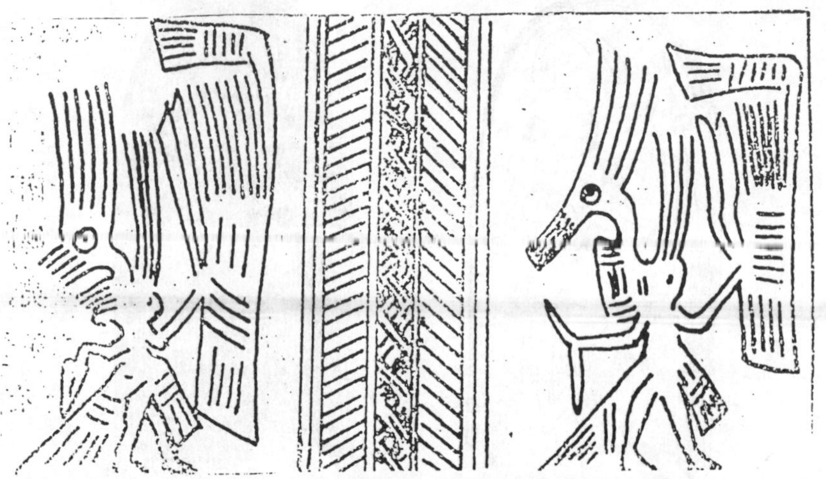
圖④：雲南開化鼓腰部樂舞圖，轉引自《中國古代銅鼓》

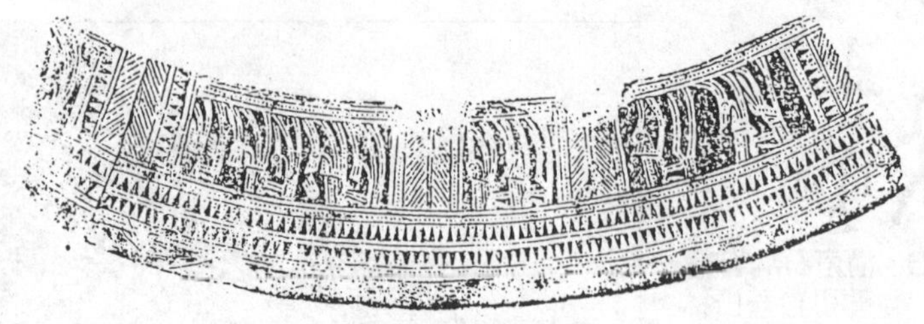

圖⑤：雲南江川李家山 M24:36 號鼓腰樂舞圖，轉引自《中國古代銅鼓》

圖⑥：山東沂南東漢畫像石《蚩尤持五兵》，轉引自《沂南古畫像石墓發掘報告》

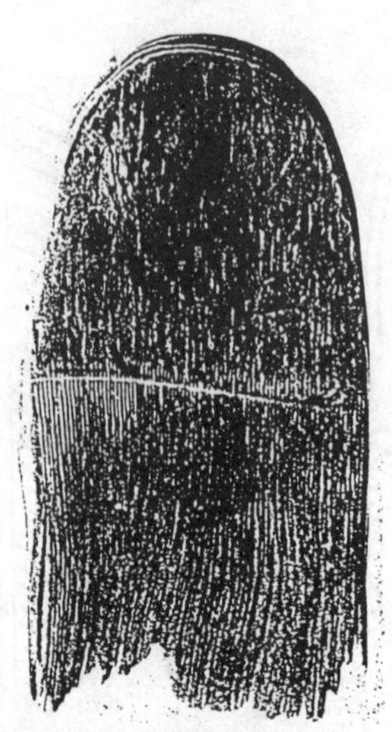

圖⑦：湖北江陵鳳凰山秦墓木蓖角觝圖，轉引自邵文良《中國古代體育文物圖集》

圖⑧：河南鄭州新通橋西漢擊刺畫像磚，轉引自邵文良《中國古代體育文物圖集》

圖⑨：〈滾石成雷圖〉畫像石，轉引自彭松《中國舞蹈史》

圖 圖⑩：南陽縣阮堂東漢畫像石〈戲豹舞羆圖〉，轉引自《南陽兩漢畫像石》

圖⑪：山東徐州銅山紅樓東漢畫像石，轉引自傅起鳳、傅騰龍《中國雜技史》

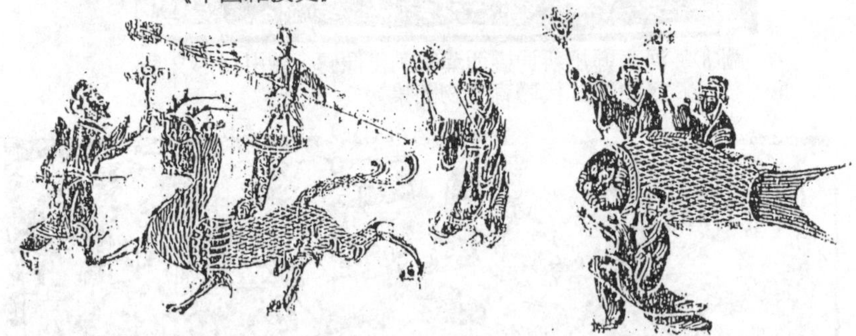

圖⑫：〈魚舞〉、〈龍舞〉圖，轉引自《山東沂南漢墓畫像石》

圖⑬：山東嘉祥武士祠漢墓畫像石〈水人弄蛇圖〉，轉引自傅起鳳、傅騰龍《中國雜技史》

圖⑭：山東戴氏享堂的魚龍樂舞百戲畫象石，
轉引自傅起鳳、傅騰龍《中國雜技史》

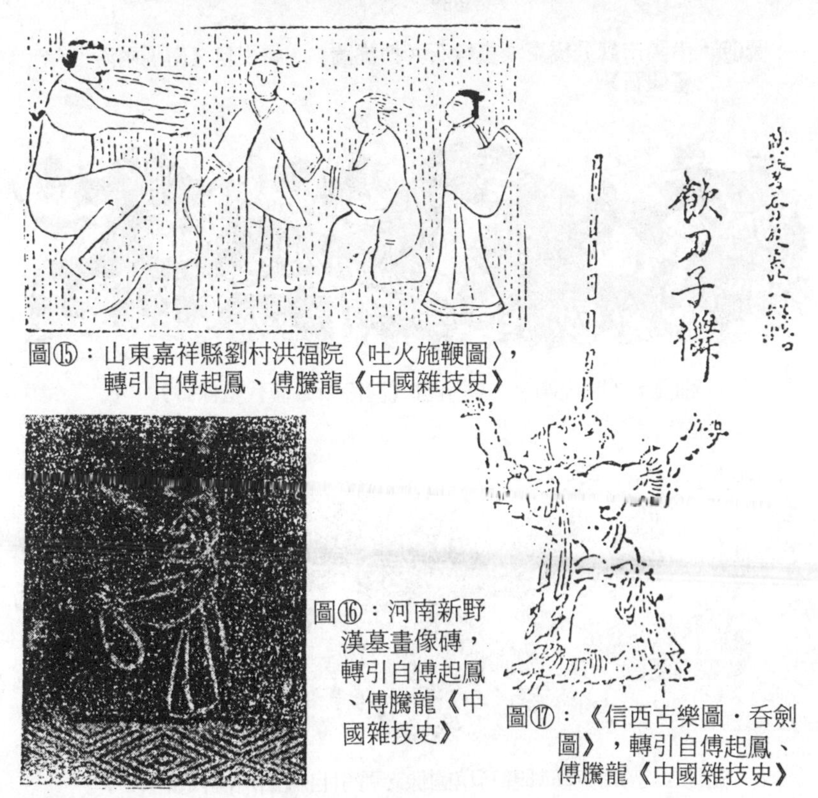

圖⑮：山東嘉祥縣劉村洪福院〈吐火施鞭圖〉，
轉引自傅起鳳、傅騰龍《中國雜技史》

圖⑯：河南新野
漢墓畫像磚，
轉引自傅起鳳
、傅騰龍《中
國雜技史》

圖⑰：《信西古樂圖・吞劍
圖》，轉引自傅起鳳、
傅騰龍《中國雜技史》

圖⑱：河南方城東關漢畫像石〈鬥獸畫像圖〉，轉引自《中國美術全集・畫像石畫像磚》

圖⑲：南陽市魏公橋東漢畫像石〈搏虎圖〉，轉引自《南陽兩漢畫像石》

圖⑳：〈鬥虎圖〉，轉引自《河南新鄭漢代畫像磚》

圖㉑：四川東漢郫縣石棺圖像，轉引自《四川漢代畫像石》

圖㉒：《弄踏謠娘》泥俑，
轉引自《文物》

圖㉕：浙江省黃岩縣靈石寺塔戲劇磚，
轉引自《中華戲曲》第十五輯

圖㉓：《弄踏謠娘》男泥俑，
轉引自《文物》

圖㉔：「大面」舞泥俑，轉引自
《文物》

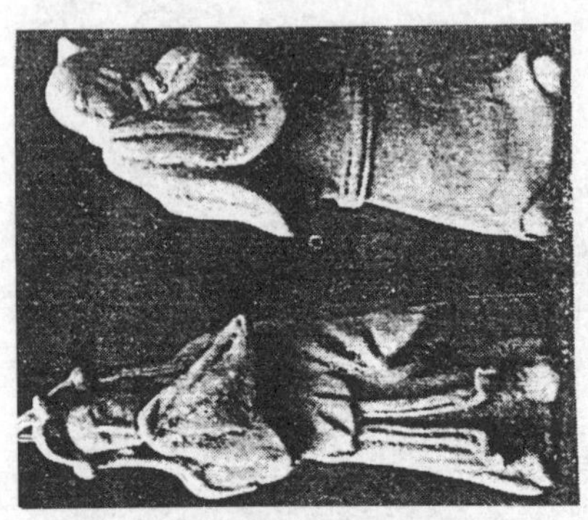

圖㉖：南宋饒州瓷俑，轉引自劉念茲《戲曲文物叢考》

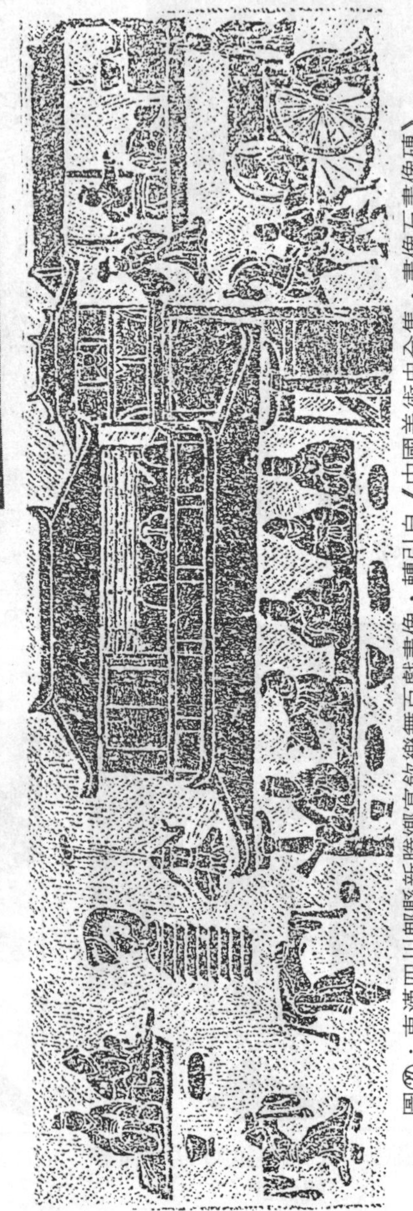

圖㉗：東漢四川郫縣新勝鄉宴飲樂舞百戲畫像，轉引自《中國美術史全集．畫像石畫像磚》

圖㉘：東漢四川郫縣新勝鄉《宴飲樂舞百戲畫像》，轉引自《中國美術史全集·畫像石畫像磚》

圖㉙：河南滎陽石棺宋雜劇線刻，轉引自《宋金元戲曲文物圖論》

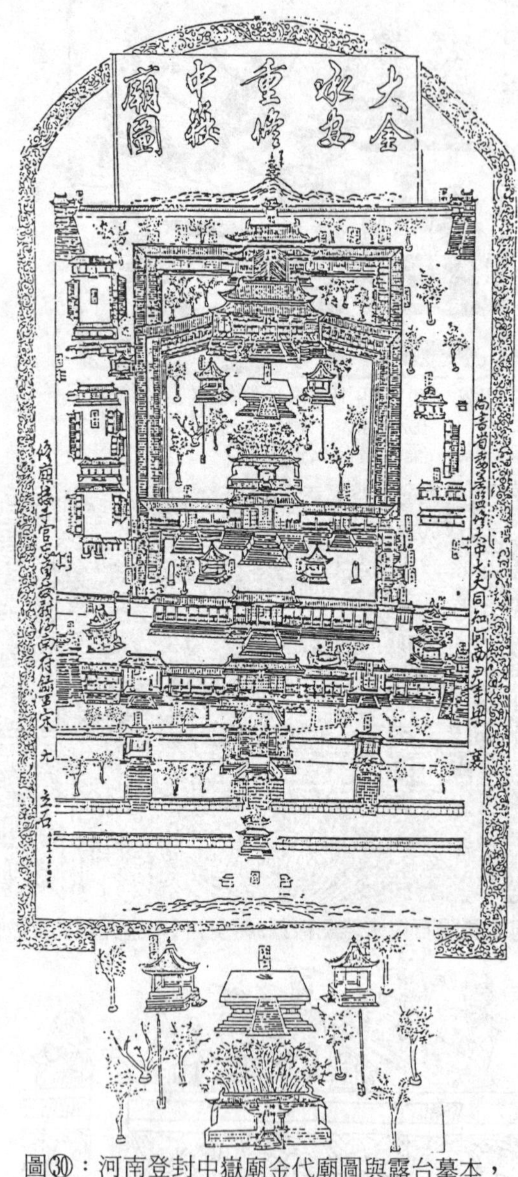

圖㉚：河南登封中嶽廟金代廟圖與露台摹本，
轉引自《宋金元戲曲文物圖論》

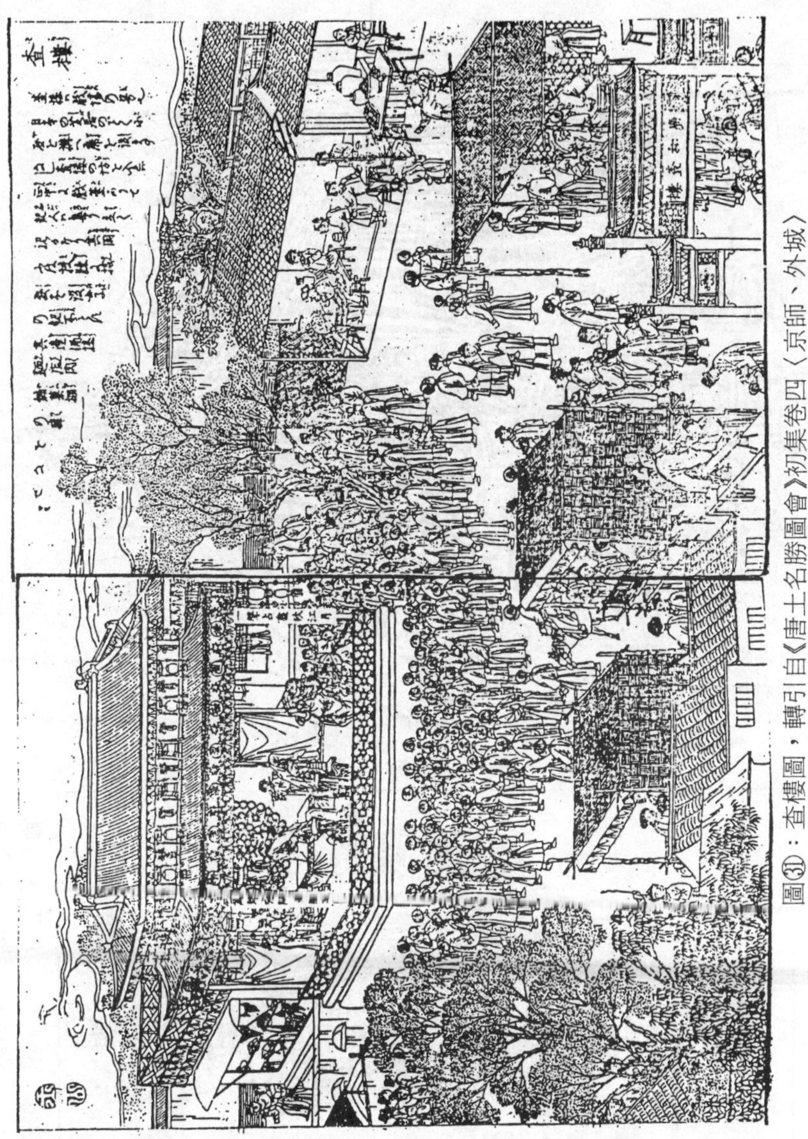

圖㉛：杏樓圖，轉引自《唐土名勝圖會》初集卷四〈京師、外城〉

圖㉜：河南溫縣宋散樂雕磚，轉引自《宋金元戲曲文物圖論》

圖㉝：山西浮山宋墓單人雜劇壁畫，轉引自《宋金元戲曲文物圖論》

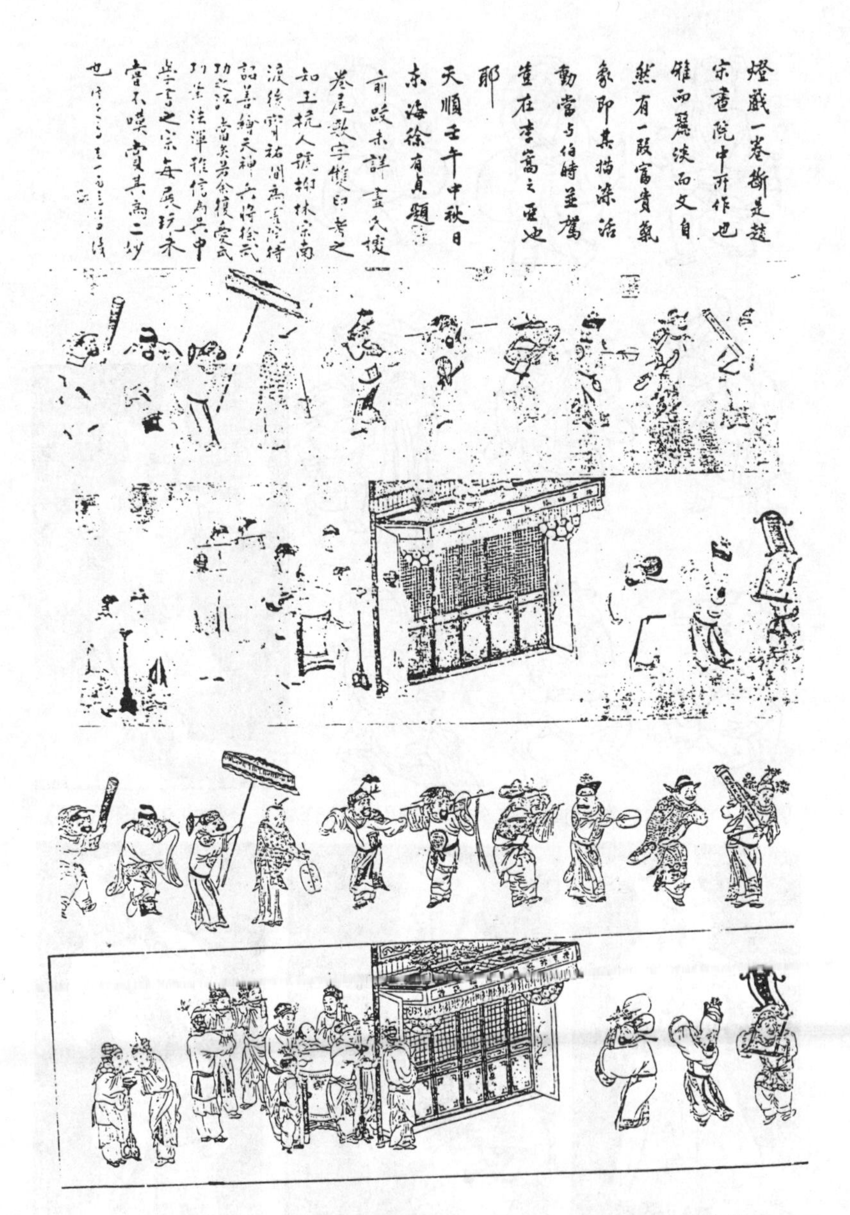

圖㉞：南宋朱玉《燈戲圖》，轉引自《宋金元戲曲文物圖論》

圖㉟：山西省新絳縣南范庄金墓，轉引自廖奔《宋金戲曲文物與民俗》

圖㊱：河南焦作市西馮封村金墓，轉引自廖奔《宋金戲曲文物與民俗》

圖㊲：無名氏《大儺圖》，轉引自廖奔《宋金戲曲文物與民俗》

圖㊳：河南偃師宋墓出土丁都賽雕磚，轉引自《宋金元戲曲文物圖論》

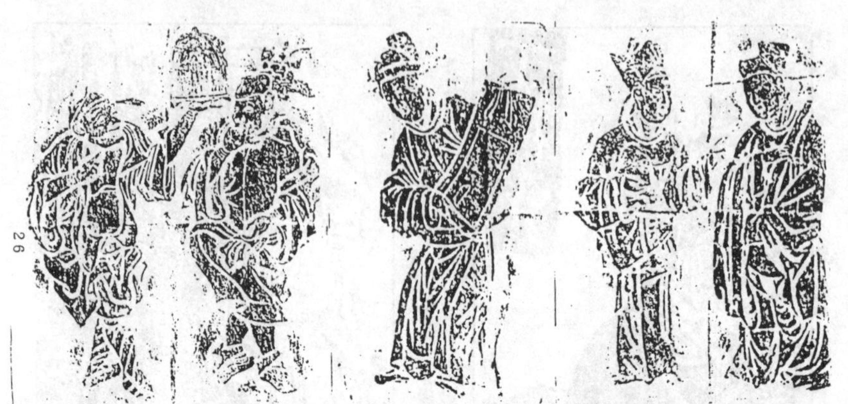

圖㊴：河南偃師酒流溝北宋墓雜劇雕磚，轉引自《宋金元戲曲文物圖論》

圖㊵：河南溫縣東南王村北宋墓五人雜劇雕磚，轉引自《宋金元戲曲文物圖論》

圖㊶：河南修武出土石棺，轉引自《宋金元戲曲文物圖論》

圖㊷：宋山西晉南相撲圖，轉引自邵文良《中國古代體育文物圖集》

圖㊸：《忠義水滸傳·智撲擎天柱》

圖㊹：元山西芮城縣永樂宮《潘德沖石槨院本圖》，轉引自《宋金元戲曲文物圖論》

圖㊺：漢代山東沂南戴竿畫像磚，轉引自《山東沂南漢墓畫像石》

圖㊻：雕蟲館本《陳州糶米》元雜劇

圖㊼：遼寧朝陽遼墓出土的鎏銀質戲童紋大帶圖，轉引自王克芬《中國歷代舞姿》

圖㊽：金社火兒童雕磚，轉引自王克芬《中國舞蹈發展史》

圖㊾：宋蘇漢臣《百子歡歌圖》，轉引自故宮《嬰戲圖》

圖㊿：清金廷標《嬰戲圖》，轉引自故宮《嬰戲圖》

緒　論

第一節　本文之研究旨趣及方法

一、研究旨趣

雜技為中國游藝活動的主力，歷來多依附於人民生活習俗、情感信仰之中，或作為宮廷朝會宴享的活動，或是在民間節慶廟會中展演，都深受人們喜愛因而流傳久遠。由於雜技囊括了眾多紛雜的技藝種類，提供了同臺競演的契機，遂促使各種表演藝術得以相互碰撞，並在彼此涵養中也逐漸地獨立分化，成為個別的藝術門類。

是以戲曲從孕育到發展成熟，一直與雜技有著密不可分的關聯，甚或以「散樂」稱之[1]。戲曲基本上是以「故事文學」為核心，運用歌舞講唱與各種技藝，形成「唱念做打」綜合表現的藝術形式。其中「唱念」，屬於聽覺形象，彰顯著戲劇文學與戲劇音樂的雙重特質，強調「曲」的重要性；而「做打」，屬於視覺形象，運用雜技舞蹈等藝術表現手段來創造身段程式，標示「技」的必然性。

所謂「戲不離技、技不離戲」，這表明了「戲」與「技」相生相衍的共生特性，也意喻著其摭取轉化的豐厚資源就在於「雜技」。因此，筆者希望藉由先秦角觝到元代雜劇的時期，雜技與戲曲發展歷史的研討，說明雜技對於戲曲的題材內容、身段動作、穿戴裝扮、角色行當、舞臺美術等方面，究竟產生何種影響性，以思索雜技在中國戲曲史中的定位，並嘗試建立雜技與戲曲發展交流的脈絡體系。

二、文獻回顧

由於雜技自古以來被視為末流小道，是以史籍中的記載或專門的論述，皆不多見。近年來才陸續有前輩學者撰寫專著，如楊蔭深《中國游藝研究》（1946），黃華節《中國古今民間百戲》（1979），葉大兵《中國百戲史話》（1985），夏菊花主編《中國新文藝大系1949—1982雜技集》(1988)，傅起鳳、傅騰龍《中國雜技史》(1989)，聶傳學《百戲奇觀》(1989)，唐瑩《雜技：超常的藝術》(1991)蕭亢達《漢代樂舞百戲研究》(1991)，李建民《中國古代游藝史——樂舞百戲與社會生活之研究》(1993)，劉蔭柏《中國古代雜技》(1993)，殷登國《百戲圖》(1994)等[2]。這些論著中，或者以通論方式就雜技的發展歷史作考述，或者只特定於某一朝代加以探究，或者以雜技的品目作為主要論述的主題，或者專著於雜技美學理論的闡揚等，為雜技藝術開闊了探索的新空間。

另外，日本經濟學博士尾形龜吉著有《散樂源流考》（昭和二十九年出版）一書，則就中國與日本的散樂源流與變遷，加以論述。該書第一部份為「中國的散樂」，則考述從漢代到唐宋的散樂百戲；而傅起鳳、傅騰龍則以《中國雜技史》為藍本，由岡田陽一譯文，在日本出版《中國藝能史——雜技の誕生から今日まぞ》(1993)書後則附有日本學者越智重明所著〈解說——アジァの雜技〉,內容則說明雜技的名義與內容，並述及日本的猿樂、朝鮮的散樂，以及雜技流傳的情形。

中國雜技近代的發展，以大陸方面較臺灣爲出色。從1950年10月成立「中華雜技團」(現今中國雜技團前身)後，各省各地紛紛建立許多頗具規模的雜技團體，在兩岸文化交流後也幾度來臺演出；1979年決定成立「中國雜技藝術家協會」，於1981年召開第一次代表大會，並於各省市相繼成立分會。當年 9 月則有專門介紹中國雜技的期刊《雜技與魔術》問世，而後由中國雜技藝術家協會與各地分會陸續出版《雜技界通訊》及《雜協通訊》；1983年召開「 全國雜技創新座談會 」， 進行雜技藝術探討與理論研究[3]，1992年在山東聊城舉行「第二次全國雜技理論研討會」[4]，並將第一、二次獲獎論文匯集成冊。

至於單篇專門論述雜技的文章，如劉峻驤〈試論中國雜技藝術的源流〉，朱杰勤〈中國雜技考〉，俞大綱〈中國百戲雜技發展小史〉，張愚〈中國的民俗雜技〉等，皆整理史籍中的雜技材料，探究雜技的來龍去脈。並依時代的演進，描繪雜技在歷代的發展面貌 ， 以及對雜技藝術的新生與展望加以探討 ； 而常任俠〈談中國的雜技〉則從「中國重慶雜技團」的出國演出，論及各種雜技項目的內容與緣起。

而從美學與藝術的觀點，說明雜技應著重技藝性，以技巧爲表現內容，指出雜技未來努力方向的論文，有周洪〈雜技藝術要創新〉，張夢庚〈談雜技藝術——看中國雜技團的演出有感〉，雪屛〈讓雜技藝術沿著正確的方向前進〉，林又泉〈雜技的美學特徵〉等文，多半藉由傳統與現代的結合，來思考未來雜技團的走向。

至於論敘到雜技與戲曲關係的單篇論文，有周貽白〈中國戲劇與雜技〉，認爲中國戲劇的表演形式，在某些劇種的個別劇目與個別劇中人的表現上，有時須具雜技演員的本領，才能適當地表達劇情。因而探討雜技與中國戲劇在歷代中結合發展的情形；黃裳〈雜技的地位〉，就雜技對於戲曲情節的合理與破壞性，加以探討；蔣星煜〈雜技與中國戲曲〉，就雜技爲中國戲曲的優良傳統加以闡揚，強調雜技爲戲曲的獨特魅力，應該加以保存發展，不可忽視。

就中國戲曲「發生學」的觀點來看，百戲雜技亦爲戲曲起源之一。祝肇年、彭隆興〈百戲〉一文，主張戲劇是在「百戲」中間孕育形成的，「角觝戲」又是直接孕育戲劇的母體。是以在一些對於戲曲起源探討與形成的論文中，也多少有探述到戲曲與雜技的關聯。1988年 9 月曾於新疆烏魯木齊舉辦關於戲劇起源的大型研討會，其後論文分別由李肖冰、黃天驥、袁鶴翔、夏寫時編成《中國戲劇起源》(1990)，與李肖冰編成《西域戲劇與戲劇的發生》(1992)二部專書。其他還有許多單篇文章散見各期刊書籍中[5]。

三、研究方法

歸納現今可見的有關論著，以雜技與戲曲爲研究專題的並不多。尤其對於雜技與戲曲歷史發展的探究，多半只有在中國戲曲史中稍微提及，未曾就二者在不同時空生態的發展流變，作有系統的考察。所以筆者希望能借重前人的研究心得，配合原典史料的爬梳，掌握相關藝術的學理，參照戲曲文物的圖說，輔證舞臺藝術的演出，進行綜合的分析與歸納。藉由歷史分期的方式，探討自先秦到元代，雜技與戲曲孕育、參雜、結合等不同時期的發展關係，以建構整體的史觀。

是以首先整理前人的研究成果，並篩檢歷代的筆記、小說、雜著等書刊，以其能了解各時代的雜技樣貌。而後研讀戲曲相關著述，包括中國戲曲發展史料，地方劇種概觀，表演藝術理論，藝人演劇心得，舞美設計圖說等各方面的資料與專論研究，留意戲曲與雜技二者之間的脈動。至於中國舞蹈、體育、武術等其他相關學科，也與雜技有所關聯，故加以涉獵研讀，以便能從更多角度來窺見雜技對戲曲的應用。

而戲曲文物的出土，也提供了我們許多實物的具體形象，可以與文獻相互印證。如漢代的畫像磚石、隋唐的壁畫雕刻、宋金的墓葬雕磚、元代的舞臺碑刻等，藉由學者的考證論述，可以補充或糾正史料的不足與錯誤，加深我們對於雜技與戲曲的認識與理解。因而相關的考古文物圖版、出土研究報告，亦可作爲參考佐證的資料。

歷代演劇的樣貌，可藉由劇本的解讀而得以窺見。然而由於歷代劇本的數量相當衆多，在有限的時間中，無法全面深入的釐析。因此選取具有代表性的劇目，如《官本雜劇段數》、《南村輟耕錄·院本名目》、《永樂大典戲文三種》、《元刊雜劇三十種》、《元曲選》及其外編、《孤本元明雜劇》等，作爲取樣的範例與立論的依據。

近年來發現不少早期的抄本刻本，更有助於我們了解當時戲曲的形態。其中令人頗爲注目的如明萬歷二年抄立的《迎神賽社禮節傳簿四十曲宮調》，清嘉慶二十三年抄立的《唐樂星圖》，與清宣統元年據古本抄立的《扇鼓神譜》[6]，都記載了該地祭祀活動的禮儀程序，以及表演的形式內容。其中所記敘的大量劇目，具有珍貴的史料價值，可由其中推證宋金以來戲曲的演出情形。

經由科技媒體的設備，我們可以觀賞到民國以來，許多優秀藝人舞臺表演藝術的錄像。從這些影像之中，演員高超絕倫的技藝表露無遺，生動鮮明地展現了雜技與戲曲結合的成果。再透過實地臨場的舞臺記錄，更可得知雜技在戲曲中，是如何成爲刻畫人物思想、塑造角色形象，烘托場面氣氛，強化表演藝術等，所不可或缺的重要手段。

然而因爲時間與學力的不足，資料的龐雜分散，所涉及的層面又極爲廣泛，因此本文只能先限定從先秦到元代，亦即自戲曲萌芽到發展成形時期，作宏觀的論述探究，而無法在一些細節上，作詳盡全面的析論。是以希冀在未來後續研究時，能繼續明清到民國時期，雜技與戲曲發展的研究。並積累更多的學養與資料，統整各方面的相關學識，應用實際的舞臺經驗，對此課題作深入的微觀思考。並繼而歸納雜技在戲曲舞臺藝術方面的成就，釐析雜技所蘊含的戲曲美學思想，探討雜技對戲曲藝術的功用，研究雜技與儺戲、儺儀的關聯等。以便能全面地了解雜技與戲曲的關係，進而從傳統中提昇，結合古典與現代，開創雜技與戲曲組合的新風貌。

第二節　雜技與戲曲之釋義及界定

一、雜技釋義

雜技，爲一切遊戲技藝的總稱，周貽白定義爲「奇巧技能」[7]。

乃是孕育於原始的中華文化，與先民的狩獵生活，農牧勞動，部落爭戰，宗教祭儀，樂舞遊戲等有密切深遠的關聯。歷代以來有著各種不同的名目，如「散樂」、「角抵」、「百戲」、「雜戲」、「把戲」、「雜耍」等，隨著時代的演進，其所囊括的項目亦有所變化增損。如清代《淵鑒類函·巧藝部》(卷三百三十一)中即收有「雜技」一目，與《古今圖書集成·藝術典》別名爲「技戲」的一部內容便有所差異。

依文獻的記載，三代之時夏桀荒淫逸樂，「大進倡優爛漫之樂，設奇偉之戲，靡靡之音。」已經潛藏了雜技幻術等演出的因子[8]。周公制禮作樂，建立了宮廷雅樂體系的「文舞」與「武舞」，並對民間所流行的樂舞，設立「旄人，掌教舞散樂，舞夷樂」[9]。專門採集掌教。「散樂」除與當時殿堂樂舞的「雅樂」爲對稱，散在村野，非宮廷所管轄，兼有無所統屬之義外；且由於在內容上，包含來自於民間四面八方的雜樂，門類繁衆，與雜技的義蘊頗爲相似。是故六朝以後，或有將雜技稱爲「散樂」的。

春秋戰國之時，戰亂頻仍，促使軍事武藝普遍發展，擊劍弋射、手搏扛鼎等技藝，在宮廷與民間大爲盛行，成爲涵育雜技技藝的溫床。秦代爲鞏固政權，嚴禁民間執兵習武，「講武之禮，罷爲角抵」。「講武」原是指角力、比武，射御等軍事競技，本爲春秋以前貴族軍隊的訓練項目[10]。然而隨著社會制度的改變，遂逐漸發展爲娛樂競技等活動，名之爲「角抵」，由於音同相借或記作「觳抵」，「角者，角材也；抵者，相抵觸也」[11]。

「角觝」的原始民間形式，或說是源自於上古時代黃帝與蚩尤的戰爭，而後形成人民三三兩兩，頭戴牛角而相抵的《蚩尤戲》[12]。或認爲是在原有的禮樂之外「稍增」而成的，其主要在於「以爲戲樂，用相誇視」，至秦且以倡優爲之，「更名角抵」。因而喪失了制禮作樂的本義，故班固感嘆「先王之禮沒於淫樂之中矣」，爲儒家禮壞樂崩的表現。陳暘於《樂書》中則總結云：「角觝戲本六國時所造，秦因而廣之。……蓋雜技之總稱也。」（《四庫》第二一一一冊，卷一八六，頁八三八）

西漢之時，國力強大壯盛，經濟繁榮富庶，人民生活安定，提供了樂舞雜技發展開創的契機。史籍中有不少關於角觝演出的記載，其中除指角力相撲等競技外，又增添了音樂、化裝與幻術等技藝，豐富了其表演內容。如《漢書·武帝紀》云：「元封三年春，作角抵戲，三百里內皆(來)觀。」文穎注曰：「名此樂爲角抵者，兩兩相當、角力，角技藝射御，故名角抵，蓋雜技樂也。巴渝戲，魚龍曼延之屬也。」(卷六，頁一九四)成爲「角抵諸戲」(《漢書·貢禹傳》卷七十二，頁三〇七三)，或逕用「大角抵」、「大觳抵」（《史記·大宛列傳》，卷一二三，頁一三一二）的名稱，以「大」字來表示角抵內容的廣大衆多。

武帝時，中外交通暢達，西域的樂舞幻術紛紛傳入中土，「是時，上(武帝)方數巡狩海上，……大角氐，出奇戲諸怪物，……及加其眩者之工，而角氐奇戲歲增變」（《漢書·張騫傳》卷六十一，頁二六九七）[13]。所以角抵又可稱爲「角抵奇戲」、「觳抵奇戲」(《史記·大宛列傳》，卷一二三，頁一三一二)、「角抵之妙戲」(張衡《西京賦》)等名目，以「奇」、「妙」等字來形容角抵技藝的奇幻巧妙。

後漢時「乙酉，罷魚龍曼延百戲。」（《後漢書·安帝本紀》，卷五，頁二〇五），雜技始稱爲「百戲」。依《隋書·音樂志》的說解爲「奇怪異端，百有餘物，名爲百戲。」(卷十五，頁三八〇)可見其中收羅了「豐富多元」的奇巧技能，故以「百」戲名之。而《唐會要》中也云：「散樂歷代有之，其名不一，非部伍之聲，俳優歌舞雜奏，總謂之百戲。」(卷三十二，頁六一一)舉凡歌舞雜技等項目，皆可包含於百戲之中，且歷代散樂雜技所概括的種類，迭有所承祧增益。

魏晉以下，多將散樂百戲或散樂雜戲並稱。三國時曹魏創立「水轉百戲」，擴大了百戲的範圍；北魏之時，佛法宗教盛行，每逢廟誕的「行像」大會，百戲騰驤，爲後世「走會」、「香會」的濫觴；北齊歷代君王，均喜大陳百戲；北周更是四時祭祀，「猶設俳優角抵之戲」（《北史·崔猷傳》卷三十二，頁一一七四），而宣帝廣召雜伎，增修百戲，「散樂雜戲，魚龍爛漫之伎，常在目前」(《周書·宣帝紀》卷七，頁一二五)。所以「雜戲」也成爲雜技的另一名稱[14]。

隋初，文帝曾遣放散樂，禁止角抵。但煬帝即位後，一改其父作風，總追四方散樂，大集東都。並多次演出百戲，招待突厥等來朝賀的外國賓客，「自海內凡有奇技，無不總萃」（《隋書·音樂志》，卷十五，頁三八一）。唐代中外交流頻繁，雜技舞樂呈現交流融匯的活躍局面，不僅在「坐部伎」與「立部伎」中參雜有雜技百戲的表演成分，而且於教坊中內設「鼓架部」，具體管理雜技的教習、排練、演出等事務。

宋代都會經濟的繁榮，市民階層的活絡，勾欄瓦舍的興起，帶給各種表演藝術新的活動生機。原本統屬於散樂之中的雜技、樂舞和雜劇等，隨著各自表演藝術的成熟，遂逐步獨立分化，形成專業的門類。而雜技也更進一步的普及化、民間化，在節慶廟會之時，有了「社火」等組織與活動；南宋時更以民間大小舞隊爲社火雜技表演的主力，有著各色各樣的技藝類別，與許多的優秀藝人產生[15]。

遼金元三代，由於契丹、女眞、蒙古均屬於塞外遊牧民族，喜好射獵，所以雜技除承襲歷代原有技藝外，較偏於武藝百戲方面的發展。元代禮部教坊司下設三署，以「祥和署掌雜把戲，男女一百五十人。」(《元史祭祀志》，卷七十七，頁一九二七)故元代雜技可稱爲「雜把戲」：或許是「雜技」、「把戲」的合稱；或者以「雜」爲形容詞，表示把戲種類的衆多；而「把戲」則也許是「百戲」的訛轉[16]。清徐珂在《清稗類鈔》中有云：「江湖賣技之人，如弄猴舞刀及搬演一切者，謂之頑把戲，本元時語也。」指出也可稱爲「頑把戲」，或者有「玩耍」把戲之意。因而「把戲」可作爲雜技的通俗名稱[17]。

明清，無論在宮廷或民間，雜技都有其蓬勃的生命力。宮廷在耕籍宴饗時用「大樂百戲」，明代的「過錦諸戲」，清代的「承應宴戲」中，也都穿插有「雜耍把戲」的節目。而民間，如北京故宮博物院所藏明人彩繪的《南都繁會圖卷》中，繪有標明「京人耍戲」，「雜耍把戲」的招帘；清代李斗的《揚州畫舫錄》中則記載了「雜耍之伎，來自四方，集于堤上」(卷十一)。詳實地描繪了竿戲、飲劍、走索、弄刀、舞盤等雜技的搬演。所以「雜耍」也是爲雜技的代稱。我們從清代的梨園史料中，發現當時內外城中有不少「雜耍館」[18]，可見當時雜技的普遍流行。

另外，清曼殊震鈞《天咫偶聞》中，則將雜耍又稱爲「雜爨」，「雜爨，京師俗稱爲雜耍，其劇多魚龍漫衍，吐火呑刀，及平話嘌唱之類，內城大夫皆喜觀覽。」「爨」爲宋金雜劇院本中，某些簡短表演的名稱，舊時也以「爨」與「爨弄」來泛指演劇，有表演之意；或者是來自於「五花爨弄」之故。如明末清初馮甦於《滇考．大理國紀》中所述「又有樂人，善幻戲，即大秦犂鞬之遺，名五花爨弄，徽宗愛之，以供歡宴」[19]。似可見出其與雜技歌舞之關係。因而雜技或稱「雜爨」，或即取意於此。

所以總結雜技歷代以來不同的名稱，或者是由於著眼角度不同，所以產生不同的稱呼：如「散樂」指出了各種技藝的民間性；「角抵」則意味著衝突，具有先天的戲劇潛能，所以可從角力競技的狹義，擴而代稱各種各樣俳優的表演；「百戲」著重於其形式的多樣化；「雜戲」、「雜技」反映出各種技藝雜陳的總體特點，具有概括性；「雜耍」、「雜爨」則強調耍弄表演的動作；「把戲」則凸顯其玩耍把弄之義；「技戲」則表明爲技能遊戲的總稱。大體而言，我們似乎可以歸納雜技在名義上，以「散」、「百」、「雜」來表示其種類的衆多；以「技」來顯現其技藝性與技巧；以「戲」來泛稱遊戲或具有戲劇表演成分。

至於歷代雜技所包括的種類品目，雖各有所繼承創新，但就其表演的規律而言，大致可區分爲⑴雜技表演系統，以雜耍特技爲主體，包括了耍技、踢技、口技、幻術、角抵、獸戲、武藝等，講求特異的技巧與高難度動作的掌握；⑵樂舞表演系統，則以音樂舞蹈爲主，如器樂演奏、隊舞、民間舞等，常運用或融合雜技的技巧來表現；⑶說唱表演系統可分爲說話與演唱二類，像是說肥瘦、講史、說諢話、唱合生、鼓子詞、諸宮調等，以展現說故事和曲藝的語言藝術；⑷優伶表演系統，則涵蓋了以人扮演的小戲與大戲，及由人操縱的偶戲，如參軍戲、雜劇、窟儡子、影戲等。然而，此四種表演系統並非是完全獨立存在的，彼此又經常是交流雜揉、重複組合的[20]。

二、戲曲釋義

中國戲曲源遠流長，歷來學者對其淵源，衆說紛紜。古籍中，或如元夏庭芝、陶宗儀從文體的變化來追溯；或如明胡應麟、呂天成就優人的表演來探原；或如明王驥德綜合上述二者之說，從優人的科白扮演到唱念歌舞的登場，及劇本體制成熟的演變過程來論述[21]。而近代前學，或如王國維認爲萌芽於巫覡歌舞；或如許地山、鄭振鐸以爲受了印度梵劇的影響；或如孫楷第提出自傀儡戲模仿演化而來等[22]。

至於戲曲形成的時限，學術界也是意見分歧。如陳多、謝明認爲在先秦的《詩經》、〈九歌〉、〈大武〉中，已具有戲曲的藝術手段；如周貽白則將漢代的「東海黃公」認作是中國戲劇形成的起點；如任中敏則力主在唐代時便有「全能戲劇」的產生；如張庚、郭漢城、胡忌等多位學者，則從宋雜劇與當時文化發展加以考察，主張宋代爲戲劇形成的時代；如王國維則論證元代爲我國「眞戲曲」出現之時[23]。

其實，戲曲猶如一條浩浩蕩蕩的長江大河，涵容了各種藝術成分，在時空的延展中，逐漸發展成熟的。它可以說是奠基於商、周的歌舞樂，通過俳優妝扮，敷演故事，吸收雜技，運用代言體的形式，而形成漢角觝，唐雜戲等小戲，經過宋雜劇的「小戲群」階段；再融合說唱文學的精華，於狹隘劇場所表現的一種綜合文學與藝術[24]。

周貽白認爲中國戲劇之所以稱之爲「戲」，似乎是由「百戲」這個總稱分支出來，而成爲專門名詞的[25]。戲，爲形聲字。根據《說文》所載：「戲，三軍之偏也，一曰兵也。從戈，𧆞聲，香義切。」是一種武器或偏師（非主力）之意，與戰鬥有關，我們可從金文《師虎𣪘銘》中得到佐證。因而清俞樾將「戲」的本義闡釋爲角力、比武，如《左傳·僖公二十八年》文：「請與君之士戲。」(卷十六，頁二七二)與《國語·晉語》：「請與之戲。」中之「戲」皆可解釋爲角力比武之義。

另外，「戲」又可以引申爲「戲豫、戲謔」，如「惟王淫戲用自絕」(《尙書·西伯戡黎》，頁一四五)及「孔子爲兒嬉戲」（《史記·孔子世家》）中之「戲」，具有「裝假耍鬧遊樂」之意。因爲兵杖可以用來玩弄，用來相鬥，故可模仿演變自軍事上的戰鬥決鬥，而成爲具有遊戲嬉戲性質的一種表演性藝術。是以《呂氏春秋·重言》中曰：「余一人與虞戲也。」注：「戲，不誠也。」標示出其假扮、作戲、玩笑的意涵。

所以從戲的本義與引申義來看，我們都不難窺見其與「角觝」的關聯。角觝，正是百戲雜技的總稱。原本是指一種角力比武的競技，本身即意謂著矛盾衝突，具備了先天的「戲劇性」。而後增添匯聚了其它的表演技藝，遂成爲「角觝戲」，涵括了一切倡優諸戲的表演，具有著假扮作戲的特質。因此，「戲」被作爲一種表演藝術的名稱，是濫觴於漢代的角觝戲，也是戲曲開始萌芽發展的起始。

從秦漢時的角觝戲，到隋唐歌舞戲與參軍戲，人們習慣地將各種表演技藝都概稱爲「戲」，呈現出一種泛戲劇化的傾向。使得戲常與百戲、雜戲、雜技等諸種名義混沌不清，然而這也正意味著，戲曲正不斷地在百戲雜技中發展型塑。其後在晚唐《李文饒文集》卷十二中，我們發現已有「雜劇丈夫」名稱的出現[26]。至於此時的雜劇內容究爲如何，因爲文獻不足無法得知[27]。如依焦循《劇說》引《莊嶽委談》云：

> 古教坊有雜劇而無戲文者，每公家開宴，則百樂具陳。唐制，自歌人之外，特重舞隊，歌舞之外，又有精樂器者，若琵琶、羯鼓之屬。此外俳優雜劇，不過以供一笑，其用蓋與傀儡不甚相遠，非雅士所留意也。
>
> （卷一《戲曲論著集成》第八冊，頁八十五）

並對照「唐時謂優人辭捷者為斫撥，今謂之雜劇也。」（宋陳暘《樂書》)的記載，應是指以插科打諢、滑稽詼諧為主的參軍戲，即後來宋雜劇所一脈相承的滑稽譏諷系統。

大體而言，戲曲在宋元之際形成其特徵，也就是「通過載歌載舞的人物動作展開衝突，給觀衆以觀照」[28]。其中宋雜劇自然是戲曲成形成熟的一個重要標誌。從廣義來說，宋雜劇的內容包羅萬象，與百戲雜戲的範圍意涵，似乎為同實異名，泛指所有在勾欄瓦舍中的表演技藝；但是若界義為「眞人所扮演的含有戲劇性的演出」[29]，則只包括歌舞表演與滑稽表演；甚或更狹義地僅指以滑稽調笑為特色的藝術形式。而《夢粱錄》：「散樂傳學教坊十三部，唯以雜劇為正色。」(〈伎樂〉，頁三〇八)則清楚地標示「雜劇」已與散樂衆伎有所區別。

是以「雜劇」的名稱，其實也正意味著戲曲成型的前後階段：「宋雜劇」代表著全面綜合的戲曲藝術尚未形成之前，所有戲劇與非戲劇表演的統稱，為名副其實的「雜」劇；而南宋之時在東南沿海溫州一帶，奠基於宋雜劇之上所形成的「溫州雜劇」，(或稱為「永嘉雜劇」）則已是頗具戲曲規模的藝術形式；至於元代興起於我國北方的「元雜劇」，則於各方面都發展成熟，成為眞正純粹的戲劇形式，又可稱為「北曲雜劇」。

陶宗儀《南村輟耕錄》中載：「唐有傳奇、宋有戲曲、唱諢、詞說。」(卷二十五)向來以為此為「戲曲」名詞的首見。但劉塤《水雲村稿》中有「至咸淳，永嘉戲曲出」的記載，就年代而言又比陶書約早六十年。而此永嘉戲曲，正是所謂的「南曲戲文」，或稱為「戲文」[30]。曲者，指出了音樂曲唱的特質；文者，表示了故事文學的成分，二者皆成為傳統戲劇的組成因子。

「戲文」顧名思義為「敷衍話文」的結果，其樂曲以村坊小曲，里巷歌謠為主，在格局上雖較為粗疏散漫，但已初步將「戲」、「曲」、「文」結合起來，具有角色行當的組織，與唱做念打的表演藝術。其後元曲的興盛，奠定了戲劇以「曲」為主體的地位，自王國維直承陶宗儀之說，用「戲曲」一詞作為專用語，遂成為中國傳統戲劇的專稱。

明清之時，「傳奇」躍居為戲曲的主流，自唐代的短篇小說，宋金時轉借為戲曲的通稱[31]，到明中葉時成為長篇南曲劇作的專稱，在涵義上雖多有變化，但根本的出發點是相類似的，乃是著重於其題材內容的取擇，所謂「非奇不傳」（李漁《閒情偶寄·脫窠臼》，《戲曲論著集成》第十冊，頁十五），多以奇文異事的描寫為主。而其無論在劇本文學、表演藝術、學理論述等方面，都臻於渾成的高峰階段。

清中葉後，劇壇為地方劇種所瓜分。戲曲劇種或冠以聲腔之名，或標示地方區域，或展現表演特質，或因襲風土傳說等，都各自有所取擇的標的。而其也因為發展的時空環境，與人文背景的不同，形成劇種自身不同的屬性，往往在「戲」的表現上，凸顯出自我的特殊色彩。依據近年來的統計，中國共有四百六十多個劇種，然隨著時代的演進，也不斷地成長殞滅[32]。

戲曲若依表演成員來劃分，則有眞人「人戲」與偶人「偶戲」的區別；若從藝術層次的高低，與故事情節的繁簡來歸納，則有「大戲」與「小戲」兩類：「小戲」爲戲曲的雛形，「大戲」爲戲曲藝術完成的形式；若就體制的形式來說，則有「南戲文」與「北雜劇」的分別；若從聲腔的特質來區分，約略可概括爲「南崑、北弋、東柳、西梆」等類別；若以「地方」的語言與藝術作爲命名的標的，則有吉劇、龍江劇、淮劇等劇種紛披雜陳，蔚然可觀。

三、雜技與戲曲的研究界定

基於中國泛戲劇觀的觀念，戲曲雖自古以來就被稱爲「戲」，然主要意涵爲「遊戲」與「游藝」，多半是混雜於角觝百戲之中。是故明朱權云：「雜劇者，雜戲也」（《太和正音譜》，《戲曲論著集成》第三冊，頁五十四）。正說明「雜劇」即「雜戲」，其實等同於「雜技」，而主要特點皆在於內容的「雜」。至於「戲文」與「戲曲」，意味著中國傳統戲劇的正式成熟，其唱念做打的表演形式，擷取自講唱文學與雜技技藝的養分而形成。

雜技在早期爲所有藝術門類的總稱，而後各品類雖逐漸獨立分化，但在許多技藝表演層面，仍是融合雜技的技巧表現。其中，舞蹈與武術皆相仿於雜技，乃是藉由人體爲媒介，來表現抒情表意、健身競技與驚險奇特不同的藝術特性，而其歷史溯源皆可推及角觝樂舞百戲。是以，本文基於其三位一體的特性，將舞蹈與武術中，與雜技具有共通技藝特質的部份，也劃歸爲雜技的範疇來考察研究。

而講唱文學等說唱藝術，雖然也歸屬在百戲之中，然而由於其對戲曲的音樂體制、組織結構、戲劇題材等方面，都給予極深厚豐富的涵養，影響極爲廣泛，故本文僅先指陳出其在技藝上的取用，較深入的分析則留待未來探究；而雜技中也包括了戲曲中的「偶戲」部份，其與「人戲」的主要差別，只在於演員是由人所操縱的木偶、皮影，至於其他戲曲組織成分與「人戲」極爲類似，也有許多轉化自雜技的表演技巧。然由於受篇幅的限制，故本文目前先不探討此一課題。

至於戲曲與宗教儀式有著密不可分的關聯。尤其是「儺」，爲戲曲重要的泉源之一，從儺儀、儺舞到儺戲的組成，其實都大量地運用了雜技的技巧，藉由驚險刺激、高超困難的表演藝術，強化其巫術性與神秘性，顯現其原始圖騰與大衆娛樂的特性。由於儺戲的種類極多，所牽涉的人文與藝術層面極爲廣泛，故本文亦不將之列入探討範圍，留待後續研究繼續鑽研。

因此，本文中的雜技，以「雜耍特技」爲主體，運用耍弄戲玩、驚險奇幻的特質，表現超乎平常的特殊技藝，有時也結合社火歌舞，或搭配武術競技的表演。而戲曲依照歷史發展的規律，從緣起、孕育、茁壯到成熟的不同階段，涉及雜劇、院本、戲文、北曲雜劇的戲曲形式，配合題材、角色、妝扮、服飾、砌末與「做打」表演技藝等藝術層面，作爲釐析探討的重點，以確立雜技與戲曲發展之間的關聯。

【註釋】

[1]「散樂」統稱民間四面八方的雜樂，亦與雜技的內涵義蘊相等同。宋元南戲《宦門子弟錯立身》中，東平勾欄中演劇的女藝人，王金榜之母上場白有「老身幼習伶倫，身居散樂」之語；又戲曲文物中，如山西趙城

目縣明應王廟元代壁畫，上題有「太行散樂忠都秀在此作場」的字樣。由此可見雜技與戲曲二者的密切關係。

[2]尙有張英杰《天橋雜技史話》，上海雜技團編寫的《中國雜技藝術》，曾國珍、楊曉歌《中國魔術》，孔令儀《雜技訓練基礎知識》，聶傳學《中國古代雜技發展概略》(1992)(新華書局)，吳克明《雜技藝術論》(1992)（貴州人民出版）等有關雜技藝術研究方面的書籍，未能得見。

[3]此乃參見夏菊花主編《中國新文藝大系——1949-1982雜技集》，p.2-4中的記錄。筆者收集有部份《雜技與魔術》期刊，刊中文章有的論述古代雜技的發展，有的就雜技技藝內容探討。大體以研究現今雜技技藝，與魔術的文章爲多，並未述及有關雜技與戲曲的論文。然而由於筆者未能得見所有舊刊，不知是否有遺珠之憾。

[4]筆者於期刊上見到此討論會的相關消息，雖請大陸學者代爲詢問蒐集資料，但並未得到相關的訊息。故不知「第一次全國雜技理論研討會」在何時何地舉行，也未能得見論文集，無法獲知學者的研究觀點及視野。

[5]有關戲曲的起源與形成，如上述專書外，在各戲曲史中皆有論述。鄭傳寅《中國戲曲文化概論》第一編第一章也有所提及。其他也有爲數不少的單篇論文：如常任俠〈關於中國音樂舞蹈與戲劇起源的一考察〉，載於《人民戲劇》1950第一卷第六期；周貽白〈中國戲劇的起源和發展〉，載於《戲劇論叢》1957.1；黃芝岡〈什麼是戲曲，什麼是戲曲史？〉，載於《戲劇論叢》1957.2；張庚〈戲曲的起源〉，載於《文藝研究》1979.1；李平、江巨榮〈中國戲劇形成的時代問題〉，載於《中國戲劇史論集》，pp.1-20；趙景深〈中國戲曲的起源和發展脈絡》一文，載於《文史知識》1982.12；李暢華、滕仲飛〈略論我國戲劇的起源〉，載於《南寧師範學報》1983.2；劉彥君、廖奔〈關於中國戲曲的起源與形成〉，載《中國戲劇的蟬蛻》，pp.171-186；孔瑾〈論中國戲曲形成的

新起源〉，載《戲劇》1993.2等。

[6]有關此三份古抄本的內容影印校注，請參見《中華戲曲》第三輯，第十三輯與第六輯。而在《中華戲曲》的各輯文章中，頗多對其內容的探討研究，可以參看。

[7]周貽白認爲「雜技」此一名詞，爲清代編纂類書時，對於一些無可歸類的「奇巧技能」的一項總稱，或亦名「技戲」。見〈中國雜技與戲曲〉一文，載於《周貽白戲劇論文選》，p.126。

[8]載於《路史·後記》十三注引《史記》。另漢劉向於《列女傳·孽嬖傳·夏桀末傳》中亦載「桀既棄禮樂，淫於婦人，求美女，積之於後宮，收倡優侏儒狎徒，能爲奇偉戲者，聚之於旁，造爛漫之樂。」《尙書·泰誓下》云：「作奇技淫巧以悅婦人。」正義釋「奇技爲奇異技能，淫巧謂過度工巧。二者大同,但技據人身,巧指器物爲異耳」(頁一五六)。皆以「奇」字指出其「奇特」的性質。

[9]《周禮、春官、旄人》:「旄人，掌教舞散樂，舞夷樂。」注:「散樂、野人爲樂之善者，若今黃門倡矣，自有舞。疏：以其不在官之員內，謂之爲善者。……，漢倡優之人，亦不在官樂之內，故舉以爲說也」（卷二十四，頁三六七）。《說文》云：「散，雜肉也。」散即散之隸變，孫詒讓云：「凡言散者，皆沽猥雜、亞次於上之義。故〈屨人〉散屨次於功屨；〈巾車〉散車次於良車；〈充人〉之散祭祀，別於五帝先王之祭:〈旄人〉之散樂，別於雅樂;〈司弓矢〉之散射，別於師田之射。」（《周禮正義》卷一一，〈鹽人〉）在內容上，或可視爲雜樂。《太玄·太玄瑩》：「晝夜散者其禍福雜。」范望《注》：「散，猶雜也。」有關散樂的具體內容與旄人的問題，可參看李建民著《中國古代游藝史——樂舞百戲與社會生活之研究》，東大圖書公司出版。

[10]《禮記·月令篇》中云：「（孟冬之月）天子乃命將帥講武，習射御，

角力。」（卷十七，頁三四四）秦始皇惟恐天下子民有叛變異動之心，故下令箝禁有關軍事活動。馬端臨《文獻通考》載：「秦始皇併天下，……分為三十六郡，郡縣兵器，聚之咸陽，銷為鐘鐻，而講武之禮，罷為角抵。」

[11]《史記·李斯列傳》中記載：「是時二世在甘泉，方作觳抵俳優之觀。」裴駰案：「觳抵，即角抵。」其《史記集解》引應劭註曰：「戰國之時，稍增講武之禮，以為戲樂，用相誇示，而秦更名曰角抵。角者，角材也，抵者，相抵觸也。」(頁一〇三四)《漢書·刑法志》也云：「春秋之後，滅弱吞小，並為戰國，稍增講武之禮，以為戲樂，用相夸視。而秦更名角抵，先王之禮沒於淫樂中矣。」(卷二十三，頁一〇八四)

[12]宋高承《事物紀原》中所載：「角觝……或曰本六國之戲，而漢武復用之。或曰黃帝時蚩尤有角，以角觝人。而後人作角觝之戲。」有關此一說法將在下一章中討論。

[13]《漢武故事》中記載：「未央庭中設角抵戲，享外國，三百里內皆觀。角觝者，六國所造也；秦并天下，兼而增廣之。漢興雖罷，然猶不能絕。至上復採用之。並四夷之樂，雜以奇幻，有若鬼神。角抵者，使角力相抵觸者也。其雲雨雷電，無異于眞，畫地成川，聚石成山，倏忽變化，無所不為。」《四庫》第一〇四二冊的《漢武故事》未見上文，可參見魯迅《古小說鉤沈》輯本，p.353。

[14]對照錢泳《履園叢話》中所載：「雜戲之技，層出不窮，如立竿、吞劍、走索、壁上取火、席上反燈、弄刀、舞盤、風車、簸米、飛水、頂豆、抽籤、打球、鉛彈、鑽梯、弄缸、弄甕、大變金錢、仙人吹笙之類，一時難以盡記。他如抽牌算命、蓄猴唱戲、弄鼠鑽圈、蝦蟆教學、螞蟻排陣等戲，則又以禽獸蟲蟻而為衣食者也。」可知「雜戲」中所概括的各種游藝內容與百戲同。

[15]《東京夢華錄》記載北宋都城汴梁神保觀慶祝灌口二郎神誕辰之盛況「其社火呈于露臺之上，……所獻之物，數以萬計。自早呈拽百戲，如上竿、趯弄、跳索、相撲、……牌棒、道術之類，色色有之。」（卷八，頁四十八）其將社火與百戲之名並用，內容亦同，或可代稱。又如南宋范成大〈上元紀吳中節物俳諧體三十二韻〉詩云：「輕薄行歌過，顛狂社舞呈」一句下自注曰：「民間鼓樂，謂之社火，不可悉記，大抵以滑稽取笑。」（《石湖詩集》卷二十三）火，即夥也。賽會時，以集合各種雜耍爲之，非多人不辦，故日「一火」，亦稱爲「社火」。社火品類繁衆，表演特色爲滑稽熱鬧、嘻笑逗樂。是以後世以「社火」總稱民間於節日迎神賽會時，所扮演的各種雜技。而在明清之際則多稱爲「走會」。如王穉登《吳社編》所述：「凡神所栖舍，具威儀簫鼓雜戲迎之曰會。優伶伎樂粉墨綺縞，角觝魚龍之屬，繽紛陸離，靡不畢陳。」（《叢書》第九十一冊，頁二〇六）

[16]董每戡懷疑「把戲」爲「百戲」的轉訛，依《辭海》所云：「幻戲曰把戲，或曰花把戲，把即葩字，花即蔿字，見《新方言·釋言》。按《方言》楚鄭謂獪曰蔿，世稱猥鄙詭譎不可告人之事曰把戲，如《西廂記》：這一回看你把戲。」並再推衍，認爲「把戲」與「花樣」同意，或指有趣的小玩藝兒，包含幻術以外的各種百戲。見〈說「角觝」、「奇戲」〉載於《說劇》一書，p.68。另傅起鳳、傅騰龍亦指出「百」與「把」聲音相近，「百」、「雜」、「把」皆言數量之多，故元代「百戲」稱爲「雜把戲」。然考察字義與音義並無此相近意涵。見《中國雜技史》，p.242。

[17]清李調元《弄譜》中有「把戲」條曰：「古人曰『弄』，亦曰『戲』，非眞作戲也。《潛夫論》：『或作泥車、瓦狗，諸戲弄之具，以巧詐小兒，皆無益也。』《史記》所謂：『曩者霸上棘門軍，若兒戲耳！』《吳

志·孫綝傳》：『敗壞藏中矛戟五千餘枚，以作戲具。』即此所謂把戲也。《元史·百官志》：『祥和署掌雜把戲，男女一百五十人。』此類是也。故作《弄譜》。若戲文，則具載余曲劇二話，並不贅言。」把轉引自任中敏《唐戲弄》，p.11。

[18]《北京梨園掌故長編》中輯錄《欽定大清會典事例》與《欽定臺規》的記載，有〈曉諭戲館〉一目，如：「康熙十年，議準：京師內城永行禁止開設戲館。」另有多條諭令皆明示京城九門之內，禁止設置戲園，以免滿人荒墮沈溺。載於《清代燕都梨園史料》正續編，p.883-886。是以內城只有雜耍館。而外城小戲園，為徽班所不到的則以雜耍補之，所以外城也多雜耍館。

[19]顧峰在〈關於「五花爨弄」的再探討〉一文中，歸納「五花爨弄」與「爨弄」的含意是多方面的，以劇本而言，為金元院本的別稱；以表演形式來講，為金元院本的一種演出形式，「爨」與「串」通，後世也稱「串演」；以行當來說，指宋雜劇演出中，末泥、引戲、副淨、副末、裝孤五種角色。並提出李京、陶宗儀、楊升庵、馮甦等人與史書中的相關記載，可以參考。載於《戲劇藝術》1983.2。

[20]關於百戲雜技的分類，歷來研究者說法不一。如楊蔭深分為擊鞠打毬、角抵相撲、魚龍曼延、上竿走索、雜手藝、幻術、禽獸魚蟲鳥、諸種鬥戲等八種；黃華節則分為舞龍、舞獅、風箏、影戲等二十餘目；劉峻驤則以靈巧柔軟的形體動作表演形象、奇妙變化為表演特徵、象形象聲、訓練與駕馭獸畜四類等。而俞大綱、葉大兵、傅起鳳、傅騰龍、朱杰勤等則就歷代雜技品目，各代分析討論。尾形龜吉、李建民、孟繁樹、蕭亢達、段玉明等，則就某一朝代的種類來分類說明。大致而言，由於各時代的品目不同，以及個人所根據的標準不同，常影響到其分類的類目。所以筆者綜觀歷代的雜技項目，以及參照諸位前學的說法，依其表

演特點，加以歸納而成。

[21]葉長海將中國古代學者對於戲劇起源探索的種種見解概底括為如高承、焦循的「娛樂說」；如蘇軾的「祭祀說」；如王守仁的「樂舞說」；如王逸、朱熹、楊愼的「巫覡說」；楊愼、胡應麟、錢謙益的「優孟說」；胡應麟、毛奇齡的「說唱說」；湯顯祖、張琦的「性情說」；王世貞、沈寵綏、李玉、黃宗羲的「文體說」；焦循的「肖人說」等九種理論。見《戲劇發生與生態》一書中，〈中國戲劇之謎〉一節，pp.47-56。但由於各學者論點的角度不同，導致多種歧說結論。因此筆者綜合各家說法，採取一般較具影響性的說法。夏庭芝之說見《青樓集志》，陶宗儀之說見《南村輟耕錄》，皆主戲文、雜劇乃從傳奇繼承而來的觀點，而後王世貞等明清曲學家再延續此說，從曲的文學角度來考察；而胡應麟認為「優伶戲文，自優孟抵掌孫叔，實始濫觴。」見《莊嶽委談》。呂天成則言：「自昔伶人傳習，樂府遞興。爨段初翻，院本繼出，金元創名雜劇，國初演作傳奇。」請參見《戲曲論著集成》所收錄各家論述。

[22]王國維之說見《宋元戲曲考》；許地山有〈梵劇體例在漢劇上點點滴滴〉一文，載於《小說月報》第17卷；鄭振鐸之說見《插圖本中國文學史》；孫楷第之說見《傀儡戲考原》。大致可歸納為歌舞說、傀儡說、外域說、綜合說、文學說、百戲說、遊戲說、多元說、宗教祭祀說等學說。

[23]陳多、謝明以「載歌載舞、扮演人物、敷演故事」為戲曲的特徵而加以推論，見〈先秦古劇考〉，載於《戲劇藝術》1987第2期；周貽白在《中國戲劇發展史》與〈中國戲劇的起源和發展〉中，提出中國戲劇從漢代「東海黃公」的角觝戲開始，一直發展到北宋時代「目連救母」一類雜劇，基本上已具有後世戲劇所應具備的條件；任中敏有《唐戲弄》一書，從唐代文獻中稽考有關唐代戲劇的面貌；張庚、郭漢城主編的《中國戲曲通史》，胡忌的《宋金雜劇考》，與一些中國戲曲史著作，皆持戲劇

形成於宋代的看法；王國維在《宋元戲曲考》中以「合言語、動作、歌唱、以演一故事」作爲衡量戲曲形成的標準，認定元雜劇爲完整的藝術形態，毫無疑問。雖然王氏也曾推測過宋代戲曲的成立，然因資料不足，許多出土文物尙未被發覺，故斷代於元。

[24]曾師永義曾對做爲大戲的「中國古典戲劇」下定義爲：「中國古典戲劇是在敷演故事，以詩歌爲本質，密切融合音樂和舞蹈，加上雜技，運用講唱文學韻散相生相成的敘述方式，通過腳色扮飾，以代言體，在狹隘的舞臺上所表現出來，資爲娛樂教化的綜合文學和藝術。」見〈中國古典戲劇的形成〉。該文對中國戲劇的形成過程與因素，有全面的闡述。載《詩歌與戲曲》pp.79-114。

[25]周貽白認爲中國戲劇無論在名稱或內容上，都與百戲有相當的關聯。甚或言之，中國戲劇的歷史，從西漢時代的百戲中已有故事表演算起（紀元前140～24年），發展至今已有二千年左右。相關論述請參見《中國戲劇發展史》，p.36。

[26]《四庫》叢刊本《李文饒文集》卷十二中云：「蠻退後，京城傳說，驅掠五萬餘人。音樂伎巧，無不蕩盡。……蠻共掠九千人，成都郭下，成都華陽兩縣，只有八十人。其中一人是子女錦錦，雜劇丈夫二人，醫眼太秦僧一人，餘並是尋常百姓，並非工巧。」可見只有子女錦錦，雜劇丈夫二人與醫眼太秦僧等四人，爲成都府下「音樂伎巧」轄內承應人。而胡忌依此條資料加以推論，證明在九世紀前期，雜劇名稱已確然成立；且至少在晚唐時，成都以外的城市也已有雜劇的稱謂；宋遼之時的雜劇乃是淵源於唐代的。可參見《宋金雜劇考》，pp.1-6。

[27]高承《事物紀原》「教坊使」條引《唐書·百官志》曰：「開元二年置教坊於蓬萊宮側，京都置左右教坊，掌俳優雜劇。」提到唐代已設有專門機構掌管「俳優雜劇」，然而覆查《新唐書·百官志》卷四十八的記

載，卻爲掌「俳優雜技」。或許爲筆誤，或許是高承依照宋人雜劇與雜技混同不分的觀念來記錄。

[28]蘇國榮指出一事物區別於他事物的特別顯著的徵象、標誌，稱之爲「特徵」。而「戲曲特徵」即爲戲曲的個性標記，指在徵象方面所表現出來的特點，由總體特徵（或稱基本特徵）與局部特徵兩個等級組成。請參見《中國劇詩美學風格》，p.3。

[29]依宋代文獻中的記載，以雜劇爲名的有滑稽戲、歌舞戲、魁儡戲及南戲，另外還有小雜劇、啞雜劇、相撲雜劇、浪子雜劇等。其中除傀儡戲並非以眞人扮演外，宋代雜劇大致符合胡忌對雜劇的定義。同註二十。

[30]胡忌發現劉塤《水雲村稿》中〈詞人吳用章傳〉的記載裏，記錄有「永嘉戲曲」一詞。劉塤生於1204～1319，晚歲至大1308～1311間，出任延平(今福建南昌)教授，此書當爲其作爲亡宋遺民時「隱居」之作。洛地認爲此即爲周密《癸辛雜志》別集卷上〈祖杰〉中的「撰爲戲文」；元劉一青《錢塘遺事》卷六的〈戲文淫穢〉條；《青樓集志》的「宋之戲文」等；原文與相關論證，請參見洛地〈一條極珍貴資料發現——「戲曲」和「永嘉戲曲」的首見〉，載於《浙江藝術研究》第十一輯，pp.1-7。

[31]陶宗儀《南村輟耕錄》卷二十七第六條云：「稗官廢而傳奇作。傳奇作而戲曲繼。金季國初。樂府猶宋詞之流。傳奇猶宋戲曲之變。世傳謂之雜劇。」可見元雜劇又可稱爲「傳奇」，鍾嗣成《錄鬼簿》載「名公才人有所編傳奇行於世」亦可作爲補證；而《小孫屠》中副末開場曰：「今日敷演什麼傳奇」，《宦門子第錯立身》第五齣：「你把這行的傳奇」等，皆指宋元戲文。

[32]大陸曾於1950、1956、1959、1980年，對全國戲曲劇種進行調查與統計。依中國戲曲藝術研究院參照1980、1981各省、市、自治區聲腔劇種統計資料，共得317種，並編制爲《中國戲曲劇種表》(1982)；而李漢飛編

《中國戲曲劇種手冊》(1987)則收錄 267 個劇種，並對其戲曲源流、興衰變革、劇本文學、代表作家作品與舞臺藝術等，均作簡明介紹；又董天慶收集自1949～1985年，散見於圖書報刊上有關劇種的文章篇目，共2520餘條（包括互見部份），梳理分類共有 357 個劇種，載於《浙江藝術研究》第十一輯。

第一章　雜技與戲曲孕育成長的時期——先秦到漢唐

戲曲具有多元的血統文化，在早期孕育成長的時期，樂舞百戲爲其重要的養分來源。任中敏曾於《唐戲弄》中，將這段發展歷程劃分爲戲禮、戲象、戲弄三個階段：

> 近世戲劇成分，特重歌唱，故曰「戲曲」。戲曲之前，唐有「戲弄」；戲弄之前，漢有「戲象」，周有「戲禮」[1]。

究竟在這不同時代的階段流變中，雜技對戲曲的型塑產生何種影響，是本章意欲探知的。由於雜技與樂舞在早期爲共生的過程，是以二者經常含混交融，無法胥離，故具有雜技角觝特性的樂舞，也涵括在本章討論的範疇內。

第一節　表現角觝爭鬥的周代戲禮

上古之時，人們對於大自然的蒙昧無知，形成所謂「萬物有靈」的觀念。是以先民崇拜自然景觀，動植生物與氏族祖先等對象，希冀能夠藉由助禱，獲得生活中行事需求的護持與滿足。而作爲初民社會中的樂舞活動，遂成爲表達圖騰神話與巫術祈願的重要手段。於是如「魚龍曼延」一類的雜技表演，往往藉由動物人物形象的喬妝模擬，表達宗教儀禮圖騰崇拜的深層底蘊。

如歲終驅疫逐厲的「儺祭」，就是圖騰崇拜的體現。「方相氏掌蒙熊皮，黃金四目，玄衣朱裳，執戈揚盾，帥百隸而時難(儺)，以索室毆疫。」（《周禮·夏官·方相氏》）經由方相氏身披熊皮，化妝塗面（或戴著假面），率領衆人揮舞兵器，表演一場驅魔趕鬼的儺舞，這其中展現了化身扮演與戲劇衝突的特質。朱熹曾云：「儺雖古禮而近於戲。」(《論語集注》卷五〈鄉黨第十〉)在不斷地發展過程中，「儺舞」的戲劇性越發地增強，逐漸向著「儺戲」過渡[2]。

而原始社會中頻繁的部落征戰，軍隊行旅的戰陣操練，遂結合圖騰舞蹈，成爲歌舞演出的素材。如「黃帝與蚩尤戰於逐鹿之野」（《史記·五帝本紀》卷一，頁三），後來遂演變爲「角觝戲」的歌舞雜技表演；而傳說中刑天「操干戚以舞」；帝舜「執干戚舞」以服有苗[3]。都運用了戰爭時防禦攻擊的干盾戚斧，作爲樂舞表演的舞具，顯現了其「武舞」的特色。武、舞在古文字中音義相通，故在原始歌舞中可發現武術競技的成分。

基於對先祖前人 、 氏族英雄的崇拜與緬懷 ，也產生了一些「昭德象功」的帝王紀功樂舞。如又名《廣樂》的《葛天氏之樂》，即是歌頌上天與少昊帝開創民族的業績，經營農牧的成就。其操牛尾，投足以歌的舞容，誠如1973年青海大通縣出土的舞蹈紋彩陶盆，在盆口內壁上部，描繪有三組牽手踏舞的五人舞蹈，其頭飾尾飾均朝同一方向斜垂，學者認爲此即是《葛天氏之樂》中的「操牛尾」之舞，也就是一般在文舞中，所指以野雞毛或旄牛尾製成的舞蹈用具[4](彩圖①)。

而一些年代久遠的岩畫，也提供我們一些原始樂舞的具體形象。如內蒙的陰山岩畫，根據蓋山林的研究，爲我國北方遊牧民族，在數千年的漫長歲月中，以石器、金屬所鑿刻出來的圖像，最早地爲距今有10000—3000年的石器時代。畫面中反映出爲數不少的「巫覡」活動遺跡，如行獵前的祈禱與拜日儀式等，其中溝南石堐上左邊有兩舞者系尾飾，右邊舞人左臂高揚、右臂平伸，手中操一牛尾，與《葛天氏之樂》的表演記載相同（圖①）；布日格斯太岩畫中則有舞者作手插腰舞狀（彩圖②）；庫溝水庫山峰西側有一頭插三根羽飾，系尾飾的舞者，正起舞慶祝豐收（圖②）；還有一幅拖林溝原始舞蹈圖，有系尾飾的獵人拉弓射擊，及四人連臂而舞的舞姿等(圖③)[5]。

蘇軾曾於《東坡志林》中云：

> 「八蜡」，三代之戲禮也。歲終聚戲，此人情之所不免也；因附以禮義，亦曰不徒戲而已矣。「祭」必有尸，無尸曰「奠」，始死之「奠」與「釋奠」是也。今「蜡」謂之「祭」，蓋有尸也。貓、虎之尸，誰當爲之？置鹿與女，誰當爲之？非倡優而誰？「葛帶榛杖」，以喪老物；「黃冠」、「草笠」，以尊野服：皆戲之道也。子貢觀蜡而不悅，孔子譬之曰：「一弛一張，文武之道。」蓋爲是也。（卷二）[6]

在每歲歲終農事完畢後所舉行的「蜡祭」中，已有由倡優穿著服飾，手持用具，裝扮成尸的樂舞表演，蘇軾認爲是由「倡優」充當；王國維則以爲是「子弟戲之」，將其視爲「後世戲劇之萌芽」[7]；孫楷第也贊同「戲劇出自於戲禮」，如後世漢大儺舞方相一類[8]；任中敏則認爲戲禮即爲歌舞百戲等表演[9]。總合學者們之看法，古代的宗教祭儀爲早期戲劇萌生的根源之一，「戲」在當時是以一種「禮樂」的形態出現，所以稱爲「戲禮」。

子曰：「安上治民，莫善於禮；移風易俗，莫善於樂。」(《漢書·藝文志·六藝略》卷三十，頁一七一一)禮樂對於社會秩序的安定與維繫，有著重要的作用。依《史記·樂書》中所載：

> 凡音之起，由人心生也。人心之動，物使之然也。感於物而動，故形於聲；聲相應，故生變；變成方，謂之音；比音而樂之，及干戚羽旄，謂之樂也。(卷三，頁一一七九)[10]

「樂」是包含著「干戚羽旄」的音，具有「舞」的成分。所謂「詠歌之不足，不知手之舞之，足之蹈之也」(《詩經·大序》)，歌舞音樂原本就是相應而生，合爲一體的，是以樂舞中的文舞與武舞，遂成爲宗教祭儀中祀神舞的主體，故稱之爲「戲禮」。

一、大　武

樂舞作爲周代祭祀的禮樂，具有著「戲禮」的性質。周公制禮作樂，將前代的樂舞加以繼承集中，經過整理增刪，而編排出爲後代尊稱爲「先王之樂」的《六舞》(或稱《六代舞》)[11]。在這《六舞》之中，以周代所創編的《大武》，提供我們較多的文獻史料，有助於我們去設想當時的樂舞風貌。依《呂氏春秋·仲夏記·古樂》中云：

> 武王即位，以六師伐殷。以銳兵克之於牧野，歸乃荐馘於京太室。乃命周公爲作《大武》。

《大武》乃是武王即位後，命周公所創作的，主要在表現以武力克商滅殷[12]。或也有將《大武》稱之爲「象舞」的。象者，具有模仿象徵之意。據《墨子·三辨》云：武王「自作樂，命曰象。」《詩經·周頌·維清》載：「維清，奏象舞也。」注：「文王時有擊刺之法，武王作樂，象而爲舞，號其曰象舞。」《詩經·鄭箋》曰：「象舞，象用兵時刺伐之舞。」(頁七〇九)則似乎又指出爲武王模擬文王用兵擊刺時的情境，強調舞蹈的情節象徵。

另外，相傳「武王伐紂，至於商郊，停止宿夜，士卒接歡樂以達旦，前歌後舞，假於上下。」（《尚書·大傳》）是以《大武》又稱為「武宿夜」，表明了武王伐紂的歷史紀實。依《華陽國志·巴志》的記載，當時聯軍中勇銳的巴師，歌舞以淩，殷人前徒倒戈。所以或許是取材自巴人的歌舞而改編的[13]。

是以對《大武》的名稱與起源，雖有不同的說法，但其主要內容是在表現周武王伐紂克商的功績。《史記·樂書》中記載賓牟賈侍坐于孔子，孔子與之言樂：

> 子曰：「居，吾語汝。夫樂者，象成者也。總干而山立，武王之事也；發揚蹈厲，太公之志也；武亂皆坐，周召之治也。且夫武：始而北出，再成而滅商，三成而南，四成而南國是疆，五成而分陝。周公左，召公右。六成復綴以崇天子。夾振之而四伐，盛威于中國也。分夾而進，事早濟也。久立于綴，以待諸侯之至也。」
>
> （卷二十四，頁一二二九）

依照孔子的描述，《大武》中的每個動作，每個隊形的變化，都具有象徵的意義，表現著具體的情節：「總干而山立」，是指持盾穩然如山不動。象徵武王伐紂，將士們以嚴整的軍容，執戈待命；「發揚蹈厲」，是指奮發武威、頓足蹈地、面有怒容。形容軍士們以高昂的鬥志，奮臂頓足，表現擁護姜尚為民除害，翦商克殷的心志；「武亂皆坐」，是指行伍隊形變換，散坐於地。表示商紂已滅，開始了周召興禮樂息武事的文治。

倘若再綜合《樂記》中的述評，《詩經·周頌》中的歌詩，我們可以架構出《大武》「六成」，也就是六段樂舞的表演情形：⑴開場為一長段的擊鼓聲，大概為舞蹈的前奏。舞隊從北面走上，巍然屹立，徐緩悠唱，表示對南面稱尊的紂王進攻的決心；⑵轉入熾熱的戰陣舞蹈表演，兩面有人振鐸傳達軍令，舞隊分成兩行，做激烈的擊刺動作，邊舞邊進，表示已經滅商；⑶凱旋南歸，舞隊可能只是「過場式」的回環移動；⑷小國臣服，居南面而稱王，舞隊表現萬朝來邦的氣勢，表示國基已經鞏固；⑸分茅列土，獎勵功臣，以周召爲左輔右弼，協助周王治理國家。舞隊分成兩行，有條不紊地變化各種複雜的隊形，而後節奏加快，音樂進入「亂」樂段。再形成整齊的隊式，舞者皆坐，以低姿的靜止場面，表現國泰民安；⑹舞隊重新列隊集合，表示大家一致崇奉周王。全舞結束[14]。

我們從《大武》的表演來看，它屬於儀式性的舞蹈，著重於「武王之事」、「太公之志」、「周召之治」等情節的展現，以敘事爲主，具含有禮樂「象功昭德」的功能，是以稱之爲「戲禮」，確是名實相符。而其爲武舞，持著干盾，表演武技格鬥的武術動作，與行伍戰陣的隊式變化，顯現了爭鬥競技的「衝突性」，此正是戲曲雜技中表演「技藝」的特質。

在古代的銅鼓兵舞圖象中，有許多表現舞干盾、舞干鉞、舞干戚、舞干矛等「武舞」的舞姿，如開南化鼓腰鼓八幅干舞象中，舞人頂插蓑毛，髻綴羽翼，髻後飾一鷺首，身披鷺尾紋羽裳，左手執頂飾羽毛的干，右手張開作展翅舞姿（圖④）；而雲南江川李家山 M24：36 號鼓腰樂舞圖中，舞人頭飾與手持兵器，都飾有很高的鳥翼與蓑毛，圖中舞人皆坐，雙手執干或雙手執羽，應屬於「以干羽爲萬舞」（《毛傳》）的形式[15]（圖⑤）。而「舞人皆坐」恰也是《大武》中的演出場面，爲古代習戎與祭祀的結合。

此外，《大武》雖然是一個以樂舞爲主體的藝術形式，但已具有「故事性」。誠如王國維所言「戲曲爲合歌舞以演故事」，戲曲包含了歌舞表演與故事文學的兩大要素。《大武》的六成，觀兵、北伐、凱旋、定邊、輔政、尊王，其實正組成了起、承、轉、合的結構形態，從衝突的開端、發展、高潮到結局，形成了完整的戲劇性情節[16]。因此，從《大武》具有象徵性的簡單動作，以及一定的故事內容，我們可以說它潛藏有戲劇的因子[17]。

姚華曾提出「戲、舞一源」的看法，對樂舞與戲曲的關係，做了最佳的註腳：

> 戲原於祭，意寓於虛，演暢於舞，皆武事也；舞分文、武，武舞居先，恢奇於巫祝，浸淫於百戲。……今劇有文、武，猶文舞、武舞[18]。

說明了樂舞是在百戲之中浸淫發展的。而從「發以聲音，文以琴瑟，動以干戚，飾以羽旄，從以簫管」（《史記·樂書》卷二十四，頁一二一一）的組成形式來看，樂舞對於戲曲的萌生確有影響。

二、蚩尤戲

任中敏認爲在周蜡之中，可能有一幕勇武的角觝戲存在，是構成「戲禮」的主要成分之一[19]。「角觝戲」一般有廣狹二義：狹義指摔跤角力之類的比武表演，廣義則概括了各種各樣的倡優表演項目。關於角觝戲的由來，或以爲是「稍增講武之禮」而成的；或有以爲是源自於上古時代黃帝與蚩尤的戰爭，據任昉《述異志》中云：

> 秦漢間說蚩尤氏耳鬢如劍戟，頭有角，與軒轅鬥，以角抵

人，人不能向。今冀州有樂名蚩尤戲，其民兩兩三三，頭戴牛角而相觝。漢造角觝戲，蓋其遺制也。

（《叢書》第八十二冊，卷上，頁三十）

人們模仿古代黃帝與蚩尤的爭戰情形，而形成一種競技表演，稱之爲「蚩尤戲」。從它頭戴牛角相對競技的情況來看，應是從原始藝術中的鬥獸表演發展出來，可能與「百獸率舞」有關，爲原始時代祭祀蚩尤的一種儀式性舞蹈。而後隨著春秋戰國金戈鐵馬，群雄割據時代的到臨，這種著重於角力競技的表演，遂普遍發展，由民間進入宮廷，而成爲君王們喜好的游藝節目。

蚩尤爲古代的戰神，「三曰兵主，祀蚩尤」（《史記·封禪書》卷四，頁一三六七）在秦漢時立有蚩尤的祭祀。從史籍中的記載來看：「蚩尤弟兄八十一人，並獸身人語，銅頭鐵額。」（《史記·正義》引《龍魚河圖》，卷一，頁四）「謂蚩尤人身牛蹄，四目六手。」（蘇鶚《蘇氏演義》卷下）「蚩尤氏耳鬢如劍戟，頭有角。」（《述異志》）似乎是半人半獸的形象。在圖騰崇拜的信仰習俗中，人們常選用奇特兇猛的動物獸形，作爲部落的標記或裝飾，賦予其驅災逐禍的神力。

是以蚩尤基於「遠古造型意識」的原則而被形塑，商周時以虎口、利牙、銳角的牛虎合體形象，雕繪在兵器兜鍪、禮器上的饕餮獸紋，或者被視爲蚩尤圖騰的遺響[20]。又云「蚩尤作五兵，謂戈、殳、戟、酋矛、夷矛也。」(《呂氏春秋》)蚩尤不僅勇猛善戰，同時也長於製作兵器，這對於武術武技的發展不無影響。山東沂南東漢畫像石墓，北壁正中刻有「蚩尤持五兵」圖(圖⑥)，或許就是《魏書·樂志》所載：「造五兵角觝」（卷一〇九，頁二八二八）二者結合的形象。

張衡《西京賦》中描繪「蚩尤秉鉞，奮鬣披般(班)，禁御不若，以知神奸；魑魅魍魎，莫能逢旃。」孫作雲認爲這段大儺表演中的蚩尤，就是擔任打鬼大頭目的「方相氏」；而陳多則更近一步指出，在上古的神話人物中，只有蚩尤符合面目奇醜，使人望而生畏；勇武威猛，可戰勝一切惡鬼；與黃帝有關，甚至圖繪蚩尤形象，或命人化妝變化爲蚩尤模樣來威嚇天下等條件，是以蚩尤爲最古老的方相氏[21]。

「方相氏」爲古代宮廷中驅儺的領袖，綜合《周禮·夏官》的形容：「掌蒙熊皮，黃金四目，玄衣朱裳，執戈揚盾，率百隸而時難（儺），以索室毆疫。」（卷三十一）可以發現「黃金四目」、「銅頭鐵額」應是指其戴著假面或銅兜鍪的形態；而「掌蒙熊皮」、「奮鬣披般」正說明其喬妝成猛獸的樣子。鄭玄注說其模樣猶如商周時的「魌頭」，魌，正字作「棋」，醜也。是以在先秦和兩漢的典籍中，都用以形容面貌的醜陋[22]。這種猙獰醜惡的面相，正足以發揮驚恐嚇阻的效用，有助於達到驅鬼逐疫的目的。

這樣的造型與職能，甚或演變成鍾馗的形象。依斯坦因2055《除夕鍾馗驅儺》文的描述：「親主歲領十萬，熊羆爪硬，鋼頭銀額，魂(渾)身總著豹皮，盡使朱砂染赤。感稱我是鍾馗，捉取江游浪鬼。」彷彿是蚩尤與方相氏的混合體，而在一些《兒郎偉》的歌謠中，不僅強調其巫術性的「武舞」特質，並將之納入軍事訓練與征戰中，由此也可見出樂舞、武術與角觝的親密關係[23]。

蚩尤戲中「戴牛角而相抵」的表演，應即是蚩尤頭部武裝造型的轉化，也是用以「角力競技」的武器與形式，可能已經具有翻滾、平衡、相撲等雜技動作的產生[24]。在先秦出土的文物中，有著角力相撲的圖像，應該可以歸屬爲「蚩尤戲」、「角觝戲」一類的表演。如陝西長安客省莊 k140 號戰國末年出土的銅飾牌（彩圖③），湖北江陵鳳凰山秦墓中出土的漆繪人物畫木篦（圖⑦），河南密縣打虎亭 2 號漢墓壁畫（彩圖④），山東臨沂金雀山九號墓出土的彩繪帛畫（彩圖⑤），河南鄭州新通橋西漢畫像磚（圖⑧）等，表現著人們徒手相搏、徒手對器械、持器械相鬥等角鬥類型。

從傳說中的部落征戰，到驅鬼逐疫的儺儀形式，再演變爲相撲角觝的競技遊戲，其中都寓含有「武力打鬥」的特質，藉由激烈擊毆的形式，往往能夠獲致「鎮壓厭勝」的功效。而原本伴隨著儺儀舉行的「磔牲以禳四方之神」，也成爲「鬥獸」形態的蚩尤戲活動類型，由磔牲殺獸的表演象徵邪魅的辟除，並藉由犧牲的生與死、季節的新舊交替體現祈求豐禳的「能量轉換」作用[25]。故如唐段成式在《酉陽雜俎·境異篇》所言：「龜茲國，元日鬥牛、馬、駝爲戲七日，觀勝負，以占一年減耗繁息也。」（前集卷四）在元旦時舉行鬥獸之戲，能夠預卜一年的牲獸數量。

在衆多百戲雜技的表演項目中，「角觝」之所以能成爲百戲雜技的統稱，或許是基於其儺儀的原始宗教意涵與功能；或者是由於其能指攝雜技「角力競技」的表演的重點。而「戲」原具有「角力比武」的本意，「角觝『戲』」則更強化了其角力爭鬥、技藝施展的特質，並吸收了喬妝假扮的手法，如在陝西的社火臉譜中，還保留著蚩尤「銅頭鐵額」的造型，運用蛋殼剪黏沾貼的方式，使蚩尤臉上「長」出許多疙瘩或角，以表現其面相的猙獰威猛[26]（彩圖⑥）。爲後世的舞臺化妝藝術開創了天地。

第二節　兼具喬妝變幻的漢代戲象

「戲象」名詞的發凡，自曾慥《類說》引《西京雜記》中的記載：

鞠道龍，古有黃公術，能制虎，又能立興雲雨，坐變山河。後衰老，飲酒亡度，術不能神，爲虎所食，故三輔間以爲戲象。

三輔間將屬於角觝雜技的「東海黃公」扮飾演出。任中敏認爲「戲象」是漢代對戲劇的用語，指用戲來表達「現象」，如《鹽鐵論·散不足篇》中所云：「富者祈名嶽，望山川，椎牛擊鼓，戲倡舞像。」將「戲倡」詮釋爲表演雜技百戲中「總會仙倡」的故事；而「舞像」即「戲象」，戲、舞二字之義互見[27]。

象也者，像此者也，象在古書中多假借爲像，據《周易·繫詞》中所云：「聖人有以見天下之，而擬諸其形容，象其物宜，是故爲之象。」古人觀察天下萬物，進而「擬容」、「取象」。並將「象」作爲理性思惟與感性思惟的起點和依據，在對象世界中肯定自我，形成中國人「觀物取象」、「立象盡意」（《文心雕龍》）的獨特思想法則。因此無論是飛禽走獸、花木蟲魚等自然生物；或是雲雷湖海、山河金石等大然景致；甚或是不存在於客觀現實中，乃是想像的神佛鬼怪、靈異祥物；抑或是人類特定的神情氣勢、動作形態等，都成爲人們取材模擬的對象。

而戲曲原本即是透過演員的喬妝搬演，來揭示事物的形象，將故事情節加以模擬或再現。是以「戲倡舞像」，可詮釋爲「倡戲像舞」，「倡戲」與「像舞」是爲互文。倡是倡優，倡以樂舞演出爲主，優以滑稽的言語譏諷爲主。「倡戲」爲倡優科諢歌舞的戲弄表演；像是象人，《漢書·禮樂志》有載：

> 朝賀置酒，陳前殿房中，不應經法。治竽員五人，楚鼓員六人，常從倡三十人，常從象人四人，詔隨常從倡十六人，秦倡員二十九人，秦倡象人員三人，詔隨秦倡一人，雅大人員九人。（卷二十二，頁一〇七三）

孟康注云：「若今戲蝦魚師(獅)子者也。」韋昭注云：「著假面者也。」唐顏師古贊同孟說，認爲屬於漢宮廷散樂人之一的「象人」，爲裝扮成「蝦魚獅子」的樂舞百戲演員[28]。至於「秦倡象人」，則是倡優中任戲象之人，既能歌舞調戲又能兼以喬妝競技。

因此「戲倡舞像」即是「象人之戲」一類的表演，也就是漢代所謂的「戲象」。在漢代百戲雜技中，有著許多「象人之戲」的表演，其中如「總會仙倡」、「曼延之戲」、「東海黃公」等節目，不僅充滿著大量象獸、象神、象人等喬妝扮演的形象模擬外；同時也運用了無中生有、詭誕惑人的幻術戲法，來貫串豐富故事劇情的進展。其所產生的藝術效果，對於戲曲的影響，是不容忽視的。底下即分別探究之。

一、總會仙倡

「總會仙倡」爲漢代雜技樂舞的大型表演節目。依〈西京賦〉中的描繪：

> 總會仙倡：戲豹舞羆，白虎鼓瑟，蒼龍吹篪；女娲坐而長歌，聲清暢而蝼蛇；洪崖立而指麾，被毛羽之襳襹。度曲未終，雲起雪飛，初若飄飄，後遂霏霏。複陛重閣，轉石

成雷，霹礪激而增響，磅磕象乎天成。

（《文選》，卷二，頁四十八）

乃是倡優扮演仙人的歌舞會演。首先上場的是獸舞，由演員們扮演成豹、羆、虎、龍等神獸，豹子戲耍，黃熊跳舞，白虎與蒼龍，鼓瑟吹篪，配樂伴奏。接著是由演員飾演女英與娥皇，坐著演唱，歌聲曼長婉轉，清亮悅耳。隨後是古代三皇時的伎人洪崖，身披羽衣，在場中調度指揮。樂曲尚未終結，突然陰雲四起，雪花紛飛，起初飄飄點點，繼而霏霏瀰漫。此時又聽見複道重閣中，傳來陣陣滾動石球所發出的雷鳴聲響，那雷霆霹靂的氣勢，猶如上天發怒。

「臨回望之廣場，程角抵之妙戲」，在這場百戲雜技表演中，有著道具佈景的安排，以及聲光變換的手法。然而究竟如何在廣場上迅速變換場景，並製造出雲起雪飛、雷聲轟鳴的聲光音效，實在令人感到疑惑。或許是運用象徵性的方式，引起觀衆的想像；也或許是以「仙人車」的形式表演[29]，如在徐州銅山洪樓出土的漢墓畫像石(圖⑨)，有仙人車的圖像：車輪以雲紋遮掩，前有披著龍鱗形的馬拉車，車上有巨人、熊形、仙人等形象，可能就是類同「總會仙倡」的節目表演。

在圖中可以看到有位勇士肩拉著用繩索串連成的五個巨大圓形石球，向前奔跑的圖像，應就是「轉石成雷」的具體形象。周育德認爲這五個圓石球，正是「雷」的象徵，也就是道教中的「雷法」。道士捉鬼時，要行「五雷行罩」之法；作法時，設「五雷令」牌；心法中，有「五雷天心正法」，可見「轉石成雷」的表演應是寄寓著神仙道教的思想[30]。而這種象徵手法的應用，如後世戲曲舞臺上的雲紋水旗般。

至於「仙倡」，《西京賦》中薛綜注云：「僞作假形，謂如神也。羆豹熊虎，皆爲假頭也。」以假形與假頭，來喬妝扮演神仙人物與動物，其實也就是所謂的「象人之戲」。筆者以爲「象人」從字面上來詮釋，或可說模仿裝扮成人的樣子；或可指以人體爲媒介去裝扮形象；又或二意兼具，借用人體來喬妝模擬，而其裝扮的對象，仿效神仙風采形象的，稱爲「象神」；模擬獸類形貌爲形象的，稱爲「象獸」；取意人物情狀爲形象的，稱爲「象人」[31]。所以無論是裝神弄鬼、裝扮他人或裝禽弄獸，都可視爲「象人之戲」。

漢代讖緯之說盛行、求仙長生的慾望與嚮往，普遍地存在於宮廷與民間。人們藉由裝扮，將想像中的神仙鬼怪具化，賦與其祈福賜瑞、禳疫避災的權勢；上古之時的巫、靈、祝、尸，其實就是「象神」的化身，透過這種「喬妝扮演」的形式，經由「中介」的儀式過程，進入神仙鬼怪的「角色」形象中。更進而運用「人格化」的方式，將人類的情感、稟性、容貌、觀念、事跡等，放諸神仙鬼怪身上，而模仿呈現出人化的神格。

是以，象神崇拜的原始信仰還可與各種動物禽獸相互結合，成爲圖騰舞蹈的形制。如古籍中「鳥獸蹌蹌」、「鳳凰來儀」、「百獸率舞」（《尚書·虞書》，頁四十六）的記載，正是「象獸」一類的表演，人們不僅藉此來模擬自然界的各種生物，反映打漁、狩獵、農耕的生活形態，也刻意地運用浮誇虛飾的手法，將之「擬人化」或「神聖化」，使其演變爲尊崇膜拜的對象。

因此，在「總會仙倡」的表演中，我們看到了「戲豹舞羆」、「白虎鼓瑟」、「蒼龍吹篪」等動物的扮演，除了模仿再現動物的各種形態與情狀外，人們似乎將更多的自我本質，與動物的自然屬性摻雜在一起，使其具有歌舞表演、器樂吹奏的技能，彰顯出體現自我的人文意涵。進而寄託對自然征服的慾望，寓意天下萬物皆能由人類所掌控。

故在漢代出土的畫像磚中，「象人之戲」爲主要的樂舞百戲題材，如南陽縣阮堂東漢畫像石中，有一象人，頭戴面具，兩臂上舉，下肢半蹲，狀似熊羆弄杖作戲，或即〈西京賦〉中「總會仙倡，戲豹舞羆」的表演（圖⑩）；而山東徐州銅山紅樓東漢畫像石中，雀戲、龜戲、鹿駕仙車等仙境圖像（圖⑪），則如李尤〈平樂觀賦〉中所形容的：「有仙駕車，其形蚴虯。騎驢馳射，狐兔驚走。侏儒巨人，戲謔爲偶。禽鹿六蛟，白馬朱首。魚龍曼延，巍峢山阜，龜螭蟾蜍，挈琴鼓缶。」

從儺祭、八蜡到總會仙倡，其間已充分顯現戲劇扮演的特質。尤其是假面假形的運用裝扮，成爲後世戲曲舞美化妝的濫觴。如《脈望館抄校本古今雜劇》中便載有三十多種假面、假頭的名目，可見戲曲中對於這種表現手法的應用。尤其在儺戲的表演體系中，更被頻繁普遍地用以塑造角色人物的形象，儼然爲各種神怪的化身。

二、魚龍曼延

漢代封禪求仙的思想盛行，故在當時百戲樂舞的題材中，充滿著濃厚的神話色彩，尤其是「魚龍曼延」的表演，更融入了眩人耳目的幻術技藝。依據〈西京賦〉中的描繪：

> 巨獸百尋，是爲曼延，神山崔巍，欻從背見。熊虎升而拏攫，猨穴超而高援。怪獸陸梁，大雀踆踆。白象行乳，垂鼻轔囷。海鱗變而成龍，狀蜿蜿以蝹蝹。舍利颬颬，化爲

仙車，驪馬四鹿，芝蓋九葩。蟾蜍與龜，水人弄蛇。

（頁四十八）

其實是由幾個小節目所串演起來的。首先在巍峨的神山之間，熊虎上場，兩獸相遇搏鬥。然後是一群猿猴，跳躍追逐，攀樹登高；忽然出現一隻怪獸東西徜徉，嚇得大雀畏縮顫抖，東躲西藏；有一頭懷孕的白象，生了一頭小象，邊甩著長鼻，邊走著餵哺小象；接著從西方來了一條大魚，倏忽變成長龍，蜿蜒舞動；此時又出現舍利奇獸，齜牙咧嘴。但轉瞬之間，竟又變成一輛四鹿並駕，以靈芝爲仙蓋，具有九葩之彩的仙車；隨後車上又出現蟾蜍與烏龜，並有水人舞弄著水蛇的技藝表演。內容豐富，節奏緊湊，變化多端。《漢書·西域傳》中曾載：

（武帝）設酒池肉林以饗四夷之客，作巴俞都盧，海中碭極，漫衍魚龍，角抵之戲以觀視之。

（卷九十六下，頁三九二八）

據顏師古注：「漫衍者，即張衡〈西京賦〉所云：『巨獸百尋，是爲漫延』者也。」薛綜注〈西京賦〉曰：「作大獸，長八十丈，所謂魚龍曼延也。」曼延，或作漫衍，蔓延，曼衍，蟃蜒，原是形容其舞動的形態，或以其爲傳說中的異獸，《漢書·司馬相如傳》上有云：「其下有白虎玄豹，蟃蜒貙豻。」（卷五十七上，頁二五三六）郭璞注曰：「蟃蜒，大獸，似狸，長百尋。……漢時仿此爲百戲。」所以「魚龍曼延」誠如馬端臨《文獻通考·散樂百戲》中所言皆爲「假作獸以戲」，乃是由人扮演巨獸的假形舞蹈。至於其表演方式，顏師古注亦有較詳盡的說明：

魚龍者，爲舍利之獸，先戲於庭極。畢乃入殿前激水，化成比目魚，跳躍漱水，作霧障日。畢，化成黃龍八丈，出水遨戲於庭，炫耀日光。〈西京賦〉云：「海鱗變而成龍。」即為此色也。

（《漢書·西域傳》第六十六下，頁三九三〇）

《後漢書》劉昭引蔡質漢儀大同於此(見〈禮儀中〉頁三一三一)：先裝扮成舍利獸，在庭中獻藝；然後再跳入殿前水池中，化為比目魚，跳躍翻騰；最後則變成八丈黃龍，庭中嬉遊，炫耀奪目。這其中究竟是如何當場變幻道具與場景，並作出「噴霧翳日」的情景，雖無進一步的資料可供釐析，但經由一些漢墓畫像石：如山東沂南漢墓畫像石中，有「魚舞」、「龍舞」的形象(圖⑫)；山東嘉祥武士祠漢墓畫像石中，有「水人弄蛇圖」(圖⑬)；山東鄒縣黃路屯漢畫像；山東戴氏享堂的樂舞百戲畫象石(圖⑭)等，倒也可以想像一下「魚龍曼延」的表演。

這樣的表演內容與形態，倒令我們聯想到「鯉魚躍龍門」的神話故事。據《三秦記》所載，當大禹鑿龍門後，在每年暮春之際，「有黃鯉魚逆流而上，得者便化為龍。」又林登云：「每遂季春有黃鯉魚，自海及諸川爭來赴之。一歲中，登龍門者，不過七十二。初登龍門，即有雲雨隨之，天火自後燒其尾，乃化為龍矣。」（《太平廣記》，卷四四六，頁三八三九）能夠越過龍門的，便能化為神龍飛天；無法躍過的，則點額曝鰓，碰壁而返。

陶宏景《本草》中說：「鯉為魚中之王，形既可愛，又能神變。」《酉陽雜俎》中曰：「道書以鯉多為龍，故不欲食。」可見鯉魚具有「神變」為龍的本領。再對照《說文》中的解釋：「鯉，鱣也。」「鱣，鯉也。」陸璣云：「鱣身形似龍，銳口。」鯉與龍音恰為一音之轉。是否基於其音義形體附會成說，並無法得知。而《水經河水注》中有條記載：「深水有異魚。按正光元年五月五日，天氣清爽，聞池中創創若鉦鼓聲，池水驚而沸，須臾雷電晦冥，有五色蛇自池上屬於天，久之乃滅。波上水定，唯見一魚在，其一變爲龍。」似乎也與「魚龍曼延」的表演形態頗相類似，然其卻特別標示出時序在「五月五日」陽氣最盛之時，轉化爲代表著東西南北中五方的青紅黃白黑五色「小龍」上天，傳延中國古老的陰陽五行思想，來深化其神力。

龍在中國向來被視爲祥瑞的象徵，經過幾千年來理想化、神聖化的形塑過程，成爲中華民族共同的圖騰崇拜。從上面二則神話來看，魚與龍必定有著某種內在聯繫，龍的起源應與魚有所關聯。在半坡彩紋陶飾中，我們可以看到許多「魚紋人面」的圖形（彩圖⑦），或者就是圖騰標誌的遺存。是以神話是否寓意著原本以「魚」爲圖騰的部落，再經過兼併聚合其他部落後，轉變爲「蛇」而後又向「龍」的圖騰部落演變[32]。「魚龍曼延」的表演，恰是基於這種圖騰變異的文化底蘊，再加以變化表現的。

因此「魚龍曼延」中結合了「作霧障日」的技巧，來顯現由「魚」變化爲「龍」的過程。《拾遺記》中即有「噴水爲煙霧，暗數里間，俄而復吹爲疾風，雰霧乃止」的表演記載，要在須臾片刻間，表現驚奇特異的演出效果，通常是運用幻術的技藝，來眩惑觀衆的耳目。故所謂「幻技激水化魚龍」（《唐會要》卷三十二，頁六一一）。幻技，即幻術，也稱爲魔術、戲法。通常是運用障眼法的手法，迅速巧妙的變化出許多東西，或是製造出一些驚人可怕的景象。

漢武帝時，雜技百戲或稱爲「角觝奇戲」，其中不僅有著重於技勇的「角觝」，也概括了偏於奇幻的「奇戲」。其實早在夏桀之時，便已有「奇偉之戲」的出現。《尙書・泰誓下》曾載：「作奇技淫巧以樂婦人。」依正義所註解：「奇技謂奇異技能，淫巧謂過度工巧。二者大同，但技據人身，巧指器物爲異耳。」[33]漢代幻術是中土與西域兩大系統的融合。武帝時，由於大闢疆土，與西域交通，所以西域的幻術紛紛進入中土。《漢書·張騫傳》載：

> 而大宛諸國發使隨漢使來，觀漢廣大，以大鳥卵及犛靬眩人獻漢，天子大說。……及加其眩者之工，而角氐奇戲歲增變，其益興，自此始。（卷六十一，頁二六九七）

「魚龍曼延」顯然是「角觝奇戲」中一項具有特色的節目，由於它的內容變化多端，技藝性十足，深具可觀性。因而自漢代以後，成爲百戲雜技的代表性劇目，並於名稱上特意標示其「變」異的技巧：如梁時以「變黃龍弄龜伎」（《隋書·音樂志》卷十三，頁三〇三）宮廷樂舞雜技表演的壓軸戲；劉宋有《鳳皇銜書伎》，《南齊書·樂志》稱爲「蓋魚龍之流也」（卷十一，頁一九六）；隋唐之時，則依然延續著「黃龍變」的表演形式[34]。有時甚或以「魚龍曼延」作爲雜技的代稱[35]，可見其在百戲雜技中的地位。

「魚龍曼延」被收錄在清代的《鵝幻彙編》中，劃歸爲魔術戲法一類的表演[36]。這種大型的幻術表演節目，結合了幻術與假形舞蹈，又運用類似後世鼇山燈彩之類的佈景，與魚、龍、虎、熊、象、猴乃至百尋蔓延等，象人假形扎彩動物等製作，營造出各種特殊效果，對於後世舞臺藝術應有所啓蒙。如南齊時《天臺山伎》「作草莓石橋道士捫翠屏之狀」（《南齊書》，卷十一，頁一九五）的設置，應也是應用此類的表現手法。

三、東海黃公

「角觝、像形、雜技，歷代相承有也。」[37]「東海黃公」正是兼具「角觝戲」與「象人」像形的雜技節目。依史籍中相關的記載：

> 奇幻倏忽，易貌分形：吞刀吐火，雲霧杳冥；畫地成川，流渭通涇。東海黃公，赤刀粵祝，冀厭白虎，卒不能就；挾邪作蠱，於是不售。(張衡〈西京賦〉，卷二，頁四十九)

> 有東海人黃公，少時爲術能制蛇御虎，佩赤金刀，以絳繒束髮，立興雲霧，坐成山河。及其衰老，氣力贏憊，飲酒過度，不能復行其術。秦末有白虎見於東海，黃公乃以赤刀往厭之。術既不行，遂爲虎所殺。三輔人俗用以爲戲，漢帝亦取以爲角抵之戲焉。（葛洪《西京雜記》卷三）

可以得知這是敘述黃公與白虎搏鬥的故事，乃是秦末漢初關中一帶百姓，依據民間傳說編演而成。後來則被取用於宮廷，加入了更多樣的幻術表演。所謂「奇幻倏忽，易貌分形」的表演，如非形容象人們戴上假面(易貌)，套上假形(分形)以後，變幻莫測的神態；則可能是指如同自體支解、易牛馬頭一類的魔術戲法，是爲角觝奇戲的劇目之一。

漢代民間巫風盛行，神仙道術在巫術的基礎上也逐漸發展成形。當時有不少的巫師、方士都從事幻術的演出，「東海黃公」正是在這種背景下產生與流傳的。《西京雜記》指出此乃是「善爲幻術」的鞠道龍所述說的古時事[38]並又引：

> 淮南王好方士，方士皆以術見，遂有畫地成江河，撮土爲山巖，噓吸爲寒暑，噴嗽爲雲霧。

作爲補充，爲「東海黃公」的情節，提供了最佳的註解，可見「東海黃公」必然與當時方士道術的百戲表演有關。是以張衡在〈西京賦〉中，還以「挾邪作蠱，於是不售」的評價，來對吹噓有法術能制服老虎，最後卻被虎所殺的黃公，提出反諷嘲弄。可見在「東海黃公」的表演中，已經預含有故事的主旨，其情節的推演與組織，都是在特定的情境下進行的。底下就讓我們來看看其搬演的形式。

首先是由頭裹紅綢、手持赤金刀的少年法師黃公上場，表現他制蛇御虎的法術，吞刀吐火的技藝。並施展在片刻間興雲布霧，化平地爲山河的幻術，以顯示本領高強。其後，則化妝爲較年邁衰老的模樣再度出現。由於飲酒過量，力不從心，無法如以前般施行法術。此時，場上出現一隻白虎，在東海到處爲虐作害，傷害無辜。是以，黃公持赤金刀前來制服。在人虎往來激烈地打鬥中，黃公施法不靈，遂爲白虎所囓殺。

基本上，「東海黃公」的演出是屬於「角觝戲」的形式，表現人虎相鬥的競技特質：由兩個演員分別扮飾黃公與白虎，並塑造出黃公獨特的人物個性，可以說已略具腳色形象的特徵。腳色或簡稱爲腳或色，因同音通假寫作「角色」，爲戲曲人物類別的符號象徵，必須透過扮演才能顯現。

薛綜注〈西京賦〉：「東海能赤刀禹步，以越人祝法厭虎，號黃公。」(卷二，頁四十九)所謂「禹步」，乃是仿效大禹跛病的步伐而成的一種巫術舞步，根據《荀子·非相篇》中的形容「偽枯之病，步不相過，人曰禹步。」應是細小而快速的碎步形式，與西漢成帝時趙飛燕所擅長「如人執花枝，顫顫然」的「踽步」，或有繼承的關係，對於後世戲曲舞蹈中旦腳「跑圓場」、

「蹀步」等「步不相過」的特色，應也有所影響[39]。

所以，在「東海黃公」中，飾演黃公者，手持赤刀，腳跳禹步，口中「粵祝」唱念，可能已有具體的臺詞道出或歌唱。而其持刀與假扮老虎之人搏鬥，有相互廝殺、對擊、對打的動作，既有角觝競力的成分，也有類似舞蹈、武術的表演。同時依照事先預定的招式進行演練，對於後世戲曲中，對練套路的武打技藝表演，不啻開了先鋒。

黃公除了表演搏虎爭鬥之險技外，又能施展「挾邪作蠱」的種種幻術。是故《史記》說角觝「加其眩者之功」（卷一二三，頁一三一二），實爲以奇戲來裝飾角觝戲，要求雜技節目處於變化情景之中。根據統計，目前發現的漢代「吐火」石刻，有十幅之多，如山東嘉祥縣劉村洪福院出土的「吐火施鞭圖」(圖⑮)；河南新野漢墓畫像磚(圖⑯)，提供我們有關「吐火」表演的具體形象。而「吞刀」的表演，則從《信西古樂圖》(圖⑰)與《三才圖會》中可得見。至於薛綜形容黃公以「越人祝法厭虎」的方式來制服白虎，《後漢書·方術列傳》中載有趙炳，能爲「越方」：

> 《抱朴子》曰：「道士趙炳，以氣禁人，人不能起。禁虎，虎伏地，低頭閉目，便可執縛。以大釘釘住，入尺許，以氣吹之，釘即躍出射去，如弩箭之發。」《異苑》云：「趙侯以盆盛水，吹氣作禁，魚龍立見。」越方，善禁咒也。（卷八十二，頁二七四二）

這種禁術應是具有「氣功」或「幻術」的技巧。《抱朴子》中收錄不少當時具有巫道色彩的一些民俗傳聞，如〈遐覽篇〉中記載有《白虎七變法》的巫書，爲一種制虎、驅虎所用的方術；〈登涉篇〉也記敘了三種咒虎、厭虎的法術：

> 山中卒逢虎，便作三五禁，虎亦即卻去。三五禁法，當須口傳，筆不能委曲矣。一法，直思吾身爲朱鳥，令長三丈，而立來虎頭上，因即閉氣，虎即去。若暮宿山中者，密取頭上釵，閉旡(氣)以刺白虎上，則亦無所畏。又法，以左手持刀閉旡(氣)，畫地作方，祝曰：桓山之陰，太山之陽，盜賊不起，虎狼不行，城郭不完，閉以金關。因以刀橫旬日中白虎上，亦無所畏也。（頁二八七）

其中第三種持刀閉氣，口念祝語的方式，或即爲黃公所欲施展的道術，可惜黃公年老力衰，飲酒過度，遂喪失了法術的效力。巫祝「能事無形，以舞降神」(《說文》)，向來被認爲是最古老的演員。不僅經由「裝扮化身」來表演歌舞，還須要學習幻術、武功、雜技等技能，來操作儀式的進行，增添表演的技藝性，展現其特有的功能意義。這樣的表演傳統，深刻地體現在儺戲與目連戲中，遂成爲對戲曲演員技藝本領的要求與訓練。

在河南方城東關漢畫像石中有「鬥獸畫像」圖，其景象正如《抱朴子》中所形容的「禁術伏虎」(圖⑱)；另外，南陽市魏公橋出土東漢畫像石(圖⑲)；河南新鄭漢代畫像磚(圖⑳)；四川東漢郫縣石棺圖像（圖㉑）；山東沂南漢畫像石[40]等，都提供了「東海黃公」的形象可供參考。

周貽白曾指出中國歌舞之所以能相互結合，而形成載歌載舞的表演形式，是依靠了「故事表演」而發展起來的。而「故事表演」的最初形式之一，便是以「摔跤」的技藝出現。「東海黃公」由於最後必須扮演與虎爭鬥的情形，所以加入了「摔跤」的形式，也就是具有了「雜技」與「武術」的成分，即現今唱念做打的「打」。是以各項技藝，藉著故事的情節，由單純漸趨綜合。後世戲劇，可以說是在「東海黃公」之時完成第一階段[41]。

「戲」從字形而言，左邊從「虎」，右邊爲「戈」，依《說文》本義後人註解爲虎與野豕或人與獸的假定性「搏鬥」。由字形字義來推論，恰與「東海黃公」的表演內容相似，可見「戲」與雜技的關係其來有自。而余秋雨認爲不僅是在演出的場面上接近戲劇，更重要的是在實質內容上，已經具備有藝術的假定性[42]。所以「東海黃公」的演出，在中國戲劇文化史上，具有空前界碑性的意義。

是故「東海黃公」的演出，有裝扮、有行動，既融各種技藝於一爐，還有賓白或歌唱的成分。依照事先設計編排好的故事情節，安排一個有懸置與危機的戲劇結構，側重於戲劇衝突意味的演出，算得上是一齣「角骶奇戲」，而且也隱約具含了「合歌舞以演故事」的特質，呈現出「歌舞小戲」的雛形。

第三節　寓有戲劇衝突的隋唐戲弄

《說文》云：「戲，三軍之偏也，一曰兵也。」而《太平御覽》引《說文》卻曰：「戲，一曰相弄也。」馬聲翰認爲：「由於『兵』、『弄』，篆文相近，所以『兵』乃『弄』字的訛誤。」[43]其實，戲、弄二字常爲互訓，《集韻》中云：「戲、弄也」；《左傳》僖公九年載：「夷吾弱，不好弄。」注：「弄，戲也。」(卷十三，頁二二〇)在史籍中也常見到「戲弄」一詞，如「今臣至，大王見臣列觀，禮節甚倨；得壁，傳之美人，以戲弄臣。」(《史記·廉頗藺相如列傳》卷八十一，頁二四四〇），「自爲兒童不好戲弄」(《後漢書·公沙穆傳》卷八十二下，頁二七三〇)等，但大都爲狎玩耍弄之義，並未見到有俳優扮演作戲的跡象。

姚華指出「戲謔、戲笑」的「戲」本義，「乃爲『戲弄』誼最古者」，並認爲「戲劇」一詞似出於「戲弄」[44]。而周貽白則說明「戲弄」二字爲連動詞，其來源是出自於「百戲」[45]；任中敏引漢桓寬《鹽鐵論·散不足第二十九》所載：

> 今民間雕琢不中之物，刻劃玩好無用之器。玄黃雜青，五色繡衣，戲弄蒲人雜婦，百戲馬戲鬥虎，唐銻追人，奇蟲胡旦。

將「戲弄」與百戲比附，並進而將「戲弄」與戲劇原意相比較，認爲其中所加入的調弄、嘲弄，甚至玩弄之成分，更加濃厚而明顯，不僅可施諸於人，也可以用以自嘲、自諷、自弄[46]。弄，《說文》曰：「玩也。」一般意義極爲寬泛，在唐代爲用益廣，通常用來指實際技藝，並非兒戲[47]。而洛地認爲「戲弄」可定義爲「妝扮且演其事」[48]，即指表演者可裝扮成另外一種面目，來表演其事，如「弄假婦人」、「弄參軍」等。

是以「戲弄」在古籍中原只爲狎翫耍弄的意思，而後學者們將之詮釋爲具有歌舞樂白、喬妝假扮、調弄搬演等意涵，並進而用以代稱唐代的歌舞小戲。底下即分別以「蘭陵王」、「踏謠娘」、「參軍戲」等唐代戲弄爲主題，探討隋唐表演故事的傾向，與各種藝術結合發展的趨勢。

一、蘭陵王

隋統一南北，結束了自漢末以來三百多年的戰亂局面，同時也繼承了魏晉南北朝的樂舞傳統。開皇初年，依歷代統治者「功成作樂」的常規，集中整理了中外的各種樂舞，制定了《七部樂》。大業中，則又調整爲《九部樂》[49]。其中作爲第九部「禮畢」的《文康樂》，據《隋書·音樂志》所云：

> 「禮畢」者，本出自晉太尉庾亮家，亮卒，其伎追思亮，因假爲其面，執翳以舞，象其容，取其謚以號之，謂之爲《文康樂》。每奏九部樂終，則陳之，故以「禮畢」爲名。其行曲有單交路，舞曲有散花，樂器有笛、笙、簫、篪、鈴槃、鞞、腰鼓等七種。三懸唯一部，工二十二人。
>
> （卷十五，頁三八〇）

有可能是以「假面」的方式來扮飾庾亮的歌舞表演，亦屬於「象人之戲」的一種。象人，除了模仿神仙與獸類外，也可藉由人的軀體、形象爲媒介，去裝扮另一個人物。並且著重於描摹人自己生活的內容、情感、意志與音容相貌等，誠如文中所云「假爲其面，象其容。」[50]董每戡則大膽的假設《文康樂》便是梁時的《上雲樂》，也即是《老胡文康》歌舞劇[51]。姑不論其可信度如何，二者確實都屬於假面之類的象人之戲。在河南鄧縣出土的南北朝畫像磚中，刻繪有樂舞的場面，其中有個戴面具的舞人，依沈從文的的考證，認爲極可能便是《文康伎》的面具舞[52]。(彩圖⑧)。

另外，薛道衡的〈和許給事善心戲場轉韻詩〉，生動地描繪了隋代民間百戲演出的情景：有外族的音樂舞蹈表演、驚險的馬術、奇妙的幻術、精采的雜技、以及在類似佈景場地中的各種假面假形表演[53]。由此可見，以假面假形方式來演出的「象人之戲」，其實一直是歌舞百戲表演中的主流，藉由各種形象的扮演，來述說故事，表現劇情。而其所運用的裝扮形式，也成就了所謂「大面」戲的傳統[54]，在戲曲的臉譜藝術與舞臺美術方面，都有其確然不移的開山性。

唐貞觀時，將《九部樂》加入高昌的樂舞，成爲《十部樂》。玄宗時，分樂舞爲兩部，堂下立奏叫《立部伎》，以歌舞雜技爲主；堂上坐奏叫《坐部伎》，爲樂曲的奏弄。並又依各部樂舞的性質再予以分類，其中「鼓架部」有一些類別很難劃分是爲舞蹈或雜技[55]，或也說明了在戲曲形成的初期，角觝雜技與歌舞結合的情形。我們從一些象人之類的「大面」戲中，可以觀察剖析其間的關聯。如《舊唐書·音樂志》中載：

> 代面出於北齊。北齊蘭陵王長恭，才武而面美，常著假面以對敵。嘗擊周師金墉城下，勇冠三軍，齊人壯之，爲此舞以效其指麾擊刺之容，謂之《蘭陵王入陣曲》。
>
> （卷二十九，頁一〇七四）

代面之戲乃是源於北齊時假面將軍蘭陵王的英勇事跡[56]。蘭陵王「戴著假面」，與北周交鋒，所向披靡，銳不可當。故仿效其「指麾擊刺」等動作，作《蘭陵王入陣曲》歌舞以贊頌之。

從史籍中的描述，其故事內容與「大武」一類的樂舞頗爲相近，然是否有對陣戰鬥或角觝搏鬥的表演，無法得知[57]。而根據段安節《樂府雜錄·鼓架部》中的描繪，則知「戲者衣紫、腰金、執鞭」，可見已有服飾裝扮的規範。至於「代面」，崔令欽《教坊記》中則稱爲「大面」，並指出其材質乃「刻木爲假面」。

歷來古人交戰，多半戴有面具以護身。但一般都以金屬鋼鐵製造，以求具有防護躲避的功能[58]。而蘭陵王的假面，雖是以木頭製成，但卻能「百戰百勝」，是以周華彬認爲從面具所顯現的「戰鬥性」、「威猛性」與「神奇色彩」三個特點來看，具有著「儺文化」的影子[59]。而依《北齊書》的記載，「長恭免冑示之面」，則其假面是連結在冑之前覆的邊緣，董每戡認爲「蘭陵王」的假面與一般繫於口耳者不同，但以「奇醜猙獰」爲主，可以收到嚇阻敵人的效果[60]。

故就「象人之戲」假面的使用意義而言，除了擬態扮飾外，其實還意寓著某種程度的形變，使自己捨棄人的本體，而化身成爲神仙鬼怪、奇禽異獸、或是另外一種身分的人物。這種「中介」的作用，不僅能使扮演者容易進入所扮演的角色，觀衆也容易認同其形象，而沈浸於情節之中。余秋雨則從「奇醜猙獰的圖形美學價值」立論，認爲面具起初只是人類對客觀世界進行擬態把握的一部份，而後逐漸在其中寄託自己的態度，於是有表情的面具漸次出現。在戰亂的歷史中，只有趨向於「奇醜猙獰」的面具圖形，才能與當時歷史條件下的崇高壯美相連接，與憾人心魄的歷史力量相接通。後世中國戲曲面具的美學形態，也多半以此爲根源[61]。

在唐代樂舞中，「蘭陵王」有著不同的屬性：被歸屬於鼓架部之中的，是展現戰爭雄偉奔放風格的歌舞戲；而被列入於婉約柔美的「軟舞」之中的，或即指「亦入歌曲」的「蘭陵王」[62]。審視屬於「鼓架部」中的「戲」，如「撥頭」、「踏搖娘」等，也都與「蘭陵王」一般，皆源自於外族歌舞或民間戲弄[63]。不知「蘭陵王」是否由於從北齊到唐代的流播過程中，曾經浸潤參和其它的漢族藝術；或是民間與宮廷，有不同的審美要求，所以在表演方式與風韻上都有所轉變，形成不同的風貌。

現今所見到的唐代「蘭陵王」表演資料，以《全唐文》鄭萬鈞〈代國長公主碑文〉中所載較早：

初，則天太后御明堂，宴。聖上（玄宗）六歲，爲楚王，舞《長命□》；□□年十二，爲皇孫，作《安公子》；岐王年五歲，爲衛王，弄《蘭陵王》，兼爲行主詞曰：「衛王入場，咒願神聖神皇萬歲，孫子成行！公主年四歲，與壽昌公主對舞《西梁》，殿上群臣咸呼萬歲。」(卷二七九)

五歲的李隆範能在祖母武則天面前「弄《蘭陵王》」，可見此表演應經常在宮中演出，是以耳熟能詳、融會胸中，故能模擬演出。但此「弄」不知究竟爲單人獨舞式的表演，或是衛王在歌舞戲中扮演飾弄「蘭陵王」的角色；而其表演風格是屬於勁健矯捷，或婉柔舒緩也無法得知。日本雅樂中的「羅陵王」，雖無法確定究竟來自唐代或印度，但從《信西考古圖》、《舞樂圖》中的圖繪與描述，也可以令我們想像「蘭陵王」的表演情景與裝扮面具等[64]（彩圖⑨）。

至於與「蘭陵王」同列於歌舞戲中的「缽頭」，依相關文獻的記載：

撥頭出西域。胡人爲猛獸所噬，其子求獸殺之，爲此舞以像之也。(《舊唐書·音樂志》，卷二十九，頁一〇七四)

昔有人父爲虎所傷，遂上山尋其父尸。山有八折，故曲八疊。戲者披髮、素衣、面作啼，蓋遭喪之狀也。

（《樂府雜錄·鼓架部》，《戲曲論著集成》，第一冊，頁四十五）

乃是自西域傳來的民間戲弄。「缽頭」或作「撥頭」，或解釋爲西域「拔豆國」的同音異譯；或以爲是指帽子之類的頭飾；或認爲含有勇士的意思[65]；大致有父爲虎噬、上山尋尸、與虎格鬥、殺虎報仇等表演情節。「其子求獸殺之，爲此舞以象之」在表演形式上，似乎與「東海黃公」頗爲近似，皆爲人虎搏鬥的表演，可以視爲角觝一類的遺韻。但隨著盤山道八折，配以八曲的形式，則又具有歌唱的成分，曾慥《類說》稱之爲「八疊戲」，或爲歌舞小戲的形式。

其中表演者「披髮、素衣、面作啼」，以表現遭喪之狀，一般咸認爲是指化妝與表情。然而依據〈容兒缽頭〉「笑聲唯是說千秋」的描述[66]，爲宮中慶祝唐明皇生日，藝人們學習容兒舞弄「撥頭」的情形。何以在如此喜慶的節日中，竟會演出此種「遭喪報仇」的悲劇情節呢？或是猶如「蘭陵王」一樣，也有不同的演出版本，而且已從原來的民間戲弄，發展成爲專業藝人的表演劇目。

郭淨認爲唐代時常在所謂的悲劇中，「滲入大量詼諧調侃的作料以資笑樂」，而其所使用的手段之一，便是運用面具。由於面具能在觀衆與舞臺之間造成一種疏離感，來打破生活幻覺，渲染歡娛的氣氛，將現實中的悲劇變爲藝術中的喜劇，以苦爲樂。所以主角「面作啼」，並非是指其表情，而是指他戴著哭喪狀的假面[67]。

是以象人之戲的假面，既能作爲觀衆與演員之間的「中介」，使彼此容易認同；也能製造一種距離的美感，具有著「假定性」，告訴觀衆這是模仿扮演，充滿戲謔性。這種「大面」戲的形式，廣泛地被運用在宗教祭儀、民間散樂與宮廷宴享等表演中，且逐步地過渡到以歌舞爲主體的表演形式。

晚唐之時，還出現了融歌舞表演與角觝於一體的《樊噲排君難》戲。依據《唐會要》的記載，乃是唐昭宗爲慶祝孫德昭平定太監劉季述的叛亂，「作《樊噲排君難》戲以樂之。」宋人陳暘《樂書》則稱爲《樊噲排闥》劇。其主要內容是表演鴻門宴故事，可能是從晉時《公莫舞》發展而來[68]。從「舞」、「戲」或「劇」

等名稱上的差異，我們可推論或許是藝術本質上有所轉變，由以「舞」爲主體，改變成以「戲」爲主體，產生了藝術形式的質變。但也透露出了戲曲正朝著綜合表演藝術的途徑前進。

二、踏謠娘

隋代雜技匯聚了南北朝的散樂藝人，總結了歷代的百戲項目，而有了更多元更精湛的技藝展現，是以無論在宮廷或民間都廣受歡迎。但也正因爲如此，百姓們爲「作角抵之戲，遞相誇競，至於糜費財力」，是故柳彧上奏請禁絕之，以免導致盜賊迭起，穢行百生而使社會秩序解體：

> 竊見京邑，爰及外州，每以正月望夜，充街塞陌，聚戲朋遊。鳴鼓聒天，燎炬照地，人戴獸面，男爲女服，倡優雜技，詭狀異形，以穢嫚爲歡娛，用鄙褻爲笑樂，內外共觀，曾不相避。高棚跨路，廣幕陵雲，袨服靚粧，車馬填噎。肴醑肆陳，絲竹繁會，竭貲破產，競此一時。盡室并孥，無問貴賤，男女混雜，緇素不分。
>
> （《隋書·柳彧傳》卷六十二，頁四〇二）

根據其中所提「人戴獸面，男爲女服」，正指出了百戲雜技中「假面象人」與「弄假婦人」兩大類型。所謂「弄假婦人」，廣義地說也就是所謂的「男扮女妝」，其來有自[69]。較具體的如《三國志·魏書·少帝紀》裴松之引司馬師「廢帝奏」的「遼東妖婦」：

> 日延小優郭懷、袁信等於建始芙蓉殿前，裸袒遊戲。……又於廣望觀上，使懷、信等於觀下作「遼東妖婦」。嬉褻過度，道路行人掩目，帝於觀上以爲讌笑。
>
> （卷四，頁一二九）

以及「好令城市少年有容貌者，婦人服而歌舞相隨」，「其歌舞者多爲婦人服」[70]，尤以「踏謠娘」的記載，最爲詳明。唐崔令欽《教坊記》云：

> 北齊有人姓蘇，鮑鼻。實不仕，而自號爲「郎中」。嗜飲，酗酒，每醉，輒毆其妻。妻銜怨，訴於鄰里。時人弄之：丈夫著婦人衣，徐步入場行歌。每一疊，旁人齊聲和之，云：「踏謠，和來！踏謠娘苦！和來！」以其且步且歌，故謂之「踏謠」；以其稱冤，故言「苦」。及其夫至，則作毆鬥之狀，以爲笑樂。今則婦人爲之，遂不呼「郎中」，但云「阿叔子」；調弄又加典庫，全失舊旨。或呼爲「談容娘」，又非。(《戲曲論著集成》第一冊，頁十八)

「踏謠娘」或記爲「踏搖娘」[71]。「踏謠」，以其「且步且歌」，或即「踏歌」之意；而「踏搖」則標明於「搖頓其身」，都具有舞蹈的成分在內，也恰好凸顯出「時人『弄』之」的民間戲弄特質。戲弄，多半是一種帶有調情成分的歌舞小戲，一般以二、三人演出爲主，故有「二小」、「三小」戲之稱。其內容大抵是表現男女之間的調情逗鬧，以滑稽、熱鬧、嬉戲爲旨趣，具有調弄、嬉弄、耍弄、嘲弄、玩弄乃至侮弄的成分[72]。而「踏謠娘」正是延續著從「遼東妖婦」以來的傳統——「丈夫著婦人衣」，以男扮女裝的形式演出，並展現「調弄」的風貌。

大體而言，「踏謠娘」的表演形態可分爲前後兩個階段：前一階段在北齊，主要以男扮女裝的「踏謠娘」與酒醉齇鼻的「蘇郎中」爲主角。表演醉酒的丈夫與受委屈婦人之間的爭執，及夫妻毆鬥的情景；後一階段則在盛唐以後或更早的初唐，由婦人主演，男主角改稱爲「阿叔子」，再加添「典庫」此一劇情與角色，劇情偏重於詼諧調笑的發展。

因此，從「踏謠娘」的演出中，已知隱然有角色的門類：飾演「踏謠娘」的旦腳，或者「假面寫其狀」，或者採用面部化妝的方式男扮女妝；也有可能後來出現了如「張四娘」一類的女性專業散樂藝人[73]；而「蘇郎中」則爲鞄鼻貌醜的男子，多爲酒醉之形[74]，不知是以塗面或面具方式裝扮。唐代另有一種取材於後周人士蘇葩酒醉獨舞的「蘇葩戲」，主角同樣嗜酒落魄：

> 蘇中郎：後周人士蘇葩，嗜酒落魄，自號「中郎」，每有歌場，輒入獨舞。今爲戲者，著緋、戴帽，面正赤，蓋狀其醉也。即有踏搖娘，羊頭渾脫，……悉屬此部。
>
> (《樂府雜錄·鼓架部》,《戲曲論著集成》第一冊，頁四十四)

或「著緋、戴帽」，或「衣綠袍、戴席帽」(《通雅》)，且「面赤」爲酒醉之狀，或可視爲「蘇郎中」的類型。而就其字面上的記載來看，確實與踏謠娘戲中的「蘇郎中」頗爲神似，彷彿爲「踏搖娘」的同體異形[75]。以其扮演官員的角色，並表現酒醉踉蹌的腳步，以及與妻子毆鬥的醜態來推論，頗具有淨角滑稽笑弄的特質。

而後期所加入的「典庫」，或許是指「質庫」，專管典當索債事宜。宋吳曾《能改齋漫錄》二云：「江北人謂以物質錢曰『解庫』，江南人謂之『質庫』。」依《東京夢華錄》中所描繪：「質庫掌事，即著皀衫角帶不頂帽之類。」(卷五，頁二十九)[76]其表演以調戲爲主，似乎具有丑角的影子。因而「踏謠娘」中已略具有旦角，淨角與丑角的人物形象，可以視爲「二小」或「三小」的組合模式。

就故事的表演形態而言，「踏謠娘」是融角觝與歌舞於一爐的悲喜劇。「作毆鬥之狀」，指出具有角力打鬥的表演，顯現「衝突性」的戲劇性情節，寓有漢代角觝戲的遺風。且又藉由歌舞唱念的方式來抒情敘事，如「且步且歌」、「自歌爲怨苦之辭」(《太平御覽》引《樂府雜錄》)、「悲訴，每搖其身」(《舊唐書·音樂志》）等，透露出已具有代言體與樂舞吟唱的成分；而「每一疊，旁人齊聲和之」、「河朔演其曲而披之絃管」（《舊唐書·音樂志》），甚或已有聲樂幫腔或樂器伴奏。

尤其是後期發展出「談容娘」一類的舞劇，歌舞的表現力更強。《全唐詩·詠談容娘》：

> 舉手整花鈿，翻身舞錦筵。馬圍行處匝，人壓（或作簇）看場圓。歌要（或作索）齊聲和，情教細語傳。不知心大小，容得許多憐。（卷二〇三，第三冊，頁二一二五）

常非月細膩地描繪出演員動作與舞姿，以及演出效果與觀眾反應。「談容娘」的演出從「馬圍行處匝，人壓看場圓」觀眾圍觀的情景而言，可能是在廣場中的「錦筵」上演出的[77]。由於「踏謠娘」原爲民間戲弄的形式，即使是歸類於「鼓架部」的行列中，也是劃歸於散樂的範圍，與其他雜技百戲並列，通常雜技百戲多以廣場搬演形式爲主，如魏晉以來的寺廟道觀，往往是爲「戲場」的所在地，「寺前負販戲弄，觀看人數萬眾。」[78]，或者爲露天形式，或者是搭置樂棚的形態。

樂棚，一般指在節慶活動中，在廣場或廟前所臨時指搭建起來，用於表演樂舞百戲的棚室。唐元稹有〈哭女樊詩〉曰：「騰蹋遊江舫，攀緣看樂棚。」(《全唐詩》卷四〇四，頁四五一四)樂棚爲了適宜觀眾欣賞，或高於平地「高設彩棚」（《東京夢華錄》），猶如戲臺的形式。「錦筵」或即如「氍毹」之類的地毯，可以鋪在平地或平臺的場上以供演出，如《樂府雜錄·雲韶樂》中所形容：「舞在階下，設錦筵。」（《戲曲論著集成》第一冊，頁四十二）

演出場地原是觀衆與藝人之間的聯繫，而隨著觀衆層次的不同，連帶著審美情趣的傾向也會有所差異。《舊唐書·郭山惲傳》中記敘：

> 時中宗數引近臣及修文學士，與之宴集，嘗令各效技藝，以爲笑樂。工部尚書張錫爲「談容娘舞」。（卷一八九）

則「踏謠娘」由民間進入宮廷，並成爲在客座宴席中一種娛樂的節目。雖然無法得知中宗的宴集是在室內或室外舉行，但「踏謠娘」若是要從開放式的廣場演出，發展成爲封閉式的廳堂宴集娛樂，或許必須參合不同特質的表演成分，展現更精緻細膩的表演藝術。所以「踏謠娘」改以「談容娘舞」稱之，或者即更刻意著於重抒情動人的舞姿表現。

「踏謠娘」取材於民間，由民間自發而後成爲一種定型表演，基本上是貫串著「東海黃公」以人爲主體，反映現實的社會目的；但是以故事的完整性而言，無疑地較「東海黃公」更勝一籌。尤其是展開衝突角觝的雙方，皆具有自我的性格與意志，能隨著情節、事件的推進，發展對立與矛盾，因而能夠表達具有價值意義的衝突。這也顯示出戲曲從雛形到成熟的醞釀過程中，戲劇衝突層面的發展。

審視「踏謠娘」從原本「作毆鬥之狀，以爲笑樂」的演出，演變爲「調弄又加典庫」，而後又有「談容娘舞」的表演，既展現出「角觝」衝突打鬥的戲樂特質，又具有「歌舞」抒情細緻的情趣表達，並應用「弄假婦人」的裝扮形式，發揮滑稽戲謔、戲耍調弄的諧趣。這種表現手法，遂成爲後來地方小戲中「弄字戲」的藍本。由於這類表演拿捏的尺度不易掌握，稍一過火則流於嬉褻淫穢的低俗戲弄，因此抵觸了中國儒家傳統「樂而不淫」的審美理想，相對地受到許多非議箝禁。

1960年在阿斯塔那336號墓所出土戲弄俑中，吳震考證其中一組即爲「弄踏謠娘」泥俑：男俑面部塗爲紅色，黑鬚連鬢，醉眼朦朧，面若浮腫；女俑上身赤裸，或塗爲肉色，下繫綠色長裙，通體作扭腰搖動狀。臉部表情詼諧，唇上稍凸，隱約若有短髭而加以掩飾，顯見是由男性扮演女角，爲典型的「弄假婦人」(圖㉒、㉓)；另外還有一「大面」舞泥俑，似爲宮廷中「弄蘭陵王」的獨舞(圖㉔)[79]。這二例唐代泥俑，提供了我們具體的形象可與文獻相比對。

任中敏認爲「踏謠娘」爲「全能劇」，也即是眞正的戲劇[80]。的確，從「踏謠娘」中，我們可釐析出民間音樂，鄉土歌謠與幫腔，代言體的賓白、舞蹈身段、演員妝扮等要素，也體現到角觝雜技與歌舞融合的軌痕，爲戲曲提供了成熟發展的契機。但就戲曲舞臺表演體制的成熟度與完備性來看，充其量還只能屬於歌舞戲弄的階段，尙無法成爲藝術形式完整的大戲。

三、參軍戲

「弄參軍」點出了參軍戲的「戲弄」特質，可以說是相對於「民間戲弄」之外的另一類「宮廷戲弄」。依唐段安節《樂府雜錄·俳優》條的記載：

開元中，黃幡綽，張野狐弄參軍。始自後漢館陶令石耽。耽有贓犯，和帝惜其才，免罪。每宴樂，即令衣白夾衫，命優伶戲弄，辱之，經年乃放。後為「參軍」，誤也。開元中有李仙鶴善此戲，明皇特授韶州同正參軍，以食其祿。是以陸鴻漸撰詞，言「韶州參軍」，蓋由此也。武宗朝，有曹叔度、劉泉水、鹹淡最妙。咸通以來，即有范傳康，上官唐卿、呂敬遷等三人。

（《戲曲論著集成》第一冊，頁四十九）

「弄參軍」是源起於後漢館陶令石耽，由於貪贓犯法，故為優人們嘲侮戲弄之事。但敘述中又有「後為參軍，誤也」的字眼，並指出乃是由於明皇授李仙鶴為「韶州參軍」之故。而在明馬端臨《文獻通考·樂考·散樂百戲》中也記載了這段文字，只是其中後漢館陶令名「石聘」，且言「謂之為參軍誠也」。此一「誠」字與前義的感受又頓然不同。究竟參軍戲之名義源起為何，倒不妨再參看《太平御覽》卷五六九優倡門引「趙書」中的記載，提供了可尋的線索：

石勒參軍周延，為館陶令，斷官絹數百疋，下獄，以八議宥之。後每大會，使俳優，著介幘，黃絹單衣。優問：「汝為何官，在我輩中？」曰：「我本為館陶令」，斗數單衣曰：「正坐取是，故入汝輩中。」以為笑。

其中後趙參軍周延，也是在擔任陶館令時，貪贓犯法而受到優人們的嘲弄諷刺。這二則事件在背景、情節上都頗為相似，也許後人即將二者混淆言之，以致產生錯亂的記載。而考察「參軍」官職的設立，依《事物紀原·撫字長尾部·參軍》中的說明：

杜佑云：參軍，後漢末置，參諸軍府事，若今節度判官。漢書曰：靈帝以幽州刺史陶謙，參司空張溫軍事，此其始也。

「參軍」一職到東漢靈帝（一六八～一八九）之時才設立。是以東漢和帝（八九～一〇五）之時的石耽事，自然無參軍之名由。因此，曾師永義提出「參軍戲的表演形態是源於後漢石耽之時，而參軍戲名稱之底定是在於後趙石勒之時」的看法[81]。

「參軍戲」以譏刺詼諧的說白，對贓官加以戲侮，雖是繼承著古優的詭笑傳統，但卻有所轉型。古時俳優的職責是製造笑謔的言語，冀以諷諫在上位者；而在「參軍戲」中卻將諷喻的對象擴大，概括著犯罪的下屬臣僚。這樣的「優笑」轉變，意味著表演創作空間的開闊與自由：俳優從「以下諫上」轉爲「承上諷下」的性質，在表演態度上自然可以較爲輕鬆恣肆；同時爲有意識的雙方或多方扮演，表演成分增強，戲劇性的情境也逐漸深化。而這種趨勢其實在南北朝「質召優使說肥瘦」[82]已有所過渡，而在《三國志·蜀書·許慈傳》中表現的更爲明顯：

> 許慈字仁篤，南陽人也。……時又有魏郡胡潛，字公興，……先主定蜀，……慈、潛並爲博士，與孟光、來敏等典當舊文。値庶事草創，動多疑議，慈、潛更相克伐，謗言忿爭，形於聲色；書籍有无，不相通借，時尋楚撻，以相震憲撼。……先主愍其若斯，群僚大會，使倡家假爲二子之容，傚其訟鬩之狀，酒酣樂作，以爲嬉戲：初以辭義相難，終以刀杖相屈，用感切之。
>
> （卷四十二，頁一〇二二～一〇二三）

蜀主使倡優扮演許慈、胡潛爭吵毆鬥的情景，以嘲弄當時文人相輕，相互攻伐的不良現象。在唇槍舌劍、嬉笑怒罵的表演中，顯露出其滑稽譏諷的特質；並且由「優孟衣冠」單人式的「具有表演意義的模仿」，發展爲「許胡克伐」雙人式的「具有模仿意義的表演」，增強了表演藝術的成分；而「初以辭義相難，終以刀杖相屈」的表現手法，則顯現出角觝衝突的戲劇性，具有著「東海黃公」的角觝餘風。

所以，「許胡克伐」與「戲弄石耽」就本質而言，皆屬於在上位者以角觝模式來戲弄諷謔臣僚，已具有「參軍戲」的特性，只是缺乏名義的相冠而已[83]。王國維曾指出「所謂參軍者，不必演石耽或周延；凡一切假官，皆謂之參軍。」(《宋元戲曲考》)唐趙璘《因話錄》中也曾記載：

> 肅宗宴於宮庭，女優有弄假官戲，其綠衣秉簡者，謂之「參軍樁」。天寶末，蕃將阿布思伏法，其妻配掖庭，善爲優，因使隸樂工。是日，遂爲假官之長，所爲樁者。[84]

由阿布司之妻所主演的「假官之長」，稱之爲「參軍樁」，可見「參軍戲」所扮飾的範疇可以擴及於優伶假官爲戲的形式。因而，唐侯白《啓顏錄》中所描述的「冷熱相激」表演[85]，分明可歸屬於「參軍戲」的類型，但卻稱之爲「角觝之戲」，這不僅證明了「參軍戲」與「角觝戲」二者之間定然有所淵源傳承的關係，也標示出其所寓有的戲劇衝突特質。

「參軍戲」發展到唐代，無論在表演內容或演出形式上，都有更多元化的形態，隱約體現藝術構思等因質，逐步地在醞釀成型。如題材方面，本以搬演「優人辱參軍贓官」的情節爲主，而後則擴及其他官吏事跡的扮演，以臨場即興的演出形式，如「高崔嵬弄癡」、「李可及戲三教」等[86]；或有專門腳本的撰寫，如陸鴻漸、沈佺期等人[87]，可見有意識的劇本創作與編寫正逐漸形成。

而隨著內容題材的擴充，演出形式上也加入了弦管、歌唱、舞蹈等表演藝術，使「參軍戲」呈現出更爲豐富多樣化的面貌。如唐范攄《雲溪友議·艷陽詞》中所描述：

有俳優周季南、季崇，及妻劉采春，自淮甸而來，善弄陸參軍，歌聲徹雲。……元公（稹）贈采春曰：「新妝巧樣畫雙蛾，慢裹恒州透額羅，正面偷輪光滑笏，緩行輕踏皺紋靴。言辭雅措風流足，舉止低回秀媚多。更有惱人腸斷處，選詞能唱望夫歌。」望夫歌者，羅貢之曲也。采春所唱一百二十首，皆當代才子所作。其詞五、六、七言，皆可和矣。詞云：不喜秦淮水，生憎江上船，載兒夫婿去，經歲又經年。……采春一唱是曲，閨婦行人莫不漣洏。

（卷九）

劉采春所表演的「陸參軍」中，已有響徹行雲的歌聲，雅措風流的言辭 ，與低回秀媚的身段 。但李大珂認爲此「陸羽式的參軍戲」並未具有歌唱的表演[88]。然依唐薛能〈吳姬〉詩「樓臺重疊滿天雲 ，殷殷鳴鼉世上聞。此日楊花初似雪 ，女兒弦管弄參軍。」(卷五六一，頁六五二〇)的描繪，參軍戲可能已發展爲有鳴鼉弦管伴奏的歌唱形式。是以廖奔以爲「陸參軍」不以滑稽調笑爲主，乃以表演與歌唱取勝，著重在女演員的才色技藝上[89]。

其實唐代「參軍戲」的優人，往往兼具多樣才藝。如張野狐能演奏箜篌與觱篥，據傳〈雨霖鈴〉曲即是其所作；李可及善於拍彈，尤能轉喉爲新聲等。對於參軍戲表演形態的多元化開展，應有所助益。原本「參軍戲」是以眞人實事爲藍本，由本人現身說法，如石耽、周延[90]，而後則由優人扮飾，甚或有「名族子弟」來充任裝扮，依據《太平廣記》〈趙存〉引〈乾𦠆子〉的記載：

袁公（陸象先）崇信內典……及爲馮翊太守，參軍等多名族子弟，以象先性仁厚，於是與府寮共約戲賭。一人曰：「我能旋笏於廳前，硬努眼眶，衡揖使君，唱喏而出，可乎？」……又一參軍曰：「……吾能於使君廳前，墨塗其面，著碧衫子，作神舞一曲，慢趨而出。」……其第三參軍，遂施粉黛，高髻笄釵，女人衣，疾入，深拜四拜。象先又不以爲怪。（卷四九六，頁四〇六七～四〇六八）

這些名族子弟的參軍官，表演硬努眼眶、作揖唱喏等身段，並能「作神舞一曲」，爲「參軍戲」又增添舞蹈的藝術形式。而其或「墨塗其面」，或薄施粉黛，則顯現出具有妝扮的特性。甚或可以「高髻笄釵，女人衣」、「以數僮衣婦人衣」(《玉泉子眞錄》)等男扮女妝的形式扮演，或者直接由阿布思之妻、劉采春「新妝巧樣畫雙娥，幔裹桓州透額羅」等女演員來擔綱演出，可見演員的類別從專業到業餘，從喬妝到反串都有所囊括。

「參軍戲」中參軍的服飾妝扮，原本以「白夾衫、黃絹衣」爲贓官衣飾；而後則有「綠衣秉簡」、「執笏蹬靴」、「旋笏、著碧衫子」的官裝打扮出現。依唐代官制，諸州府置參軍，官階從六到九品不等，《舊唐書·輿服志》載：

文武之官皆執笏，五品以上，用象牙爲之，六品以下，用竹木。貞觀四年又制，……六品，七品服綠，八品，九品服以青，……上元元年八月又制，……六品服深綠，七品服淺綠，……八品服深青，九品服淺青。

（卷四十五，頁一九五一～一九五三）

可知從六品到九品的官服品制都是「綠衣、木笏」系統。而陸象先爲睿宗、玄宗時之人，根據睿宗文明元年(六八四)的規定，八品以下，服青者改爲「碧」，正與「碧衫子」相符合，可見是摹仿當時現實品官的服飾。由此可知「參軍」已逐漸形成某種身分的腳色類型，在穿關行頭上也有了一定的規範。

然若從另一個角度來思考，戲衣與臉譜的色彩寓有著褒貶善惡的功能，人物的忠奸愚善直接具現於其服飾裝扮上，使觀衆一目了然，清楚知曉戲曲人物的類型。因此「參軍戲」原是由於官吏有貪污罪行，故罰其穿上「白衫黃衣」，以對其進行侮辱戲弄；而後因爲綠衣曾爲「賤人之服」，故改著「綠衫」來加重貶抑的成分，使羞辱之意外在化，成爲供人取笑的角色特有的裝扮[91]。這意味著人們將歷史中長期積澱下來的觀念性形式繼承下來，轉化成一種特定的標誌與角色符號，成爲角色性格不可抹滅的程式。

「參軍戲」其實也可視爲是以人的軀體、形象爲媒介，去假裝他人的一種「象人」表演。在模仿的過程中，象人再現所扮飾對象的生活面貌：在「優孟衣冠」時，只是演員「一廂情願」式的單人演出，因爲無法預設被諷刺對象楚莊王的態度，所以二者並不構成戲劇的假定性；但在「參軍戲」中，對立形象的雙方或多方，都具備有特殊的情操、習性、意志與目的等內在本質，經由這些內在規定性出發去生活、行動，去否定、排斥別人的情操、習性與目的，而產生帶有倫理色彩的尖銳對立。這種預設性的情節發展，正是構成表演中衝突矛盾、對話問答等戲劇情境產生的載體。也使表演者與觀衆都存在著「假定」的觀念，並且可以接收到這種特定審美觀念或倫理情感，積淀在戲曲藝術的形式上，轉化爲一種象徵與標記，進而產生固定性的關係[92]。

所以，代表著低賤卑下的綠衣，便成爲「參軍」的外衣標誌，成爲特定角色的性格色彩。同時，表演的過程、言詞、結局都是預先設定的，這就構成具有藝術假定性的情節發展。這種優笑轉型，使「優諫」上升爲「優戲」，向戲劇美邁出關鍵的一步，透露出戲曲藝術逐漸成熟的訊息。

至於與參軍搭配演出的優人，其形象並不清楚。但在李商隱的〈驕兒詩〉提到：「忽復學參軍，按聲喚蒼鶻。」（《全唐詩》卷五四一，頁六二四四）臚列過濾從後漢到唐的參軍戲資料，只見參軍與衆優，或另一伶優嘲弄的情景，並未見到有「蒼鶻」名義的出現。直到五代吳國時，徐知訓與傀儡皇帝楊隆演合演參軍戲之事，提供了線索。《新五代史·吳世家》：

徐世之專政也，隆演幼懦，不能自持，而知訓尤凌侮之。嘗飲酒樓上，命優人高貴卿侍酒，知訓爲參軍，隆演鶉衣髽髻爲蒼鶻。知訓嘗使酒罵坐，語侵隆演。

（卷六一，頁七五六）

資料中顯現，由徐知訓扮演參軍，吳王楊隆演爲蒼鶻。在以往的參軍戲表演中，參軍爲被嘲弄欺侮的對象，而在此則變爲凌侮者。尤其從《資治通鑑》卷二七〇後梁貞明四年的記載，更爲明顯：「知訓狎侮吳王，無復君臣之禮。嘗與王爲優，自爲參軍，使王爲蒼鶻，總角敝衣，執帽以從。」彷彿有「參軍爲主，蒼鶻爲從」的意味。而宋姚寬《西溪叢話》下引吳史中又爲我們提供了一些線索：

徐知訓怙威驕淫，調誚王，無敬長之心。嘗登樓狎戲，荷衣木簡，自稱參軍，令王髽髻鶉衣，爲蒼頭以從。

其中參軍仍爲「荷木衣簡」的裝扮。「荷衣」可能是取荷葉之色而名之，所以也是綠衣，符合參軍腳色行當的規範。而這裡的「蒼頭」，應就是「蒼鶻」，「髽髻」爲喪髻，乃是結髮之狀。「鶉衣」就是敝衣，如形容窮人常以「鶉衣自結」稱之。可見

「髽髻鶉衣」與「總角敝衣」的意義是類同的，似乎蒼鶻也有自己的穿關模式[93]。

是以參軍戲在幾經發展後，逐漸形成特定的腳色類型，也出現專門的對手搭檔，並於穿關行當方面，都具有基本的規範，爲後世戲曲中角色人物的類型，提供了雛形。1987年於浙江省黃岩縣靈石寺塔發現一批五代吳越末年、北宋初年的戲劇人物磚，其圖像頗類似參軍與蒼鶻的造型(圖㉕)；而吐魯番阿斯塔那 206 號墓一批唐戲俑中，有男俑頭帶烏紗帽，身著黃絹單衣、白褲，繫黑帶，穿烏皮靴，或歪嘴斜目，或翹唇瞪眼，具有明顯的嘲弄表情，如「弄癡」的形象[94]（彩圖⑩）。爲我們提供了一些「參軍戲」的具體形象。

縱觀自先秦到漢唐以來，「御前作俳」的宮廷戲弄，在奠基於優人諷諫滑稽的傳統上，表現角觝的餘風。在幾經發展到「參軍戲」之時，無論在題材創作、表演手法、服飾裝扮、戲劇情境、角色行當等方面，都體現出在藝術構思上的躍進，對於後世戲曲的發展提供了豐富的養分。

小 結

從先秦到漢唐，在這段雜技與戲曲孕育發展的時期中，無論是周代戲禮、漢代戲象，或是隋唐戲弄，其實都脫離不了「角觝」的範疇。在衆多的百戲雜技表演項目中，「角觝」之所以能成爲百戲雜技的統稱，或許正由於它指攝出雜技表演的重點在於「衝突競技」。

角觝源起於狩獵，受牛羊以角相抵的形象啓發而得名。原本以「稍增講武之禮，用相誇示」的武功射御競技表演爲主體，「大武」遂用以教育貴族子弟，本質上屬於體育式的競技活動；而後由於對黃帝戰功的追念與模仿，發展爲「蚩尤戲」，遂形成戲弄式的角觝；從秦二世時「作角觝俳優之觀」，到漢代「總會仙倡」、「魚龍曼延」等百戲競陳的演出，角觝的戲樂性質漸次增強，象人之戲豐富了表演的內容；「東海黃公」時，承襲了角觝餘風，具有人物裝扮、變幻搏鬥等故事情節的搬演，顯現出較完備的戲劇因子；隋唐時「蘭陵王」以代面方式，表現角觝戰鬥的情境；民間戲弄的「踏謠娘」與宮廷戲弄的「參軍戲」，則朝向綜合藝術的方向邁進，聚合融鑄角觝與歌舞科白，深化戲劇衝突性，表演假定性的戲劇情境，發展爲小戲的形式，奠立了初步的戲劇形態。

因此，角觝雜技對於戲曲各種藝術特質的形塑，多有所促發，甚或爲原型的提供者。其對戲曲孕育形成所產生的影響，可從幾方面來呈現：

㈠故事劇情的推展

周代以「戲禮」的形式展現，繼承了禮樂與巫樂的傳統，表現儀節的過程；而後加入民間散樂的系統，形成漢代「戲象」的風貌，具備了演故事的傾向；隋唐之時，衝突性的戲劇情節，與代言體的戲劇化情境逐漸交流，發展爲「戲弄」式的小戲形式，趨於完整故事與劇情的構思。

㈡人物形象的扮飾

角觝必須具有對立的雙方或多方，才能產生爭鬥衝突。透過假形大面等手法，或假扮爲神仙鬼怪、或模仿爲奇禽怪獸、或化身爲各色人物，而形成人與人鬥、以及人與獸鬥的情節。這種「象人之戲」與「代面之戲」轉化爲戲劇人物喬妝扮演與化妝塗面的原型。

㈢表演藝術的綜合

從先秦象徵性的動作，發展到漢唐的多樣化表演，基本上是以「角觝爭鬥」爲貫串發展的主線，「戲禮」中角觝武術的顯現，「戲象」中喬妝幻術的發揮，「戲弄」中歌舞科白的運用，角觝漸次地融匯滲透各種表演技藝，在刻畫人物、鋪敘劇情、搬演故事等方面，發揮敘事與抒情的特質，增強了戲劇表現力，隱約已具現「唱、念、做、打」的舞臺風貌。

㈣角色行當的形成

巫覡用以娛神，倡優用於娛人，從「戲禮」到「戲象」，逐漸朝巫優合流的跡象過渡，導致「戲弄」中出現了更多的專業演員，也產生了成熟「大戲」前身的「小戲」階段：「踏謠娘」承繼承著「弄假婦人」的傳統，成爲「裝旦」的先鋒；「參軍戲」中的參軍、蒼鶻，則演化爲「副淨」、「副末」的雛形，戲曲的角色行當正逐漸形成。

㈤時代風尚的反映

周代具有濃厚的圖騰意識，宗教祭儀爲表演的主體，著重於角觝競技的情境展現；漢代神仙思想瀰漫，折射著對人生永恆的希冀，強調角觝百戲的娛樂性與刺激性；隋唐胡漢聚合，充滿著自信閎放的氣度，側重於角觝戲弄在政治社會，現實人生中的反映與嘲諷。不同的時風與審美觀，主導著戲曲藝術所具涵的精神與意義，也深刻了戲曲反映時代的功能。

姚華曾推論：「戲始鬥兵，廣於鬥力，而泛濫於鬥智，極於鬥口；是從『戈』之意也。」（〈說戲劇〉）從文字學的角度來說，「戲」具有著「角力比武」的本意，表現出手執兵器的的形象。或許其即是源自於對戰爭的模仿，而後演變爲角力比武的競技，甚或可引申指鬥智、猜謎等運用智慧謀略、言語口舌方面的爭辯，逐漸演化突出其戲劇衝突的表演性，進而成爲獨立的藝術門類。由此可見「戲」與「角觝」的基本特質是一致的，從角觝雜技的技藝內容來說，的確可以看到原始意義上「戲劇」的遺韻。

【註釋】

[1]引自任中敏《唐戲弄》一書中，p.1211。另外有關「戲禮」部份，於第二冊〈補說〉中的第一單元〈戲禮——周代蜡祭〉，多有闡發；而有關「戲象」的說法，則以《鹽鐵論》的「戲倡舞象」與《西京雜記》的「戲象」爲主；至於「戲弄」則爲該書主要論題所在，全書多有闡述。其定義可見〈總說〉第一單元「正名」與〈補說〉第八單元「戲弄衡源」。本章中對戲禮、戲象、戲弄之界意，多取自任中敏之說，並參考其他學者意見而成。

[2]有關儺在歷代文獻中的資料，以及探討儺演變的相關論文很多。由王秋桂老師所主持的「中國地方戲與儀式之研究」計劃，結合了臺灣、大陸與海外的學者，對各地儺戲劇種作深入的考察與研究。並將研究成果聚集成書，發行調查報告、資料彙編、劇本或科儀本(集)、專書及研究論文集等一系列的「民俗曲藝叢書」，由施合鄭民俗文化基金會出版。其中《中國儺戲儺文化資料匯編》中收羅了古籍文獻、貴州方志、劇種、研究輯要與索引等資料，內容豐贍全面，請參看之。

[3]《山海經·海外西經》：「刑天與帝爭神，帝斷其首，葬之常羊之山。

乃以乳爲目，以臍爲口，操干戚以舞。」至於有關帝舜時期的干戚舞，可參見《帝王世紀》、《韓非子・五蠹篇》、《淮南子・氾論訓》、《淮南子・繆稱訓》中皆有提及。董每勘〈說「歌」、「舞」、「劇」〉一文中，從舞與武的古文字，以及武舞的相關文獻加以考察，可參見之。載於《說劇》，pp.3-11。

[4]關於《葛天氏之樂》的表演內容，《呂氏春秋・古樂》：「昔葛天氏之樂，三人操牛尾，投足以歌八闋，一曰《載民》，二曰《玄鳥》，三曰《遂草木》，四曰《奮五穀》，五曰《敬天常》，六曰《達帝功》。七曰《依帝德》，八曰《總禽獸之極》。……帝堯立，乃命質爲樂。質乃效山林溪谷之音以作歌，乃以麋輅冒缶而鼓之，乃拊石擊石，以象上帝玉磬之音。以致舞百獸。」與宋羅泌《路史》：「其及樂也，八士捉犻，投足摻尾，叩角亂之，而歌八終，塊柎瓦缶，武噪從之，是謂《廣樂》。」都有記載；而考古資料請參見〈青海大通縣上孫家寨出土的舞蹈紋彩陶盆〉一文，載於《文物》1978.3。

[5]有關陰山岩畫的分布地點、時代探索、所反映的內容等，請參見蓋山林《陰山岩畫》一書。另外如雲南的滄源岩畫，新疆庫魯克山崖畫、廣西花山堐畫中，也輯錄了不少圖像，請參看如汪寧生《雲南滄源堐畫的發現與研究》；胡邦鑄〈庫魯克山的巖畫〉，載於《新疆藝術》1984.1；《花山堐壁畫資料集》等相關考古文物資料。

[6]八蜡爲天子所主持的大蜡，所祭有八神。可對照《禮記・郊特牲》十一中「天子大蜡八」的記載，與《禮記・雜記》二十二下「子貢觀於蜡」的兩段記載。本段引文乃採自陳多、葉長海選注《中國歷代劇論選注》中所收錄的原文，並依從其句讀，p.52，其他二篇亦可參看本書，p.23，25。

[7]王國維指出「古之祭也必有尸。宗廟之尸，以子弟爲之。至天地百神之

祀，用尸與否，雖不可考；然晉語載：『晉祀夏郊，以董伯爲尸。』則非宗廟之祀，固亦用之。楚辭之靈，殆以巫而兼尸之用者也。其辭謂巫曰靈，謂神亦曰靈；蓋群巫之中，必有象神之衣服形貌動作者，而視爲神之所馮依。……是則靈之爲職，或偃蹇以象神，或婆娑以樂神，蓋後世戲劇之萌芽，已有存焉者矣。」引自《宋元戲曲考》，pp.5-6。後世有不少學者以王氏此段話作爲「戲曲導源於宗教儀式」的證據。

[8]孫楷第認爲「戲劇出於戲禮，而當其爲戲劇時，已不必盡依戲禮。久之，世人且忘其出於戲禮。戲禮雖非戲劇，而自他人觀之，實無異於戲劇。是二者之分別甚微。然之論戲劇之原，故不可捨戲禮而徒言戲劇。」見《傀儡戲考原》，p.18。而其主張的論點是戲曲原出自於傀儡戲影戲，傀儡戲本爲喪家樂，漢末始用之於嘉會娛樂。喪事時所用的傀儡，即指方相，爲存亡者之魂也；其後嘉會時所用的傀儡，則娛神娛人，扮演之事由狹而廣，不必限於方相，性質已近百戲。北齊時，所行傀儡戲爲舞「郭公」，荊楚俗逐除則以「胡公」。胡公者，戲禮也，漢大儺舞方相之遺。

[9]任中敏認爲戲禮名義上雖爲鬻鬼饗神，實際上卻是娛人。並歸納其有三義：一爲以戲爲禮，戲在禮中，戲禮一體；一爲禮畢，戲繼，戲以禮進，戲禮各別；一爲蜡日舉國皆休，盡情逸樂，飲食戲豫，無所不可。故戲源自於此蜡禮而來，而稱爲戲禮。見《唐戲弄》p.1232。該書中還對王國維、董每戡、周貽白、平步青、王闓運、李家瑞等人對蜡祭戲禮的意見，提出批判，可供參考。

[10]本段引文並見於《禮記·樂記》。依據孫希旦《禮記集解》中所釋：「凡宣於口者皆謂之『聲』；成爲歌曲者謂之『音』；比次歌曲，而以樂器奏之，又以干戚羽旄象其舞蹈以爲舞，則聲容畢具，而謂之『樂』也。」將「聲」、「音」、「樂」分爲三種不同的概念，而樂之中已結合有執舞

具的舞蹈表演。《樂記》舊題爲公孫尼子撰，其中雖有先秦佚文遺說，但成書或在漢河間獻王後，且可能爲《史記·樂書》中的主要部份，故本文引錄以《史記·樂書》爲主。

[11]《六舞》爲周初確立的禮儀祭祀樂舞。依《周禮·春官·大司樂》中所載：《六舞》包括了⑴《雲門》(或作《雲門大卷》)，相傳爲黃帝時的樂舞，周代用以祭祀天神；⑵《大咸》(或作《咸池》)，相傳爲堯修訂黃帝時的樂舞，周代用以祭祀地神；⑶《大韶》(或作《韶》、《九韶》、《簫韶》)，相傳是舜時代的樂舞，周代用以祭祀四望；⑷《大夏》，相傳是夏禹時的樂舞，周代用於祭祀山川；⑸《大濩》，相傳是商湯時的樂舞，周代用於祭祀先此；⑹《大武》，是歌頌周舞王伐紂的樂舞，用於祭祀先祖。

[12]《詩經·周頌·武》之注亦載：「周公攝政六年之時，象武王伐紂之事，作大武之樂。」《周禮·春官宗伯下·大司樂》鄭玄注則說明了《大武》的主題思想爲：「《大武》，武王樂也。武王伐紂以除其害，言其德能成武功。」

[13]轉引自林伯原著《中國古代體育史》，p.39。

[14]《樂記·樂象篇》云：「是故先鼓以警戒，三步以見方，再始以著往，復亂以飾歸，奮擊而不拔，極幽而不隱。獨樂其志，不厭其道；備其舉道，不私其欲。是故情見而義立，樂終而德尊；君子以好善，小人以聽過；故曰：『生民之道，樂爲大焉』。」此段是以《大武》的表演爲例證，說明樂舞能表現德行，可以用來治理人民。而《詩經·周頌》中的〈武〉、〈酌〉、〈賚〉、〈般〉、〈時邁〉、〈桓〉等詩篇，爲《大武》的樂詞，可以相互參看。陰法魯有〈詩經中的舞蹈形象〉，載於《舞蹈論叢》1982.4；彭松有〈《大武》舞的時代背景與詩樂舞結構〉及〈爲《大武》頌詩、卒章正名〉，載於《舞蹈論叢》1986.2、3可參見。關於

《大武》的六段樂舞內容，則綜合前學之說而成。

[15]古代銅鼓上的樂舞圖，除少部份飾於鼓面主暈，多數飾於鼓腰，以幾何紋帶格子做邊飾。其中所反映的樂舞圖，有文、武舞之分，多與祭祀有關。有關銅鼓的考古資料與起源、類型、年代、紋飾等研究，請參見中國古代銅鼓研究會編《中國古代銅鼓》一書。

[16]《大武》的六成，「始而北出」是「起」；「再成而滅商，三成而南，四成而南國是疆」是「承」；「五成而分陝，周公左，召公右」是「轉」；「六成復綴」是「合」。但在《禮記·賓牟賈篇》是將起、承放在一起，「夾振之而四伐，盛威于中國也」爲「起、承」；「分夾而進，事早濟也」爲「轉」；「久立于綴，以待諸侯之至也」爲「合」。參引自彭松、于平主編的《中國古代舞蹈史綱》，p.134。

[17]王秋貴認爲《大武》爲現今所見最早的戲曲劇目，已運用詩、歌、樂、舞超級綜合形式，由演員扮演，表演事先規定具有衝突矛盾的複雜而完整的故事情節。似乎言之太過。其論點請參見〈中國戲曲形成期異說〉，載於《戲曲研究》二十九輯，pp.115-131。

[18]姚華有〈說戲劇〉一文，從對古文字的辨識、訓詁入手，研究戲劇的起源，並提出了樂舞與戲曲的關連。該文載於陳多、葉長海選注《中國歷代劇論選注》一書，pp.505-512。

[19]《禮記·郊特牲》中曰：「郊之祭也，大報本，反始也。天子大蠟八。……古之君子，使之，必報之。迎貓，爲其食田鼠也；迎虎，爲其食田豖也。迎而祭之也。」任中敏指出其中的「迎貓」、「迎虎」，可解釋爲「鬥貓」、「鬥虎」；「迎而祭之」，乃是俟其先表演角鬥，然後饗之。是以認爲周蜡之中，應有一場由俳優裝扮成貓虎、田鼠田豖的激烈角鬥。可參見《唐戲弄》，p.1220。

[20]饕餮原爲古代傳說中的食人惡獸，但在商周時成爲具有「示戒」作用的

獸面紋飾，用來儆戒惡人與惡鬼。周華斌曾分析其造型中的吊睛、通天鼻、巨口、利牙來自於虎；回轉的尖角來自於牛(或羊、鹿)；有時帶角的虎頭還被添上蛇身、故又近似後世的龍。在河南安陽侯家莊的商代殷墟前期墓葬中，曾出土140頂青銅胄(1004號墓道)，其中一部份就飾有饕餮之形。請參見〈商周古面具和方相氏驅鬼〉,《中華戲曲》第六輯，pp.124-133。

[21]孫作雲〈評《沂南古畫像石墓挖掘報告》〉，載於《考古通訊》，1957.6，pp.83；陳多〈古儺略考〉，載於《中國儺文化論文選》，pp.85-87。

[22]《說文》：「期，醜也。今逐疫有期頭。」故期猶魌也。《淮南子·精神訓》「視毛嬙西施猶期醜也。」高注云：「期，頭也，方相氏黃金四目，衣赭，稀世之期， 貌非生人也，但其像耳目期醜， 言極醜也。」《荀子·非相篇》也云：「仲尼之狀，面如蒙期。」楊倞的註解中引《慎子》說「毛嬙西施，天下之至姣也，衣之以皮期，則見之者皆走也。」

[23]《兒郎偉》全稱《兒郎偉驅儺》，又名《兒郎衛》或《驅儺文》，「兒郎」即大儺中的侲子，衛，或指「衛郎兒」，或作爲驅逐保衛的軍事術語。相關論證與資料，請參見蕭兵《儺蜡之風》，p.244-247。

[24]傅氏姊弟認爲蚩尤戲中「以角抵人」的「抵」這一基本動作，最容易發生的動態便是「倒立」，如頭與兩手觸地，成三角支點，兩足隨之騰空，古代稱之爲「鼎」，就是形容三點觸地的形象。參見傅起鳳、傅騰龍著《中國雜技史》，p.18。其實「倒立」不僅爲雜技基礎動作中主要成份，也是戲曲基本功之一。

[25]王秋桂老師指出如儺蜡等「節儀文化」具有著「轉換儀式」的功能，其目的在於區隔過去與未來，以除舊佈新，祈求婦人、穀物與社團的豐饒多產。如古儺中的送土牛，立春時的打春牛，都體現著牛生命力與土地繁殖力的能量轉換。請參見〈元宵節補考〉，載於《民俗曲藝》第65期，

p.13。

[26]陝西社火臉譜中有一特殊的化妝造型，以新鮮雞蛋打破倒出蛋黃和蛋清，用剪刀按演員面部須粘貼部份的凹凸情況剪好，用白麻紙與漿糊，將蛋殼黏在眉弓、額、兩頰、下巴等地方，而後再施採描繪。一般多運用在青龍、白虎、蚩尤等造型。可參見《中國陝西社火臉譜》一書的介紹與圖版。

[27]《鹽鐵論·散不足篇》中曰：「富者祈名嶽，望山川，椎牛擊鼓，戲倡舞像。」任中敏認爲「舞像」即「戲象」。象是現象，用舞來表達現象，靠化妝、服飾、道具、姿態、動作五項。用戲來表達現象，還須加上故事人物、佈景、燈光、效果四項，共九項。參見〈戲曲、戲弄與戲象〉載於《戲劇論叢》1957.1，pp.36。然而賈峨認爲舞像爲當時流行的「象舞」，屬於百戲雜技中的一種表演。見〈說漢唐間百戲中的「象舞」——兼談「象舞」與佛教「行像」活動及海上絲路的關係〉載於《文物》1982.9。

[28]古籍中關於象人的記載，如《孟子·梁惠王篇》曰：「始作俑者，其無後乎！爲其象人而用之。」(焦循《孟子正義》：「俑能轉動，象生人，故即名象人。」)《周禮·春官》：「及葬，言鸞車象人。」(司農注：「爲以雛爲人。」雛，兒童也。）這其中所提及的「象人」，皆寓有裝扮象人形的意思。

[29]前者說法爲彭松的推論，見《中國舞蹈史——秦漢魏晉南北朝部份》，p.26。後說則爲葉大兵與傅氏姊弟提出。「仙人車」也就是「山車伎」，亦爲百戲節目之一。可能是在行進的戲車上，預先隱藏裝設有仙山等景物，走到表演看臺之時，啓動變化裝置，造成聲光煙霧、雲起雪飛的特殊效果。而「總會仙倡」這個節目便是在此戲車上進行演出。參見《中國百戲史話》，p.49，與《中國雜技史》，p.61 。

[30]請參見周育德《中國戲曲與中國宗教》一書，p.28。

[31]王政認爲中國戲劇起源於「取象」，是在中國人重視「觀物取象」這一思維方式的孵化中產生出來的。本單元亦多受其啓發，不再一一加註指出。請參見〈中國戲劇美學史前史初探〉載於《汕頭大學學報》1985.2。

[32]于平以爲由半坡彩陶紋飾中的「人面魚紋」，可以推見原始社會中有以魚作爲圖騰代表的，而其可能與黃龍圖騰崇拜有關。其論證請參見彭松、于平主編《中國古代舞蹈史綱》，p.6-7。

[33]劉向《列女傳・孽嬖傳》亦載：「收倡優侏儒狎徒能爲奇偉戲者，聚之於旁，造爛漫之樂。」《路史》：「帝履癸桀，廣優猱，戲奇偉，作東歌而操北里。」

[34]在《隋書・音樂志》有載：「初於芳華苑積翠側，帝帷宮女觀之。有舍利先來，戲於場內。須臾，跳躍激水滿衢，黿鼉魚鱉，水人蟲魚，遍覆於地。又有大鯨魚，噴霧翳日，倏忽化成黃龍，長七八丈，聳踊而出，名曰『黃龍變』……。」（隋書卷十五，卷十五，頁三八一）從這段敘述中，我們可察覺其與漢代所記敘的十分相似。可見其一直保持著「黃龍變」的表演方式，而以一「變」字來強調其表演變化的特色。

[35]《史記》文穎注有云：「雜技樂也，巴俞戲、魚龍曼延之屬也。」（卷六，頁一九四）《魏書・明帝紀》裴松之注引〈魏略〉：「歲首，建巨獸，魚龍曼延，弄馬倒騎，備如漢西京之制。」(卷三，頁一〇五)焦循《劇說》引明人于慎行《穀城山房筆塵》曰：「漢有魚龍百戲。齊梁以來謂之散樂。樂有舞盤伎、舞輪伎、長蹻伎、跳劍伎、呑劍伎、擲倒伎，今教坊百戲，大率有之。」（《戲曲論著集成》第冊八，頁八十七）

[36]清代光緒年間桃花仙館主唐再丰，自幼素好雜技，尤其傾心於戲法，曾花費三十多年的時間收集有關幻術的表演方法，而編成《鵝幻匯編》、《鵝幻續編》與《鵝幻余編》三書，內容除了記述有清時代民間所流行

的幻術節目，還記錄了雜耍、西洋馬戲，奇幻機械，玩具乃至於工尺譜等多方面的內容，並對古代許多瀕臨失傳的幻術，加以整理釐析，是相當完備的集大成之作，爲研究幻術戲法史的重要典籍。其中便記載有〈魚化黃龍〉，或稱〈鯉魚化龍〉、〈魚龍變化〉，在楊小毛、葛修瀚譯編《中國古典魔術》一書，p.159-160，有詳細說明與圖解。

[37]《南齊書·樂志》曰：「角抵、像形、雜伎，歷代相承有也，其增損源起，事不可詳。大略漢世張衡〈西京賦〉是其始也；魏世則事見陳思王樂府〈宴樂篇〉；晉世則見傅玄〈元正篇〉、〈賦會朝〉；江左咸和中，罷紫鹿、跂行、鱉食、笮鼠、齊王捲衣、絕倒、五案等，中朝所無，見《起居注》，並莫知其所由也。太元中，符堅敗後，得關中檐橦伎，進太樂，今或有存亡。」(卷十一，頁一九五)特別將「像形」與角牴、雜技並言，可見其在百戲表演中應有其代表性。

[38]曾慥《類說》引《西京雜記》的記載爲：「鞠道龍，古有黃公術，能制虎，又能立興雲雨，坐變山河。後衰老，飲酒亡度，術不能神，爲虎所食，故三輔間以爲戲。」則以黃公即爲「鞠道龍」，應是其轉錄之誤。

[39]所謂禹步，依《法言·重黎篇》云：「姒氏治水土，而巫步多禹。」李軌注：「俗巫多效禹步。」《抱朴子·仙藥篇》云：「禹武法：前舉左，右過左，左就右。次舉右，左過右，右就左。次舉左，右過左，左就右。如此三步，當滿二丈一尺，後有九跡。」大概是指巫術的一種舞步。

[40]四川東漢郫縣石棺圖像，上部刻有漫衍角觝之戲，共有七個象人，皆赤足，帶有不盡相同的假面。其中第四人，頭上束五髻，右手平伸，左手屈肘前臂向上，胸前有一斧，斧下有一面形物，似爲盾，坐在頭部向左的蛇虎身上。一般認爲此可能爲「東海黃公」的變異。因此人懸斧而非配金刀。見《四川漢代畫像石》，p.67；而周貽白考證在山東沂南漢墓百戲畫像石上，有一處畫著一個披髮人，戴虎頭假面，著虎紋衣、虎

爪，右手持一形似小旗的物件。前面不遠，有一小童，雙手據地，昂頭，雙足朝上，似乎恐懼地匍匐在地上，可能是表現白虎在東海作虐的情景。轉引自葉大兵《中國百戲史話》中所載。請參見 p.50-51。

[41]有關周貽白的看法，乃綜合其對「東海黃公」的相關論述而成。請參見其所著《中國戲劇史講座》，p.6-8，與《中國戲劇發展史》，p.39-40。

[42]余秋雨認爲「東海黃公」的表演，已經具備有藝術的假定性。是角觝，卻沿著預先設定的情節進行；是扮演，卻不再有任何巫覡式的自欺欺人的盲目成分。於是有了一種建築在自由基礎上的設定，或者說是一種被設定的自由。使得人們能從另一角度來關照自我，逐漸顯現喜怒哀樂等審美情感。所以，戲劇美在此產生了一次關鍵性的升騰。請參見《中國戲劇文化史述》，pp.42-45。

[43]馬曾匏〈戲源〉案：「『三軍之偏』，猶謂『偏軍』，亦猶後世謂奇兵，蓋所以弄敵，引申有『相弄』之誼。『戲』，初以相諧謔，如成王以桐葉戲小弱弟，優孟爲衣冠如孫叔敖矣。或謂『戲』，嬉也，令人嬉樂也。此已得引申之誼，必以『相弄』之誼爲正。」說明戲的正面意義只在「弄」，其輔助意義始在於「嬉」。轉引自任中敏《唐戲弄》，p.1316。

[44]請參見姚華〈說戲劇〉，轉引自《中國歷代劇論選注》，pp.506。

[45]周貽白認爲漢代時，戲字意義極爲寬泛，幾乎凡足以於悅耳目的東西，都可以用戲來代稱。實際上「戲」已當作「弄」字看，並不爲戲謔一義所限。而中國戲劇以表演故事的形態出現，在秦漢不過是「百戲」的一種。簡稱爲「戲」，固然有「弄」字之義。但「戲弄」二字爲連動詞，其來源確出自「百戲」，並非望文生義。請參見《中國戲劇發展史》，p.37，與〈雜技與中國戲劇〉一文，載於《周貽白戲劇論文選》，pp.113-114。

[46]任中敏詮釋蒲人雜婦乃男女之粗健者，擔任自「百戲」至「奇蟲」，也

就是馬戲、鬥虎，唐鎊、追人、奇蟲等百戲的表演。而胡旦，乃纖麗者，即爲後世的旦角，專任歌舞戲表演，所謂「戲娼、舞像」。所以「戲弄」實兼具有百戲與戲劇之義。參引自上揭書，p.789-790。

[47]任中敏舉唐代「弄」其有關技藝者七：(1)使樂器發音成曲，如彈弄、奏弄；(2)振喉發音以歌唱，一作弄，如轉弄、嬌弄；(3)扮演某人、或某種人、或某種物之故事，以成戲劇，如弄蘭陵王，弄孔子、弄假官、弄獅子等；(4)扮充某種腳色，登場演出，如弄假婦人、弄參軍；或扮演某一類戲，如曰弄撥頭；(5)訓練及指揮物類，或牽引機械，使動作、表情，以成戲劇，如弄傀儡、弄猢孫等；(6)戲曲科白中，對人作諷刺、調笑，甚至窘辱，如調弄；(7)綜合後七義而應用之，遂於「戲劇」外，復有「戲弄」一名。並說明「弄」的涵義，乃是先分儲於戲劇所有之各種技藝之中，合各種技藝而成戲劇，然後在作用與精神上，又貫注嘲弄、調弄之意，且多半爲百戲系統所無，而爲戲劇系統所特有者，於是「弄」之義含，乃益爲寬博而豐富。請參見上揭書，pp.6-9，及圖示：

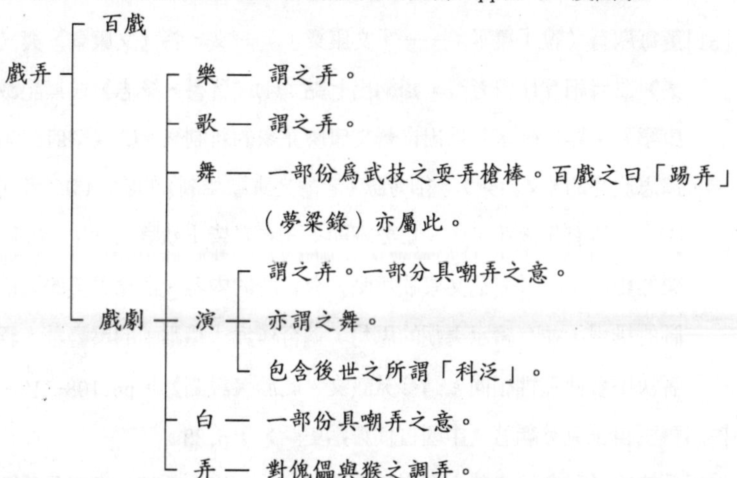

[48]洛地在〈「戲弄」辨類〉一文中，曾對「戲」下定義爲：「供耳目之娛

的技藝活動之泛稱，用以取悅於人或競賽自娛。」並將之分爲三大類：⑴不妝扮，做戲人以自身面目呈現其技藝，如體育、雜技中大部份屬此；⑵操縱他物，如耍猴、玩蛇、現今馬戲團一類大都屬此；⑶妝扮——做戲人妝扮成另外的面目，以所裝扮的面目行事。其中又有扮而不演，如臺閣、高蹺、竹馬等，與扮且演的區別。「妝扮且演其事」，則稱爲「弄」。載於《南京藝術研究》第12輯。

[49]《隋書·音樂志》載：「始開皇初，定令置七部樂。一曰國伎，二曰清商伎，三曰高麗伎，四曰天竺伎，五曰安國伎，六曰龜茲伎，七曰文康伎。……及大業中，煬帝乃定清樂、西涼、龜茲、天竺、康國、疏勒、安國、高麗、禮畢以爲《九部樂》。」（卷十五，頁三七六）

[50]任中敏認爲文康樂既然由女伎假庾亮之面，以追思其人。則「象其容」三字，應是追其音容笑貌，必兼及服裝舉動；「執翳以舞」，即執翳以演耳。且其伎面部必有表情，則爲塗面化妝，非爲戴假面。此說法缺乏其他證據支持，故存疑。請參見上揭書，pp.287-288。

[51]董每戡有〈說「禮畢」——「文康樂」〉一文，將《文康樂》與《上雲樂》二者相互比對考證，歸納出七點：⑴《晉書·樂志》並無記載《文康樂》，難以確定其爲出自晉文康庾亮家的新制樂；⑵《樂府詩集》無追思庾亮的《文康樂》，卻有詠《老胡文康歌舞劇》的詞；⑶二者同名；⑷二者皆有「散花」這一重要細節；⑸二者皆「執翳以舞」；⑹所使用樂器相同；⑺《老胡文康歌舞劇》有吉慶的內容、滑稽可笑的裝扮、熱鬧的排場，並有誇示夷胡的思想，適合作爲「禮畢」的壓臺戲。認爲二者決不會偶然性相同。請參見該文。載於《說劇》，pp.108-119。

[52]轉引自王克芬編著《中國古代舞蹈史話》，p.33。

[53]薛道衡〈和許給事善心戲場轉韻詩〉：「京洛重新年，復屬月輪圓。……萬方皆集會，百戲盡來前。臨衢不絕，夾道閣相逢。……竟夕魚負

燈，徹夜龍銜燭。歡笑無窮已，歌詠還相續。羌笛隴頭吟，胡舞龜茲曲。假面飾金銀，盛服搖珠玉。齊深戲未闌，競爲人所難。臥軀飛玉勒，立騎轉銀鞍。縱橫既躍劍，揮霍復跳丸。抑揚百獸舞，盤跚五禽戲。狻猊弄斑兒，巨象垂長鼻。青羊跪復跳，白馬回旋騎。忽睹羅浮起，俄看鬱昌至。峰嶺既崔嵬，林叢亦青翠。麋鹿下騰倚，猴猿或蹲跂。金徒列舊刻，玉律動新灰。甲芙垂陌柳，殘花散苑梅。」引自《古今圖書集成·博物彙編·藝術典》第八百五卷〈技劇部〉第四七八冊，頁三九。

[54]大面，或稱爲代面，一般往往是指「蘭陵王」。然任中敏認爲大面爲類名，「蘭陵王」爲劇名，二者不能相等。並提出大面，乃指「人面之大者」，爲假面、裝面中許多方法之一；且在專象人面，不兼象獸面。請參見《唐戲弄》〈大面〉與〈蘭陵王〉內文。然此說未免過於狹隘。筆者認爲大面，代面，與戴面，三者之音義頗爲近似，或許可解釋爲「戴著假面」，而且假面可以象人、象獸與象神。因而大面或可說是「象人之戲」戴著假面的一種表現方式。是以本節中筆者所使用的「大面」戲，即不單指「蘭陵王」，而是概括具有「大面」戲特質的表演。

[55]又可分爲「雅樂部」、「清樂部」、「熊羆部」、「龜茲部」、「胡部」與「鼓架部」。除「雅樂部」專用於殿堂儀式外，其他各部多附有舞蹈或雜戲。其中「鼓架部」：「樂有笛、拍板、答鼓——即腰鼓也——兩杖鼓，戲有代面、撥頭、蘇中郎，即有踏搖娘。羊頭渾脫、九頭獅子、弄白馬益錢，以致尋橦、跳劍、吐火、呑刀、旋槃、筋斗等」。概括了樂、戲與雜技等項目。有關各部的詳細內容，請參看唐段安節《樂府雜錄》，載於《戲曲論著集成》第一冊，頁四十四～四十五。

[56]歷史上確有蘭陵王長恭此人。有關他的生平事跡，可參見《北齊書·蘭陵武王孝瓘傳》與《北史·齊宗室諸王列傳下》。各典籍中所載有關「蘭

陵王」的表演，大抵與史實相符。其中《北齊書·蘭陵武王孝瓘傳》與宋謝枋得《碧湖雜記》皆載：「芒山之敗，長恭爲中軍，率五百騎再入周軍，遂至金墉之下，被圍甚急，城之上人弗識。長恭免冑示之面，乃下弩手救之，於是大捷。武士共歌謠之，爲『蘭陵王入陣曲』也。」（卷十一，頁一四七）

[57]有關「蘭陵王」的表演記載，如段安節《樂府雜錄·鼓架部》：「戲有代面，始自北齊神武帝，有膽勇，善戰鬥，以其顏貌無威，每入陣，即著面具，後乃百戰百勝。戲者衣紫、腰金、執鞭也。」（《戲曲論著集成》第一冊，頁四十四～四十五）唐崔令欽《教坊記》：「大面，出北齊蘭陵王長恭，性膽勇而貌婦人，自嫌不足以威敵。乃刻木爲假面，臨陣著之。因爲此戲，亦入歌曲。」(《戲曲論著集成》第一冊，頁十七)董每戡認爲「蘭陵王」的表演，自北齊到唐代，並非是原封不動的。隨著時間的發展，分爲「武士共歌謠之」，只有歌謠未附舞蹈的第一階段；而後爲有歌有舞，但僅主角一人獨舞的階段，如《舊唐書·音樂志》中所描述；迄初、中唐之時，則發展爲完整的歌舞劇形式，有表現衝突矛盾的戰鬥場面。

[58]如《北齊書·神武帝紀》：「西魏晉州刺史韋孝寬守玉壁，城中出鐵面。神武使元盜射之，每中其目。」（卷二，頁三十）《晉書·朱伺傳》：「夏口之戰，伺用鐵面自衛。」（卷八十一，頁二一二〇）《宋史·狄青傳》：「臨敵披髮、帶銅面具，出入賊中，皆披靡莫敢當。」（卷二九〇，頁九七一八）以及考古中所發現的青銅面具，都說明在作戰時使用面具，以保護身體、躲避刀劍。

[59]周華彬指出古代的戰爭面具除護具的性質外，常飾以神物，尤其是將領。一方面可長自家膽氣，借此神物作爲護身符；一方面可滅敵人威風，借神物的兇猛來震懾敵人，此其中包含有「驅魔辟邪」的宗教心

理。是以蘭陵王的作戰面具應是借用當時儺面具的造型。請參見〈《蘭陵王》假面研究－兼述古歌舞戲及假面之源〉載於《中華戲曲》第十五輯，pp.99-105。

[60]董每戡有〈說「假面」〉一文，提出蘭陵王之所以戴假面，不專爲避免兵器殺傷，最主要的原因是由於自己貌美無威，不足以威懾敵人，故戴猙獰威武的面具作戰。請參見《說劇》，pp.342-344。

[61]余秋雨認爲不同的歷史情境，社會需求，會造成人們不同的美學需求，所以北齊所呈現的是一種封建武士的勇猛精神，傳達的是馬蹄如流星、廝殺如雷鳴的歷史氣氛；而唐代天下一統，武功平緩，所以社會需求和歷史氣氛都發生變化，人們的美學追求也就不同。請參見《中國文化戲劇史述》，pp.56-67。

[62]《教坊記》云：「凡欲出戲，所司先進曲名。上以墨點者即舞，不點者即否，謂之『進點』。戲日，內伎出舞，教坊人惟得舞伊州、五天，重來疊去，不離此兩曲，餘盡讓內人也。垂手羅、回波樂、蘭陵王、春鶯囀、半社渠、借席、烏夜啼之屬，謂之『軟舞』；阿遼、柘枝、黃鄣、拂林、大渭州、達摩之屬，謂之『健舞』。」（《戲曲論著集成》第一冊，頁十二)此其中的「出戲」，應是指歌舞表演。漢唐之時的「戲」，常泛指一切表演藝術和技藝。所謂「內人」亦曰「前頭人」，意指接近皇帝，常在上前頭也。「蘭陵王」由地位較高的內人演出，可見受到上位者的喜愛。

[63]唐杜佑《通典》曾云：「歌舞戲有大面、拔頭、踏搖娘、窟礧子等戲，元（玄）宗以其非正聲，置教坊於禁中以處之。」玄宗認爲這些歌舞樂戲不合「正聲」標準，是否意味著其這些歌舞戲原來屬於民間散樂的特性，不合宮中雅樂的標準；而於禁中別置教坊以管理之，則又體現出審美情趣與現實取擇的抵觸限制。

[64]近人傅芸子、常任俠、高楠順次郎、田邊尙雄、任中敏等人，均曾以日本的「羅陵王」與「蘭陵王」做比對，考據二者之關係。彭松有〈唐代舞圖與戲面——讀高千島的《舞樂圖》〉一文，指出高氏的「蘭陵王」圖，乃依《信西古樂圖》重繪，服飾面具大致相同，但神態動作卻有較大改變。載於《文藝研究》1981.1。周華斌〈蘭陵王面具考——兼論日本樂舞蘭陵王源於中國〉，一文則證明日本所傳《蘭陵王》古樂是從中國傳去的。載於《民俗曲藝》第九十四、九十五輯，pp.361-389。

[65]請參見王國維《宋元戲曲考》〈上古至五代之戲劇〉；任中敏《唐戲弄》，p.295；楊世祥《中國戲曲簡史》，p.16。

[66]唐張祜《容兒鉢頭》：「爭走金車叱鞅牛，笑聲唯是說千秋。兩邊角子羊門裡，由學容兒弄《鉢頭》。」(卷五一一，頁五八四七)指出教坊樂人仍在角子羊門中學習容兒鉢頭。容兒，可能是表演鉢頭優秀伎人之名。

[67]郭淨引《舊唐書·音樂志》中唐太宗所云：「夫音聲能感人，自然之道也。故歡者聞之則悅，憂者聽之則悲。悲歡之情，在於人心，非由樂也。」(卷二十八，頁一〇四一)作爲唐人藝術觀的註腳。認爲宮廷貴族對歌舞的品味，多半以娛情爲主。是以如《何滿子》、《嘆百年》等悲劇色彩濃郁的樂舞，在宮廷中演出時，即化莊重爲詼諧、化淒切爲嬉戲。並聯想唐人在樂舞中大量使用面具的原由。請參見《中國面具文化》，p.161。

[68]《公莫舞》相傳是表演鴻門宴的故事，《宋書·樂志》：「《公莫舞》，今之巾舞也。相傳云項莊劍舞，項伯以袖隔之，使不得害漢高組。且語莊云：『公莫』古人相呼曰『公』，云莫害漢王也。今之用巾，蓋象項伯衣袖之遺式。」按《琴操》有〈公莫渡河曲〉，然則其聲所從來已久，俗云項伯，非也。」(卷十九，頁五五一)唐李賀有〈公莫舞歌〉並序，以奇壯的筆調，描寫鴻門宴上殺氣騰騰的情景「『公莫舞歌』者，詠項

伯翼蔽劉沛公也，會中壯士，灼灼於人，故無覆書，且南北朝有歌引。賀陋諸家，今重作『公莫舞歌』云。方花古詘排九楹，刺豹林血盛銀罌。華閻鼓吹無桐竹，長刀直立歌嗚箏。橫楣粗錦生紅緯，日炙錦嫣王未醉。腰下三看寶玦光，項莊掉箾攔前起。材官小臣公莫舞，座上眞人赤龍子。芒湯雲端抱天回，咸楊王氣清如水。鐵樞鐵楗重束關，大旗五丈撞雙環。漢王今日需秦印，絕臏刳腸臣不論。」（卷三九一，頁四四〇九）。詩人可能未見演出，故無涉及服飾、舞姿與動作的描述。

[69]歷來前學對於「男扮女妝」之始，說法不一：或引《漢書·郊祀志》中「紫壇僞飾女樂」，認爲是「男扮女妝」之始。然依其原文與注：「衡言：甘泉泰畤紫壇，八觚宣通象八方。……紫壇有文章采鏤黼黻之飾及玉、女樂，石壇、僊人祠，瘞鸞路、騂駒、寓龍馬，不能得其象於古。……故上質不飾，以彰天德。紫壇僞飾、女樂、鸞路、騂駒、龍馬、石壇之屬，宜皆勿修。」顏師古注：「漢書儀云祭天用六綵綺席六重，用玉几玉飾器凡七十。女樂，即禮樂志所云『使童男童女俱歌』也。」(卷二十五下，頁一二五六)然似乎並非爲此意含；而焦循《劇說》卷一引楊用修之語云：「漢郊祀志優人爲假飾妓女，蓋後世妝旦之始也。」(《戲曲論著集成》冊八，頁九十一)則不知其所據爲何；任中敏則以爲源自漢《鹽鐵論·散不足篇》中的「胡妲舞像」，並以明方以智《通雅》曰：「胡妲，即漢飾女伎，今之裝旦也。」證之。參見上揭書，p.790。另外，或以爲《南齊書·本紀》所載：「（東昏侯）帝在含德殿吹笙歌作〈女兒子〉。」(卷七，頁一〇六)亦爲弄假婦人一類，但不知〈女兒子〉究爲何指。

[70]《隋書·音樂志》：「及宣帝即位，……好令城市少年有容貌者，婦人服而歌舞相隨，引入後庭，與宮人觀聽。戲樂過度，游幸無節焉。」（卷十四，頁三四二）「煬帝於端門外，建國門內綿延八里列爲戲場。

……伎人皆衣錦繡繒，其歌舞者多爲婦人服，鳴環佩飾以花毦者。殆三萬人。」（卷十五，頁三八一）

[71]「踏謠娘」除《教坊記》中有記載外，在唐韋絢《劉賓客嘉話錄》，唐杜佑《通典》、《太平御覽》五三七引唐段安節《樂府雜錄》，宋曾慥《類記》卷七引《教坊記》〈蘇五奴〉條，宋《樂史．楊太眞外傳》，後晉劉昫《舊唐書．音樂志》中皆有相關的資料。其中《教坊記》與宋《樂史．楊太眞外傳》記載爲「踏謠娘」；其他皆作「踏搖娘」。曾師永義有〈唐戲「踏謠娘」及其相關問題〉一文，曾就相關資料探索了「踏謠娘」的來龍去脈，對於其紛歧的面目，有詳盡深入的考論，本節許多論點皆引自該文，或得自該文啓發，請參見之。載於《詩歌與戲曲》，pp.154-178。

[72]洛地曾歸納戲弄特點有六：⑴裝扮的是身分而非人物，且大都是下層社會諸色人等身分。⑵表現都是社會生活片段，是細節或情節，沒有貫穿性，不成故事 。⑶旨趣在於滑稽 、熱鬧、嬉戲，且以男女調情逗鬧爲多，即具有調弄、嬉弄、耍弄、嘲弄、玩弄乃至侮弄的成分。⑷演出一般爲二、三人，故有二小、三小、三腳之稱。最多不超過五人。⑸古代未必兼有唱做，今皆有唱有做，唱多有專用唱詞唱調，唱詞通俗。⑹活動方式，季節應時，與戲耍等相伴而行，流動傳播，無固定班社與專業藝人。參見〈「 戲弄 」類辨〉一文，載於《 南京藝術研究 》，12輯，pp.12-14。

[73]《教坊記》：「蘇五奴妻張四娘，善歌舞，亦姿色，能弄『踏搖娘』。有邀迓者，五奴輒隨之前。人欲得其速醉，多勸酒。五奴曰：『但多與我錢，雖喫鎚子亦醉，不煩酒也。』今呼鬻妻者「爲『五奴』，自蘇始。」（《戲曲論著集成》第一冊，頁十三）

[74]史籍中談到「蘇中郎」，記載其爲「鞄鼻」或「皮鼻」。鞄、皮(皻)二者

同皰，皆指鼻子上的紅皰，俗稱酒糟鼻。柳宗元有〈同劉二十八院長〉詩曰：「驟歌喉易嗄，饒醉鼻成皮。」(卷三五一，頁三九二五)蔣之翹注引黃震曰「世俗所謂酒皮鼻也」即今人所云酒糟鼻。

[75]「中郎」的官制，設於秦時，隋以後廢。以唐代品官服制而言，緋色有深淺之分，爲四品及五品分著。「郎中」亦爲官名，秦時所置，晉至南北朝，分掌司事務，爲尚書、侍郎、丞以下的高級部員。根據唐代官制，郎中的品級甚多種，依其職位而不同，服色不一。是以「蘇中郎」著緋袍或綠袍，倒也合理。而「中郎」與「郎中」之所以涵混不清的原因，曾師提出三點推論：⑴陳暘所見的《樂府雜錄》正作「郎中」，與今傳本不同。⑵「中郎」、「郎中」皆官名，容易混淆。⑶陳暘意識中被「踏謠娘」中的「郎中」所影響。關於「蘇中郎」與「踏謠娘」王國維《宋元戲曲考》中認爲二者同爲一劇，任中敏《唐戲弄》則以《樂府雜錄》中，二者並列，而認爲非同一劇。鹽谷溫《中蘇國文學概論講話》則以爲二者共姓，應爲同一人，而從夫妻兩方面分寫。曾師永義則指出二者蓋屬同一事，但表演方式有異，前者爲單人歌舞劇，後者爲多腳歌舞小戲。是以「蘇中郎」的裝扮應可以參考綜合二者而得見。

[76]「典庫」，任中敏《唐戲弄》云俟考。宋《東京夢華錄》〈三月一日開金明池瓊林苑〉有載「臨水近橋皆垂楊，兩邊綵棚幕次，臨水假貸，觀看爭標。街東皆酒食店舍，博易場戶，藝人勾肆，質庫，不以幾日解下，只至閉池，便典沒出賣。」(卷七，頁四十)而金院本中也有《一貫質庫兒》、《私媒質庫兒》、《矇啞質庫》諸本。

[77]任中敏在《唐戲弄》「踏謠娘」的〈劇場情形〉中推論，「錦筵」所指爲樂棚，乃露天劇場中所設有棚的戲臺。見 p.511；然在第六章〈設備〉中則說「錦筵」原爲室內戲場之戲臺名稱，常氏乃借用二字，以便詩文諧韻。觀衆對於戲臺，仰視則爲樂棚，平視臺上裝飾種種，又不妨以錦

筵二字美之。見 p.967；又日舞筵、錦筵皆室內戲臺之稱謂，其重要猶之露天戲場之有樂棚，見 p.972；殿堂或公堂奏伎，觀者向來居高臨下，遂有露天設錦筵之制，並非在平地上表演。見 p.973；故總言之，唐代所謂「戲場」，乃戲劇、百戲、雜伎之所共有。露天者以樂棚爲戲臺，亦有無棚而爲舞筵式者，觀衆大都佇立。室內戲場較精緻：戲臺日舞筵，高出場面，設帷幕，懸門簾，鋪茵氈，觀衆在宴中有座。見 p.980。

[78]《資治通鑑·宣宗紀》：「大中二年冬，十一月，萬壽公主視起居郎鄭顥。……顥弟顗，嘗得危疾，弟遣使視之。還，問公主何在。日：『慈恩寺觀戲場。』帝怒，嘆日：『……起有小郎病，不往視，乃觀戲乎！」唐張固《幽閒鼓吹》亦載此事。寺院戲場之設，北朝《洛陽伽藍記》即有所記載。而宋錢易《南部新書》中也云：「長安戲場，多集於慈恩。小者在青龍，其次薦福、保壽。」《太平廣記》中〈徐智通〉條引《集異記》載：「寺前素爲郡之戲場，每日中，聚觀之人，通計不下三萬人。……而寺前負販戲弄觀看人數萬衆。」(卷三九四，頁三一四八)

[79]相關考古論證，請參見吳震〈阿那斯塔336號墓所出戲弄俑五例〉，載於《文物》1987.5，pp.77-82。

[80]任中敏以伎藝作爲區分的標準，認爲唐戲弄實有全能、歌舞、歌演、科白、調弄五類，而其中全能劇爲：「指唐戲之不僅以歌舞爲主，而兼由音樂、歌唱、舞蹈、表演、說白五種技藝，自由發展，共同演出一故事，實爲眞正戲劇也。」請參見《唐戲弄》，pp.217-224。

[81]曾師永義有〈參軍戲及其演化之探討〉一文，對「參軍戲」遞變演化之跡論述精詳，請參看之。載於《參軍戲與元雜劇》一書，pp.1-121。

[82]質別傳日：「質黃初五年朝京師，詔上將軍及特進以下皆會質，大官給供具。酒酣，質欲盡歡。時上將軍曹眞性肥，中領軍朱鑠性瘦，質召

優，使說肥瘦。」見《三國志・魏書・吳質傳》注(卷二十一，頁六〇九)

[83]曾師認爲倡家傚慈、潛訟閱之狀，以爲嬉戲，正類似「東海黃公」的角觝餘風。換言之，蜀漢先主是以角觝戲的模式來搬演慈潛平居所爲；而這種情形，也正像東漢和帝以角觝模式來戲弄石耽平居所爲一樣。所不同於「東海黃公」的，是由優伶假扮官員；而這一點正是東漢和帝「戲弄石耽」的開展。故「戲弄石耽」其實上承「東海黃公」而下啓「慈潛訟閱」，已具參軍戲特質，所缺少的只是冠上名稱。同前揭書，p.6。

[84]在《新唐書・諸帝公主傳・和政公主傳》載：「阿布思之妻隸掖庭，帝宴，使衣綠衣爲倡。」(卷八十三，頁三六六一)與宋錢易《南部新書》：「弄參軍者，天寶末，蕃將阿布思伏法，其妻配掖庭，善爲優，因使隸樂工，遂令爲此戲。」中均有提及阿布思妻，但其記載較爲簡略，且無所謂「參軍椿」之名，然可見其確曾主演「參軍戲」。

[85]「尙書郎，自兩漢以後妙選其人；唐武德貞觀以來，尤重其職。吏、兵部爲前行，最爲要劇 。自後行改入，皆爲美選 。考功員外專掌試貢舉人，員外郎之最望者。司門、都管、屯田、虞、水、膳部、主客，皆在後行，閒簡無事。時人語云：『司門、水部、入省不數。』角觝之戲有假作吏部令史，與水部令史相逢，忽然俱倒。良久起云：『冷熱相激，遂成此疾。」』轉引自任中敏編著《優語錄》卷二，p.32。

[86]《優語錄》所收錄的優人調笑資料中，有些即屬「參軍戲」的表演形態，如唐敬宗時，高崔嵬善弄癡大；唐懿宗時，李可及「三教弄衡」；唐僖宗時，石野豬語「陛下落第」等，請參見之。

[87]陸羽，字鴻漸。據《新唐書・陸羽傳》中載：「匿爲優人，作詼諧數千言。」(卷一九六，頁五六一一)又《陸文學自傳》載：「卷衣詣伶黨，著《謔談》三篇，以身爲伶正，弄木人、假吏、藏珠之戲。」（《全唐文》卷四三二），故《樂府雜錄》載陸鴻漸爲「參軍戲」名伶李仙鶴「撰

詞」，與劉采春所善「陸參軍」或即用其所創作的劇本。又《唐才子傳·沈佺期篇》中云「佺期作弄辭」，或即指劇本的「戲弄之辭」。

[88]李大珂認爲文中並未說明歌聲是在弄參軍的表演中；且采春所擅唱以表現婦人望夫主題的「望夫歌」，是屬於一個人清唱文人詩作的節目，並非爲參軍戲的表演內容。由於范攄將陸參軍與采春的清唱節目混合描寫，故使人產生混淆。請參見〈曲海摭拾〉，載於《戲曲研究》第八輯，pp.229-232。

[89]廖奔以爲「陸參軍」是屬於「正劇」形式，演唱的內容雖與參軍戲的表演不相連貫，但開後世一人主唱，其他人配合表演的戲劇慣例。請參見〈參軍戲論辯〉，載於《西域戲劇與戲劇的發生》，pp.208-211。

[90]檢索石耽與周延的資料，可以發現：石耽是「每宴樂，即令衣白夾衫，命優伶戲弄辱之」；周延爲「使俳優，著介幘，黃絹單衣」。石耽爲本人受優伶戲弄無庸置疑，而周延「使俳優」三字便值得商榷。但從唐歐陽詢《藝文類聚》中引「趙書」的記載：「石勒參軍周雅……使與俳兒著介幘，黃絹單衣。」則似乎也可確定，周延也是以本人扮飾，成爲優人弄嘲的對象。

[91]從史籍中的一些記載，如《漢書·東方朔傳》：「主(館陶公主)寡居，年五十餘，近幸董偃，……自引董君綠幘傅韝隨主前，伏殿下。」顏師古注：「綠幘，賤人之服也。」(卷六十五，頁二八五三)；《新唐書·楊炎傳》：「初，炎矯飭志節，頗得名。既傅會元載抵罪，……終以此及禍。自道州還也，家人以綠袍木簡棄之。」(卷一四五，頁四七二七)；宋《燕翼貽謀錄》載：「至於服色，例行服綠，不問官品高下。」宋初令南唐降臣皆穿綠袍；《元典章·禮部服色》：「令娼妓人家並家長親屬男子裹綠頭巾。」明《七修類稿》「李封爲延陵令，吏人有罪，不加杖罰，但令裹碧綠以辱之，後人遂以著此服爲恥。今吳中人謂人妻有淫

行爲綠頭巾，……及見春秋時，有貸妻求食者，綠巾裹頭以別貴賤，乃之其來已遠。」可知綠衣確有卑賤鄙夷之意含。

[92]有關戲劇審美觀念，請參見余秋雨《中國文化戲劇史述》，pp.67-77；與王政〈中國戲劇美學史前史初探〉，載於《汕頭大學學報》1985.2，筆者多受啓示與引用。

[93]明王愼行《山谷筆塵·雜解》中，曾提到唐代參軍戲的裝扮「優人爲優，以一人樸頭衣綠，謂之參軍；以一人髽角弊衣，如僮仆狀，謂之蒼鶻。」（卷一）可見成爲一種程式通例。

[94]有關考古論證，請參見盧惠來〈黃岩縣靈石寺塔戲劇雕磚〉，載於《戲曲研究》第二十九輯，pp.145-149；王中河、盧惠來〈浙江省黃岩縣靈石寺塔五代吳越石的戲劇雕磚〉，載於《藝術研究論叢》，pp.163-166；吳戈〈參軍戲，還是宋雜劇——浙江省黃岩縣靈石寺塔戲劇人物雕磚淺探〉，載於《中華戲曲》第十五輯，pp.147-153。以及田進〈唐戲弄俑〉，載於《文物》1959.8；金維諾、李遇春〈張雄夫婦墓俑與初唐傀儡戲〉，載於《文物》1976.12，pp.44-50。

第二章　雜技與戲曲混合參雜的時期——宋、金

宋代結束了五代十國兵燹戰亂的混亂局面，加強中央集權，安定國內局勢，推動農業生產，工商業也隨之繁盛，進而形成許多人口集中、經濟繁榮的大城市，與壯大的市民階層。應運著市民文藝的需求，百戲技藝的蓬勃發展，各種表演藝術遂逐步地分化，戲曲也從與雜技混合參雜的狀態中，漸次成形為專業的門類。

第一節　混合演出的表演場合

表演場合的沿革變遷，制約著不同的藝術特質。雜技與戲曲，從漢唐時流動式的廣場獻藝，到宋金時固定性的劇場搬演，雖然多處於交流混合、同場競演的形式，但隨著平地與高臺、室外與室內、開放與封閉等演出空間的差異，觀眾審美層次與品味的調整，使得原本著重於熱鬧喧騰、多樣混合的娛樂性技藝展現，轉而側重於專業分工、深刻細膩的戲劇情節表演。而這恰標誌出雜技與戲曲從混雜到獨立、由雛形到成熟的發展歷程。

一、衝州撞府

散樂，原本是流行於民間的樂舞雜技，由「野人為樂之善者」(《周禮·春官·鄭玄注》)四方搬演；雖然歷代君王多有所徵集，但也屢次加以罷省遣散，如「罷魚龍曼延百戲」(《後漢

書·安帝紀》卷五，頁二〇五）、「禁婦人倡優雜戲」（《唐會要》)等，再加上時代的動亂變遷，藝人們於民間「歧路」漂泊，流動賣藝，所謂「路岐歧路兩悠悠」（《宦門子第錯立身》第十三齣），是以宋趙彥衛《雲麓漫鈔》中即載：「今人呼路岐樂人爲散樂。」(卷十二，四庫八六四冊，頁三八六)[1]

《西湖老人繁盛錄》中曾描述：

> 十三軍大教場、教弈軍教場、後軍教場、南倉內、前杈子裏、貢院前、佑聖觀前寬闊所在，撲買並路岐人在內作場，行七聖法，切人頭下，賣符，少閱依元而上。沓鈸子，吞劍，取眼睛，大裏捉當，三錢教魚跳門。烏龜踢弄，金翅覆射，鬥葉猢孫，老鴉下棋，蜡嘴舞齋郎，鵪鶉弩，教熊使棒，相棒，王宣弄麵，打一丈方餅。喝涯詞，只引弟子；聽淘眞，盡是村人。打硬底，擗破鐵橄欖。戾家相撲，獵户。……（頁一一九～一二〇）

在教場、麥倉、街道、貢院、寺觀等寬闊之地，有著路岐人以撂地爲場的原始方式，表演各種散樂百戲。《都城紀勝·市井》中也補充說明：

> 如執政府牆下空地(舊名南倉前)，諸色路岐人在此作場，尤爲駢闐。又皇城司馬道亦然。候潮門外殿司教場，夏月亦有絕技作場。其他街市如此空隙地段，多有作場之人，如：大瓦肉市、炭橋藥市、桔園書亭、城東菜市、城北米市。其餘如五間樓、福客糖果所聚之類，未易縷舉。
>
> （頁九十一）

可見路岐人歧路流浪，見縫插針，只要是「空隙地段」，便可成爲作場賣藝之處。是以周密《武林舊事》中記載：「或有路岐，不入勾欄，只在耍鬧寬闊處作場者，謂之打野呵，此藝之次者。」(卷六，頁四四一)「打野呵」，顧名思義或可詮釋爲在「露天曠野的呵唱」，從「路岐」與「野呵」中，不難明暸流動藝人的身分處境與表演形態。至於爲何以「打」字來形容技藝的表演，一般咸認爲與「打夜胡」的「逐除之戲」有關，推衍爲對鬼祟之類追逐擊打的動作，而其根源可上溯自秦漢之「大儺」。宋梁克家《淳熙三山志・歲除驅儺》有載：

> 鄉人儺，古有之，今州人以爲打夜狐。曾師建云：「《南史》載，曹景宗爲人好樂，在揚州日，至臘月，則使人邪呼逐除，遍往人家乞酒食以爲戲。迄今閩語乃曰打夜狐。蓋唐敬宗夜捕狐狸爲樂，謂之打夜胡。」閩俗豈以作邪呼逐除之戲，與夜捕狐之戲同，故云。抑亦作邪呼之語，訛而爲打夜狐與。(卷四十，《四庫》第四八四冊，頁五八四)

「儺儀」爲商周以來驅鬼逐疫的宗教民俗性活動，具有著「代面」的妝扮特質。其中在民間流行的「鄉人儺」「鄉人飲酒，杖者出。斯出矣，鄉人儺，朝服而立阼階」(《論語》卷十，頁九十)，兼具有攘鬼祭儀與飲酒歡會的社火色彩。梁代曹景宗以「邪呼」爲戲樂的形式，在臘月之時，遍往人家乞討酒食[2]；這種逐除之戲的形態，或如《荊楚歲時記・十二月》中所描繪者：

> 十二月八日爲臘日，《史記・陳勝傳》有臘月之言，是謂此也。諺言：「臘鼓鳴，春草生。」村人並擊細腰鼓，戴胡公頭，及作金剛力士以逐疫，沐浴轉除罪障[3]。

而「打夜胡」稱謂的正式出現，乃是源於「帝(唐敬宗)夜艾自捕狐狸爲樂，謂之『打夜狐』」(《新唐書・宦者傳》，卷二〇八，頁五八八四）。究竟「打夜狐」爲何會與歲末驅儺的逐疫之戲產生關聯，就語音學的觀點來詮釋，應是由「邪呼」之語同音相訛爲「野虖、野雩、夜胡、夜狐、野狐」等名義[4]；而後再參雜民俗學的文化意涵，認爲在歲末之時，驅出獵殺狐狸，恰符合五行相生相剋的原理，正與大儺抑陰扶陽的宗旨完全一致[5]。這種民間習俗經過流布與演變後，逐漸發展爲具有娛樂性的游戲行爲；其後加以胡人異族的相比附，「打夜狐」或稱爲「打夜胡」或「打野胡」[6]；而後又轉變爲乞兒貧民歲時謀生的表演形式，如《東京夢華錄·十二月》：

> 自入此月，即有貧者三數爲一火，裝婦人神鬼，敲鑼擊鼓，巡門乞錢，俗呼爲「打夜胡」，亦驅祟之道也。
>
> （卷十，頁六十一～六十二）

對照與《夢粱錄》「街市有貧丐者三五人爲一隊，裝神鬼、判官、鍾馗、小妹等形」（卷六，頁一八一）中的記載，可知雖仍具有「驅儺」之意，但其所裝扮的對象，已從逐疫的鬼神擴及到人物的類型，顯見技藝表演的成分越發濃厚。基本上這種乞兒驅儺的演出，只是歲末業餘的賣藝演出。而於市肆作場的「打野呵」藝人，已蛻變爲「倡優雜戶」一類的職業藝人，稱之爲「河市樂人」，南宋章淵《稿簡贅筆·河市樂》中曰：

> 劉貢父詩話云：俳優言河市樂。說者云，起居駙馬在南都，家樂甚盛，詆誚南河市中樂人，故得此名。其實不然。唐元和中《燕吳行記》，其中已有「河市」字，大都是不隸軍中在事者散樂名。乃高駙馬非(舊)居也，河中在處臨河者皆曰河。是如今之藝人於市肆作場，謂之「打野泊」，皆謂不著所，今謂「打野呵」[7]。

沿襲著散樂藝人尋村沿疃、居無定所的傳統演出形式，在市肆之中作場。他們的演出形式是較爲「鄙俚」、「樸野」的，雖不再是乞兒貧民的身分，但屬於藝人中社會地位較低下的，或可稱爲「趕趁人」，如《武林舊事·西湖游幸》中所述及：

> 至於吹彈、舞拍、雜劇、雜扮、撮弄、勝花、泥丸、鼓板、投壺、花彈、蹴踘、分茶、弄水、踏混木、撥盆、雜藝、散耍、謳唱、息器、教水族飛禽、水傀儡、鬻水道術、煙火、起輪、走線、流星、水爆、風箏，不可指數，總謂之「趕趁人」，蓋耳目不暇給焉。(卷三，頁三七五)

所搬演的內容眞可說是五花八門、形形色色，其中也包含有「雜劇」的搬演。而有關路岐人搬演雜劇的具體情境，從周南《山房集·劉先生傳》的描述中，倒可略窺一二：

> 市南有不逞者三人，女伴二人，莫知其爲兄弟妻姒也。以謔丐錢。市人曰：「是雜劇者」。又曰：「伶之類也。」每會聚之衝，闐咽之市、官府廳事之旁，畫爲場，資旁觀者笑之。自一錢以上皆取焉，而獨不能鑿空。其所仿效者、譏切者：語言之乖異者、巾幘之詭異者、步趨之佝僂者、兀者、跛者。其所爲戲之所，人識而眾笑之。……有劉先生者，……遇其作場，往觀者必曰看劉道人云，計一日之謔雖多端具，而少年效劉唱樂聲，則必開場。

活脫就是「打野呵」的作場形式：被稱爲「不逞者」，表示社會地位低下；在「會聚之衝，闐咽之市、官府廳事之旁」，畫地爲場，表現出路岐藝人隨處作場的本色；而其演出的內容中有「效劉唱樂聲」的唱，有模仿「巾幘之詭異者、步趨之佝僂者、兀者、跛者」的作，有「譏切者、語言之乖異者」的念白，以「資旁觀者笑之」，恰符合宋雜劇滑稽說笑的特質；而演出目的爲掙取些許金錢，靠觀衆施捨，「一錢以上皆取」。誠如《夢粱錄·百戲技藝》中所述：

又有村落百戲之人，拖兒帶女，就街坊橋巷，呈百戲使藝，求覓鋪席宅舍錢酒之資。且雜手藝，即使藝也，如踢瓶、弄碗、踢缸、踢鐘、弄花錢、花鼓槌、踢筆墨、壁上睡、虛空挂香爐、弄花毬兒、撈逐毬、弄斗、打硬、教蟲蟻、弄熊、藏人、燒火、藏劍、喫針、射弩端、親背、攢壺瓶等，棉包兒、撮米酒、撮放生等藝。(卷二十，頁三一一)

演出的目的無非是爲了尋衣覓食，換得些許生活之資。由此可見衝州撞府、隨處作場的路歧式流動賣藝，是雜技與戲曲藝人共同的棲生狀態。是以《藍采和》雜劇中所言：「是一火村路岐」(第四折)，流動於民間作場的鄉間戲班，又可稱爲「村路岐」，其實與「村落百戲」的含義是類同的。南宋曾發現一批饒州的瓷俑，爲鄱陽洪墓1975年出土，南宋景定五年(1264)洪子成墓陪葬品；與浮梁查墓(1973)出土，南宋淳祐十二年(1252)查曾九省墓陪葬品（圖㉖）。以及另兩組早二世紀，出現具有表演動作的瓷俑。據劉念茲的考證，這些瓷俑反映出宋饒州地區，民間散樂路岐人衝州撞府的演出面貌[8]。而從其中，恰可實證散樂雜劇在民間鄉鎮地區混雜作場的情形。

而這些在街市「沿街趕趁」的藝人，有時也會受雇祇應於「酒樓」、「妓館」之中，但所獲得的收入，仍是相當微薄。《夢粱錄·妓樂》曰：

街市有樂人三五爲隊，擎一二女童舞旋，唱小詞，專沿街趕趁。元夕放燈，三春園管賞玩及遊湖看潮之時，或於酒樓，或花衢柳巷妓館家祇應，但犒錢亦不多，謂之「荒鼓

板」。（卷二十，頁三〇九）

除曲藝演出外，「又有吹簫、彈阮、息氣、鑼板、歌唱、散耍等人，謂之『趕趁』。」(《武林舊事·酒樓》卷六，頁四四二)可爲酒會筵席表演侑酒佐餐的助興節目。創建於金正隆三年(1158)的山西省繁峙縣岩山寺，文殊殿西壁上畫有市井圖繪，令人想起宋代《清明上河圖》中的汴京風貌。其中，繪有一座木構的酒樓，樓上設酒宴，圍坐賓客。樓左坐一女子，雙手執杖敲鼓，其旁坐一男子，雙手擊拍板。樓中部背坐一人，或是拿著曲本、掌記冊兒一類，應是一幅《市井酒樓說唱圖》[9](彩圖⑪)。這樣的曲藝伎樂，應是沿傳自宋代的習尚。

其實，在宴飲之中觀賞散樂百戲的演出，自古已然。尤其是宮廷貴族的宴樂遠源流長，我們從歷史文獻中，可以發現不少相關的記載。而近代出土的各式文物，更提供我們許多鮮明具體的形象，如山東濟南無影山漢墓出土的《西漢雜技樂舞俑群》（彩圖⑫），在陶盤上雕塑出一幅宴樂場面：兩側有觀衆，後面有樂隊，中間有表演拿頂、折腰、柔術與長袖舞的雜技樂舞藝人。而東漢四川郫縣新勝鄉出土的《宴飲樂舞百戲畫像》(圖㉗)，則具現了宴樂演出的情景：賓客席坐於廳堂中宴飲，而院落中有樂舞百戲藝人在演出，或坐地頂竿弄盤，或倒立九疊案上，還有人撫琴伴奏著兩舞伎長袖踏鼓而舞。至於東漢四川大邑安仁鄉出土的《樂舞雜技畫像磚》（圖㉘），呈現的是杯盤盡撤、宴罷歌舞的場面，圖中點綴著兩案與兩酒樽，旁側有樂舞雜技藝人在表演跳丸、舞劍、弄瓶。

宋代商業經濟的繁盛，促成了鄉鎮城市的發展。酒樓茶坊、歌館妓院等娛樂場所，應運著商人市民的需要而興起。人們可以在此飲酒作樂，也可以欣賞伎樂的演出。是以宋王鞏云：「凡郡有宴設，必召河市樂人。」(《聞見近錄》，《四庫》第一〇三七冊，頁一九六）依據《夢粱錄·四司六局筵會假賃》中的記載，伎樂甚至成爲筵會必要的一環，有專人負責安排組織：

> 欲就名園異館、寺觀亭臺、或湖舫賓會，但指揮局分，力可辦集，皆能如儀。……且如筵會，不拘大小，或眾官筵上賀犒，亦有次第：先茶酒、次廚司、三伎樂、四局分、五本主人從。（卷十九，頁三〇三）

而筵會的場地也更加多元化，或在園林館閣，或在亭臺寺觀，還有在湖舫船隻之上舉行的。伎樂藝人們則必須充分發揮隨處作場、因地制宜的本能，在各種場所中演出。輔以《夢粱錄·伎樂》中記載，我們更能確證在散樂的表演中，是蘊含有戲曲的因子：

> 筵會或社會，皆用融和坊、新街及下瓦子等處散樂家，女童裝末，加以弦索、賺曲，祇應而已。……若唱嘌耍令，今者路岐人王雙蓮、呂大夫唱得音律端正。
>
> （卷二十，頁三一〇）

散樂藝人中的女童，可以裝扮成雜劇中的「末泥」角色，表演曲藝，而這正爲雜劇的唱念提供重要養分。藝人王雙蓮，不僅善於「唱嘌耍令」，也善唱「諸宮調」，更爲一名女流的「雜劇」演員。在散樂藝人中，身兼雜技與雜劇雙重技藝的藝人，不在少數，像金寶，既善於「撮弄百戲」，又能搬演「雜劇」。（《武林舊事·諸色技藝人》卷六，頁四五八）他們對於戲曲唱念做打綜合藝術的形成，必然有所影響。

所以，散樂與雜劇藝人也會受邀於民家，參與喪慶喜事的演出。例如1978年在河南滎陽縣出土的宋代石棺（北宋紹聖三年，

1096），左側繪刻有棺主朱三翁夫婦宴飲觀看雜劇的演出圖（圖㉙）：朱氏夫婦並排拱手坐於靠椅上，前置案桌酒食，桌前有四個雜劇藝人正在作場。從石棺所顯現的圖像與學者們的考證，棺主爲平民身分，不可能擁有家樂，應是臨時雇用一些路岐藝人，在壽會喜事上助興演出，可以說是我國最早的一幅戲曲「堂會」演劇圖[10]。

至於「社會」，乃是由諸行百社所組成的團體，可以參與各種廟市賽會的演出，也能應邀到勾欄瓦肆中表演。是以，路岐藝人是承襲著自古以來，散樂的傳統流播方式，以衝州撞府、流動作場爲起點，走向鄉村與城市：或進入酒樓茶肆，廳堂宅院，成爲堂會的演出形式；或隨著春社秋賽、迎神祀祭，在廣場露臺上搬演；或走入樂棚瓦舍的專業化劇場中[11]。在這些不同的表演場合中，雜技與戲曲始終是以混雜演出的方式相互汲取成長。

二、廟市賽會

基於祀鬼敬神的觀念，中國自古便有以歌舞樂神的傳統，「或偃蹇以象神，或婆娑以樂神。」(王國維《宋元戲曲考》)唐宋之時，則雜以樂舞百戲，在神明聖誕或春秋社祭之時，舉行迎神賽會的活動加以慶祝，結合了酬神與娛樂的功能，也使得寺廟宮觀遂逐漸發展成爲集會、貿易、娛樂的場所。

如北魏《洛陽伽藍記》中描述，景樂寺中「異端奇術，總萃其中」，使得「士女觀者，目亂睛迷」(〈城內〉卷一)可說得上是「百戲騰驤」。唐代之時，「佛寺設大會，百戲在庭。」（唐李綽《尙書故實》）進而在寺廟中設置戲場「長安戲場，多集於慈恩。」(宋錢易《南部新書》)宋代以後，寺廟設祭獻樂的活動更爲普遍，《夢粱錄·社會》中載：

> 誕辰日，佑聖觀奉上旨建醮，士庶炷香紛然，諸寨建立聖殿者，俱有社會，諸行亦有獻供之社。遇三元日，諸琳宮建普度會，廣度幽冥。二月初三日紫潼帝君誕辰，川蜀仕宦之人，就觀建會。三月二十八日，東嶽誕辰。四月初六日，城隍誕辰。二月初八日，霍山張眞君聖誕。四月初八日，諸社朝五顯王慶佛會。九月二十九日，五王誕辰。每遇神聖誕日，諸行市户，俱有社會迎獻不一。
>
> （卷十九，頁二九九）

諸行市戶，每逢神明聖誕之時，俱以社會迎獻。社會的門類項目繁衆，如「府第內官，以馬爲社。七寶行獻七寶玩具爲社。又有錦體社、臺閣社、窮富賭錢社、遏雲社、女童清音社、蘇家巷傀儡社、青果行獻時果社、東西馬滕獻異松怪檜奇花社。魚兒活行以異樣龜魚呈獻。富豪子弟緋綠清音社、十閒等社」，尤其包含著許多雜技游藝組織，對照《武林舊事·社會》中的記載，更爲清楚明白：

> 二月八日爲桐川張王生辰，震山行宮朝拜極盛，百戲競集，如緋綠社(雜劇)，齊雲社(蹴毬)，遏雲社(唱賺)，同文社(耍詞)，角觝社(相撲)，清音社(清樂)，錦標社（射弩），錦體社(花繡)，英略社(使棒)，雄辯社(小說)，翠錦社(行院)，繪革社(影戲)，淨髮社(梳剃)，律華社（吟叫），雲機社(撮弄)。……若三月三日殿司眞武會，三月二十八日東嶽生辰社會之盛，大率如此，不暇贅陳。
>
> （卷三，頁三七七）

其中已有雜劇的專門社團「緋綠社」，想是以宮廷中承應的服飾顏色命名，由「富豪子弟」所組成的雜劇社團兼書會組織。這些社會在祭典節慶中所獻演的技藝節目，統稱爲「社火」[12]，據《東京夢華錄·六月六日崔府君生日二十四日神保觀神生日》中的描述：

> 六月六日州北崔府君生日，多有獻送，無盛如此。二十四日州西灌口二郎生日，最爲繁盛。廟在萬勝門外一里許，敕賜神保觀。……其社火呈於露臺之上，所獻之物，動以萬數。自早呈拽百戲，如上竿、趯弄、跳索、相撲、鼓板、小唱、鬥雞、說諢話、雜扮、商謎、合笙、喬筋骨、喬相撲、浪子、雜劇、叫果子、學像生、倬刀、裝鬼、砑鼓、牌棒、道術之類，色色有之。至暮呈拽不盡。殿前兩幡竿，高數十丈，左則京城所，右則修內司，搭材分占上竿呈藝解。或竿尖立橫木列於其上，裝神鬼、吐煙火、甚危險駭人。至夕而罷。（卷八，頁四十七～四十八）

在神明誕辰時，從早到晚於「露臺」上獻演各式百戲雜劇。還在殿前竿尖橫木上裝神弄鬼，噴吐煙火，有如神鬼降臨般，場面極爲驚險嚇人。露臺，最早見於漢代，原爲帝王用以祭祀降神之所在，後來被使用作表演的舞臺[13]。從山西芮城縣東關東岳廟金泰和三年(1203)的《東岳廟新修露臺記》碑中，可清楚地得知露臺的功用：

> 惟有露臺一所，累土爲之。歲律遷□(徙)，風頹雨圮，屢修屢壞終不稱於廟□(貌)。……創用磚石增大其基，……邇者方□彌）厥功。……□(布)牲陳皿者得以展□（其）儀；流宮泛羽者得□(以)奏其雅。……

主要是在陳放犧牲祭品，與獻演歌樂技藝。而另一塊河南省登封縣中岳廟內的《大金承安重修中嶽廟圖》碑，則繪刻有廟內建築平面圖，於主殿前有一方形高臺，題稱「路臺」，也就是露臺，爲現今可見最早有關露臺的形象資料[14](圖㉚)。

露臺的設置，使得樂舞百戲由平地走向高臺，但是其廣場奏技的性質 ， 並未改變，觀衆可以四面圍觀。 同時由於露臺有高度，使得人們的視野更佳，不會爲人群擋住視線，有助於技藝的欣賞。露臺後來甚至轉變成爲神廟劇場中戲臺的臺基，其形制直接影響戲曲舞臺的形式，與神廟劇場的格局[15]。因而，露臺在中國古代戲曲表演場所發展的過程中，具有重要的代表性。

一般來說，在廟宇中的露臺，多屬於永固性的建築，所以或以土壘，或用磚石砌就。但在節日之時，有時爲了表演的需要，必須臨時架築露臺。因此便使用枋木爲材質 ， 以方便能夠隨處搭建拆卸：「（宣德）樓下用坊木壘呈露臺一所，彩結欄檻。」（《東京夢華錄·元宵》卷五，頁三五）並紮結彩飾於欄檻上，也許是基於安全考量的緣故。據師尹注蘇軾詩：所言：「上元日端門築露臺，高丈餘，優人妓女，皆列其上。」（〈次韻王晉卿上元侍宴端門〉）露臺高度有一丈多，優人妓女要在其上搬演技藝，自然應有一些防護設施。還有的露臺體積寬大，故以「大」字來加以形容：「（宣德門）其下爲大露臺，百藝群工，競呈奇伎。」(《武林舊事·元夕》卷二，頁三六九)如此方能容納各種百戲技藝於其上競演。

露臺這種上無頂蓋的露天形式，其實是相當適合於雜技百戲的搬演，因爲像是上竿、頂橦、踏索這一類的表演，需要的空間高度較大。因此，若是其上有障蔽，或許會侷限到表演的品質。有些露臺則於其上添設樂棚「於殿前露臺上設樂棚，教坊鈞容直作樂，更互雜劇舞旋。」（《東京夢華錄·六月六日崔府君生日二十四日神保觀神生日》卷八，頁四七）以供雜劇舞旋的演出。

樂棚或稱「彩棚」、「山棚」，爲臨時搭建起來用於表演樂舞百戲的棚架，中唐元稹〈哭女樊詩〉中已提及。宋時以平地或與露臺結合的方式，架構於大街畔、城門下、坊巷口、寺廟中等處[16]。如陳淳〈上傅寺丞論淫戲〉中描述秋收後於築棚演劇的習俗：

> 當秋收之后，優人互湊諸鄉保作淫戲，號乞冬。群不逞少年遂結集浮浪無賴數十輩，共相唱率，號曰戲頭，逐家裒斂錢物，豢優人作戲，或弄傀儡，築棚于居民叢萃之地，四通八達之郊，以廣會觀者；至市廛近地，四門之外，亦爭爲之，不顧忌。

樂棚的設置，使得表演有了遮風避雨的屏障，可以不受天候的影響；或許還可提供某些設備，來增添演出效果。至於由宮廷「教坊鈞容直」於露臺樂棚上所演出的雜劇，與在露天露臺由「諸行百姓」所獻送上演的雜劇，二者在表演藝術上是否有所不同，因爲沒有進一步的資料，所以我們不得而知。但從宋吳處厚《青箱雜記》中所形容：「今樂藝亦有兩般：教坊則婉媚風流，外道則粗野嘲哳，村歌社舞亦又甚焉。」[17]則有可能因爲表現手法不同，所以場地要求也有所差異。

所以，當露臺結合樂棚逐漸向其他亭榭戲臺類建築過渡轉化時，正標誌著戲曲藝術正朝向獨立與成熟中。從山西發現的三塊宋代碑刻，山西萬榮橋上村天禧四年《創建后土聖母廟記》碑(北宋真宗天禧四年，1020)，山西沁城縣內元封元年《威勝軍新建蜀蕩寇將□□□□□關侯廟》碑(北宋元丰三年，1080)，與山西平順東和村《重修聖母之廟》碑(北宋哲宗元符三年，1100)中，所記載有關當時修建舞臺的情形推斷，可以證明在北宋初期，寺廟中已出現由磚木結構成的「舞亭」與「舞樓」[18]。

舞亭與舞樓，從亭與樓的建制而言，都是具有頂蓋的建築。雖然當時的實體大都損毀，但是從碑刻記敘、墓葬雕刻、與後世舞臺遺跡等戲曲文物中，可以歸納出其規格體制大致爲：單層或雙層(下層爲門道，上層爲舞臺)，單檐或重檐，四面有角柱，四壁洞開；或者背面靠牆，三面敞露的形式。如山西晉城市治底村東嶽天齊廟創建於宋，戲臺爲金代補建，爲四面觀「亭式」舞樓形制(彩圖⑬)；山西省沁水縣郭壁村崔府君廟戲臺，原爲四面觀「亭式」建築，改建後只能三面圍觀(彩圖⑭)；山西省陽城縣屯城村東岳廟存留有金代石柱與戲臺(彩圖⑮)等。元代尙有許多戲臺是在原先宋、金基址所重修改建，如山西翼城縣武池村喬澤廟舞臺等，都有助於我們更清晰地得知舞臺面貌，與其形制特徵變革的情況[19]。

柴俊澤認爲舞亭與舞臺，爲宋金時期舞臺發展的主體。從金中葉到元初，舞臺開始向三面築牆的「樂樓」進化[20]。從宋金元的文獻與戲曲文物中，我們發現尙有舞廳、樂臺、樂亭、樂廳、樂樓等不同的稱呼，可能隨習尙與依照建築形制的特徵來加以命名。但其特點都是以「樂」、「舞」冠於字首，可見其與散樂歌舞之間，應有所密切的關係。

散樂百戲自古以來，雖然多在廣場或露臺上展演。但近年來在山西、河南、河北等地陸續出土許多「陶戲樓」，兼具瞭望觀測與享樂宴舞的雙重身分，提供了樂舞百戲也可在「戲樓」或「戲臺」上演出的形象資料。如1969年在山西運城縣侯村出土的東漢綠釉陶樓(彩圖⑯)，設有平座樓臺三層，在第二層平座上，擺設有栩栩如生的百戲俑；第三層平座上，則爲雜技與樂舞同臺演出的情形。底座爲圓形水池，水池中所顯現的似乎是水上百戲，或是對水族進行雜技馴化的場面[21]。

只是漢代的「百戲樓」，尚不能算是專門的表演場所。而宋代以露臺爲臺基，所發展起來的各式亭榭樓廳建築，已經成爲固定性、永久性的表演場地，也就是後世所謂「戲臺」的前身，反映出戲曲已逐漸由與散樂百戲同臺混合場所中分化出來。因爲從無頂蓋的露天舞臺形式，逐漸演變到有屋頂與牆壁的架構，這使得一些散樂雜技，面臨無法施展的困境；但對於戲曲而言，無疑是提供了一個較爲有利的表演環境：可以增加音響演唱的效果，同時也提供演員放置砌末、換裝、休息、上下場之處。

當然，這樣的戲臺設計，也連帶地影響到觀衆的欣賞角度：原本是四面圍觀的方式，演化爲只能從前面或左右兩側觀看，或再變革成只能在正面觀賞。散樂雜技的演出，人們不必特別選擇面向來觀賞，但是戲曲的表演，著重於聲情音容等表演藝術的顯現，若從側面或後面的視線，必然較無法欣賞到演員細膩生動的表情。因此，山牆的設置，有助於觀衆更集中焦點，排除不必要的視覺干擾，可見戲臺已逐漸邁向專爲戲曲表演的場地。

1985年發現的《迎神賽社禮節傳簿四十曲宮調》（下引皆簡稱爲《禮節傳簿》），雖爲明萬歷二年(1574)抄本，但保存了許多宋元時期的祭祀遺俗，對於宋元時期寺廟迎神賽社與祭祀演劇等活動，提供不少寶貴的訊息[22]。其中記錄的「隊戲」，在《武林舊事》的「諸色技藝人」中，有「影戲李二娘」的隊戲(頁四五六）。而依元楊維禎《東維子文集·送朱女士桂英演史序》曰：

> 孝宗奉太皇壽，一時御前應制多女流也，若棋待詔爲沈姑姑，演史爲張氏、宋氏、陳氏、說經爲陸妙慧、妙靜，小說爲史惠英，隊戲爲李端娘，影戲爲王潤卿，皆中一時慧黠之選也。（卷六）[23]

李二娘、李端娘皆爲隊戲的演員，可能爲偶戲或眞人扮演的形式。從《禮節傳簿》中的隊戲資料可以推測，大概是由隊舞演化而來，保留有濃厚的社火特質，不僅在戲臺上搬演，也可成爲遊行性的演出。如至今潞城農民尙能演出的《五關斬將》，並非在單一戲臺上演出，而是騎馬奔馳在村巷中，沿路表演，再登上五個不同的戲臺，才完成關公騎馬過五關斬六將的戲劇演出。誠如陳淳〈上趙寺丞論淫祀〉中的記載：

> 自城邑至村墟，淫鬼之名號者至不一，而所以爲廟宇者亦何啻數百所。逐廟各有迎神之禮，隨月迭爲迎神之會，……一廟之迎，動以十數像，群輿於街中。……四境聞風鼓動，復爲優戲隊相勝以應之。人各全身新制羅帛金翠，務以悅神。

乃是配合著神像游街繞境的「優戲隊」表演。在廟市賽會的活動中，戲曲與雜技原本同是迎神賽社行伍中的一員，或沿路獻藝，或登上露臺競技。但隨著戲臺的建制發展，二者在表演的空間上，遂逐漸有所區隔：戲臺演變爲戲曲演出的專屬場地；而雜技百戲則成爲社火舞隊中的表演主力，邊走邊演或在廟埕等寬廣之處展演爲主。

三、瓦肆勾欄

魏晉以來，寺廟便爲公衆集會的場所，或是由於宗教活動的舉行，或是因爲貿易集市的交易，具有著社交、娛樂、文化與經濟的功能。如汴京市中的相國寺，每月五次開放萬姓交易[24]，《燕翼貽謀錄》便記載：

> 東京相國寺乃瓦市也，僧房散處，而中庭兩廡可容萬人。凡商旅交易，皆粹其中，四方趨京師以貨物求售轉售他物者，必由於此。

商旅在相國寺中進行買賣交易，儼然就是「瓦市」的性質。然而隨著商業文化的繁榮，這種定期式的集市交易，自然無法滿足都會中市民的需求。是以長久性、固定性、專門性的商品交換場所，勢必會因應時代趨勢而產生，連帶地也促使「瓦肆」的大量興盛。

瓦肆，或稱爲瓦市、瓦舍、瓦子，學者們對此名義有不同的詮釋[25]。綜合其說，若從建築形制來說，乃是指由城市中鱗次櫛比的瓦房所組成的市場商肆；就其機能用途而言，則爲百戲雜陳、百行雲集的娛樂兼貿易市場。依《夢粱錄·瓦舍》中載：

> 瓦舍者，謂其「來則瓦合，去則瓦解」之義，易聚易散也。不知起於何時。頃者京師甚爲士庶放蕩不羈之所，亦爲子弟流連破壞之地。杭州紹興間駐蹕於此，殿岩楊和王因軍士多西北人，是以城內外創立瓦舍，招集妓樂，以爲軍卒暇日娛樂之地。（卷十九，頁二九八）

其出入的成員，以「瓦合瓦解」的放蕩子弟爲主。其實，舉凡士農工商、車夫販卒、諸路遊客、三教九流等，都可晨集暮散流連於此。至於瓦肆究竟緣起於何時，並無確切的記載，或以爲與遼代「瓦里」有關：《遼史·百官志》中載：

> 著帳郎君院。遙輦痕德堇可汗以蒲古只等三族害於越室

魯，家屬沒入瓦里。……其後內族、外戚及世官之家犯罪者，皆沒入瓦里。（卷四十五，頁七〇二）

瓦里爲遼代天子宮衛中的設置，似乎爲一地理或官府組織單位。而著帳郎君院中，包括有筆硯局、牌印局、煙褥局、燈燭局等機構，承應筆硯、引膳、車駕、湯藥、服飾等等諸役，其中「本班局」不知究竟負責何種職務[26]。由於在中國的倡優樂戶中，有著罪隸家屬配落樂戶的傳統。因此，或有可能將遼代內族外戚世官等罪犯家屬，沒入瓦里充當婢僕、宮妓。故瓦里或可視爲瓦子的前身，乃指倡樓妓院一類[27]。

由於宋代實行中央集權，加強對軍隊的直接控制，大量駐軍集中在京畿附近。故有爲供給軍士休閒娛樂的需要，創立瓦舍的說法。如赤山瓦子位於「後軍寨前」（《武林舊事·瓦子勾欄》卷六，頁四四〇），臨安瓦子位於城外的多達二十座[28]。《咸淳臨安志》更明確指出：

紹興和議(紹興九年，1139)後，楊和王(楊沂中)爲前殿都指揮使，從軍士多北人，故於軍寨左右營創瓦舍，招集伎樂，以爲暇日娛樂之地。其後修內司入於城中建五瓦以處游藝。今其屋在城外者多隸殿前司，城中者隸修內司。（卷十九）

或可佐證瓦舍的興建確實與軍士娛樂有密切關係。而隨著來往市商的頻繁，市井文化的形成，瓦肆遂發展爲軍民同娛的場所，「如北瓦羊棚樓等，謂之『游棚』（或作遨棚）。外又有勾欄甚多」。(《武林舊事·瓦子勾欄》，頁四四〇)游棚，或可詮釋爲遊樂之棚，或邀客之棚，或具有看樓的「腰棚」[29]。其實也就是所謂的「勾欄」。

勾欄，本指勾連的柵欄，或以花飾欄杆勾連。藉由欄杆可以區隔遊人與觀衆，也能劃分觀衆區與表演區，因而勾欄成爲藝人獻藝的表演場所。這種勾欄形式，或從描繪宋宣和年間清明節汴京兩岸風光的《清明上河圖》(惲公孚藏本)中可見(彩圖⑰)。圖中繪有平頂布棚的露天戲臺一座，臺前與左右兩側設置欄杆，應就是所謂的勾欄；而其以棚覆蓋的形式，或許即是棚爲勾欄又名之緣由。

明代張寧有題詠〈唐人勾欄圖〉一詩，據說是描述所見〈唐人勾欄圖〉的內容寫作成的。我們不知在圖上是否有明確標示出「勾欄」二字，或是張寧依後世對劇場的習稱而稱呼之，甚至於是將後世勾欄作場的的實況借題發揮[30]。但從詩中的敘述，倒也可窺見勾欄中表演的情景：

> 君不聞：天寶年中樂聲伎，歌舞排場逞新戲。教坊門外揭牌名，錦繡勾欄如鼎沸。初看散末起家門，衣袖郎當骨格存，咬文嚼字瀾翻舌，勾引春風入座溫。年少書生果誰氏，弄假成眞太相似。右呼左鬧只自如，博帶峨冠竟誰是。衆中突出淨老狂，東塗西抹何狼猖。解令笑者變成哭，直教閑處翻成忙。粉頭行首臨後出，眼角生嬌眉弄色。從前人物空自譁，一顧廣場皆寂寞。障中撾鼓外擊鑼，初來隊子後插科。朱衣化褌紛相劇，文身棋面森前儺。拿生院本眞足數，觸劍吞刀並吐火，千奇百巧忽不前，滿地桃花細腰舞。酒家食店擁娼樓，玉壺翠釜蒸饅頭，稠人廣坐日卓舞(午)，捧盞擎棒爭勸酬。眼中不類心中事，嘻笑相同飽饑異，可憐樂極易生愁，回首斜陽忽無處。悲歡離合總虛空，好惡媸妍變化中，世間萬物皆如

> 此，何必勾欄看樂工。

勾欄是設置在市井空曠的廣場上，並開設有酒家、食店、娼樓等店舖。在門外公告張貼著戲碼，「錦纁」或形容織錦刺繡華麗的棚帳。勾欄中所搬演的節目，包括有樂舞、隊舞、儺戲、院本、雜技等。其中有「衣袖郎當」的散末，在自報家門；「弄假成眞」的年少書生，或指其女扮男裝、惟妙惟肖；「博帶峨冠」則應爲官吏的裝扮，氣焰高張；「東塗西抹」的淨老，恰符合敷粉擦墨的狼猾面貌；「粉頭行首」的旦角，擠眉弄眼等人物，似乎已具有人物角色的扮飾。從詩文的描述來看，這些散樂表演好像是依序演出，但由於未能得見原圖，無法確知其表演狀況。然而可以肯定的是，在此勾欄中雜技戲曲是混合演出的。《東京夢華錄·東角樓街巷》中曾述：

> 街南桑家瓦子，近北則中瓦，次裏瓦。其中大小勾欄五十餘座。內中瓦子蓮花棚、牡丹棚；裏瓦子夜叉棚、象棚最大，可容數千人。……自丁先現、王團子、張七聖輩，後來可有人於此作場。（卷二）

勾欄有大小不同的種類，以「棚」稱之，說明並非露天的形式，應有頂棚的遮蓋。而不同的命名，不知是否與表演的技藝內容有關，或就棚子的裝飾特色而定。其中丁先現爲雜劇藝人，王團子不知長於何種技藝，張七聖擅長幻術七聖法，可見勾欄中包含著散樂雜劇的演出。如《西湖老人繁盛錄》中所載：

> 惟北瓦大，有勾欄一十三座。常是兩座勾欄，專說史書，喬萬卷、許貢士、張解元。背做蓬花棚，常是御前雜劇，趙泰、王侯喜、宋邦寧、何宴清、鋤頭段子貴。弟子散樂，作場相撲，王僥大、撞倒山、劉子路、鐵板踏、宋金

剛、倒提山、賽板踏、金重旺、曹鐵凛、人人好漢。說經，常嘯和尚、彭道安、路妙慧、陸妙淨。小說，蔡和、李公佐。女流，史惠英，小張四郎，一世只在北瓦，佔一座勾欄說話，不曾去別瓦作場，人叫做小張四郎勾欄。……十三應勾欄不閒，終日團圓。（頁一二三～一二四）

其中還包括有合生、覆射、踢碗弄瓶、杖頭傀儡、懸絲傀儡、使棒、打硬、雜班、背商謎、教飛禽、裝神鬼、水傀儡、影戲、唱賺、說唱諸宮調、喬相撲、踢弄、談諢話、散耍、裝秀才、學鄉談等偶戲、曲藝、雜技、雜劇類的技藝搬演，內容豐富。由藝人的名號來看，好些都與其所擅長的技藝相關，頗能發揮宣傳廣告的功效，深具俗民文學的趣味。

勾欄可以特定爲某一種表演的專門場地，如「專說史書」；甚至可以冠上長期演出者的名字，成爲個人專場，如「小張四郎勾欄」；更有些演出節目是長年固定的，如「每回五更頭回小雜劇，差晚看不及矣」(《東京夢華錄》卷五，頁二十九)。但也不乏只在特殊節日時才搬演的，如《目連救母》雜劇（《東京夢華錄》卷八，頁四十九)。而觀衆則是「不以風雨寒暑，諸棚看人，日日如是」(《東京夢華錄·京瓦技藝》卷五，頁二九)，無怪乎十三座勾欄，是日夜不歇地在演出。

一般來說，能進入勾欄中作場的藝人，「誠其角者」（《東京夢華錄·京瓦技藝》卷五，頁二十九），是屬於技藝較爲傑出的。所以屬於「藝之次者」的路岐人，若想進入勾欄瓦肆中作場，則必須在表演上力求精進，誠如《夢粱錄·角觝》中所形容：「瓦市相撲者，乃路岐人聚集一等伴侶，以圖標手之資」(卷二十，頁三一二)。否則是「路岐不入勾欄」的。由此可見，勾欄瓦肆已成為較為專業的劇場形式，要求有一定的表演藝術水平。關於勾欄劇場的形貌，從宋郭彖《睽車志》中可以略微窺知：

> 朱藻，字元璋，徽人。某年南宮奏名，方待廷試，有士人同寓旅邸。士人便服，日至瓦市觀優，有鄰坐者，士人與語頗狹，因問其姓字鄉里，皆與元璋同，士人訝之。……未及詳詰，適優者散場，觀者哄然而出，士人與鄰坐者亦起，出門，將邀就茶肆與語，而稠人中遂相失。（卷五）

勾欄外設有圍棚，觀衆從門口進出，並有座位的設置。誠如《東京夢華錄·般載雜賣》的形容：「東京般載車，大者曰『太平』，上有箱無蓋，箱如勾欄而平。」(卷三，頁二一)勾欄應是四面有圍棚，一面有門，可供觀衆出入，可惜缺乏勾欄遺跡或形象資料可相互印證。至於勾欄劇場中座席安排的方式，藉由元社善夫〈莊家不識勾欄〉散曲中的描繪，或可類推：

> 【耍孩兒】……正打街頭過，見吊個花綠綠紙榜，不似那答兒鬧嚷嚷人多。……【六煞】見一個人手撐著椽做的門，高聲的叫「請、請！」道「遲來的滿了無處停坐。」……【五煞】要了二百錢放過咱，入得門上個木坡。見幾個層層疊疊團圞坐。抬頭覷是個鐘樓模樣；往下覷卻是人旋窩，見幾個婦女向臺兒上坐。又不是迎神賽社，不住的擂鼓篩鑼。

在勾欄外吊著個「花綠綠紙榜」，可能上有劇目，作為廣告宣傳之用；門口有人在吆喝生意，招徠顧客，把門收錢；勾欄的門與階梯都是以木料為材質；順著木梯往上走，看到人群層層疊疊擁擠地坐著；抬頭看樓頂是個鐘樓形制；往下瞧，見到稠密站立的觀衆。若再對照元無名氏雜劇《藍采和》所述：

俺先去勾欄裡收拾去，開了這個勾欄門，看有什麼人來。(鐘離上云)貧道按落雲頭，直至下方梁園棚內勾欄裡走一遭，可早來到也。(做見樂床科淨云)這個先生，你去那神樓上或腰棚上看去，這裏是婦人做排場的，不是你坐處。

則觀衆的坐席爲「神樓」與「腰棚」。神樓或許即是木梯的上層，正對戲臺，位置較高，爲最佳的觀衆看席；腰棚則位於神樓兩側，以棚蓋遮擋，其建制僅達神樓的「腰」部，爲次佳看席；而立位站票則是第三等看席，在戲臺、神樓、腰棚間的空地上。錢南揚認爲《唐土名勝圖會》所載明代《查樓圖》頗符合宋代勾欄的形式[31](圖㉛)。

神樓，顧名思義應爲敬神供神之樓。景李虎以爲這是劇場從神廟中走向勾欄時，神廟中神殿的象徵替代物。並引山西省林縣克虎鎮戲臺爲證，說明當地習俗在唱戲時，要在神樓上放置觀音、河神、山神的神位，且須燒香祭拜[32]。由於在神廟劇場中的演出，多少都具有酬神娛神的重要意涵，然而在勾欄劇場中，卻以商業演出爲主。爲了多一些營利收入，自然神樓不再是供奉神明之處，而轉變爲觀衆看席，可以多容納一些觀衆。

兩首曲文中，都提到婦人女流之輩在臺上的樂床，演奏器樂的情景。在稷山馬村五號金墓雜劇雕磚中有類似的形象，前排四個演員並立，正在作場。後面設置有樂床一架，上坐四個女藝人，正在演奏觱篥、笛、拍板等樂器，另一人袖手而坐(彩圖⑱)。觱篥、笛屬於吹管樂，拍板爲打擊樂，雖無「擂鼓篩鑼」中的鑼鼓，倒也符合漢唐鼓吹樂、唐代立部伎的「散樂」特質，以音效較清脆的器樂，來帶動強烈節奏、渲染開場氣氛、展現演員陣容，對於「劇場效應」的製造，也頗有助益[33]。

瓦肆勾欄的產生，對於雜技戲曲等各項技藝來說：提供了一個專門的表演場所；同場競爭交流的演出形式，有助於二者相互學習借鏡；尤其在以商業營利爲目的的前提下，勢必在表演藝術上更加精益求精，以招攬更多的觀衆。

第二節 散樂雜劇的分化成型

散樂藝人走鄉串鎭式的演出，使得無論在迎神賽社的行伍裏，或瓦肆勾欄的節目中，都可見到雜技與雜劇等各種技藝熱鬧多姿的身影。而隨著表演場地的建制與發展，商品經濟的交流與興盛，市民文化的崛起與需求，各項技藝逐漸分化獨立，成爲專門的藝術品類；雜劇也在吸收融合百戲的基礎上，結合故事文學與樂舞雜技，向成熟綜合的戲曲藝術大步邁進。

一、諸軍散樂的故事化

散樂從民間傳入宮廷，深受帝王貴族的喜愛，設立專門機構加以執掌管理。玄宗時以散樂非屬正聲，置教坊於禁中以處之。《新唐書·百官志》中記載：

> 武德後，置內教坊於禁中。武后如意元年，改曰雲韶府，以中官爲使。開元二年，又置內教坊於蓬萊宮側，有音聲博士，第一曹博士，第二曹博士。京都置左右教坊，掌俳優雜技。自是不隸太常，以中官爲教坊使。
>
> （卷四十八，頁一二四四）

其中包含有「散樂三百八十二人，仗內散樂一千人」，皆爲樂戶充任[34]。宋初依循舊制，置教坊共四部，在規模上遂較唐代爲小，但「四方執藝之精者皆在籍中」（《宋史·樂志》，頁三三四八)。高宗之時，減省教坊，後又復置。《宋史·樂志》上云：

> 高宗建炎初，省教坊。……孝宗隆興二年天申節，將用樂上壽，上曰：「一歲之間，只兩宮誕辰日外，餘無所用，不知作何名色。」大臣皆曰：「臨時點集，不必置教坊。」上曰：「善。」乾道後，北使每歲兩至，亦用樂，但呼市人使之，不置教坊，止令修內司先兩旬教習。
>
> （卷一四十二，頁三三五九）

教坊廢置後，宮廷中若遇到需要用樂的場合，則從民間雇用藝人前來承應，稱爲「和顧」。「乾淳教坊樂部」中，就包括有德聖宮、衙前、前教坊、前鈞容直、和顧五種各色藝人共三百三十九人[35]。

衙前，指府衙之前的樂營，其中擁有各色的衙前樂人，負責各種樂舞雜技的演出。從「又有親從親事樂及開封府衙前樂，園苑又分用諸軍樂，諸州皆有衙前樂。」（《宋史·樂志》卷一四二，頁三三六一）中的敘述，諸州應是皆有衙前樂營的設置。其中「開封府衙前樂營」不僅制定有「開封府衙前樂」，同時也掌管左右軍百戲藝人：「百戲，在京師時，各左右軍，並是開封府衙前樂營。」（《都城紀勝·瓦舍衆伎》，頁九六）

對照《東京夢華錄·宰執親王宗室百官入內上壽》中的記載：「所謂左右軍，乃京師坊市兩廂也，非諸軍之軍。」（卷九，頁五三）「左右軍」與諸軍之「軍」是不同的。鄧紹基提出左右軍的「軍」，指的是「軍師坊」，爲東京開封府的一處街坊名。因而，左右是指軍師坊兩廂，即是開封府樂營所在地[36]。

但是在宋代的軍隊組織中，確有左右軍的設置。是以所謂不同，或者是指「身分」的性質有差異：「諸軍」，是指具有軍職的軍士，有可能爲「鈞容直」的成員混雜其他藝人，共同組成[37]。而「左右軍」，是指被編制於左右軍中，名在軍籍的百戲藝人。這些藝人，平日居住在京師軍師坊市兩廂，也就是開封府衙前樂營之中。平時可以在民間作場，當宮廷需要時，便徵召演出。如《東京夢華錄·元宵》云：「內設樂棚，差衙前樂人作樂雜戲，並左右軍百戲，在其中駕坐一時呈拽。」（卷五，頁三五）可見衙前樂人與左右軍一起作場。《文獻通考·樂考》中形容：

宋朝雜樂百戲，有踏球、蹴球、踏蹻、藏挾、雜旋、弄槍碗瓶、齪劍、踏索、尋幢、筋斗、拗腰、透劍門、飛彈丸、女伎、百戲之類。皆隸屬左右軍而散居。每大饗燕，宣徽院按籍招之。（一四七）

左右軍所能表演的百戲項目很多，似乎較偏向於技巧性的雜耍特技。其中「女伎」，可能是指由女性藝人所擔綱演出的。如《東京夢華錄·宰執親王宗室百官入內上壽》中所記載：

第三盞左右軍百戲入場，一時呈拽。……百戲乃上竿、跳索、倒立、折腰、弄碗注、踢瓶、筋斗、擎戴之類，即不用獅豹大旗神鬼也。藝人或男或女，皆紅巾彩服。殿前自有石鐫柱窠，百戲入場，旋立其戲竿。(卷九，頁頁五三)

包含了男藝人與女藝人。由於是在祝壽中的表演，以喜慶爲主，所以不用「獅豹大旗神鬼」等節目。而這句話又可以推衍出兩種情況：一是左右軍百戲除了擅長技巧性的雜技外，也會具有故事性的代面類裝扮表演；一是因爲不能搬演「獅豹大旗神鬼」這類節目，所以無需用「諸軍」來獻演百戲。從文獻中的記載，可以發現諸軍百戲的代表作似乎就是如「大旗、獅豹、棹刀、蠻牌、神鬼、雜劇之類」（《東京夢華錄·駕幸臨水殿觀爭標錫宴》卷六，頁四十）的節目。而其具體的表演形態，我們可從《東京夢華錄·駕登寶津樓諸軍呈百戲》中得見[38]。這場盛大的諸軍百戲，內容豐富，可以分成幾個表演場次來探究：

㈠開幕式：由藝人以鼓樂方式，向前致語唱曲，猶如報幕一般。緊接著表演耍弄大旗的「撲旗子」、裝獅豹、爬竿子、翻筋斗等雜技，製造出熱鬧活潑的開場氣氛。隨後則是如「大會舞」式「蠻牌」戰陣的展演，驚險刺激的武術演出，拉開了正式演出的序幕。

㈡裝神鬼節目：以爆杖煙火作爲貫串「裝神鬼」節目的分場指標。在煙霧遮蔽、神秘恐怖的氣氛中，先搬演「抱鑼」、「硬鬼」、「舞判」、「啞雜劇」四項屬于「裝鬼」的單元；其後爲「七聖刀」、「歇帳」兩個屬於「裝神」的單元[39]，充分結合舞輪、假面、幻術、武術等雜技技藝於其中。

㈢武打戰陣：在銅鑼清脆強烈的節奏下，以黃白粉塗面化妝，進行調陣、擺陣、打陣等「抹蹌調陣子」的演出，在格鬥擊刺之中，並穿插有高難度騰空翻筋斗「板落」動作，呈現出另一個緊張激昂的場面。

㈣雜劇演出：以詼諧滑稽的形式，表演村夫村婦角觝互毆的情態，顯現出村落田家的生活面貌，其後則爲諸軍繳隊雜劇與露臺弟子雜劇各一段的搬演。以輕鬆幽默類似散段雜扮的演出，搭配具有戲劇情節的雜劇，爲觀衆帶來不同的欣賞情趣。

㈤馬上百戲：最後壓軸演出的是氣勢壯觀、技藝精采的馬上百戲。配合著射弓弩、執小旗、輪弄利刃、重物、大刀、雙刀等雜技，表演個人精采的馬戲技藝，如「引馬」、「開道旗」、「仰手射」、「合手射」、「拖繡毬」、「楷柳枝」、「旋風旗」、「立馬」、「騗馬」、「跳馬」、「獻鞍」、「棄鬃背坐」、「倒立」、「拖馬」、「飛仙膊馬」、「鐙裏藏身」、「趕馬」、「綽塵」、「豹子馬」等，花式繁多。另有由黃衣老兵與妙齡女童表演的「黃院子」和「妙法院」。最後則以「小打」、「大打」的馬毬比賽作結。

這場諸軍百戲，在場次的安排上極爲巧妙，鬆緊合宜；所表現的技藝層面也相當廣泛，百戲競陳。開場先聲奪人、武技展現；中場變化多端，或神秘詭異、或緊張驚險、或滑稽輕鬆；後場則壯觀熱烈、人馬奔騰。尤其再加上服飾、裝扮、爆竹、煙火等舞美設備，對於全場氣氛的凝塑，發揮映襯的功效，也邁向一個綜合藝術的新里程。

這些百戲表演，不外乎是技巧的展現、象人的扮飾、武術的演練、樂舞的曼妙等。有一些則將各種表演藝術相互綜合，並發展出故事劇情來，儼然具有戲劇的特質，且成爲後世戲曲運用的特有情節或程式。如「裝神鬼」的表演，在爆竹的霹靂聲響之後，一個戴著假面，披頭散髮，口吐狼牙煙火，身穿青帖金花短後之衣，帖金皀褲的鬼怪出現，赤腳攜鑼步舞，繞場數遭，表現出猖狂作祟的情景，名爲「抱鑼」。

而後在一聲爆杖聲後，於《拜新月慢》的曲聲中，出現一群面塗青碌，戴著面具金晴，身飾以豹皮錦繡看帶的「硬鬼」，他們是屬於鍾馗手下捉鬼的鬼卒，手持刀斧杵棒，作驅捉視聽之狀。應是在鍾馗之前負責開道，緝捉邪祟的先鋒執法部隊。

緊接著又一聲爆杖，出來一位戴假面，掛長髯，展裹綠袍，穿靴秉簡，如同鍾馗塑像的「舞判」，旁邊還有一人敲擊小鑼，伴奏舞步。其實舞判就是鍾馗，爲鬼王之王，威風凜凜，有著降妖伏魔的本領，自然是這「裝鬼」單元的主角。隨後上場的是兩三個形小瘦弱，用白粉塗身，戴金睛白面如髑髏模樣的假面，身繫錦繡圍肚看帶，手執軟仗，踉踉蹌蹌，彷彿是邪祟鬼怪，被追捕的狼狽逃竄之貌，可笑至極。由於並不說話，舉動又如同排戲一般，故稱爲「啞雜劇」。

又在一陣爆杖響後，煙火瀰漫。在濃煙密布之下，出現七人，都披髮文身，著青紗短後之衣，錦繡圍肚看帶。其中一人，戴著金花小帽，拿著小白旗，可能是充當指揮者。其他人綁頭巾，手執眞刀，互相格鬥刺擊，表現自我破面剖心的高超本領，稱爲「七聖刀」。

忽然，又有爆仗聲響起，煙火復出。煙霧散處，但見青幕圍繞，羅列著數十個人，都假面異服，如同祠廟中的神鬼塑像，表示諸神已經擒妖捉鬼完畢，重歸天國地府，是以謂之「歇帳」。

這場神鬼百戲的表演，具有濃厚的故事性，敘述鬼怪危害人間，到處作祟。於是鍾馗帶領諸班鬼卒，執行降妖伏魔的緝捕工作；神仙們展現他們具有破面剖心的奇幻法術，神通廣大。最後當在完成掃蕩群魔，擒妖除祟的職責之後，神仙們返回天國地府歸位。從所表演的故事內容與形態來看，都具含著濃厚的「驅儺」色彩，顯現出驅邪逐疫的功能意義與表演形式。

其中「啞雜劇」的演出，從名稱的字義上，便可見出其與戲曲的關係。而「啞」字，表示這齣戲是沒有說白曲唱的，或者是因爲面具的裝扮影響說話的表達，或許是基於宗教禁忌的習俗而禁止出聲。雖然如此，但從其「舉止若排戲」的表演中，也能了解到其模仿表達的劇情內容，且表演者具有著塗面與服飾的裝扮。

在《禮節傳簿》中有所謂的「啞隊戲」，從其角色排場單中，已大致勾勒出主要的劇情，應是具有情節發展的故事搬演。然而有些劇目如《唐僧西藏取經》中所扮飾的人物，依節目排場單看來接近百人，很難想像演出的情境[40]；在浙江的目連戲中，上虞的《啞目連》，或許即是「啞雜劇」的遺響[41]。

在這場「裝神鬼」的表演中，也充分運用了雜技技藝的特質，與故事劇情融合為一，顯現綜合藝術的表現手法。如「抱鑼」攜鑼而舞，或許運用了雜技中「舞輪」的技巧[42]；「硬鬼」、「舞判」、「歇帳」運用假面與塗面的化妝手段，搭配特有的服飾裝扮，儼然就是「象人」、「代面」的演化；「啞雜劇」各作「魁諧趨蹌」的動作，運用雜技跌撲翻滾的技巧，表現跌跌撞撞的種種滑稽動作；「七聖刀」應是演變自雜技「七聖法」——「切人頭下，賣符，少閱依元接上。」(《西湖老人繁盛錄》頁一二〇)在元末羅貫中《三遂平妖傳》二十九回〈元太尉大舍募緣錢，杜七聖狠行續頭法〉中也描繪了「七聖法」的表演方式：

> 杜七聖道：我在東京上上下下，有幾個一年。也有曾見的，也有不曾見的。我這家法術，是祖師留下符火頓油，熱鍋煅碗，喚作續頭法。把我孩兒臥在凳上，用刀割下頭來，把這布衲來蓋了，依先接上這孩兒的頭來。諸位看官在此，先叫賣了這一百道符，然後施逞自家法術。

運用符籙來表現其斷頭接續的奇功異能，具有著鬼怪迷信的宗教色彩，難怪會被運用在裝神鬼的表演中。而「七聖刀」進而結合幻術與武術，以眞刀相互格鬥擊刺，表演「破面剖心」驚心動魄的法力神通。周貽白曾推測此七人，爲清源妙道眞君趙昱入水斬蛟時，一同入水的七人，亦即傳說中的「梅山七聖」。在貴州儺戲的迎神賽社行伍中，還可見到其「機械引刀，穿頸貫腹」的裝扮模樣[43]。

至於在每過場時，所運用的爆杖煙火，原具有「以辟山臊惡鬼」(《荊楚歲時記》)的作用，後來成爲雜技「耍火」表演的特色。這些雜技技藝，後來都被戲曲所吸收融合，甚至成爲表現特定人物與情境的程式手段，如「舞判」的假面長髯，展裹綠袍，穿靴秉簡的裝扮服飾，成爲後世「鍾馗」的穿關原型；其所表現的舞蹈形象，也被取法於戲曲舞蹈中；其出場時爆杖煙火的使用，成爲戲曲用以塑造神怪人物，烘托突出舞臺效果的重要舞美手法。

另外，在諸軍百戲中，詼諧逗趣的雜扮表演，有村夫村婦的人物扮飾，言語說白的念誦，棍棒木杖的道具，毆鬥角觝的作表，帶有濃厚的戲劇表演趣味，與後面所搬演的雜劇，或可組合爲「宋雜劇」的表演形態，可視作戲曲過渡的進階。

諸軍百戲既然是由「諸軍」所擔綱演出，多少帶有著「軍事操練」的性質。因此在表演的節目中，自然地顯現出雜技與武術技巧的參雜運用，爲戲曲中的「做打」表演，提供雄厚的藝術基礎。如「撲旗子」、「蠻牌調陣子」、「板落」等，都被應用到戲曲中，成爲表現故事情節、人物形象的重要程式。

二、節慶讌享的百戲搬演

歲時節令具有著調節轉換的功效機能，主導著中國人生活中的休養生息。所謂「一張一弛，文武之道也。」(《禮記·禮運》)

人們藉由節日時各種慶祝活動的參與，達到鬆弛身心，宣洩情感的作用。雜技散樂以其豐富多元的技藝內容，與深具技巧及娛樂的表演特質，而受到廣大群衆的喜愛，成爲宮廷和民間在節慶讌享時，不可或缺的表演項目。如《宋史·樂志》中記載著宮廷在春秋節慶時，舉行宴會的情形：

> 每逢春秋節三大宴：其第一、皇帝升坐，宰相進酒，庭中吹觱篥，以眾樂和之……第四、百戲皆作。……第七、合奏大曲。第八、皇帝舉酒，殿上獨奏琵琶。第九、小兒隊舞，亦致辭以述德美。第十、雜劇罷，皇帝起更衣。第十一、皇帝再坐，舉酒，殿上獨吹笙。第十二、蹴踘。……第十四、女弟子隊舞，亦致辭如小兒隊。第十五、雜劇。……第十七、奏鼓吹曲，或用法曲，或用龜茲。第十九、用角觝，宴畢。其御樓賜酺同大宴。
>
> （一百四十二卷，頁三三四八）

表演的項目中包含了百戲、大曲、隊舞、雜劇等，最後則以角觝壓軸結束，可見雜技的受重視。隊舞，分成「小兒隊」與「女弟子隊」兩類，各有十隊[44]，主要爲宮廷與官府典禮飲宴所用的樂舞。但在元宵佳節之時，「每上元觀燈，樓前設露臺，臺上奏教坊樂、舞小兒隊 。臺南設燈山，燈山前陳百戲 ，山棚上用散樂、女弟子舞。」(《宋史·樂志》卷四十二，頁三三四八)也會在宮庭外設的露臺山棚上演出，提供與萬民同賞同樂。這也說明隊舞的演出方式，是與雜技、雜劇相互穿插表演或同臺共演。

宋代隊舞部份繼承唐代「大曲」多段體的歌舞形式，並加入詩歌道白，向具有故事性情節的表演發展，是古代歌舞轉化爲戲曲藝術的轉折點。如唐代「健舞」中的「劍器舞」，原只是單純舞蹈技藝的表現；但小兒隊中的「劍器隊」，則將楚漢相爭「鴻門宴」上項莊舞劍的故事，與唐代張旭、杜甫觀賞公孫大娘舞劍器的情節，加以組織串聯爲一舞劇。歐陽予倩認爲從姚合的〈劍器詞〉與〈敦煌曲劍器詞〉中的敘述，唐代的劍器舞已逐漸向隊舞發展，而成爲宋劍器隊舞的基礎[45]。

根據史浩《鄮峰眞隱大曲》中的記載，可以得知表演時，有「竹竿子」引領舞者出場，並念致語，同隊員問答，「花心」歌舞，指揮退場等[46]。這種表演體制幾乎成爲一種固定的程式，成員有著嚴密的分工。劍器隊舞的表演，主要可區分爲三部分：首先爲唱曲與單純性的劍舞表演；而後爲兩段主體故事的劍舞表演；最後由扮演項伯的男舞者，與扮演公孫大娘的女舞者，「超越時空」對舞劍舞。這三段式的表演結構，與宋雜劇頗爲類似。尤其「竹竿子」由宮廷教坊中的「參軍色」擔任，主要職責在於勾放舞隊上下場，同時也提調雜劇演員上下場。從河南溫縣宋散樂雕磚(圖㉜)，與山西浮山宋墓單人雜劇壁畫中(圖㉝)，略能得見其形象。

在劍器隊舞中，以舞劍爲主要的關鍵情節。「帶器仗」的劍舞，自然是表演的重心。舞耍劍器原本是雜技之流的表演，許多漢代出土畫像磚中都有其具體形象。由於古代舞蹈與雜技並不絕然分開，是歸屬於散樂的範疇中，自然二者也會相互吸收影響。至於劍器究竟是何舞具，歷來看法不同，其中清桂馥認爲如甘肅女子「以丈餘彩帛結兩頭，雙手持之而舞，有如流星。」（《禮樸》）[47]乃是以綵帛兩端縛結綵球當作劍器，猶如雜技中常見的「耍流星」一般。這些舞具的運用，在隊舞中極爲普遍：比如《拋毬樂隊》中有「奉繡球」；《採蓮隊》中的「乘彩船、執蓮花」；《打球樂隊》中的「執球仗」等，都與隊舞所表演的內容有直接關係。

此外，在兩段故事表演中，還有其他道具的陳設，類似戲曲中砌末的作用：如桌子、酒果、筆、硯、紙等，猶如展示環境的寓意性道具。尤其故事中身著「漢裝者」的劉邦、項羽，與身著「唐裝者」的張旭、杜甫，既不唱也不舞，只兩兩出來在桌旁對坐一會，便完成演出使命而退場，彷彿就是「活道具」的應用。從另一個角度來說，這些「配角」人物陣容的出現，意味著舞蹈情節性的擴大，對於後世戲曲故事規模的開拓，具有著開創性的意義。

表演的後場，荒謬地出現了相距九個年代的項伯與公孫大娘對舞。公孫大娘是由原本扮演項庄與項伯的舞者，其中「一人換婦人裝立裀上」裝扮而成。這種「改扮」是舞臺上的重要創舉，既使表演者充分發揮特長，增加出場率；也能精簡人員，達到節省人力的目的。這類超越時空的敘事方式與改扮手法，後來也爲戲曲廣爲運用。

在其他的隊舞表演中，還出現一些取材自生活中的動作，如《採蓮隊》中的「折花」、《花舞》中的「放花瓶」、《漁父舞》中的「做釣魚勢」等，不僅擴充了舞蹈語彙，而且在後世戲曲中，發展成爲「科範」的形式[48]。所以，宋代隊舞呈現出多元化的綜合形式，既有人物的裝扮、舞具的運用、代言體的唱念、樂舞的表演、劇情的推演等，又顯現出詩、舞、歌、白、作的表演特質，爲戲曲藝術的形成鋪開了道路。

《東京夢華錄·宰執親王南班百官入內上壽賜宴》中，則更加詳細地描繪了慶祝聖節讌享表演的情形。首先由雜技藝人表演口技，然後百官入座，外使入席，開始奏樂敬酒。每一次敬酒必須配合特定的祝壽樂曲表演技藝，其中有鼓樂、舞旋、百戲、雜劇、隊舞、擊毬等節目，最後也是以「左右軍相撲」作結。舞旋，從字義來看，應是著重於旋身扭舞的技巧表現，通常不帶舞具砌末，而由單人揚首踏足、曲肢迴旋、徒手作舞[49]，如河南禹縣白沙宋墓大曲壁畫(彩圖⑲)，與河北宣化遼大曲壁畫(彩圖⑳)中的圖像[50]，充分發揮肢體的語言技巧。

在散樂路岐藝人「沿街趕趁」的表演中，也有「街市有樂人三五爲隊，『擎』一二女童舞旋，唱小詞」（《夢粱錄·妓樂》卷二十，頁三〇九），由舞旋與雜技結合的「乘肩舞隊」出現。據《武林舊事·元夕》中的記載：

> 上乘小輦，幸宣德門，觀鰲山。……其下爲大露臺，百藝群工，競呈奇伎。……都城自歲冬孟駕回，則已有乘肩小女，鼓吹舞綰者數十隊，以供貴邸豪家幕次之玩。……至節後，漸有大隊如四國朝、傀儡、杵歌之類，日趨於盛，其多至數千百隊。（宋本「千」刻做十）
>
> （卷二，頁頁三六八～三七二）

這些民間舞隊也應邀到富豪貴族家去作場獻藝　。所謂「乘肩舞隊」，如同吳夢窗〈玉樓春〉中的吟詠：「茸茸貍帽遮梅額，金蟬羅翦胡衫窄。乘肩爭看小腰身，倦態強隨閒鼓笛。」是將小女孩扛舉於肩上，隨著鼓笛音樂的伴奏，吟唱小詞表演歌舞。由於是乘騎在肩上，所以只能憑藉著婀娜的腰肢與柔軟的手臂來表現舞姿，應頗類似「肉傀儡」或「臺閣」一類中「琴歌」、「飄色」的表演形式[51]。

慶賞元宵爲中國人歷來重要的歲時活動。從元日到元宵，有著各式百戲舞隊爭奇鬥盛的演出，以狂歡遨遊、縱情嘻鬧的方式，作爲新舊交替的轉換儀式，並顯現慶賀性的儀式意義。《夢粱錄·元宵》中也對這類嘉年華會式的慶典活動，有所描繪：

舞隊自去歲冬至日，便呈行放。遇夜，官府支散錢酒犒之。元夕之時，自十四爲始，對支所犒酒錢。十五夜，率臣出街彈壓，遇舞隊照例特犒。街坊買賣之人，並行支錢散給。此歲歲州府科額支行，庶幾體朝廷與民同樂之意。姑以舞隊言之，如清音、遏雲、棹刀鮑老、胡女、劉袞、喬三教、喬迎酒、喬親事、焦鎚架兒、仕女、杵歌、諸國朝、竹馬兒、村田樂、神鬼、十齋郎各社不下數十。更有喬宅眷、漢龍船、踢燈鮑老、馱象社。(卷一，頁一四一)

可以得知從年前就有舞隊出現，而且越臨近元宵，舞隊的種類與數量，也就越急速遞增：「諸舞隊次第簇擁前後，聯亙十餘里，錦繡塡委，簫鼓振作，耳目不暇給。」（《武林舊事·元夕》卷二，頁三六九）舞隊聯綿有數十里之遙。這樣盛大壯觀的舞隊陣容，多由民間社團組織而成，有的社多達數百人，《西湖老人繁盛錄》中載：

禁中大宴，親王試燈，慶賞元宵，每須有數火，或有千餘人者。全場傀儡、陰山七騎、小兒竹馬、蠻牌獅豹、胡女番婆、踏蹺竹馬、交袞鮑老、快活三郎、神鬼聽刀。清樂社：（有數社不下數百人）韃靼舞、老番人、耍和尚。斗鼓社、大敦兒、瞎判官、神杖兒、撲蝴蝶、耍師姨、池仙子、女杵歌、旱龍船、福建鮑老一社，有三百餘人；川鮑老亦有一百餘人。（頁一一一）

總計參加的人數有千餘人之多。從所列舉的名目來看，包括有歌舞、偶戲、雜技、幻術、雜劇、武術以及各種喬妝戲等，品類豐富多樣，裝備也力求華麗齊全，「首飾衣裝，相矜侈靡，珠翠錦綺，炫耀華麗」(《武林舊事》卷二，頁三七二)，彷彿是將雜技百戲，參雜入更多的歌舞與戲劇的成分而形成的游藝舞隊，集中展示了各種民間技藝，表現社會上形形色色的人物情事，成爲節慶社火中的表演大宗。

南宋朱玉《燈戲圖》(圖㉞)，即是描摹元宵夜晚舞隊演出的情景。在圖中門樓屏圍檐額上題有「按京師格範舞院體詼諧」的字樣，標榜自我是依照京師宮廷的格式規範來表演，共有十三名藝人擔任演出。其轉頸搖頭、目瞬口張、投手頓足的動作節律，頗類似傀儡舞的形態 ，或即如舞隊中提及的以「 全場傀儡 」或「大小全棚傀儡」所組成的舞隊。其表演的內容，又恰可與舞隊中的名目相比附[52]。

這些圖像 ：其中以墨染口，張嘴嘻笑 ，頭帶額子的「李大口」（第二人）；與頭部奇長，手舞足蹈的「長瓠臉」（第十二人），極可能都爲類似淨腳一類滑稽角色的人物裝扮，在舞袖郎當中，表現人生樣態；誠如原爲老頭形象，卻以簪花與團扇，裝扮成扭捏作態婦人身段的「裝態」(第十三人)一般。至於諢裹，雙肩扛一椅架的「交椅」(第十三人)，則可能結合雜技技藝，來耍弄椅架，當然，椅架也可充當表演時的道具，充分顯現路岐散樂作場的特質。

另有兩人執團扇，步伐一致，相互呼應，後者渾裹邊有一蛾蝶，以左手拂之，似爲「撲蝴蝶」(第三、四人)。然依王克芬所述，此舞蹈在民國後仍在民間流傳，爲兒童遊戲生活的寫照。其表演形式爲一群女孩子拿扇子，一男孩拿一根細軟藤條，上扎一紙蝴蝶，「蝶」在空中盤旋飛翔，扇繞蝴蝶飛舞捕捉[53]。似乎與顯現的圖像不大類似，或許爲「撲蝴蝶」的原型，而此形象可能爲宋官本雜劇中〈撲蝴蝶爨〉的表演形式，手耍團扇，踏爨調笑。

第九人右目眇，戴樸頭，登皀靴，似爲「瞎判官」；而第十人戴渾裹、村夫打扮、持棍筒打之，可能爲「夾棒」。從圖像來看，頗神似隋唐參軍戲中「蒼鶻打參軍」，或宋雜劇中副末打副淨的表演形態。宋金雜劇院本中有〈鬧夾棒爨〉、〈鬧夾棒六么〉、〈鬧夾棒法曲〉的劇目，不知是否即類同此表演形態。

「村田蓑笠野」爲宋范成大描寫燈節民間社火中《村田樂》的表演情形：村夫可能穿蓑衣，戴斗笠而舞。《燈戲圖》中第五人肩扛棍棒，棍上套有一條繫物的帶索；第六人則肩扛青竹苗一根，二人皆似村夫打扮，並且裝模作樣、扭捏作舞。這種表演形式充滿了「扭元子」的特色，爲「雜班」表演中經常搬演的題材。

在舞隊中有一「劉衮」名目，劉衮爲在宮廷中祇應的戲劇藝人[54]。因此舞隊中的「劉衮」表演，或者就是模仿劉衮本人喬裝飾演「村田樂」的演出形態。在山西省新絳縣南范庄金墓（圖㉟），與河南焦作市西馮封村金墓(圖㊱)出土的社火舞俑雕磚，都可見到有人執鼓、拍板、笛等樂器，有人肩扛長瓜、荷葉等物品，形象滑稽，舞姿誇張，頗類似舞隊中「村田樂」、「賀豐年」與「鼓板」所結合的表演內容。

從南宋無名氏《大儺圖》中的描繪(圖㊲)，或者有助於我們更清楚得知「村田樂」的表演形象：舞隊人員皆作莊家村老的農人裝扮，其服飾上繪繡一些蚌、鱉、蛙、龜的水族圖案，象徵農人對農事「風調雨順、魚米滿倉」的期待；所執舞具如米斗、掃把、葫蘆瓢等，多爲農具與生活用具之類；其中還有頭頂牛角、裝扮爲牛的象人形態；手擎籽實豐滿、瓜形爆裂的模樣。孫景深且配合其頭上所簪戴梅花、柳葉、蛾蝶、花草之屬的配飾，推論此爲一表演「村田樂」的「迎春社火舞隊」；而蕭兵則以爲此是寓有迎春辭歲、祝禱農事豐饒意義的「大儺舞隊」[55]。

社火舞隊多半是運用喬妝扮演的藝術手法，來反映社會人生百態。因此在舞隊中有不少直接以「喬」命名的表演，如「喬三教」、「喬迎酒」、「喬親事」、「喬樂神（馬明王）」、「喬捉蛇」、「喬學堂」、「喬宅眷」、「喬謝神」、「喬賣藥」、「喬教象」、「喬像生」、「喬師娘」、「獨自喬」等，更揭示出其裝扮人物或故事的特點。如《燈戲圖》也可整體視爲一「喬宅眷」或「喬親事」的舞隊表演，藉由世俗的趣味裝扮，裝模作樣，以達到「滑稽取笑」的目的。

這種喬妝假扮的形式，其實是歷來角觝雜戲的傳統。從秦漢時的「象人」，隋唐時的「戲弄」（「弄假婦人」、「弄假官」等），到兩宋時的「喬相撲」、「喬筋骨」、「裝神鬼」等技藝，都運用著假頭假面與粉墨塗面的手法，來表現「弄」、「喬」、「裝」的樣貌。如「喬相撲」，就是以巧妙的喬妝方式，將棉花稻草紮成兩個人偶，然後由一位雜技藝人背負偶人，表演兩人互相撲鬥扭抱的角觝場面[56]。

當然，其中有些舞隊，可能還沿襲「弄假婦人」的表演形式，由男性「反串」喬扮爲女性模樣，「裝宅眷籠燈，前引珠翠，盛飾少年尾其後，訶殿而來，卒然遇之，不辨眞僞。」更增添「以資一笑」的效果。(《武林舊事·舞隊》卷二，頁三七二)而「打嬌惜」的演出，或者就是「踏謠娘」一類歌舞小戲的翻版[57]。

是以，在《西湖老人繁盛錄》與《武林舊事》中所記載的舞隊名稱，起首爲「全場傀儡」與「大小全棚傀儡」，或者就是標示這些舞隊都是以假面傀儡舞的形式來表演，可能是由人戴上傀儡頭扮演，爲「肉傀儡」的形式之一。而這些舞隊也參和了雜技的技巧，如「教象」、「踏蹺」等，以技藝的展現爲主；「大小掉刀鮑老」、「孫武子教女兵」、「撲旗」、「抱鑼裝鬼」、「獅豹蠻牌」，以武術的演練爲主等；「穿心國入貢」、「火藥」、「回魂丹」等，以幻術的奇特爲主。

在舞隊名目中，還有專門表演「唱賺」的曲藝班社「遏雲社」，與專事雜劇的團體「緋綠社」，可見在舞隊的表演中，夾雜有戲曲的演出。誠如元明無名氏雜劇《王林虎大鬧東平府》第三折中的敘述：

> 外扮社頭云：自家東平府在城社頭。時逢稔歲，歲遇上元，在城內鼓樓下作一個元宵社會。數日前出了花招告示。俺這社會，端的有馳名的散樂，善舞的歌工，做幾段笑樂院本，搬演些節義戲文。更有那魚躍於淵的筋斗，驚眼驚心的百戲。（脈望館抄校本）

當更可確定民間元宵的社會活動中包括有樂舞、戲曲與雜技百戲的表演。而河南省洛寧縣上村出土的宋金社火雜劇雕磚(1973)，也爲我們提供了實證，一塊雕有「喬宅眷」、「喬做親」一類的表演；一塊雕有「抱鑼裝鬼」般的形象；一塊爲「棹刀鮑老」或「棹刀裝鬼」一類的模樣；一塊所雕當爲雜劇中副淨打副末的景象；一塊爲雜劇中的官員執笏、皀吏插手而立；以及另兩塊雕一人頭戴頂冠，著短袍的形象，爲雜劇中常見充任詼諧角色的裝扮[58]。可見在民間社火中，舞隊表演與雜劇相混演出的慣例。而這些社火中，雜技舞隊的演出，也常被戲曲所吸收融合，元高行道《嗓淡行院》的散曲中：

【五煞】「撲紅旗」裹著慣老，拖白練纏著曲秋，「兔毛大伯」難中揪；「踏蹺」的顯不樁頭破，翻跳的爭些兒跌的迸流，登「踏判」謅老瘦，「調陣子」全無些骨巧，「疙瘩鬼」不見些掐搜。

就顯現出宋代舞隊與院本融合的搬演情形。是以無論是宮廷中的隊舞，或民間社火中的舞隊，在節慶讌享的表演程序上，都是穿插混合的；而表演的內容與技藝，則相互汲取融合。《禮節傳簿》中供盞次序的記載，不僅與宮廷宴樂節次極為相似外，其中的「隊戲」與「啞隊戲」，彷彿就是隊舞、舞隊由「舞」走向「戲」的明證。在晉東南高平縣西李門村二仙廟中的「宋金隊戲圖」，刻繪有人物十名，男女參半，除頭尾各一人外，中間八人分為兩伍，形成兩縱隊。為首者，雙手執「竹竿子」；第二、三人簪花，裹襆頭，左一人雙旋袖，右一人旋袖捧腹似作行進中表演，可能就是隊戲優人的形象[59]。而宋官本雜劇中，大量偏重於歌舞的劇目，也標示出雜劇與舞隊的繫聯。

三、十三部以雜劇為正色

晚唐時的「雜劇丈夫」(《李文饒文集》卷十二)為「雜劇」一詞登載的最早記錄。然而在唐五代之時，作為「戲劇體制」的雜劇並未完全成型，可能由「雜戲」一詞演變而來。「雜劇者，雜戲也。」(明朱權《太和正音譜》)其實質內容或者與散樂雜技類同，如「擊鼓吹笙和雜戲」（白居易〈立部伎〉卷四二六，頁四六九一）；但也可能有些表演項目，如「雜戲人弄孔子」（《舊唐書·文宗本紀》，頁五五四）已逐漸向戲曲藝術過渡，寓含更多的「劇」藝成分。

宋代雜劇可說是名符其實的「雜」，或可概括一切百戲技藝；也可「全以故事，務在滑稽」(《夢粱錄·妓樂》，卷三〇八)單指滑稽戲的表演。宋莊季裕《雞肋編》中，描繪有北宋末期「雜戲較藝」的情形：

> 成都自上元至四月十八日，游賞幾無虛辰。酒坊兩户各求優人之善者，較藝於府會。自旦至暮，唯雜戲一色。作於閱武場，還庭皆府官看棚。棚外始作高凳，庶民男女左右，立於其上如山。每諢，一笑須筵中閧堂、眾庶皆噱者，如以青紅小旗各插於墊上爲記。至晚，較旗多者爲勝。若上下不同笑者，不以爲數也。（卷上）

從其中「每諢，一笑須筵中閧堂、衆庶皆噱者」的形容，應是指具有「插科打諢」滑稽特質的宋雜劇，但仍稱之爲「雜戲」，可見宋代雜劇與雜戲仍是混雜使用。宋陳暘《樂書》中指出宋雜劇，乃是「唐時謂優人辭捷者謂『斫撥』」，其目的「凡皆巧爲言笑，令人主和悅。」可見宋滑稽雜劇是延續優孟傳統，與唐參軍戲一脈相承的。張炎〈蝶戀花〉吟詠：「諢砌隨機開口笑，筵前戲諫從來有。」（《山中白雲詞》）洪邁《夷堅志·優伶箴戲》中，則更明確點出：

> 俳優侏儒，固伎之最下賤者也，然亦能因戲語而箴諷時政，有合於古矇誦工諫之義，是目爲雜劇者也。

雜劇具有勸喻諷諫、指摘時政的功能，從一些筆記文獻中，便可發現不少以當時社會朝政爲題，反映時弊的劇目內容。同時，在宋代宮廷的各樂部機構中，也出現了雜劇演員的職稱：「劇戲，聖朝戲樂，鼓吹部雜劇員四十二，雲韶部雜劇員二十四，鈞容部雜劇員四十，亦一時之制也」（陳暘《樂書》卷一六八）。不同於自古以來在御前直接戲謔調笑的「俳優侏儒」，成爲專職的雜劇表演者，由「使、副歲閱雜劇，把色人分三等，遇三殿應承人闕，即以次補。」(《宋史·樂志》卷一四二，頁三三八五)更刺激了雜劇表演的水平提升。

雜劇演員在皇家宴饗衆藝紛陳的表演中，自始至終都在場。除表演雜劇外，還與其他部色相互搭配，跟勾放隊舞的「參軍色」打和(齊聲應和)，擔任「報幕」的配合者；又爲「舞旋色」配舞「按曲子」，烘托舞臺演出的氣氛，聯通樂棚與觀衆間的情緒[60]。可見雜劇演員也肩負多種職能。南宋時「雜劇色」(《武林舊事·咸淳教坊樂部》)列於各部色首位，《夢粱錄·妓樂》載：

> 散樂傳學教坊十三部，唯以雜劇爲正色。舊教坊有篳篥部、大鼓部、拍板部。色有歌板色、琵琶色、箏色、方響色、笙色、龍笛色、頭管色、舞旋色、雜劇色、參軍等色。但色有色長、部有部頭。……雜劇部皆諢裹，餘皆襆頭帽子。紹興年間，廢教坊職名，如遇大朝會、聖節、御前排當及駕前導引奏樂，並拔臨安府衙前玉人，屬修內司教樂所集定姓名，以奉御前供奉。向者汴京教坊大使孟角毬曾做雜劇本子，葛守誠撰四十大曲，丁仙現捷才知音。
> （卷二十，頁三〇八）

說明教坊十三部大致可區爲雜劇、器樂、歌唱、舞蹈四大門類，以「雜劇爲正色」，演員有統一的服飾裝扮，戴「諢裹」，並有專人負責劇本的編寫。其中丁先現據筆記中相關資料推知，大致在神宗熙寧、哲宗元祐、紹聖、徽宗崇寧初間擔任教坊大使，口才靈敏，知曉音律，曾以誚難王安石新政著名，時俗稱之爲曰「丁使」：「伶人丁先現，在教坊數十年，每對御作俳，頗議正時事。」(朱玉《萍洲可談》卷三)他不僅僅出入教坊，在宮廷御前獻藝；也到勾欄瓦肆，爲市民作營業演出[61]。

由此可知，宋代雜劇藝人可以在民間與宮廷相互交流作場，這對於促進雜劇的普遍化，與提昇表演藝術的水平，是有所助益的。《東京夢華錄·京瓦技藝》中曾載：「教坊減罷並溫習：張翠蓋、張成，弟子薛子大、薛子小、俏枝兒、楊總惜、周壽奴，稱心等般雜劇。」(卷五，頁二十九)[62]這些藝人曾爲教坊的成員，後來被裁減下來，於是在勾欄中作場演出以營生。有時也以「露臺弟子」的身份，承應爲王室演出：「繼而露臺弟子雜劇一段，是時弟子蕭住兒、丁都賽、薛子大、薛子小、楊總惜、崔上壽之輩，後來者不足數。」（《東京夢華錄·駕登寶津樓諸軍呈百戲》卷七，頁四十三～四十四）

可見這些都是當時民間藝人中的翹楚 ， 才會被挑選出來表演。河南偃師宋墓出土的丁都賽雕磚(圖㊳)，說明宋雜劇藝人深受廣大民衆的喜愛，所以在距離汴京有數百里之遙的偃師縣，才會以其藝人裝束爲墓葬雕磚的形象。北宋時，「构肆樂人，自過七夕，便般《目連救母》雜劇，直至十五日止，觀者倍增」(《東京夢華錄·中元節》卷八，頁四十九）。雜劇的搬演，使觀衆的人數倍增，當然這其中可能還夾雜著雜技搬演等其他因素，但可見出雜劇對於觀衆的吸引魅力。

此外，有些技藝高超的散樂藝人，也會承應於宮廷官府，如金寶「撮弄雜藝」「手法迅疾」；王吉弄「水傀儡」「百憐百悼」。

而他們在理宗景定年間至度宗咸淳年間(1260～1274)，擔任衙前樂撥充教樂所都管、部頭、色長之職(《夢粱錄·妓樂》卷二十，頁三〇八）。並曾在壽和聖福太后聖節時「是時教樂所雜劇色何雁喜、金寶、趙道明、王吉等，俱是御前人員」擔任雜劇藝人以演出。藝人的多才多藝，對於戲曲綜合藝術的形成與搬演，有著重要的影響力。

高宗廢置減省教坊後，若遇大宴需要演出時，除差遣臨安府衙前樂人充應外，也「和雇」市人，命令修內司在兩週前先予以集訓教習。如雜劇三甲中的戲頭段子貴，名段世昌，藝名「鋤頭段」，便常到宮廷中獻藝演出。所以當其在民間勾欄瓦舍中作場時，便打出「御前雜劇」的招牌，以宣傳號召群衆前來觀賞：「背做蓬花棚，常是御前雜劇趙泰、王侯喜、宋邦寧、何宴清、鋤頭段子貴。弟子散樂，作場相撲。」（《西湖老人繁盛錄》，頁一二三）

雜劇三甲，「甲」爲一編制的單位。依《武林舊事·咸淳教坊樂部》中的記載，應爲四甲「劉景長一甲八人；蓋門慶進香一甲八人；內中祗應一甲五人；潘浪賢一甲五人。」(頁四〇四)且「內中祗應一甲五人」的名單中缺少一人。從各甲中人員重複出現的情形來推論，可能非固定的班別，而是經常搭配演出的組合陣容。其中包括了有「戲頭」、「引戲」、「次淨」、「副末」、「裝旦」等腳色名目[63]。根據《都城紀勝·瓦舍衆伎》的記載：

> 雜劇中末泥爲長，每四人或五人一場。先做尋常熟事一段，名曰豔段；次做正雜劇，通名兩段。末泥色主張，引戲色分付，副淨色發喬，副末色打諢。又或添一人裝孤。其吹曲破斷送，謂之把色。大抵全以故事世務爲滑稽，本

是鑒戒，或隱於諫諍也，故從便跣露，謂之無過蟲。……

雜扮或名雜旺，又名扭元子，又名技和，乃雜劇之散段也。在京師時，村人罕得入城，遂撰此端，多是借裝爲山東、河北村人以資笑。今之打和鼓、燃梢子、散耍皆是也。

（頁九十六）

大致一單位爲四或五人，「末泥」爲一甲之長，職司爲「主張」。對照「崇觀以來，在京瓦肆技藝，張廷叟、孟子書主張」（《東京夢華錄·京瓦技藝》，卷五頁二九）的記載來看，「主張」大概有主持、指揮的意味，如《水滸傳》第八十二回中所記敘的「最先來提掇甚分明，念幾段雜文眞罕有」，以劇團團長的身分，最先在場上講念幾段雜文。末泥，泥爲詞尾。末乃是由參軍戲中的「蒼鶻」演變而來，鶻爲入聲八黠韻，末爲入聲七曷韻，音近聲轉；而蒼鶻例扮男子，末向來爲男性自謙之詞，是以由蒼鶻的市井俗稱，轉變爲腳色的專稱。

至於「副末」專長「打諢」，「副淨」善於「發喬」，組成一對專門「插科打諢」的滑稽搭檔。二者都以嘻笑調弄爲表演特質，但副末較著重於語言上的說念，發揮「打諢」的詼諧譏趣；而副淨則體現在形體上的動作，表現「發喬」的喬裝假扮，二者或又可稱爲「次末」、「次淨」。藝名「侯大頭」的侯諒，既能耍弄「雙頭」，又長於「拍板」，隸屬於「雜班」與「小樂器」中，能夠擔任次淨與次末的雙重角色；而次淨劉袞、副末劉信，皆專長「散耍」，也隸屬於「雜班」中；可見「打和鼓、燃梢子、散耍」之類的「散段」表演，多由副淨副末擔綱演出。因此，副淨副末擁有較多雜技百戲的技能，像「趨蹌」、「裝態」、「吹口哨」等，並能於社火舞隊中獨立演出。

從元《青樓集志》與陶宗儀《輟耕錄》的記載，得知金院本中的角色與宋雜劇相同，副淨古謂之「參軍」，副末古謂之「蒼鶻」。宋趙彥衛《雲麓漫鈔》中載：「優人雜劇，必裝官人，號爲參軍色」。倡優中的「參軍色」，原本以假扮官員的角色爲主，但在宋代「今人多裝狀元進士，失之遠矣。」（卷五，四庫第八六四冊，頁三一三）則又可擴增扮演其他類型如「狀元進士」一類人物[64]。

由於「鶻能擊禽，末可打副淨」。是以在表演中，副末除以言語和副淨插科打諢外，也會持用一些砌末來擊打副淨，如杖、皮棒槌(磕瓜)、木棹刀等，這也是雜技中常用以耍弄的道具。在雜劇的表演中，若結合運用一些雜技的技巧來耍弄撲打，更增添喜劇效果與戲劇性。另外，副淨副末也多在臉上「敷粉塗墨」，如以黃白粉塗面，類似諸軍百戲中的「抹蹌」，充分發揮喬妝假扮的特色。

「引戲」的職掌在於「分付」，王國維認爲「大樂有舞頭、引舞，戲頭、引戲，殆仿大樂爲之。」(《宋元戲曲考》)乃是由引舞演變而來。主要是在開場時，由引戲色出場舞蹈一回，然後再「分付」各角色上場。在隊舞與雜劇穿插演出的情形下，「參軍色執竹竿子作語，勾小兒隊舞。」（《東京夢華錄》卷九，頁五三）勾放隊舞的參軍色，也導引著雜劇的演出。如本身爲舞蹈能手的吳興佑「入御筵至第三盞，都管使臣劉景者供進新制《泛蘭州》曲破，吳興佑舞，各購銀捐。」（《武林舊事·德壽宮起居注》卷七，頁四七）便擔任「引戲」一職。

是以參軍色就職務而言，在隊舞中爲「引舞」，在雜劇中便爲「引戲」；就腳色來說，即屬於正淨「第四個淨色的，語言動衆，顏色繁過。開喝公子笑盈腮，舉口王侯歡滿面，依院本塡腔調曲，按格範打諢發科。」(《水滸傳》八十二回)擔任著劇團的導演工作。藝人孫子貴不僅是爲「引戲」，又可爲「裝旦色」。裝有喬妝、假裝之意，旦爲女腳，其原型應可上推自「弄假婦人」。在《武林舊事·諸色技藝人》「雜扮」中，「魚得水」、「王壽香」、「自來俏」下註有「旦」字(頁四五八～四五九)，應即爲旦角腳色的扮演。應是以男扮女裝的形式，表現其善於喬妝假扮女性風姿樣態的技藝。

在社火傀儡舞隊中有所謂的「細旦」與「麤旦」的名目，從「細旦戴花朵□肩，珠翠冠兒，腰肢纖裊，宛若婦人。」（《夢粱錄·元宵》卷一，頁一四一）的形象來推論，「細旦」纖細嬌美，衣裝鮮麗，應是與「麤旦」粗蠢俚俗的模樣，形成對比。至於「宛若婦人」是說明其傀儡仿效眞人婦女的形態，極爲逼眞；或言由「肉傀儡」以男扮女裝「裝旦」方式演出，相當神似。

「裝孤」爲另外增添的角色，或許是從「弄假官人」而來。馮沅君提出在宋代方言中，「孤」不僅可解釋爲「官」，也可解作「孤老」。從語言學的角度來說，「裝孤」也可視爲「裝孤老」，就是做官，因「老」字爲一無意義的語末助詞；而胡忌則提出「古代妓樂家每稱呼侮辱他們的人或霸佔他們的人爲『孤老』。」將「裝孤」的內涵擴大，不僅限於裝扮官員；而曾師則以爲從墓葬中大量出現的裝孤形象，恐與古人乞貴祈福的思想有關。

《夢粱錄·妓樂》中述「先吹曲破斷送，謂之把色。」「斷送」，指在雜劇開演前的演奏，俳優配合其節拍而有所動作。或可置於隊舞之前段、後段之間演奏，以補充中間中斷[65]；李嘯倉引申有「拴搐」的作用；而胡忌則認爲斷送爲演劇末了的應用節次[66]；如以「斷送」的意含來推論，則不妨視作以「附贈」的方式，作爲「起引」或「終結」[67]。是以其能充當「饒頭戲」，也能作爲「送場戲」。

而負責這段額外贈送的大曲吹奏的稱爲「把色」。《淡行院》：「入苗的把瑟歪著尖舉，擂鼓的撅丁瘤著左手，撩打得腔腔嗽」，「苗」可能爲「笛」字誤寫，「把瑟」應即爲「把色」。在十三部色中，屬於樂部的有篳篥部、大鼓部、拍板部。色有歌板色、琵琶色、箏色、方響色、笙色、龍笛色、頭管色，不知是否爲幾部色綜合擔任演出。《張協狀元》中「暫借軋色」,「軋」與「把」爲一音之轉，同是由「軋色」來「饒個燭影搖紅斷送」。魏子雲則提出「把色」爲演奉送粉戲的角色，粉戲通常是屬於「找戲」一類的雜扮[68]。

宋雜劇的體例主要由豔段、正雜劇與散段組成。豔段表現的內容爲「尋常熟事」，藉由調笑戲謔的方式將日常生活中的尋常瑣事予以鋪演，作爲開場的序幕；故事表演的主體爲兩段正雜劇，以滑稽說白或歌舞唱作的方式搬演，具有箴諷時政、敷演時事的效用；其後則爲雜扮，多爲模仿村落野夫生活情趣的耍戲，相當爲結尾。

「雜班」又作「雜旺」、「雜扮」，「拔和」又作「技和」，乃因音近或形近相訛[69]。「雜班」，概言其組成之雜湊。依宋趙彥衛《雲麓漫鈔》所載：「近日優人作雜班，似雜劇而簡略。金官制有文班、武班。若醫卜倡優，謂之雜班。每宴集，伶人進曰『雜班』上，故流傳至此。」（卷十，頁三五六）可知雜班在體制表演上，較雜劇爲簡略，可能故事性較弱，而以雜耍技藝、喬妝假扮爲主。其後又言其體制有若文班、武班的組織，不知是否即爲劇團稱作「戲班」之原由[70]。

漢唐散樂、雜技盛行，爲墓葬雕刻的主要題材，宋時加入了雜劇演出情境與演員形象的圖繪，如1958年河南偃師酒流溝北宋墓出土的一組五人三段式的雜劇雕磚(圖㊴)，1982年河南溫縣前東南王村北宋墓的一組五人雜劇雕磚(圖㊵)，1975年四川廣元南宋墓三段式雜劇圖（彩圖㉑），山西垣曲縣坡底村宋金雜劇雕磚（彩圖㉒）等，都具體顯現了宋雜劇各角色的不同形象與搬演的情形[71]。所以從角色的發展分化，藝人的多重技藝，雜劇體例的形成與地位的提升等現象來看，雜劇已孕育成形成爲人們重要的生活娛樂，流傳於當時社會中。

第三節　雜技與戲曲的參雜穿插

從先秦以來的角觝百戲，到宋金之時的雜技雜戲，基於長期存在於人們觀念形態中的泛戲劇化傾向，皆被冠以「戲」的稱號。而這些具有娛樂性、技藝性的各種散樂技藝，也在戲曲孕育成長的過程中，提供豐厚多樣的養分。宋代爲戲曲藝術發展成熟的標誌，在宋雜劇、金院本與南宋戲文中，雖仍可見到雜技參和穿插的組織情形，但已逐漸朝向高度綜合的整體邁進，將唱念做打等表演技藝與故事曲文加以紐結黏合。

一、宋雜劇——官本雜劇段數

在戲曲藝術整體綜合成熟前，宋雜劇統稱了所有歌舞百戲的表演，成爲名副其實諸藝雜陳的「雜戲」，並在各種節慶廟會場合中，混雜於各項技藝中搬演。北宋末年，金人來索諸色藝人，其中「諸般百戲一百人，雜戲一百五十人。」（《北盟會編》靖康中帙五十二〈三十日庚申〉）此時的雜劇雖然仍稱爲雜戲，但顯然已從百戲中獨立出來，且在人數上有超越居前的趨勢。呂本中《童蒙訓》說：「作雜劇者，打猛諢入，卻打猛諢出。」此時雜劇以說諢科白爲主，繼承了唐代參軍戲滑稽詼諧的傳統，在筆記文獻中往往有所登錄[72]。

南宋之時，教坊十三部中以雜劇爲正色，顯見故事表演位於首要地位，其他部色或者退居伴奏地位，或者爲故事表演所吸收，成爲雜劇有機整合的一部份。因此在宋雜劇中，歌舞雜技遂成爲雜劇表演的一種藝術手段，在周密《武林舊事》中，載記有二百八十種〈官本雜劇段數〉的名目，便透露出這樣的訊息。

「官本」雜劇，以官府承應爲主。其中標明用大曲、法曲與詞曲牌名的，合計佔半數以上[73]。大曲，法曲爲盛行於唐宋時期的大型樂曲，用以演奏或伴奏舞蹈，規模龐大，體制複雜，組織嚴密，曲、歌、舞的結合有固定的程式。宋代擇取其中一部份來敘唱故事，自然偏重於歌舞的成分；而詞曲牌體制短小，格律嚴謹，用語典雅，不利於故事的開展，恐怕也只能以歌舞來表現。

因此，這些以曲調爲名的劇目，在體裁上，是以樂舞歌曲的表演爲主體，類同於「和曲院本」正院本的性質，可以歸屬於正雜劇的部份[74]。從劇目上，我們嘗試將其內容約略劃分爲幾種類別。但因宋雜劇可以相關佐證的資料極少，從劇目去推測內容，有時難免會產生斷章取義，或望文生義的弊病。特別有一些劇目，根本無法得知其內涵，只好暫時保留不予討論。而僅就較爲明確者嘗試加以歸類討論：

㈠以表演故事為主：如《王子高六幺》、《崔護六幺》、《崔護逍遙樂》、《鶯鶯六幺》、《慕道六幺》、《裴少俊伊州》、《簡帖薄媚》、《鄭生遇龍女薄媚》、《列女降黃龍》、《柳毅大聖樂》、《馬頭中和樂》、《越娘道人歡》、《裴航相遇樂》、《夢巫山彩雲歸》等[75]，取材自傳奇或話本中的故事，藉由歌舞表演來貫串故事，有具體人物的描寫。

㈡以市井生活為主：如《鞭帽六幺》、《桶擔新水》、《駱駝熙州》、《會子道人歡》、《銀器胡渭州》、《綦盤法曲》、《車兒法曲》等，描寫日常生活中的物件；而如《廚子六幺》、《羹湯六幺》、《大宴六幺》、《食店梁州》、《食店伊州》、《燠骨頭瀛府》、《蹇面逍遙樂》、《楊飯四時歡》、《法事饅頭梁州》，則表現了飲食行業中的人事；又像《骰子六幺》、《哭骰子瀛府》、《賭錢望瀛府》、《頭錢梁州》等，則顯現了市井生活中錢財賭博等樣態：比如《催妝賀皇恩》、《九妝薄媚》、《傳神博媚》等，則描摹出婦女妝扮容顏的過程；至於《請客薄媚》、《扯攔六幺》、《藏瓶兒法曲》、《扯籃兒賀皇恩》、《打地鋪逍遙樂》、《賴房錢啄木兒》、《賣花黃鶯兒》、《三釣魚氾清波》等，則反映了日常生活中形形色色的事態人情。

㈢以裝扮人物為主：如《三登樂院公狗兒》、《三姐黃鶯兒》、《三姐醉還醒》、《病爺老劍器》、《黃傑進延壽樂》、《義養娘延壽樂》、《牛五郎罷金征》、《三郎熙州》、《四僧梁州》、《雙旦降黃龍》、《老孤嘉慶樂》、《四哮梁州》、《雙攔哮六幺》、《雙哮新水》、《雙哮採蓮》、

《三慕道偌六幺》、《四偌皇州》、《檻偌寶金枝》等[76]，或爲特定人物的模仿，或爲一般類型角色的扮飾。

(四)以景物敘述為主：如《青陽觀碑彩雲歸》、《四等季夾竹桃花》等，運用曲調，以吟唱的方式來描寫山光水色、四季景物；像《入寺降黃龍》、《兩同心卦鋪兒》、《一井金卦鋪兒》、《滿皇州卦鋪兒》、《白苧卦鋪兒》、《探春卦鋪兒》、《慶時豐卦鋪兒》等，則以社會中的寺廟宮觀、聚會場所作爲描述的對象。

(五)以曲藝說唱為主：如《爭曲六幺》、《教聲六幺》、《詩曲梁州》等，可能是詩文樂曲的教習唱念；像《打調薄媚》、《大打調中和樂》、《大打調道人歡》等，爲類似數來寶一類的數板念誦；又如《諸宮調霸王》、《諸宮調卦冊兒》等，則是以諸宮調的方式來說唱故事。

這些爲數甚多的大曲、法曲與詞曲牌，可能是作爲音樂伴奏以配合演出，如樂部的幫唱或「斷送」一類。因爲宋代宮廷宴樂中雜劇的演出，多半是夾雜於舞隊百戲之間，藉由曲破斷送的吹奏，既具有區隔調節場次的作用；一方面也猶如戲曲表演前的開臺鑼鼓一般，告知觀衆雜劇即將開演。然而在劇目中，我們也發現有所謂說唱曲藝的出現，這似乎也提醒我們，這些雜劇段數是有可能以曲調作爲代言體，尤其是「爭曲」、「詩曲」，顯然是由表演者本身唱曲來表演；而「諸宮調」採用不同宮調的曲子，組成敘事的樂段，則說明結合說唱的敘事的成分已經被取用，爲且歌且舞的戲曲表演體制開闢了道路。

另外，在〈官本雜劇段數〉中，存有以「爨」爲名的劇目四十三本，而〈院本名目〉中則有〈諸院雜爨〉一百零七本。爨，原本爲雲南少數民族中的一支，與漢族通婚後演變成爲大姓統治集團。南北朝時，多次受中原委任太守、刺史等要職；隋唐之間，衍爲各部之公名，《雲南通志略》云：「天寶中，隨爨歸王入朝於唐。今之爨弄，實原於此。爨氏來朝，也隨之帶來了『踏爨』一類的歌舞表演。」[77]踏者，爲歌時以足踏地爲節的舞姿，踏爨的表演形式或如同踏歌旋舞般。

依〈官本雜劇段數〉中的爨段名目來看，其中帶有詞曲牌名的，如《新水爨》、《孝經借衣爨》、《大孝經孫爨》、《宴瑤池爨》、《醉花陰爨》、《夜半樂爨》、《棹孤舟爨》、《水蘭花爨》、《金蓮子爨》、《月當聽爨》、《醉還醒爨》等，屬於歌舞踏搖的表演形式；而《天下太平風爨》、《風花雪月爨》、《詩書禮樂爨》、《喜朝天爨》、《百花爨》等，則有如宮廷中字舞、花舞一類的隊舞表演；至於《鬧夾棒爨》、《撲蝴蝶爨》、《門子打三教爨》等則類似社火中舞隊的表演。另外一些如《醉青樓爨》、《借聽爨》、《睡爨》、《抹紫粉爨》、《借衫爨》、《惱子爨》、《上借門兒爨》等，應是模仿生活中的日常作息、行爲舉止；而《說月爨》、《黃河爨》、《燒餅爨》、《百花爨》、《錢手帕爨》、《錢爨》、《門兒爨》等，則以一些事物用品作爲題材，類似相聲說唱等具有滑稽性的念誦表演。

李調元認爲「爨」是屬於雜劇艷段中的一類；胡忌則指出「爨」可以單獨上演；寒聲則提出「爨」一方面向「隊舞」演變，一方面也加入調笑一類的手法，向雜劇方面轉化[78]。如《調燕爨》，以調笑戲弄的手法搬演；而《像生爨》爲模仿叫聲的口技，如社會中有「小女童像生叫聲社」；或是爲一種模仿的技藝，有「栩栩如生」之意，如「選像生有顏色者」，指選擇善於模仿「臺閣故事」或「裝變大公」的妓女們；《鍾馗爨》則以鬼王鍾馗爲主要人物扮演，有故事情節的發展，而《鬧八妝爨》、《大徹底錯爨》、《戀雙雙爨》等，可能有人物劇情的進行。

宋雜劇的艷段散段，以日常生活中的「尋常熟事」爲主，也雜扮一些鄉村野老，「以資笑樂」。因而，在〈官本雜劇段數〉中以「孤」、「酸」、「妲」、「厥」、「哮」爲名的劇目，如《思鄉早行孤》、《睡孤》、《論禪孤》、《諱藥孤》、《泥孤》等，以裝扮孤老爲主；《秀才下酸》、《擂急慢酸》、《眼藥酸》、《食藥酸》等，扮演文人的形象；如《雙賣妲》、《老姑遺妲》等，則爲婦人一類的扮飾；如《趕厥胡渭州》、《趕厥石州》、《趕厥夾六么》、《襤哮合房》、《襤哮店休妲》、《襤哮負酸》等，爲男性人物擔任演出。意味著藉由市井小民種種面目形象的喬妝扮演，來反映社會中的人生百態與滑稽趣事。

宋雜劇絹畫中，有一幅描繪儒生打扮的眼醫，向市民兜售眼藥的圖像，可能就是《眼藥酸》的表演(彩圖㉓)。眼醫頭戴皀色奇特高冠，身穿橙色大繡長袍，衣衫前後掛有成串的眼珠球，帽冠上還嵌插有眼睛球，身背一長方形袋囊，上面也繪有一個大眼睛球。據《東京夢華錄·民俗》中所言：

> 其賣藥賣卦，皆具冠帶，至於乞丐者，亦有規格。稍以懈怠，眾所不容。其士農工商，諸行百户，衣裝各有本色，不敢越外。謂如香鋪裡香人，即頂帽披帶；質庫掌事，即著皀衫角帶、不頂帽之類。街市行人，便認得是何色目。（卷五，頁二十九）

當時各行業雜色人的冠帶服飾有一定的規格，以表明身分，容易辨識。當然，在喬妝扮飾的表演中，爲了增添演出時的諧趣，有時可能故意加以誇張，甚或運用砌末的形式來塑造形象。因此，或是在服飾上繪繡眼球，以表現其「滑稽諷刺」的特點；或是背上一些畫有眼睛的藥葫蘆，既爲裝飾，又能用以作種種動作的表演，或繫耍於身上，或取下擺弄。而葫蘆上所垂繫的穗子，與頭上所插飾的眼睛，恰可成爲表演耍弄的道具，猶如後世戲曲表演中耍佛珠、耍帽翅一類的表演，增強表演美感與技藝[79]。

在〈院本名目〉中還另外收錄了《眼藥孤》的劇目，想必其表演內容大致相似，只是主角由書生酸儒，更換爲官吏孤老。但值得注意的是該劇目是隸屬於「諸雜大小院本」之類，也就是說相當爲宋雜劇中的正雜劇部份。因此，這些以人物名稱爲代表的劇目，究竟是屬於宋雜劇中的哪一段數，則必須有更詳盡的資料方能判斷。

而在許多的劇目字首冠有「單」、「雙」、「三」、「四」等數字，清楚地標示出該劇表演人數的多寡，如《單背影》、《單唐突》、《單折洗》等，應是由一人擔任演出的獨腳戲形式；有的也同時指出主要的人物類型，如《四孤醉留》、《四孤夜宴》、《四孤好》、《四孤披頭》、《四孤擂》等，皆由四位孤老充任主角；而《三哮卦鋪兒》、《三哮揭榜》、《三哮借小樓》、《三哮文字兒》、《三哮好女兒》、《三哮一檐腳》等，由三位男性人物擔綱演出。而《雙園子》、《雙禁師》、《雙三教》、《雙虞侯》、《雙養娘》、《雙厥送》、《雙厥投拜》、《雙快》、《雙捉》、《雙索帽》等劇目，或者是以兩小的形式搬演，或者是指行爲舉動的重複搬演。

隨著上場人數的累進增加，或事件舉動的再三搬演，往往能製造出各種戲劇情境，誇大深化演出效果，讓觀衆留下強烈鮮明的印象。如《孤慘》、《雙孤慘》、《三孤慘》，同一劇目可增減人數演出；而《三入舍》、《三出舍》，《三教化》、《四教化》，則藉由重複的表演，來顯現故事的情節推展；至於《大暮故孤》、《小暮故孤》，《大雙頭蓮》、《小雙頭蓮》，《大雙慘》、《小雙慘》，《大四小將》、《四小將》等，有可能是指所擔任演出的演員有大人與小孩的區別，或是指演出的規模有的排場較大，有的較爲簡小。

其他還有一些劇目，以同一類型的題材，作爲表演的主題，如宋時儒釋道「三教」盛行，因此裝扮成儒者、僧尼、道士的人物來表演《三教鬧著棊》、《三教安公子》、《領三教》等；而裝扮成神鬼、婦人一類技藝演出的「打夜胡」，應就是《打三教菴宇》、《普天樂打三教》、《滿皇州打三教》、《門子打三教爨》的原型，或以曲牌形式歌舞吟唱，或用爨段形式搬演，說明這些題材適用於各種段數的演出。

在〈官本雜劇段數〉中以敷演社會中的各類人物爲主，但也不乏政治軍事方面、描述霸王軍士一類的劇目，如《霸王劍器》、《霸王諸宮調》、《霸王中和樂》、《四小將整乾坤》、《單番將湖渭州》等。自三國時「楚霸王」項羽以來，「霸王」成爲人們對於具有威赫氣勢、強大本領、高強武藝人物的名號代稱。但後來也演化稱謂那些市井無賴、爭強鬥狠之輩，因此如《入廟霸王兒》、《單調霸王兒》等劇目，應是以這一類型人物爲題。

有些劇目參和了雜技武術等技巧的運用，如《單打大聖樂》、《單打石州》、《鬧五伯伊州》、《毀廟》、《三社爭賽》等，借由武打競技的手法來表現；而一些以「打」爲稱謂的段數，也有喬妝扮演的意涵，如《打勘長壽仙》、《禾打千秋樂》與「打三教」、「打調」類型的劇目，可能沿襲著「打夜胡」的特質，成為「打雜劇」的表演形式[80]。而《鶻打兔變二郎》則更加上幻術的變化，如同《二郎神變二郎神》、《變貓卦鋪兒》、《藏瓶兒法曲》、《解熊》等劇目一般，運用靈巧的手法，利用觀衆視覺的錯覺，表現迅速增減分解隱現的影像；至於《打毬大明樂》、《雙打毬》則顯然是以雜技中有深遠傳統的「蹴踘」為題材，融競技與表演為一體。

另外，《單兜》、《小雙索》、《單搭手》、《雙搭手》、《單頂戴》、《雙頂戴》、《三頂戴》等劇目，也應是屬於雜技技巧耍弄一類的表演，隨著劇名數目的遞增，困難度可能也相對的增添，越發展現出藝人技藝的高超。而《看燈胡渭州》、《火發爨》中，則可能有看燈看火的情節，或運用燈彩火彩的特殊技巧，成為後世戲曲中「燈彩戲」的雛形。

經由〈官本雜劇段數〉劇目的初步探究，我們不難發現其多半是以民間社會中的生活百態、諸色人等，作為喬妝扮演的題材。誠如《迓鼓兒熙州》、《迓鼓孤》所濃縮表現的「其間男子、婦人、僧道、雜色，無所不有」(《朱子語類》卷一百三十九)，透過角色人物形態動作的模擬，以歌舞的方式展現人情世俗的種種風貌，成為戲曲表演藝術中豐厚的養分。尤其是一些故事性較強的劇目，如《相如文君》、《崔智韜艾虎兒》、《王宗道休妻》、《李勉負心》等，為後世小說戲曲常用的題材，可能由「唱故事」的曲藝方式，正逐步朝向「演故事」的戲曲表演發展。

宋雜劇一方面承襲唐代參軍戲滑稽戲謔的科白傳統，一方面融入各種音樂曲調，形成歌舞表演的形態。其中歌舞樂曲的段數可能成為正雜劇的主要部份；爨段以歌舞踏搖為主，但也多方面汲取各種表演技藝；而各種以市井小民生活百態爲題材的段數，則兼具艷段與散段的特色，充分發揮「以資笑樂」的作用，有些並配合種種武術雜技、幻術砌末的運用，顯現高超的耍弄技藝。是以宋雜劇中已綜合運用各種表演手段，在表演藝術上越發豐富。

二、金院本——衝撞引首、拴搐艷段

金代「院本雜劇合而爲一」(元《青樓集志》，《戲曲論著集成》第二冊，頁七），誠如元陶宗儀《輟耕錄·院本名目》中所言：「金有院本、雜劇、諸公(宮)調。院本、雜劇其實一也。國朝院本、雜劇始釐而二之」(卷二十五)。金代的院本雜劇爲相同的術語，可以用來稱謂「任何一種戲劇表演」；直到元代之時，雜劇院本開始有所區分，雜劇演變爲四套一本情節性較強的「北雜劇」專稱，而院本則成爲簡短耍鬧幽默小品之類作品的代號[81]。

「『院本』者，行院之本也。」(明朱權《太和正音譜》《戲曲論著集成》第三冊，頁五十三）歷來學者對於「行院」意見披陳：王國維認爲「大抵金元人謂倡伎所居」；鄭振鐸以爲是具有衝州撞府性質的「遊行歌舞班」；嚴敦易則主張爲包括屠戶等「行業」之意；胡忌則概括爲「舊時所稱倡伎、樂人、伶人、乞丐等類人的行當」；丁伋則以爲行院命名的本意爲「各行業辦公的處所」，具有行業之意，而後成爲「倡優」一行的貶名[82]。因而，行院或可通稱爲諸行各業，也能專指優伶樂人此一行當；既有流動行走的路岐特質，也可棲息定居於某處。

「院本」即爲這些優伶樂人所據以表演的底本。在《武林舊事》的諸社會中，登載著有由倡優行院所組成的「翠錦社」，以及由富豪子弟所組成的「緋綠社」。依院本即等同於雜劇的觀點來說，二者的主要不同在於「身分」上的差別，由於富豪子弟是以雜劇作爲娛樂聯誼的藝能，與倡優行院以院本作爲謀生餬口的工具，在出發點上便有所不同。是以雖然都能搬演各種內容，但就商業賣點而言，院本以市井生活中人生百態的喬妝戲謔作爲題材，毋寧是更易達到「謔浪調笑」的演出效果。因此元代以後雜劇與院本的分化，或許在宋金之時便已萌生出一些跡端。

爲了招攬更多的觀衆，在院本的表演中添加一些耍弄百戲的技藝，應更能迎合市場的口味與需求。所以陶宗儀形容：「其間副淨有散說，有道念，有筋斗，有科泛。」(《南村輟耕錄》)這些技藝遂成爲院本表演的基調，爲展現耍戲逗鬧的最好伎倆。雖然現今並無完整且具體的金代院本，可提供我們加以印證，但從存留的六百九十種〈院本名目〉中，倒也能略窺金院本的表演風貌。

《南村輟耕錄》將〈院本名目〉區分爲十一個類目，其中冠有「院本」名稱的有「和曲院本」、「上皇院本」、「題目院本」、「霸王院本」、「諸雜大小院本」等五種，合計二百四十二本；其他則爲「院么」、「諸雜院爨」、「衝撞引首」、「拴搐艷段」、「打略拴搐」、「諸雜砌」等類別。以下即依類別來探索：

㈠和曲院本：

和曲院本中的劇目，大都綴以大曲、法曲的調名，王國維認爲和曲「殆大曲法曲的總名」；鄭振鐸指爲「合唱之曲」，李嘯倉沿用此說，又據以詮釋爲「和曲而唱」；胡忌則以爲是「合曲」的異寫[83]。類似這樣的劇目，在〈官本雜劇段數〉中佔有著相當的比重。然而金院本中，數量顯然大爲減少，這或許意味著宋雜劇與金院本，在「音樂」方面有所變革。金院本在民間流傳，可能應用民間的樂曲，但並不特別將這些流行於民間的野曲村調冠於劇目上；或是由於劇目中並非使用單一曲調，而是多種曲調連唱組合，故無法在劇目上一一標示[84]。

自由活潑的民間樂曲，是相當適合以樂舞歌唱的方式，來搬演具有情節性的故事。在稷山金墓馬村出土的四號墓九人戲曲雕俑中(彩圖㉔)，前排有四個演員在作場，後面有五人所組成的伴奏樂隊。其中左邊第三位為「副末」，上身前傾，左手貼胸，扭捏作態，似在演唱，呈現出樂隊與表演同時進行的場面[85]。表示院本正朝向演、歌、唱、舞的綜合藝術形式邁進。

㈡上皇院本：

「上皇」如唐肅宗時的唐玄宗，為對已經遜位給兒子，而猶生存著的前皇帝的稱呼。在宋代有北宋欽宗時的徽宗，與南宋孝宗時的高宗。王國維考證上皇院本中的《金明池》、《萬歲山》、《錯入內》、《斷上皇》皆為宋徽宗時事；譚正璧則再加上《太湖石》、《戀鰲山》二劇；胡忌認為大都可視為與宋徽宗有關的院本，並引證〈為臣不易〉滑稽優語與元雜劇中六本題有「上皇」的劇目，做為例證[86]。

然而在這些元雜劇中，關漢卿《宋上皇御斷姻緣簿》、陸顯之《宋上皇碎多凌》、呂大挺《宋上皇御賞鴛鴦樓》劇本均佚，無法確定是為宋徽宗或宋高宗。而屈恭之《宋上皇三恨李師師》，雖然劇本也已經佚失，但從歷史傳聞中，確可知徽宗與名妓李師師的故事；鄭廷玉《宋上皇御斷金鳳釵》劇本明言托名徽宗時代，均可肯定為上皇為宋徽宗。至於高文秀的《好酒趙元遇上皇》，元刊本中的人物為宋徽宗，但在脈望館抄本中卻改為宋太祖，如就題意而言，自當以徽宗爲是。

因此，上皇院本不妨視作爲宋徽宗與其他皇帝的院本。在這十四本院本中，就劇名來推敲，《戀鰲山》與《賞花燈》，應是敘述元宵佳節賞燈之事，與宋雜劇《看燈胡渭州》是相同的題材。在表演時，可能有炮杖燈彩的運用，以營塑燈節的情景氣氛；而《六變妝》可能運用喬妝的手法，也許還增添一些幻術變臉的技巧；《打草陣》則具有武術行陣的性質；《打毬會》則以宋代極爲流行的游藝「打毬」爲題材，宋雜劇有《雙打毬》、《打毬大明樂》。《太和正音譜》中有無名氏雜劇《打毬會》與此同名，或可見出雜劇承繼院本的關係。

㈢**題目院本：**

高承《事物紀原》載：「即合生之原，起於唐中宗時也。今人亦謂之『唱題目』。」（《四庫》第九二〇冊）一般咸以此爲據，認爲「題目」爲唐以來「合生」的別名，原是由胡人襪子何懿等歌言淺穢，「始自王公，稍及閭巷，妖伎胡人，街童士子，或言妃主情貌，或列王公名質，詠歌蹈舞。」（《新唐書·武平一傳》，卷一一九，頁四二九五）爲類似歌舞傳唱的表演。

在宋代百戲雜技中也有「合生」的技藝，或寫作「合笙」，所謂「與起令隨令相似，各佔一事。」（《都城紀勝·瓦舍衆伎》頁九十八）則是以談說爲主，如著名藝人「雙秀才」，從藝名中得知其必然學識飽滿，思想靈敏，口才便捷，故以秀才名之。而「雙」者，恰指出其自己一人兼任起令與隨令的雙重角色。然從「笙」字來看，則或具有詩詞歌樂的成分。

其實唐代以來就有所謂的「題目人」，以人事爲題目，類同宋合生「指物題詠」的表演旨趣[87]。而洪邁《夷堅志》中除引

「詠詩」與「唱曲子」爲合生例證外，又提及「其滑稽含玩諷者，謂之『喬合生』。」(卷六)，具有著「雜嘲」的特質，是以胡士瑩認爲宋代合生則是「指物題詠」，以歌詩詞爲主的「滑稽玩諷」式技藝，並發展爲「題目院本」的形式[88]。

李嘯倉推想題目院本的表演方式有兩種：一爲因題對答，另一爲隨時抓題目來取笑歌唱；胡忌則進而指出其內容，大約是以公卿、名士與官妓們爲對象，由其「搭檔」演出[89]。以此來探究這十四本題目院本，其中《蔡消閑》、《賀方回》、《王安石》爲歷史中的名人；《呆秀才》、《呆太守》爲文士官吏的身分，都恰相符「雜嘲玩笑」的特色；而《柳絮風》、《紅索冷》、《牆外道》、《共粉淚》、《楊柳枝》、《畫堂前》、《梅花底》、《三笑圖》、《競尋芳》、《隔年期》、《方偷眼》等，則似乎是藉由倡優妓女悲歡離合的境遇爲題材。至於《雙打梨花院》可能是在青樓妓院中，由於爭風吃醋所引發起來的「文打」或「武打」。

㈣霸王院本：

「霸王」王國維疑「演項羽之事」，又認爲「霸王即調名」。但藉由宋雜劇《霸王中和樂》、《霸王劍器》與《諸宮調霸王》劇目來對照，即知與後說矛盾，霸王非爲曲調名。就這六本霸王院本的名目來看，應是以楚霸王項羽功過成敗的一生與死後封神祀廟爲題材，「分裂天下而封王侯，政由羽出，號爲『霸王』。」（《史記·項羽本記》卷七，頁三三八）人世論述劉項常以成敗論英雄「成則爲王，敗則爲寇」，《悲怨霸王》可能爲項羽回首一生與聽述世人對自己的論評價，而悲怨交集；《范增霸王》演項羽與老臣范增事；《草馬項羽》藉項羽飼餵烏騅馬匹草料，說明當時戰況；《散楚霸王》則述演四面楚歌與烏江末路情境。

而《三官霸王》與《補塑霸王》則鋪演項羽死後，被敕封爲烏江渡口之神，人民建廟塑泥神加以供獻拜禱，惟不知此「三官」與「三官大帝」的神職有無關連。戲曲中以此爲題的有明沈自徵《杜秀才痛哭霸亭秋》、清《杜秀才痛哭泥神廟》、張韜《杜秀才痛哭霸亭秋》以及唐英《虞兮夢》。前三劇本事皆出自宋洪邁《夷堅志》，爲作者功名不得意，故借宋杜默累舉不進，因過烏江入謁項王廟，慟哭舒懷的故事來自喻，金院本題材或也出自於此。而唐英劇作旨趣類同前三劇，惟將不第士子易名作「江南秀士王訥」，全劇分〈禱霸〉、〈哭廟〉、〈賞花〉、〈神會〉四齣。

若依院本名目中所登錄的次序來看，似由倒敘方式總結再順敘。胡忌以爲「霸王」可引申爲武將的代表詞，故霸王院本爲行院表演武將內容的本子。並指出宋雜劇中《入廟霸王兒》與《單調霸王兒》，其「兒」字，「想是加上去的尾音」[90]。因而無論是以項羽、武將爲題，或多或少可能都加入些武打戰鬥的表演。

㈤諸雜大小院本：

諸雜大小院本由題意來看，便具有「紛雜」的豐富內容，「大小」可能就其表演體制與上場人數而言，合計共有一百八十九本，數量遠超過前四類院本總合的三倍。其原因不外是院本爲民間表演的底本，自然多取材於民衆所熟悉的人事物爲表演的主題，以便能吸引觀衆贏得共鳴。底下首要以表演的特點爲分類的標準，以見出雜技技藝的運用：

㈠以戲弄耍鬧為表演的特點：如《鬧學堂》、《鬧文林》、《鬧浴室》、《鬧酒店》、《鬧旗亭》、《鬧芙蓉城》、《鬧巡鋪》、《鬧平康》、《鬧棚闌》、《鬧結親》、《鬧元宵》等。以「鬧」自冠首的院本，常表明有「打鬥鬧騰」的內容，但也有些是以特定的事件時地，表現嘻鬧戲弄的情境。尤其這些場合往往爲群衆聚集或參與的活動地點，更提供許多歡娛嘻鬧的題材可供表演。

㈡以競技游藝的表演為特點：如《百戲孤》、《迓鼓二郎》、《哨店孤》、《禾哨旦》等，雖都爲人物形象的扮飾，但因其所扮演的人物類型，本身即具有雜耍技能，所以勢必有技藝的表演；而《打五贓》、《競花枝》、《競敲門》、《都子撞門》、《鬥鵪鶉》、《拷梅香》、《刺董卓》、《鋸周村》、《擊梧桐》等，運用打鬥擊刺等武術技巧，來表現事件的情境與行動，具有著「角觝」的本質；《九頭頂》、《五變裝》等，則以數目的多寡寓意其技藝的精湛，最是能展現表演者的眞工夫。

㈢以講論說話為表演的特點：如《調雙漸》以調侃嘲弄的方式表演；《賣花聲》爲叫賣花聲的口技模仿；《大論情》、《大論談》、《論秋蟬》、《四論藝》、《無鬼論》、《問前程》、《漁樵問話》等，則運用說話舌辯的技藝，表現對於人情事物的觀點，皆偏重於插科打諢一類的滑稽表演。

其次則以劇目題材的歸納爲主，以得知其所反映的內容：

㈠人物形象的模擬：院本中以「孤」爲主要角色的劇目有十二本，如《燒棗孤》、《孝經孤》、《菜園孤》、《貨郎孤》、《眼藥孤》、《陰陽孤》、《喬記孤》、《旦判孤》、《計算孤》、《雙判孤》等；以「酸」爲主要角色的劇目有十三本，如《合房酸》、《麻皮酸》、《花酒酸》、《狗皮酸》、《還魂酸》、《別離酸》、《王纏酸》、《謁食酸》、《三撲酸》、《哭貧酸》、《插撥酸》、《是耶酸》、《怕水酸》等；以「旦」為主要角色的劇目有八本，如《酸孤旦》、《毛詩旦》、《貧富旦》等；還有以「兒」為末名的十八本中，有些是屬於人物角色的扮演，如《蔡奴兒》、《似娘兒》、《教學兒》、《醜奴兒》等，經由劇目中生動鮮明的形容，勾畫出社會中形形色色人物的多樣面貌。

㈡物品景觀的描寫：如《文房四寶》、《琴劍書箱》、《書櫃兒》、《寬布衫》、《泥布衫》、《四拍板》、《海棠春》、《香藥車》、《更漏子》、《紙欄兒》、《喜牌兒》、《卦冊兒》、《繡篋兒》、《粥碗兒》、《棱角兒》、《鴨雞兒》、《田牛兒》、《小丸兒》等，以文具用品、生活百貨、雞禽家畜、醫藥丸物作為搬演的內容，極可能是運用滑稽伶俐的說話技藝來表演；而《白雲庵》、《三園子》、《長慶館》、《卦鋪兒》則是對於風景名勝、館舍店鋪的描述。

㈢神鬼釋道的妝扮：如《馬明王》、《瑤池會》、《八仙會》、《蟠桃會》、《謝神天》、《雙福神》、《五鬼聽琴》、《四道姑》、《獨腳五郎》、《壞道場》、《金壇謁宿》、《晉宣成道記》等，以佛家道教中的神佛鬼怪，作為搬演的題材，足見當時宗教的盛行。

㈣官場朝政的反映：如《四國來朝》、《進奉伊州》、《同官賀壽》、《洪福無疆》、《滿朝歡》、《四方和》等，以國勢天下一統、朝野慶賀為題材；《官吏不和》、《同官不睦》、《判不由己》等，則刻畫官場鉤心鬥角的情形；

《監法童》、《鼓角將》、《癩將軍》等，為官員將士的扮演；《雙揭榜》、《太平還鄉》、《衣錦還鄉》等，則表現高中得官與戰勝還鄉的情境，應多由副淨擔綱演出。

(五)市井百態的表現：《趕湯瓶》、《紙湯瓶》、《三出舍》、《三入舍》、《倦成親》、《窮相思》、《趕門不上》、《洗兒會》、《藏鬮會》、《賣花容》、《花前飲》、《醫作媒》、《雙藥盤街》、《風流藥院》、《酸賣徠》、《四酸擂》、《四酸諱偌》、《四酸提侯》、《雙捉婿》、《賒饅頭》、《壞食店》、《壞粥店》、《蒙啞質庫》、《錯上墳》、《隔帘聽》、《提頭巾》、《三索債》、《回回梨花院》、《兩相同》、《兩同心》、《大勘力》、《入桃園》、《雙防送》、《老孤遣旦》、《纏三旦》、《哮賣旦》、《偌買旦》、《趕村禾》、《防送哨》等，則以市井社會中的人生百態為題，運用詼諧戲謔的表演方式，輕鬆寫實的嘲諷反映生活中的尋常瑣事。

(六)故事話文的搬演：《芙蓉亭》、《莊周夢》、《蝴蝶夢》、《花酒夢》、《蘭昌宮》、《十樣錦》、《白牡丹》、《赤壁鏖戰》、《杜甫游春》、《鴛鴦簡》、《月夜聞箏》、《張生煮海》、《佛印燒豬》、《劉盼盼》、《牆頭馬》、《牽龍舟》、《淬蘭橋》、《陳橋兵變》、《廣寒宮》等，故事情節性強，體制較為完整，在小說戲曲中經常可見同名的故事搬演，應是與院本相互汲取承繼。

在這些洋洋可觀的名目中，有些所述及的內容、情節與人物都較為複雜，或許就是屬於諸雜大小院本中的「大院本」形式。而經由表演特點與題材內容的分析，可以發現其中具含耍笑嘻戲的特質，顯現出「蒼鶻打參軍」的「戲弄」傳統。縱觀以上這五類院本，都逕直冠以「院本」的稱謂。而據〈院本名目〉前的說明：

> 金有院本、雜劇、諸公（宮）調。院本、雜劇其實一也。國朝院本、雜劇始釐而二之。院本則五人：一曰副淨，古謂之參軍；一曰副末，古謂之蒼鶻，鶻能擊禽鳥也，末可打副淨，故云。一曰引戲，一曰末泥，一曰孤裝。又謂之「五花爨弄」。或曰，宋徽宗見爨國人來朝，衣裝鞋履巾裹，傅粉墨，舉動如此；使優人效之以爲戲。又有焰段，亦院本之意，但差簡耳，取其如火焰，易明而易滅也。其間副淨有散說，有道念，有筋斗，有科泛，教坊色長魏、武、劉三人鼎新編輯。魏長於念誦，武長於筋斗，劉長於科泛，至今樂人皆宗之。偶得院本名目，用載於此，以資博識者之一覽。（卷二十五）

可知院本又可稱爲「五花爨弄」，或稱「爨弄」(《青樓集》，《戲曲論著集成》第一冊，頁七)。簡短一些的或稱爲「焰段」，是以院本遂有有狹義與廣義的區分。而院本主要的演員陣容與宋雜劇相同，又有如宋雜劇「艷段」的「焰段」，無怪乎一般都將金院本等同於宋雜劇。爨弄，與雲南一帶的爨人有關，在宋雜劇中已經述及。而「五花」，則意味著五種角色的扮演，爨人「男女文身，去髭須、鬢、眉睫，以赤白土傅面，綵繒束髮，衣赤黑衣，躡繡履，帶鏡。」(《雲南通志略》)則說明其具有著塗面紋身的裝扮。

其實在宋元之時，「五花」也常用指稱其他表演技藝，如周密《癸辛雜志》後集記載宋臨安德壽宮舞譜中有《五花兒舞》；

在宮廷隊舞中擔任「引舞」的隊員，通常以五人分列東西南北中五個方位，形成花心，也猶如「五花」般。而在宋陳元倩《事林廣記》續集卷七載《圓社市語》中提到蹴踘的情形：「又怕五角兒衝撞我沒蹺踢，……【尾聲】五花叢裡英雄輩。」也以「五花」形容描述。

宋金雜劇院本中，以「五花」為角色行當的原始雛形，寒聲以為受到長遠以來五行民俗觀的影響，並採用隊舞中「五花引舞」的形制，這標示出由「引舞」演變為「引戲」，由「隊舞」過渡成「隊戲」的歷程[91]。《東京夢華錄·十四日車駕幸五嶽觀》中記載有「駕入燈山，御輦院人員輦前喝『隨竿媚來』，御輦團轉一遭，倒行觀燈山，謂之『鵓鴿旋』，又謂之『踏五花兒』。」（卷六，頁三十六）的表演形式，對照《水滸全傳》中對相撲表演的描繪：

> 任原看看(燕青)逼將入來，虛將左腳賣個破綻。……被燕青去任原左胅下穿將過去。……三換，換得腳步亂了，燕青卻搶將入去，……把任原直托將起來，頭重腳輕，借力便旋五旋；旋倒獻臺邊，叫一聲：「下去！」把任原頭在下，腳在上，直攛下獻臺來。這一撲，名喚做「鵓鴿旋」。（七十回）

以鵓鴿鳥兒倒行旋轉的姿勢來命名，倒也十分傳神。而「踏五花兒」的名稱 ，表現出依喝唱節律隨地踏舞的特色，說明了踏舞與踏爨之間的關聯。在一百零七本的〈諸雜院爨〉中，有一本名為《開山五花爨》的院本，李家瑞解釋為「戲棚開張時所演的院本」[92]，曾師則以為更明確地說即是戲棚開張時所演出的「五花爨弄」，或許就是以「踏五花兒」舞姿為主。而在「開山」時掛些紙錢，原本有除煞祭臺的作用，以《開山五花爨》來搬演，又可再加上五行內在意涵的發揮，來辟邪祈福，迎吉納喜。

宋蘇漢臣有《五瑞圖》(彩圖㉕)，圖中有五人在踏舞，同向右方行進。據學者考證，右下一人，作官員裝扮，應爲裝孤；右上一人，戴面具，下掛長髯，頭挑招子，腰繫葫蘆，或爲副末；中間一人，面畫八字眉、一字鼻與黑嘴圈，當爲副淨；左下一人，眉目清秀，耳上有環，疑爲末泥；左上一人，戴面具，雙手執小桃鼓，或是引戲[93]。此可能爲嬰童模仿優人表演五花爨弄的情景，也許就是「踏五花兒」的踏舞形式。稱之爲《五瑞圖》，恰凸顯出豐瑞昇平的喜慶意義。

〈諸雜院爨〉中的劇目，大致可區分爲幾種類別：一是具有大曲、法曲等詞牌名的，如《鬧夾棒六么》、《鬧夾棒法曲》、《逍遙樂打馬鋪》、《夜半樂打明皇》、《集賢賓打三教》、《打白雪歌》等，應是配合樂曲來扮演；一是具有劇目冠有千字文的，如《背鼓千字文》、《變龍千字文》、《摔盒千字文》、《錯打千字文》、《木驢千字文》、《埋頭千字文》等，想來是以千字文作爲題材，從其中摘取詞句串聯成相關的主題；一是劇目上以爨爲末字的，如《講蒙求爨》、《講心字爨》、《講百果爨》、《講百花爨》、《講百禽爨》、《變二郎爨》、《變柳七爨》、《三跳澗爨》、《跳布袋爨》、《打王樞密爨》等，這些應就是「爨體」，其內容包含了講說、變幻、跳打等表演形式。

在院爨中，還有一些是以講說的方式表演，如《講來年好》、《講聖州序》、《講樂章序》、《講道德經》、《神農大說藥》等[94]，於劇目中明顯標示有講說形式，其中包含著不少以詩書爲題材的。其他劇目如上述千字文等劇目，以及《琴棋書畫》、

《詩書禮樂》、《訂注論語》、《論語謁食》、《擂鼓孝經》、《蓑衣百家詩》、《埋頭百家詩》、《雪詩打樊噲》、《太公家教》等，可能以舌辯嘻謔的方式，嘲諷一些迂學腐儒。

而部份以四字成語或歷史典故爲劇名的，應也是運用各種說話的技巧來表現，只是沒有在劇目中標注，如《歡呼萬里》、《山水日月》、《地水風火》、《佳景堪游》、《風花雪月》、《春夏秋冬》、《香茶酒果》、《皇都好景》、《松竹龜鶴》、《王母祝壽》、《和燕歸梁》、《蘇武和番》、《清朝無事》、《豐稔太平》、《一人有慶》、《四海民和》、《金皇聖德》、《皇家萬歲》等，有的具有頌揚祝賀之意，有的述說四時的風光景致，有的以吟詠生活器物爲題。

踏爨雖以「詠歌踏舞」爲主體，但在院爨中卻涵括插科打諢、滑稽跳鬧等技藝，而這些道念、筋斗、科泛的表演，主要由「副淨」來擔綱演出。這種慣例流傳到後世，在元明戲曲中充分發揮。在稷山馬村二號金墓出土戲劇雕磚中(彩圖㉖)，有四個雜劇演員正在作場，右一人爲官員打扮，作坐姿；右二人爲胥吏扮飾，右手持杖，顯然爲以仗擊人的發諢者；右第三人裝扮亦爲官員，正與落坐官員交談；右邊第四人則爲市井小民打扮，左手挑一長竿，竿頭垂一繩，下懸一物。從四人神態來看，則在談論一些事情。似乎有點相近爲《呆太守》、《打王樞密爨》、《同官賀壽》的演出[95]。這圖像中只有四人，且有兩個裝孤，一爲副淨，一爲節級，可見「五花爨弄」只是一般通例，須依照劇情需要來設定角色，非絕對必然。

相形之下，金院本的焰段形式更爲豐富多樣。〈衝撞引首〉就題意來說，「引」有導引的意思，「首」可解釋爲開始，《新刊大字魁本全相參增奇妙注釋西廂記》有〈崔張引首〉作爲開場，類同於話本中「入話」；而「衝撞」，或寫作「沖撞」，在宋元時的流行口語中意指「唐突冒犯」的意含，而在此處與引首連稱，如言「沖場」，即指開場時演出的短劇。從表演形式的角度來看，可以將劇目概括爲：

㈠運用說話技巧：

劇目上標明爲論說形式的，如《說狄青》、《說古人》、《論幾句》、《說罰錢》等，其取材來自稗官野史、風土人情；如《歇貼韻》、《唐韻六帖》、《村城詩》、《歇後語》、《蘆子語》、《回且語》、《己已巳》等，以詩文俗語的雙關錯簡爲題；如《酒糟兒》、《苗青根白》、《支道饅頭》、《山梨柿子》、《四魚名》、《鐺鍋釜灶》、《枝頭巾》、《窄磚兒》、《四門兒》、《香供奉》等，以食品餐飲及日常用具爲題；如《奶奶墳》、《四座山》、《四怕水》、《記水》、《鸚哥貓兒》、《雙雁兒》、《霸王草》等，以地理景致與動物植物爲題。此外，還有刻畫官司衙門的諸種行事，描摹官員胥吏嘴臉的，如《僉押》、《扯狀》、《多筆》、《燒奏》、《略通》、《求愣》、《告假》、《捉記》、《調賊》、《打調劫》等。

這些耳熟能詳的生活俗事，透過插科打諢、嘻笑怒罵、說學逗唱等說話技巧，表現言語上的衝突弔詭。而一些口語化的劇目，眞實地表現出院本質樸俚俗的民間生命力，如《三般尿》、《我來也》、《情知本分》、《一日一個》、《胡椒雖小》、《通一母》、《拖下來》、《身邊有藝》、《難古典》、《左必來》、《合五百》、《年紀大小》、《計頭兒》、《打淡的》、《照淡》等，以此作爲院本表演的開場，應當能引起觀衆熱烈地迴響。

㈡**經由喬妝扮演：**

經由喬妝假扮的樂舞形式，在輕鬆詼諧的氣氛下，表現出人世的生活百態，如《柳青娘》、《轉花枝》、《山麻秸》、《搗練子》、《淨瓶兒》、《天下樂》、《憨郭郎》、《調笑令》、《調劉袞》、《舞秦始皇》、《學像生》、《喬道場》、《喬捉蛇》、《啞伴哥》、《呆木大》、《提頭帶》、《賣官衣》、《請車兒》、《一借一與》、《驢城自守》等。

這些劇目中有的是曲牌名，有的與《武林舊事》中舞隊的名稱相同，不外是借由「學」、「喬」的手法，來模仿扮演如凶暴殘忍的秦始皇，散耍翹楚的劉袞，憨傻淳厚的傀儡郭郎，殘障喑啞的伴哥兒，愚痴瘋顛的呆木大等人物；或者是表現逼眞生動的口技，誦經拜神的道場百態，驚險刺激的捉蛇過程，瀆官褻職的官場文化等。

透過詼諧逗趣、裝瘋賣傻的歌舞表演，藝人們藉由古今題材，包裝誇飾的手法，表達對古人史事的褒貶，對世俗人情的觀感，對價值取捨的評判，對宗教心態的抒發。以輕鬆愉快的表演節奏，深刻地嘲諷戲弄人世間的利害衝突、虛僞矛盾，使觀衆在會心一笑之餘，感受更多心靈的衝撞動盪，並借此抒放壓抑沈悶的情感，表達喜怒愛憎的眞誠。

㈢**搬演武術雜技：**

熱鬧刺激的武打戰術，通常能夠渲染開場的氣氛，叫人屏氣凝神、爭相目睹，如《打三十》、《打謝樂》、《打八哥》、《三打步》、《羅打》、《小鬧摑》等，以武術的表演爲主；而《錯打了》、《錯取了》、《串邦了》、《拖下來》等，則加入一些荒謬幽默的笑料，如弄錯對象、穿幫失手、落敗拖延等情節，以增添表演的歡樂效果。

而高超驚險的雜技技藝，更是觀衆矚目的焦點，如《定魂刀》、《生死鼓》、《遮截架解》、《大支散》等，應是運用幻術催眠的手法，令人神魂出竅、忽生乍死；或利用障眼搬運的技巧，將人大卸八塊、支離分解；而《盤榛子》、《打扇》、《穿百倬》、《歡會旗》等劇目，則是借用榛葉、扇子、桌子、旗子等作爲表演的道具，以展現盤旋耍打、翻穿撲滾的特技技巧；而《相眼》、《朦啞》、《嘴笛兒》、《斗鼓笛》、《盤蛇》等表演，則可能是運用自己身軀或假借其他道具，來表現一些戲法。

這種武術雜技的表演，無疑是以一些超乎平常人體力與軀幹所能承擔的技能，來展現肢體上的衝突矛盾。當然更可配合一些簡短劇情的設計，發揮遊戲輕漫的特質，在贊歎嘻笑的歡娛中，得到衝突刺激的快感。充當開場的焰段，是相當能將觀衆的情緒沸騰起來。

至於〈拴搐艷段〉與〈打略拴搐〉，同樣具有「拴搐」的功能。「拴搐」有「縛繫牽引」的意思，挑選簡短的院本，以便與所搬演的正院本有所聯繫，猶如家門大意的演述。〈拴搐艷段〉強調其艷段的性質，如逕直以艷段爲名的有：《四妃艷》、《四王艷》、《球棒艷》、《破巢艷》、《開封艷》、《鞍子艷》、《蝗蟲艷》、《修行艷》、《棗兒艷》、《蠻子艷》、《快樂艷》、《慈烏艷》、《打虎艷》、《七捉艷》、《般調艷》、《撅子艷》十六種，或以人物用具爲題，或與事物情態有關，可以端視正劇的性質加以搭配。

劇目中如《襄陽會》、《襄陽府》、《張天覺》、《劉金帶》、《陳蔡》、《范蠡》、《衙府則例》、《還故里》、《少年游》、

《仙歌兒》等，似帶有故事性；而《三拖旦》、《四廚子》、《四生厲》、《四草蟲》、《門帘兒》、《金鈴》、《桃李子》、《杏湯來》、《麥屯兒》、《大菜園》、《十果頑》、《十般乞》、《十隻腳》等，應是運用類比法或誇飾法，將生活中人物用品與蔬果食物等相似的題材，一同串編搬演，以收對比滑稽的「笑」果；猶如《大劉備》、《胡餅大》、《大對景》、《小護鄉》等，冠以「大」、「小」爲名的，即可能以扭曲變形的方式，來嘲諷表演。

說唱曲藝的形式，也是常用於開場起頭的。如《天長地久》、《天下太平》、《春夏秋冬》、《日月山河》、《風花雪月》等，就是經常可見的段子；而《罵江南》、《罵呂布》、《說古棒》、《唱柱杖》、《諸宮調》、《打論語》，則分別運用講罵、說唱、打字謎的方式來表現，至於其題材亦多取自古籍詩書中，如《千字文》、《石榴花詩》、《酒家詩》等；至於《啞漢書》、《錯寄書》、《三文兩撲》、《舌智》等，可能就發展出一些趣味性的故事情節來表演。

其中《眼裡喬》劇目恰與北宋「雜扮」藝人《眼裡喬》同名，可能表演的內容就是藝人拿手的技巧，故名之。是以《喬唱諢》、《喬打聖》也可能皆爲演員名，前者善於說諢經或諢話；後者可能長於表演七聖法。而像《驢軸不了》、《金含愣》、《叫子蓋頭》、《嘴搵地》、《屋裡藏》、《感吾智》、《雕出板來》、《釵髮多》、《鞭敲金蹬》、《歸塞北》、《望長安》、《長安住》、《睡起教柱》、《睡馬杓》、《謝天地》、《建成》、《縛食》、《訪戴》、《俯飲》、《衆半》等劇目，則運用通俗的語彙來表達所要搬演的內容。

至於《斗百草》、《打婆束》、《打青提》、《扯休書》、《請生打納》、《鞭寨》、《套靴》等，較具有雜技武術表演的特質。其中的《打青提》，出自《目連救母》中目連之母劉青提在地府爲鬼卒拷打的演出，一般常見穿插有「打飛叉」、「爬刀山」、「下火海」等雜技的耍弄，或者其他表演也是以類似方式搬演。

而〈打略拴搐〉中四十五種細名與「家門」，正是開場時用以對正劇中各種人物與題材的介紹。李嘯倉曾將之歸納爲講事物名稱的二十七種，講某某家門的十四種，其他難字兒、酒下拴、唱尾聲、猜謎四種。並指出其演出「容或並非一人。」[96]如「猜謎」與「難字兒」起碼應有兩人以上才能表演。宋代說話技藝盛行，除小說、講史、說鐵騎兒、說經四家外，還有如說諢話、商謎、學鄉談、說藥、消息等各種「雜說」[97]。〈打略拴搐〉的表演，或即縱合運用此這類舌辯藝術。

關於〈諸雜砌〉，王國維引證「劉昌詩《蘆浦筆記》謂街市戲謔，有打砌、打調之類。」懷疑其爲「雜扮」一類的滑稽戲支流；鄭振鐸亦解釋爲「諸種雜扮」；孟瑤則指出古「砌」與「趣」字通用，雜砌爲用在正雜劇之後作收場用的雜趣；胡忌則以爲「砌」爲戲謔表演的名稱，打砌，或可說爲「使砌」、「點砌」，其本意爲「有意開玩笑」。

是以「雜砌」相當於雜扮，是居於散段的位置。運用「插科打諢」的表現手法，既有喬妝扮飾，如《蛇師》；也有字謎猜打，如《石婦吟》；或有打鬥嘻鬧，如《鋸周村》；也運用道具砌末，如《走鸚哥》等，可以說將「打」字的技藝特點發揮無遺。《錄鬼簿》施惠名下載：「詩酒之暇，惟以塡詞和曲爲事。有《古今砌話》，亦成一集，其好事也如此」(《戲曲論著集成》第二冊，頁一二三)，可見劇作家也從事「砌話」的寫作，當然在戲曲中也會加以汲取應用。

而在院本名目中有一類所謂〈院么〉的劇目。〈院么〉，或稱爲「舊么麼院本」，爲院本的改進者[98]。從名目上看，短小戲耍的劇目似乎不多。而《王子端捲簾記》、《女狀元春桃記》、《龐方溫道德經》、《叮噹天賜暗姻緣》等劇目已相當接近元雜劇名稱，故事性應該較爲豐富，在體制、曲唱、科泛等方面，雖不如元雜劇那般嚴謹成熟，但可能也在逐步發展中。

山西金代侯馬董氏墓，出土磚雕戲臺模型一座，內有五個彩繪戲俑，似作「亮相」狀（彩圖㉗）。正中一人著圓領紅袍，雙手捧笏，扮爲官員；左起第一人面似繪蝴蝶臉譜，裸胸袒臂，上皆有「點青」刺繡花紋，當爲副淨；左第二人裹黑襆頭，著皂衣，作衙吏打扮；左第四人，右手握一紈扇，張口露齒作舞蹈狀，爲女子模樣，當爲引戲；左第五人，臉塗三角形白粉塊，以墨跡貫雙眼，右手食指及大拇指放置口中，作吹口哨狀，左手握一上粗下細的黃色大棒，似爲淨丑一類腳色[99]。

此座舞臺模型與戲俑，與元代舞臺遺跡及洪洞縣霍山明應王殿「大行散樂忠都秀在此作場」的元代戲劇壁畫相比較(彩圖㉘)，極爲相近。其中「副末」處於中心位置，不同於以往出土的宋雜劇與其他金代墓俑，居於次要角色的地位。顯見其朝向元雜劇過渡的跡痕，當可視爲元雜劇的前身。而戲俑中第五人「趨蹌嘴臉天生會，偏宜抹土擦灰，打一聲哨子響半日」（《宦門子第錯立身》）的形象，可能爲院本中《禾哨旦》、《防送哨》等副淨的特質，並爲後世戲曲演員所襲用。

元明雜劇中，仍存留有院本滑稽逗趣的演出片段，如《降桑椹》第二折請醫替卜兒看病一段，即爲《雙鬥醫》院本的運用形式；明雜劇《嬌紅記》中標明著穿插《行著說仙法》、《店小二哥》、《乾打手》、《黃丸兒》、《師婆兒》的穿插，甚至成爲一種科泛形式，如《西廂記》卷三第四折，寫夫人著長老請太醫爲張生治病，文曰：「洁引淨扮太醫上，雙鬥醫科泛了，下。」院本詼諧戲謔的表演特質，成爲戲劇中用以插科打諢的襲套。

元雜劇《飛刀對箭》第二折中，張士貴上場時的自報家門，即「卒子家門」中《針兒線》院本的運用。其類似「數來寶」的唱念表演，也成爲後世戲曲演員出場時常用的「數板」形式。至於明朱有燉《呂洞賓花月神仙會》雜劇第二折錄有《長壽仙獻香添壽》院本，與《李亞仙花酒曲江池》中的《酒色財氣》一段，則如同「和曲院本」一類，具有樂曲演唱或伴奏的院本形式。河南修武出土的石棺，左側繪刻題爲《小石調·嘉慶樂》的演出場面(圖㊶)：兩側有樂隊伴奏，中間兩個演員化妝成官員在作場，可能即此類院本的表演情形[100]。

縱觀金院本各類目中的劇目，有不少相同的。不知是在表演形式上有所區別；還是在內容上有所差異；或可能是一完整院本的不同段落。僅從名目很難去窺見其表演的形式與內容，也許如同「念誦的套子，筋斗的格局，科汎的路數」等，運用雜技武術來演出。如《禮節傳簿》中的院本《鬧五更》，據山西老藝人的口述，乃是由某一演員將故事內容轉述完畢後，劇中兩角色又單另表演一段與戲劇內容無關的「葷謎素猜」的謎語對話；《土地堂》院本則在劇中運用雜技技藝，穿插表演謊張三幾番上吊的情節等，提供我們一些可參考比對的資訊[101]。

金院本在故事題材方面，相當的豐富多元，上自君王將相，中至官吏秀才，下至市井小民，舉凡醫卜星相、和尚道士都在裝扮的範圍之內；而其表現的手法，或喬妝扮飾，或詠歌踏舞、或談說使砌，或雜耍戲弄，或說唱曲藝等，在輕鬆詼諧的氣氛下，表達對人世間的嘻笑戲謔，恰顯現出「笑樂院本」或「耍樂院本」的本質。

三、宋元南戲——永樂大典戲文三種

南戲，爲宋元時流行於南方的一種戲曲藝術，依明徐渭《南詞敘錄》的記載，乃是起始於宋光宗時：

> 南戲始於宋光宗朝，永嘉人所作《趙貞女》、《王魁》二種實首之，……「或云：『宣和間已濫觴，其盛行則自南渡，號曰『永嘉雜劇』，又曰『鶻伶聲嗽』。」其曲，則宋人詞而益以里巷歌謠不協宮調，故士夫罕有留意者。元初，北方雜劇流入南徼，一時靡然向風，宋詞遂絕，而南戲亦衰。順帝朝，忽又親南而疏北，作者蝟興，語多鄙下，不若北之有名人題詠也。
>
> （《戲曲論著集成》第三冊，頁二三九）

然對照祝允明《猥談》中的相關記載，或可言南戲於「趙閎夫榜禁」之時，已由溫州一帶流傳到杭州。故以其濫觴於徽宗「宣和」之間，也是有幾分可能。歷來對南戲有許多不同的稱呼，其中「南曲戲文」、「南戲文」、「南戲」，乃是相對於「北曲雜劇」而言；冠之以地名的「永嘉雜劇」、「溫州雜劇」，一則說明其與原先流傳的宋雜劇有所區別，一則標示出其起源的地域；而「鶻伶聲嗽」則本於「金元闤闠談吐」，爲宋金市語，爲當時人的俗稱； 而由於南戲所敷衍的是唐傳奇或話本小說所描寫的故事 情節，故也有稱為「傳奇」或「詞話」的[102]。

浙江溫州，位居東南海隅，依山為城，環海為地，由於地處偏僻、形勢險要，故很少受到戰亂的破壞屠戮，物產富庶，社會安定。宋室南渡之後，高宗趙構曾避金兵浮海逃至溫州，以「州治為行宮」(《溫州府志》)，連太廟神主也遷來溫州（《宋史》卷二十八，頁五二〇），所有宮廷排場皆承襲舊制。隨之蜂擁而來的大批皇族貴戚、官僚豪紳，更促使其城市人口劇增，經濟繁榮發展，成為重要的對外貿易通商口岸。

溫州文風鼎盛，「號稱六藝文章之府」（宋王禕《送顧仲明序》)。人民性喜靡華，以歌舞祭鬼神與自娛「回廟長歌謝神助」（宋葉適〈端午行〉）。故隨著市民階層的興盛，娛樂活動需求的增加，各種技藝的匯集交流，為南戲的產生提供了溫床。形成之初，以古代歌舞戲、滑稽戲為基礎，並在宋人詩詞樂曲上，加入南方民間畸農市女順口可歌的「里巷歌謠」、「村坊小曲」，成為搬演故事的民間小戲，而後則盛行於閩浙南方一帶。劉念茲則提出「閩浙沿海多點說」的看法，認為在北宋宣和年之後，南戲已分別出現在浙江溫州與福建莆田、仙游、泉州、漳州等地，並相互吸收影響，使南戲迅速發展成為流行於我國南方各地的大型劇種[103]。

而「溫州雜劇」又名「鶻伶聲嗽」，依湯顯祖注《董解元西廂記》【點絳唇】曰：「鶻鴒，即胡伶，聰明之謂」(第二折)。「鶻」中原音韻讀作「胡」，錢南揚認為可引申作「伶俐」或「玲瓏」解；劉大海則以為鶻為「滑」的通假字，故「鶻伶」與「蒼鶻」都可視作「滑稽的優伶」；洛地則指出是宋人對溫州、臺州、處州一帶優伶的稱呼；鄭西村則進一步引申鶻伶有「圓」義，引申爲「諢」義，當時演員多是「妓而優」者，上演這些打諢使砌雜劇的場所，甚可稱爲「鶻伶窩」[104]。

聲嗽，聲爲聲腔，嗽爲咳嗽，同義疊用，可指爲語音唱念的腔調。但鄭西村卻引證明代《墨娥小錄》中的資料，說明聲嗽包括歇後語、諺語等調侃語的「市語聲嗽」，及指砌字隱語的「行院聲嗽」二種。是以「鶻伶聲嗽」除代表當時人對溫州雜劇的俗名膩稱，意味著「伶俐腔調，或玲瓏腔調，意在矜誇戲文腔調的圓美，出乎古劇之上」外，或可表明其係用砌語渾語來「打諢使砌」的舞臺藝術表演特質，如《張協狀元·開場》【滿庭芳】曲詞所云「酬酢詞源諢砌，聽談論四座皆驚」，以及當時市民群衆對其具有女演員參加演出的習慣性稱呼。

這其中，似乎揭示了「院本」與南戲的關聯。這些優妓居住於「行院」之中，自然嫻熟於「行院聲嗽」；而作爲「行院之本」的院本類別中，也有所謂的〈諸雜砌〉，可視爲舞臺上滑稽戲謔一類的表演。因此，初期南戲繼承了宋雜劇金院本中「滑稽詼諧」的表演特色，如《張協狀元》五十三齣中，以淨丑專場或插演的滑稽打諢場面，多達三十五處之多，故以之作爲永嘉雜劇的另稱。

雖然宋光宗的堂兄弟趙閎夫曾禁行南戲，但從劉一清《錢塘遺事》中的記述可知：「至戊辰(1268)、己巳(1269)間，《王煥》戲文盛行於都下，始自太學有黃可道者爲之。」南戲仍然盛行於南宋都城杭州，並開始有了太學生爲其編寫劇本。由於南戲來自於民間，作者絕大多數爲民間藝人與書會才人，如杭州有「古杭書會」，溫州有「永嘉書會」，蘇州有「敬先書會」等，故在思想與藝術上都呈現鮮明的民間文學色彩，深刻的反映了時代社會的種種面向。

元統一南北之後，南戲與北雜劇並存於劇壇，相互交流影響。雖有「南戲亦衰」、「南戲遂絕」(明葉子奇《草木子》)的說法，但從《九宮正始》中所徵引的元人戲文多至一百三十餘種，元末女演員龍樓景、丹墀秀「專攻南戲」(《青樓集》頁三十二)，與元代大都隆福寺刊刻過鄧聚德《三十六瑣骨》戲文(張大復《寒山堂曲譜》)等相關資料的佐證，可知南戲仍然盛行於元代，只是就質量、數量、與流布地域而言，不如北雜劇的繁盛。

宋元南戲散佚失傳的情形甚多[105]，又加以明代文人士大夫的點染翻改，現今所能見到最早的南戲劇本，以《永樂大典戲文三種》保存原有的宋元舊貌較爲完整。故本節即以《張協狀元》、《宦門子第錯立身》、《小孫屠》三種戲文作爲主要探討資料，並參酌《白兔記》、《劉希必金釵記》等宋元古南戲[106]，藉以從中了解早期南戲的劇本創作與演出形式，以得知南戲如何吸收汲取宋金雜劇院本與諸種百戲技藝的養分，而發展成爲「唱念做打」綜合的戲曲形態。

㈠在結構安排方面

南戲開場，由副末登場介紹劇情，借詞調敘明作者意趣，並夾雜逢場作戲的套語。而後照例有一段問答與唱念，如《小孫屠》「後行子弟，不知敷演甚傳奇？(衆應)《遭盆吊沒興小孫屠》(末再白)」；《金釵記》「衆子弟每，今夜搬甚傳奇，(內應)今夜搬《劉希必金釵記》」這種問答形式，是受到宋隊舞中以竹竿子「勾隊」、「致語」的影響。《張協狀元》則藉由說唱一段諸宮調作爲引首，「似恁唱說諸宮調，何如把此話文敷演。後行腳色，力齊鼓兒，饒個攛掇，末泥色饒個踏場。」招呼後行腳色

(樂隊)演奏，勾取末泥色上來表演。

《張協狀元》第一齣中，以五首曲文所組成介紹張協身世與別親赴試遇盜經歷的《諸宮調張協》，作爲引首「唱出來因」。或如〈官本雜劇段數〉中《諸宮調掛冊兒》、《諸宮調霸王》，與〈金院本名目〉中〈拴搐艷段〉一類中《諸宮調》院本的應用，提示出說唱諸宮調可作爲「艷段」的形式，用來連結正劇的表演內容。因爲諸宮調流動迅速的特質，是相當適合作爲開首時對劇情的披露，以引起觀衆懸念而產生強烈地觀賞欲求，既能招攬觀衆，也能增強演出效果[107]。

是以雜劇院本中的艷段，可能只是以諸宮調的敘述體來說唱「話文」，而南戲則更進一步運用科白、歌舞等各種表演藝術來敷演「話文」。這不僅說明南戲在結構成分上沿用雜劇院本的體例，且誠如《夢粱錄·百戲技藝》中所述：「凡傀儡，敷衍煙粉、靈怪、鐵騎、公案、史書、歷代君臣將相故事，話本或講史，或作雜劇，或如崖詞。」(卷二十，頁三十一)可以自話本傳奇中取材，並將表演技藝與敘事文學結合。

> （生）後行子弟，饒個【燭影搖紅】斷送。（眾動樂器）（生踏場數調）(生白)【望江南】多忔戲，本事實風騷。使拍超烘非樂事，築毬打彈謾徒勞，設意品笙簫。諳諢砌，酬醉仗歌謠。出入須還詩斷送，中間惟有笑偏饒，教看眾樂醄醄。適來聽得一派樂聲，不知誰家調弄？（眾）【燭影搖紅】。（生）暫藉軋色。（眾）有。（生）罷！學個張狀元似像。」（《張協狀元》第二齣）

由「軋色」來負責【燭影搖紅】樂曲的斷送，並配合著樂曲節奏在場上表演「踏場數調」的樂舞表演，正是宋雜劇中曲破斷送的形式。在《白兔記》的開場，副末頌詞念畢後，爲有聲無詞的「哩囉嗹」【紅芍藥】樂曲，也是屬於斷送曲的形式[108]。由於「斷送」可以作爲待客時的「饒頭戲」，與收尾時的「送場戲」，故如《劉希必金釵記》在劇尾正文之後附有四支【黑麻序】曲，分別詠唱春夏秋冬四季景物，也可視爲斷送曲的形式。而所謂「出入須還詩斷送」的記敘，或如《武林舊事·皇后歸謁家廟》中的記載「勾雜劇色，時和等作《堯舜禹湯》，斷送【萬歲聲】。合意思，副末念『雨露恩濃金穴貴，風光遠勝馬侯家』。」(卷七，頁四八七）由念誦詩文的收場形式演化而成；並在元雜劇中成爲一種定式[109]。

南戲有時也直接擷取宋金雜劇院本中的片段，如《張協狀元》第二十四齣，有一段運用【麻郎】曲調的「賴房錢」滑稽表演，應是移植自〈宮本雜劇段數〉《賴房錢啄木兒》的演出形式，只是所用曲調不同；而第八齣中一段描寫五鳴山強人等舞拳弄棒的表演，則類同於〈宮本雜劇段數〉中的《鬧棒夾爨》與〈院本名目〉中的《說古棒》。由此可見，南戲在結構安排上，多少採納宋金雜劇院本的體例。

㈡在曲調組織方面

南戲在初期雖爲「宋人詞而益以里巷歌謠不協宮調」的情形，但在吸收融合宋金雜劇院本與民間說唱樂曲成分後，已逐漸構成較具規模的樂曲體制。以《張協狀元》爲例，其中包含有各種不同的曲調一百六十四種，考其來源包括出於大曲者九，教坊雜曲者十六，古詩詞者四十七，佛曲者二，北曲南曲者六十三，民間說唱樂舞者十二，未見於他書者十五等。

在出自民間說唱樂舞的曲調中，如【出隊子】爲諸宮調名；

【縷縷金】、【越恁好】、【賺】、【尾聲】則出於宋人唱賺；【紫蘇丸】則原爲市井叫賣之調，依《事物紀原·吟叫》條的說明：「市井初有叫果子之戲。其本蓋自至和嘉祐之間叫【紫蘇丸】，經樂工杜人經十叫果子始也。」凡京師叫賣物品，必有聲韻，而其吟哦的方式聲調俱不相同，所以市人「採其聲調，間以辭章，以爲戲樂也，今盛行於世，又謂之吟哦也。」

另外還包含了從民間雜技技藝中演化成樂曲名的，如【川鮑老】當出自「舞鮑老」；【獅子序】應爲「五方獅子舞」、「西涼伎」一類的樂曲；【大影戲】爲「影戲」中的一種；【神仗兒】在《西湖老人繁盛錄》「鬥鼓社」中有「神仗兒」，爲民間社火舞隊之名；【打球場】宋時有「打毬社」，女弟子隊舞中有「打毬樂隊」，蹋弄打球爲盛行的雜技技藝；【蠻牌令】應是出自諸軍百戲中的「蠻牌」表演等，可見南戲音樂的形成與發展，也借助了對雜技技藝的成分。

《劉希必金釵記》第二十五齣描寫盜賊出場時有「(丑上唱)【三棒鼓】」，並於戲文卷終後附有【三棒鼓】「瑠征冬」的鑼鼓譜。【三棒鼓】據明田藝衡《留青日札》中云「吳越間婦女用三槌上下擊鼓，謂之三棒鼓，江北鳳陽男子尤善，即唐三杖鼓也。」而宋陳暘《樂書》中則依《樂府雜錄·羯鼓》中的記載補充說明：「唐咸通中有王文舉尤好弄三杖打撩，萬不一失。近世民間尤尚此樂，其器有三等，與歌者句拍相拊爲節。」以「弄」形容其表演技巧，可見其當屬於雜技技藝，如同宋代「雜手藝」中的「弄花鼓槌」[110]，常是江湖路岐藝人的拿手絕活，在南戲中可以獨立演出，也能配合曲文演唱。

㈢在角色分工方面

戲曲所表現的故事情節，必須透過人物的扮演才能體現。在早期南戲中，已具有「生旦淨末丑外貼」七個腳色，且確立了以生、旦爲主的行當關係。如《張協狀元》中以生扮張協、旦扮貧女作爲主體，其他四十餘個劇中人物，則由其他角色分別扮飾，誠如戲曲俗諺所形容：「七緊、八鬆、九快活」，是相當緊張辛苦的。

這些腳色基本上是承襲民間戲弄中「二小」的原型，以及宮廷戲弄中的「參軍、蒼鶻」類型，而後又吸收宋雜劇中「副末、副淨」滑稽表演腳色，與「戲頭、引戲」樂舞表演腳色[111]，而綜合形成全面的腳色體系。然而在早期南戲中腳色的職能分工，因其一方面承襲原有的體制，一方面又依自身發展的趨勢在進行分化，是以呈現粗疏錯雜的情形，尚未完全的定型。

如《張協狀元》中扮演貧女的旦腳，在單獨出場，及與生、末對戲的場次中，擔任的是正劇中「正旦」的行當，如第三齣與第六齣等；但當其與「淨、丑」對戲時，則變爲「二小」中帶有喜劇性的「小旦」或「花旦」的形象，如第十二齣；又如《金釵記》中的占行，占爲「貼」的省筆，即「旦之外貼一旦也」，相當於女配角的地位。在劇中既可扮演曹小姐、番公主，也擔任蕭家、相府、番國婢女等人物，就地位與身分而言十分懸殊，可見早期角色分工較爲簡略。

由於丑腳腳色的出現，也促成副末與副淨的分化轉型。劇中的喜劇腳色，逐漸由淨、丑所替代，而末則轉爲扮演老人、官員之類，如李大公、衙役、判官等人物。但末的喜劇特性仍不時出現於劇中，與淨組成插科打諢的老搭檔，如第八齣；或者與丑對手演出，如第二十七齣；但更頻繁地是由淨末丑三對面的演出，如第十齣、第十六齣、第二十八齣等，其所形塑的喜劇效果更爲強烈。

在《張協狀元》第一齣末尾提到勾引「末泥色饒個踏場」，第二齣則由「生」上場演出，這說明宋雜劇中的末泥色，在南戲中已轉化爲生腳。而《拜月亭》中則又出現分化出小生的角色，如第三齣由「小生、外、末番軍上」，擔任「把都兒每」此類年輕男子的勇士角色；第五齣中則飾演位居第二男主角地位的陀滿興福。由此可見，南戲中腳色的承繼與分工，並開始有小行當雛形的產生，可視爲後來戲曲角色體制分化、繁衍的基礎。

㈣在技藝表演方面

南戲參揉說唱、雜技、武術、歌舞等多種表演技藝，發揮了宋金雜劇院本的滑稽表演特質，形成唱念作打的表現手法。明成化本《白兔記》開場副末云：「今日利（戾）家子弟，搬演一本傳奇，不插科，不打問(諢)，不爲(謂)之傳奇。」開宗明義地闡明了南戲表演的特色爲「插科打諢」，在戲文中每每有「諢介」、「諢科」的標明。

早期南戲中的滑稽表演，佔有極大的比重，如《張協狀元》五十三齣中，就有三十五個場面屬於插科使砌的表演。宋羅燁《醉翁談錄·小說開闢》中記載：「白得詩，念得詞，說得話，使得砌」，「使砌」即所謂的「諢砌」、「打砌」，爲宋代說話人的表演技藝。《宦門子弟錯立身》第十二齣【金蕉葉】曲詞：「我說散咳嗽，如瓶貯水」也指出演員必須具備如瓶瀉水，滔滔不絕的流利聲嗽，自如地運用砌字諢語等技巧。如《張協狀元》第二十八齣買登科記：

（末上）買登科記。(淨)洋口小店那裡買。(末)這裡賣？

> (淨)那裡。(末)回過頭。(淨轉)三打不回頭。狀元哪裡人?姓甚名誰?(淨)姓成,名都府。(末)住在哪裡?(淨)在張州協縣。(末)你胡說,莫是成都府人,姓張名協?(淨)正是了。(末)得我力氣。第二名?(淨)周子快。(末)水漲船行速。第三名?(淨)表(袁)得夢。(末)你也揣骨。(淨)把三文來,我要趕腳頭。(末)踢得好氣毬。

這其中便充分運用了諺語「三打不回頭」,歇後語「周子快,水漲船行速」,隱語「袁(圓)夢」,雙關語「趕腳頭,踢得好氣毬」等說話藝術,表現出滑稽逗趣的場面。而《荊釵記》第四十八齣〈團圓〉中,則有賀新郎的「諢唱」實例:「(淨諢唱)今宵五彩團圓,將手掩上房門,郎脫褲,奴脫褌,齊著力,養個兒子做狀元。(外)年兄一字也不省。」在說話藝術中,「說諢話」原是以「長短句作滑稽無賴語」(王灼《碧雞漫志》卷二)。自然也能運用說唱的方式表現。而其下又有行數目口令的應用,可見南戲確實受到舌辯藝術的影響。

至於口技表演則著重於聲音技巧的表現,如《張協狀元》第二十三齣中:「(淨在戲房作犬吠)(淨出白)小二,去洋頭看,怕有人來偷雞!(作雞叫)小二短命都不見。(呼)雞走!」又五十二齣「(淨在戲房作馬嘶)」,有犬吠、雞叫、馬嘶的聲效模擬,具有豐富舞臺演出的藝術效果。《燕京歲時記》中載:「像聲,即口技,能學百鳥鳴,並能作南北聲腔,嘻笑怒罵,以一人而兼之,聽之歷歷也。」是以南宋時「百禽鳴」、「像聲」、「叫聲」等,應都屬於口技方面的表演。

百戲雜技為宋代盛行的民間游藝活動,也為南戲廣為吸收採納,奠定了戲曲別具一格的表演藝術。其中如《張協狀元》第四十八齣淨扮柳屯田、丑扮王德用模擬射弩的表演「佐弩需要看箭後，搭箭不要犯他人」。在當時與射弩有關的社團有「錦標社」、「川弩社」、「射水弩社」；兼有弓弩的如「川弩射弓社」、「射弓踏弩社」等。社團的成員有的以「武士」爲主，有的則爲「一等富士郎君，風流子弟，與閒人所習。」（《夢梁錄》卷十九，頁二九九)而各地也多有「百姓自相團結爲弓箭社」的(《宋史·兵志》，卷一九〇，頁四七二六)，可見社弩技藝在宋時的普及。

該齣其後又提到二人踢氣毬的表演：「(淨)相公踢得流星隨步轉，明月逐人來。記得耆卿踢個左簾，相公踢個右簾。耆卿踢個左拐，當職踢個右拐。（淨丑相踢倒介）」簾、拐都是蹴踘的踢法，歷來爲宮廷市井所流行的百戲伎藝，北宋李邦彥因「能蹴鞠」踢盡天下毬，做盡天下官，有「浪子宰相」之名（《宋史·李邦彥傳》，卷三五二，頁一一一二〇）；民間則「觸處則蹴踘疏狂」(《東京夢華錄·收燈都人出城探春》卷六，頁三八)。也有「蹴踘社」亦稱「圓社」的社團組織，宋《蹴鞠圖銅鏡》（彩圖㉙）中正有一男一女相對蹴毬的景象。

此外，二人還模擬一段不用武器、徒手相撲的「白廝打」：「(淨)十八般武藝都不會，只會白廝打。這個打一拳，這個也打一拳。這個踢一腳，(丑)這個也踢一腳。(淨丑相踢互倒介)不尙庄身打扮。」說明二人乃是運用滑稽相撲的表演方式，並非眞正的競技。因此，可能就是「喬相撲」一類的雜技表演，藉由弄拳角觝的表演，主要旨趣在於引人逗趣嘻笑。而第八齣中則應用了十八般武藝中的「使棒」表演：

(淨白)我物事到強人來劫去，你自放心！我使幾路棒與你看。(末)願聞。(淨使棒介)這個山上棒，這個山下棒，這

> 個船上棒，這個水底棒。這個你吃底。（末）甚棒？(淨)地，地頭棒。(末)甚罪過！(淨)棒來與它使棒，鎗來與它刺鎗。有路上鎗 ，馬上鎗，海船上鎗 。如何使棒？有南棒，南北棒，有大開門，有小開門。賊若來時，我便關了門。(末)且是穩當。(淨)棒，更有山東棒，有草棒。我是徽州婺源縣祠山廣德軍鎗棒部署，四山五岳刺鎗使棒有名人。

詳細的描摹了末 、淨扮兩行商和五雞山強人「刺槍使棒」的表演。基於民間習武風氣與武術雜技社團的興盛，給予戲曲的武打帶來了豐沛的泉源，這些技藝遂成爲藝人的基本技能。如《宦門子第錯立身》第十二齣中所言「做院本生點個《水母砌》，拴一個《少年游》，吃幾個庄心顚背」。院本《水母砌》應即是〈院本名目〉〈諸雜砌〉類中所著錄的《水母》劇目，對照高文秀《鎖水母》題目正名所云：「木叉行者降妖怪，泗洲大聖鎖水母」，屬於武打神怪戲。因此若不具有「裝神弄鬼」、「調當撲旗」的本領，是無法勝任演出的。

南戲中裝神弄鬼的表演相當普遍，幾乎成爲一種程式規範，如《張協狀元》中有神明、判官、小鬼的裝扮；《小孫屠》中有「梅作鬼」；《白兔記》中的「鐵面瓜精」；《金釵記》中「太白眞君」的扮演神仙等。連南戲早期劇目中的《趙貞女》、《王魁》，也應該都夾雜有「裝神鬼」的表演，才能表現男子婚變負心，爲神鬼所懲罰索命的結局。這種沿襲自百戲的技藝傳統，在民間迎神賽會的社火表演中尤爲鮮明。

是以民間賽會中社火舞隊的表演 ，往往也被應用到南戲之中，配合著戲劇中的祭賽報社的情節搬演，展現各種民間樂舞百戲。如《白兔記》第三齣：

（外）今年社會，可勝似上年麼？（淨）今年整齊，跳鬼判的，踹蹺的，做百戲的，不能盡述，我們演與太公看。**【插花三臺令】**（眾舞）打和鼓喬妝三教，舞獅豹間著大旗，小二哥敲鑼擊鼓，使牛兒簫笛亂吹，浪豬娘先呈百戲，駟馬勒妝神鬼跳，牛筋引鼠哥一對，忙行走竹馬似飛。

有裝神弄鬼「跳判官」的，有踩高蹺的，有「喬三教」的，有象人的舞獅豹，還夾雜大旗的耍弄，有鑼鼓簫笛的擊打吹奏，有竹馬的表演等，不能盡述。其熱鬧多姿的「衆舞」場面，渲染出熱鬧歡騰的節慶氣氛，增添了戲曲藝術「做、舞」的表現手法，使其更具有可看性。南戲中參合了不少樂舞的表演，如《張協狀元》第五十三齣，描繪張協迎親時：

(末拖襆頭、丑抬傘)(末)正是打鼓弄琵琶，合著兩會家。(丑舞傘介，唱)**【斗雙雞】**襆頭兒，襆頭兒，甚般價好，花兒鬧，花兒鬧，佐得恁巧。傘兒簇得絕妙，刺起恁地高，風兒又飄。(末)好似傀儡棚前，一個鮑老。

在婚禮的喜慶場合中，表演傀儡舞鮑老：「鮑老當年笑盈盈，笑他舞袖太郎當，若教鮑老當筵舞，轉覺郎當舞袖長。」(楊大年)那舞袖郎當「身軀扭得村村勢勢的」(《水滸全傳》三十三回)鮑老模樣，仿效迎親時「舞傘」的舞蹈，自民間生活中取材，又賦以滑稽的舞姿趣味。

這類穿插性的完整舞蹈場面，從生活原型中出發，在很大程度上保留傳統樂舞的本來面貌，但又與戲劇情節有所聯繫，成爲整體戲劇節奏中的一個組成部份，可以帶動烘托舞臺的氣氛；而另一類帶有戲劇性與性格化的舞蹈語彙，作爲抒發劇中人物情感的舞臺動作，如《金釵記》第四十齣〈單于賞宴〉「番子扮舞」唱【雁兒舞】；《琵琶記》第三齣〈牛氏規奴〉「淨扮老姥姥，丑扮惜春」笑哈哈舞將出來等，運用載歌載舞的表情身段，來增強唱做的形象感染力，形成所謂程式性的科介。有的則直接融入角色中，依照劇情的需求表現而無須註明[112]。

㈤在舞美表現方面

早期南戲的舞臺藝術，受到說唱敘事文學與宋金雜劇院本體例的影響，依隨著角色人物的上下場，轉換不同的時空環境，形成虛擬的表現手法。由於演員人數的有限，往往一人得充當多種角色，於是借用「改扮」的方法，轉變為其他身分。如《張協狀元》中的丑角，當穿上「虎皮磕腦虎皮袍」時，為「強人」身分；當扮飾小鬼，則戴上紅色假髮「我像鬼、鬼頭髮須紅」。運用人物的造型特徵，配合服飾穿戴就能塑造人物形象。

演員的妝扮穿戴，往往是人物身分角色的表徵。「抹土擦灰」、「抹土擦灰」的黑白二色為淨、丑的顏色基調，「匹面門擦兩色蛤粉」(《水滸傳》八十二回)，用蛤礪殼研磨成白粉，用以圖繪：「(丑)鈞侯萬福，願我捉得一盞粉，一鋌墨。把墨來畫烏嘴，把粉去門上畫個白鹿。」(《張協狀元》第二十七齣)腦門上的白鹿圖形，並以墨色勾勒嘴部。金代侯馬董墓出土的戲俑中，則有面部畫大蝴蝶圖形，勾白眼圈的圖面化妝（彩圖㉗）；而稷山馬村八號金墓則有副淨將眉毛、嘴圈塗為鮮豔桔紅的特例（彩圖㉚）。這些具體的臉譜形象，說明化妝藝術的運用更為多元。

改扮的表演特質，也被運用在砌末道具方面。如《張協狀元》第十齣中由淨飾演的土地神，命令末扮演的善惡判官，與丑扮演的小鬼「權化作兩片門」，「判官在左汝在右，各家縛了一隻手」。其後當張協向神明稟祝離開下場，則三人又開口說話對答：「（丑）你到無事，我到禍從天下來。(淨)低聲！門也會說話。（丑）低聲！神也會唱曲。(末)兩個都合著口！(丑)兩個和你，莫是三人？(末)必有我師。」配合情境還運用「三人行必有我師」的典故，插科打諢，表明其雖然假裝做門，但又可抽離爲原來的角色本質。

當貧女前來叫門時，並製造出敲擊門板的音效：「(旦叫)開門！(打丑背)(丑)蓬，蓬，蓬！(末)恰好打著二更。（旦叫）開門！(重打丑背)(丑叫)換手打那一邊也得！(末)合口！」極具喜劇趣味。由於早期南戲多爲路岐做場的形式，行頭砌末勢必得隨處流動，如《宦門子第錯立身》第十二齣中的描述「只怕你提不動杖鼓行頭」。因此，採用虛擬假裝的表現手法，一則可以省卻許多麻煩，一則也因簡就陋，因應場地設備的不足。

《琵琶記》第三齣中記敘著老姥姥與院公、惜春三人在花園玩耍子，先是提及踢氣球與鬥百草的遊戲，其後決定玩「打鞦韆」：「（丑云）院公，沒奈何，我每三個在這裡，廝輪做個鞦韆架，一人打，兩人抬。（末云）如此也好，誰人先打？（淨、丑云）我兩人抬，院公先打。（作架科）……（放跌科）」道具的模擬竟然演變爲科泛的形式，在後來戲曲中往往與動作結合，而提煉成表演的規範。

其後，當小姐上場責備惜春時，「（丑驚科）小姐，叫人怎麼不去閒哄？你看那鞦韆架尙兀自走動哩。」借用誇張荒謬的原理，顯現眞假虛實間的轉換，再配合插科打諢的表演，往往能製造出強烈的喜劇效果。如《張協狀元》第十六齣中，由丑所扮演的桌子，不僅可以出聲表明身分，還能一邊偷吃：「（丑吊身）（生）公公，去那裏討卓來了？（丑）是我做。（末）你低聲！（安盤在丑背上、淨執盃、旦執瓶、丑偷吃、有介」，並能與旁人對話答唱，而因應劇情的需要，又可隨時回復原來面目[113]。

早期南戲的後臺稱爲「戲房」，不僅爲演員化妝著衣的所在，也是輔佐場次進行的重要地點。如《張協狀元》第四齣中有「丑在內應」「丑出」，表明臺前與臺後的區隔；第三十五齣中有「生在戲房裡唱」，乃是爲第三十六齣「生出唱」，作好鋪墊；第五十二齣「淨在戲房做馬嘶」「淨出」，則是渲染場上氣氛，替代必須上場的人事物。這種手法以後發展成爲表演的「搭架子」程式，且爲各種戲曲所傳承運用[114]。

南戲源於浙江溫州，而流布到福建 、 廣東、江西 、 安徽諸省，是以在莆仙戲、梨園戲、四平戲、庶民戲等地方戲中，均可見到部份古南戲保存的遺響。如梨園戲《朱文走鬼》中的〈識眞容〉，有小旦扮一撮金的「土介」塑像，站立帳(龕)後椅上，讓朱文近前「識眞容」的表演，當朱文驚走之後，旦又立即追下；莆仙戲《包公審鬼門》則有小鬼裝門的表演；庶民戲《劉文錫沈香打洞》則有小鬼變成屋子，讓華山三娘與劉文錫成親的情節[115]。這些古老劇種提供我們了解早期南戲面貌的絕佳管道。

南戲在早期的發展過程中，汲取提煉來自宋金雜劇院本與百戲伎藝的表演藝術，有些已經成爲有機的綜合體，有些仍可見到粗疏拼湊的痕跡。尤其大量科諢的滑稽場面，固然爲南戲的本質特點，但在應用上也有部份呈現隨意捏合與即興發揮的特點，而導致與劇情脫節，彼此游離的現象產生。從另一層面來看，恰也具現了戲曲在形成發展階段中的眞實情形[116]。

小　結

自給自足的農業形態，形成了鄉村封閉穩定的神廟文化；繁榮熱絡的商業貿易，建立了城市開放交流的瓦舍文化。而路岐藝人傳承著自古以來「散樂巡村」的流播方式，出入於鄉鎮村落之間，衝州撞府隨處作場。或組成春祈秋報、節慶宴享的社會團體，表演各種百戲雜劇；或成爲實力堅強、技藝超群的名伶角妓，在專業化的劇場中獻藝；或賦予軍職、配置於宮廷教坊之中，形成專門的部色組織；在彼此交流、相互競爭的情形下，促成了百戲雜劇發展的飛躍。

宋金雜劇院本，在唐代宮廷戲弄與民間戲弄的基礎上成長茁壯。參軍戲滑稽調笑、借題設事的形式，奠定了「插科打諢」等科白動作的形塑；歌舞戲詠歌踏舞、悲喜交集的結構，蛻化出「抒情敘事」等歌舞說唱的發展。而宋元南戲將這些語言、動作、歌舞、說唱等表演手段，予以吸收靠攏，形成開展情節、揭示情境、刻劃人物、表達主題的有機組成部份，而朝向「唱念做打」的綜合戲曲表演藝術前進。

是以宋金時期可視爲「小戲群」的階段。在這段醞釀成熟的過程中，雜技與戲曲始終在混和參雜中互動，其對戲曲影響衍變的關係，可從幾個面向來窺知：

㈠表演場合

百戲雜技原在開放式的空間展演，或圍地作場，或沿路獻藝，基於路岐流動的特質，在各種場合都可見到其熱鬧喧騰的身影；而後或登上高臺，並搭設棚架，爲群衆提供了更爲遼闊的視野；勾欄瓦舍的興起，形成專業化的表演場所；舞亭、舞樓、舞廳的設置，意味著永久性的常態演出，而隨著四面、三面、二面山牆的形制，標示出百戲雜技與戲曲的逐漸分化。戲曲開始朝向舞臺表演藝術的綜合，而雜技則走入迎神賽會的社火行列中。

㈡戲班組織

民間散樂班社爲尋衣覓食，到處趕趁，活動於江湖路岐、賽社堂會之間，一般由家庭成員所組成；城市行院班社則多在勾欄瓦舍中，進行營業性演出，或以在籍的樂戶爲單位；諸行社會團體，則在節慶廟會之時，作業餘性的公演，多半由子弟行商所參與；宮廷教坊部色，大抵爲公家承應演出，和顧民間藝人與御前演員聯合組成。通常藝人們身兼雜技與雜劇的雙重身分，以適應不同的表演需求。

㈢題材體制

宋金百戲雜技的種類繁多，概括了曲藝說話的說唱，雜耍幻術的雜技，武術角觝的競技，傀儡影戲的偶戲，音樂舞隊的樂舞等，或將雜劇也包含於其中。由於這些技藝，都是扎根於民間，故能反映出市井小民的生活百態、思想情感，有不少題材被雜劇院本所繼承下來，並成爲後世戲曲的取材來源。雜劇院本基本上延續著「小戲群」的體制，尙未脫離百戲雜陳的形式；而南戲雖較爲有機的組合，但能可見到拼湊游離的痕跡。

㈣表演藝術

藝人們兼有多樣的藝能，豐富了雜劇院本的表演技藝。冠於劇目的曲調，意寓著樂舞的成分；大量的文字遊戲，表明有舌辯藝術的說唱曲藝；雜技武術的表演，必須借助筋斗的工夫，來加以發揮應用；滑稽砌話的特色，端賴散說道念的技巧；舞蹈踏爨的類型，顯現歌舞科泛的運用。南戲之時，配合故事節情的發展，運用唱念做打的表現手段，形成整體的戲曲表演藝術。

㈤角色行當

從二小或三小的演員組織，發展爲「五花爨弄」的角色行當。宋雜劇詼諧嘲弄的表演，以副末副淨爲主要腳色；金院本雖仍以滑稽調笑爲特質，但以副淨爲主，副末已有所減色；到後期二者都退居次要地位，由正末取代了主要地位。從出土的戲俑雕磚場面上，可以清楚地看到角色位置的變換，這意味著戲曲內容逐漸脫離了滑稽戲謔的傳統，而朝向反映社會生活的抒情敘事爲主。

㈥服飾裝扮

雜技社火的表演，應用服飾穿戴的變化，發揮喬妝假扮的特質。承繼著漢唐以來假面假形的傳統，並爲添加演出效果，使表演更趨於細膩生動，將形成塗面化妝與角色行當的結合傾向，裝旦來自「弄假婦人」，用的是脂粉妝；裝孤來自「弄假官」，用的是本色臉；副淨來自「弄參軍」，大都用粉墨妝塗成滑稽表情，或特意畫上各種圖案，擠眉弄眼，扭捏作態，以顯現諂笑逗趣的本質。

㈦舞美砌末

路岐藝人走鄉串鎮的表演，在行頭砌末的設置上，恪遵精簡寫意的原則。簡陋侷限的舞臺空間，無法容納複雜笨重的場景，是以經由「借扮」的手法，模擬再現各種實物道具。進而更發揮藝術技巧，製造出各種舞臺音效，轉換各種時空變換。舞美砌末原爲劇情的輔助，反過來成爲藝人技藝展示的媒介，充分顯現出傳統樂舞雜技的表演特質。

宋金之時，在小戲群的基礎上，雜技與戲曲彼此供給養分、相互借鏡成長，各自依循著自己的藝術特色，獨立爲專門的藝術品類。雜劇院本雖仍以百戲雜陳的體制展現，南戲也尚未全面和諧地統一各種表演技藝，然而這一階段，確爲過渡形塑成熟大戲的重要時期。

【註釋】

[1]南宋曾三省《因話錄》也載：「散樂出《周禮》。注云『野人能樂舞者』，今乃謂之路岐人，此皆市井之談，入士大夫之口而當文之，豈可習爲鄙俚。」見明陶宗儀《說乳》。引自隗芾、吳毓華編《古典戲曲美學資料集》，p.46。

[2]《南史·曹景宗傳》:「爲人嗜酒好樂，臘月於宅中使人作邪呼逐除，遍往人家乞酒食。本以爲戲，而部下多剽輕，因弄人婦女，奪人財物。」(卷卷十五，頁一三五七)而《梁書·曹景宗傳》(卷九，頁一八一)中也有類似的記載，惟「邪呼」記作「野虖」，其後按語云二者詞異而義同，「並狀衆讙叫聲」(卷九)。

[3]依《荊楚歲時記》中的記載，應是有人戴「胡公頭」，扮作被金剛力士驅逐的厲鬼形態，很可能在表演時，配合著腰鼓節奏，一邊呼喝叫喊，以壯聲勢。在北京雲居寺唐塔石雕，塔門東側外壁有金剛力士「打野胡」的造型，力士手執金剛杵，腳踩兩名胡人小鬼，顯現金剛力士驅儺形態，或可作爲參考。請參見周華斌《京都古戲樓》，p.28。

[4]趙彥衛《雲麓漫鈔》:「世俗歲將除，鄉人相率爲儺。俚語謂之打野狐。

按：《論語》鄉人儺服立於阼階。注：大儺，驅逐疫鬼也。亦呼為野雲戲，今人又訛耳。」(卷九，《四庫》第八六四冊，頁三四七)康保成引證此資料，然記為「野雩戲」。並引清楊慎庵《海外全書》：「《梁書》，儺謂之野雩，曹景宗嘗為野雩戲。」中的記載，加以推論說明「呼邪」為驅儺時呼喝叫喊之聲，夜胡與野雩為一聲之轉。請參見〈從打夜胡的被誤解看儺文化的起源〉一文，載於《戲曲研究》第42輯，pp.188-199。

[5]郭淨採日本學者吉野裕子的見解，認為中國人以象徵五行中土的狐狸作為農耕文化的崇拜物，土為生育萬物之本，所以人們既「事狐」也「打狐」。請參見《中國面具文化》，pp.211-213。

[6]郭淨指出在古代世界的通例中，將異族視為可打可殺的異類與鬼怪。尤其自南北朝「五胡亂華」之後，民族衝突加劇，中原民族對北方胡人懷有敵意，故將其與鬼魅妖狐相比附，遂衍而成俗。見註五；而葉明生除提出魏晉間由狐狸變人而諧狐音稱「胡」姓的民間傳說外，認為主要是由於唐代胡人、胡巫的大量徙入，外族的宗教歌舞傳入，逐漸與民間儺結合，形成「打野胡」的戲樂形態。請參見〈一條通向戲曲藝術的潛流——散論「打野呵」及其形態演變〉載於《戲曲研究》第25輯，pp.231-249；而敦煌寫本頁 3468 中，存有三首宋代〈進夜胡詞〉，其中第一首「歲歲夜胡兒」在另一寫本中作「歲歲夜狐兒」，可見二者相通。請參見高國藩《敦煌古俗與民俗流變——中國民俗探微》第十一章〈進夜胡風俗〉，書中歸納進夜胡時，詞中必須表現三種內容：必須驅鬼，必須訴說民間疾苦，必須歌唱唐代的繁榮昌盛。請參見pp.346-356；而李嘯倉以為「夜胡、野胡、夜狐、野狐，均以聲同而異其字……『野呵』與『野狐』、『野胡』的呵與胡、狐是一聲之轉」。請參見《宋元技藝雜考》，pp.31-32。

[7]劉貢父詩話為劉攽《中山詩話》，其原文為：「世語優人為何？市樂說

者，謂南都石駙馬家樂甚盛，詆誚南市中樂人，非也。蓋唐元和時，《燕吳行役記》其中已有『河市』字，大抵不隸名軍籍，而在河市者，散樂名也。」(《四庫》第一四七八冊，頁二七三)與《稿簡贅筆》所引之文略有差異。其中所提及「南都石駙馬家樂甚盛」，依宋王曾《王文正公筆錄》的記載：「宋城南抵汴渠五里，有東西二橋，舟車交會，居民繁夥，倡優雜戶，厥類亦衆。然率多鄙俚，爲高之伶人所輕誚。每宴飲樂作，必效其樸野之態，以爲戲玩，謂之「河市樂」。迄今俳優常有此戲。」(四庫一〇三六冊，頁二七三)文中高指駙馬高懷德。

[8]劉念茲並引證《夷堅志》中〈雙港富民子〉的記載，其中描述紹興年間饒州鄱陽「路歧散樂子弟」活動的情形。(卷三十四)請參見《戲曲文物叢考》，pp.27-39。

[9]請參見廖奔《宋元戲曲文物與民俗》第三章第六節〈金代繁峙岩山寺壁畫酒樓說唱圖〉，有較詳細考證。pp.201-205。

[10]有關該石棺相關資料，可參見呂品〈河南滎陽北宋石棺線畫考〉，載於《中原文物》1983.4；廖奔〈北宋雜劇演出的形象資料——滎陽石棺雜劇雕刻研究〉，載於《戲曲研究》第十五輯，pp.120-133。

[11]周華斌曾歸納出一模式來表明戲曲就是在這幾種場所中，走向成熟並形成藝術特徵，見下面圖示。轉引自〈中國早期劇場論〉載於《中華戲曲》第十輯，p.77。

摺地爲場（廣場）
- ①堂會（宅院、廳堂、酒樓、茶肆）
- ②勾欄（專業樂棚、即早期劇場）
- ③廟會（廣場露臺）

[12]火，猶夥也。迎神賽會時集合各種雜技散樂的表演，人數衆多，故稱「一火」，或稱爲「社火」。社火大抵以散樂百戲爲主，遂成爲雜技的代稱，南宋時以民間舞隊爲社火大宗。

[13]《史記・孝文本紀》云：「孝文帝…… 嘗欲作露臺，召匠計之，直百金。」裴駰集解：徐廣曰：「露，一作『靈』。」(卷十，頁四三三)。是以露臺或稱作「靈臺」。有關露臺的考證與演變，可參考薛兆瑞〈宋代露臺考〉，載於《戲曲研究》第八輯，pp.235-244；廖奔《宋金戲曲文物與民俗》第五章〈戲臺〉，pp.111-133；車文明〈露臺的興衰〉，載於《民俗曲藝》第九十九輯，pp.47-70。（本文撰寫完畢後，得見車文中所論述的觀點與本人類同，請參看之。）

[14]《東嶽廟新修露臺記》碑，現存山西芮城縣博物館。山西師範大學戲曲文物研究所編《宋金元戲曲文物圖論》中，附錄二之七刊錄有全文，p. 137。並可參見圖一一一。另圖一〇九爲《大金承安重修中岳廟圖》碑，圖一一〇則爲河南登封中嶽廟金代廟圖與露臺摹本可參考。

[15]景李虎認爲露臺獻祭犧牲、樂舞，都是爲了祭神娛神。所以，露臺的位置必定在神廟主神殿的正對面，與主神殿處於同一條軸線上。因此露臺是有方向性的，它與對面的主神殿有主從的關係，這也成爲後來以露臺爲基礎所發展起來的神廟劇場，在佈局上受到影響。請參見〈神廟與中國古代劇場〉，載於《戲劇藝術》1993.1，pp.136-139。

[16]如《東京夢華錄・元宵》中載「自燈山至宣德門橫大街，……內設樂棚，差衙前樂人作樂雜戲，並左右軍百戲，在其中駕坐一時呈拽」（卷六，頁三五）；而〈十六日〉中云「(巷國寺)寺之大殿，前設樂棚，諸軍作樂。……如開寶、景德大佛寺等處，皆有樂棚，作樂燃燈。……諸門皆有宮中樂棚。萬街千巷，盡皆繁盛浩鬧。每一坊巷口，無樂棚去處，多設小影戲棚子，以防本坊游人小兒相失，以引聚之。」(卷六，頁三七)

[17]或記作：「今世樂亦有兩般格調：若朝廟供應，則忌粗野嘲哳；至於村歌社舞，則又喜焉。」轉引自隗芾、吳毓華編《古典戲曲美學資料集》，p.40 。

[18]黃竹三、張守中、楊太康有〈從北宋舞樓的出現看中國戲曲的發展——山西中南部三通戲劇碑刻考述〉一文，可參見之，載於《曲苑》第一輯，pp.1-10。

[19]有關宋金元舞臺的形制，與出土的文物資料，山西師範大學戲曲文物研究所編《宋金元戲曲文物圖論》，廖奔著《宋金戲曲文物與民俗》，《中國戲曲志·山西卷》中，有詳細記載考證，故不再贅述，請參看之。另外柴澤俊有〈宋金舞臺形制考〉一文，對於舞臺位置、形式、規制、構造等，皆考述詳盡，載於《河東戲曲文物研究》，pp.39-54；寒聲、常之坦、栗守田、原雙喜〈澤州三座宋金戲臺的調查〉，則對澤州三座宋金戲臺有較詳細的記錄，載於《中華戲曲》第四輯，pp.106-111。

[20]柴俊澤根據已知的舞臺史料、墓葬雕刻和舞臺實物，推論戲曲舞臺發展的四個階段爲：(1)初期階段：平地演出，四周圍觀，到建立高出地面以上的「露臺」；(2)第二階段：由無蓋頂的露天舞臺到有屋頂的「舞亭」或「舞樓」，這是我國戲曲史上的一個轉折，但仍然保持四面圍觀或三面圍觀；(3)第三階段：由「舞亭」或「舞樓」發展到「樂樓」，這又是一個很大的進化，變四面或三面圍觀到一面觀，中間用帷幕將前后場間隔起來；(4)第四階段：到了明清，變樂樓爲戲臺，固定了前后場的位置。請參見〈古平陽地區戲曲舞臺文物資料匯編〉一文，載於《元曲鑑賞辭典》附錄，pp.1465-1497。

[21]請參見楊明珠〈從出土文物看漢代河東的「百戲」〉一文，對於幾座出土的陶戲樓，有較詳盡的說明論述。載於《河東戲曲文物研究》，pp.64-71。

[22]有關《迎神賽社禮節傳簿四十曲宮調》的原文與相關論文，可參見《中華戲曲》第三輯。廖奔也有關於《迎神賽社禮節傳簿》的研究，載於《宋金戲曲文物與民俗》第四編〈宋元祭祀演劇遺俗〉中。

[23]在《太平清話》中也有相同的記載。而現今可見隊戲最早的資料，爲宋劉斧《青瑣高議》後集載〈隋煬帝海山記下〉中所描述，但眞僞不知。然可確定是在當時或宋初，已有隊戲之名。

[24]請參見《東京夢華錄·相國寺內萬姓交易》卷三（頁十九）的描述。

[25]謝湧濤認爲瓦舍、瓦子、瓦市、瓦肆，爲南北語音交渾使用中的參雜，實質指簡易瓦舍之意。請參見〈瓦市勾欄是南宋廟會習俗的延伸〉，載於《藝術研究論叢》同濟大學出版，1989年，pp.301-310；丁伋則指出「瓦」由從牙（互）變而來，形近且雙聲疊韻，同爲「疑」紐，一屬麻部，一屬馬部，皆以「a」爲韻母，直出不收。而瓦市其義仍與互市聯繫著。請參見〈「瓦子」解與「行院」解〉載於《藝術研究》第二輯，pp.344-351；周貽白認爲瓦子即「瓦礫場」，乃是一個廣場，或原有瓦舍而被夷爲平地，是以稱之。請參見《中國戲劇史講座》，p.43。

[26]請參考《遼史·營衛志》（卷三十七，頁四四一）與《遼史·百官志》（卷四十五，頁七〇二）中的相關記載。

[27]有關中國歷史上的樂戶制度，可參見張發穎《中國戲班史》第一章。而王書奴《中國娼妓史》則認爲宋代娼寮時有瓦子之名，就是沿用遼代瓦里的名稱。

[28]《東京夢華錄》行文所及，北宋東京的瓦子至少有九座；南宋更多，《咸淳臨安志》與《夢粱錄·瓦舍》中載城內外瓦舍合計有十七座；《武林舊事·瓦子勾欄》中則記錄有二十三座。《西湖老人繁盛錄》中有二十五座，並載「城外有二十座瓦子」並羅列其名。

[29]元人無名氏雜劇《藍采和》第一折中曾提到梁園棚內勾欄中有腰棚，要觀衆到那裏去觀賞。棚既被稱爲樓，可見有所高度。關於樂棚，請參見前一節所述。

[30]原詩載於張寧《方洲文集》卷六。蔣星煜有〈《唐人勾欄圖》在戲劇史

上的意義〉一文，對該詩文作了些許考證。載於《戲劇藝術》1978.3；雷慶翼有〈也談《唐人勾欄圖》在戲劇發展史上的意義〉，載於《中華戲曲》第四輯，pp.160-165。

[31]請參見錢南揚〈宋金元戲劇搬演考〉，載於《漢上宧文存》，pp.1-13；馮沅君〈古劇四考·勾欄考〉，載於《古劇說彙》，pp.1-8；曾師永義〈元人雜劇的搬演〉，載於《說俗文學》，pp.347-384；王安祈《明代傳奇之劇場及其藝術》第二章第三節〈勾欄廣場演劇〉，pp.146-154。

[32]詳細資料請參見景李虎〈神廟與中國古代劇場〉，載於《戲劇藝術》，1993.1。

[33]王永敬有〈樂床辨〉一文探討前學對「樂床」的看法，載於《戲曲研究》1980.2，pp.342-348；李大珂《曲海摭拾》中有「元代演劇的「樂床」與「樂隊」〉一文，則認爲樂場爲候場的女演員展示陣容，招攬觀衆所在，載於《戲曲研究》第四輯，pp.166-172；廖奔歸納樂床的功用大致有：(1)演奏樂器的地方。(2)作排場處。(3)輔助表演的地方。並推測樂床只在雜劇開場前使用，由女藝人坐排場、演奏樂器、以招徠看客，且執行念詩、打和、開呵的任務，待雜劇正式開場時即撤去樂床。請參見《宋金戲曲文物與民俗》，pp.349-351。

[34]依《中國官制大辭典》的記載，散樂人與仗內散樂人，皆爲樂戶充任，但不知二者有何不同。在《唐書·儀衛志》中有記載：「凡朝會之仗，三衛番上，分爲五仗，號衙內五衛。……皆帶刀捉仗，列坐於東西廂下。而每月以四十六人立內廊閤外，號曰內仗。」（卷二十三上，頁四八二）這些擔任儀衛五仗的人員，都屬武將軍職。雖然無法確知「內仗」與「仗內」有何不同，但就「仗內散樂」的字義來推衍，或屬於軍仗中之散樂藝人。

[35]請參見《武林舊事》卷四（頁三九二）的記載。其中德聖宮爲太上皇高

宗居住之處。

[36]請參見鄧邵基〈元雜劇《薛仁貴衣錦還鄉》校讀記——兼談作者爲「喜時營教坊勾管」和作品的寫作年代問題〉，載於《戲曲研究》第42輯，pp.84-103。

[37]《宋史·樂志》中載：「鈞容直，亦軍樂也。太平興國三年，詔籍軍中之善樂者，命曰引龍直。每巡省遊幸，則騎導車駕而奏樂；若御樓觀燈、賜輔，則載第一山車。……淳化四年，改名鈞容直，取鈞天之義。」（卷一四二，頁三三六〇）鈞容直是以軍樂隊爲主，是以諸軍可能還必須混合其他藝人才能表演各類百戲雜技。

[38]原文篇幅極長，請參見《東京夢華錄·駕登寶津樓諸軍呈百戲》(卷七，頁四十四～四十五）中的記載。

[39]裝神鬼的表演，劃分爲裝鬼與裝神兩單元，是採取費秉勛〈從宋代舞蹈的發展看我國戲曲形成過程中的部分軌跡〉中的意見。其中屬於鬼王之王的鍾馗，其實已經有演化爲神仙的趨向。載於《藝術研究薈錄》第二輯，p.204。

[40]竇楷認爲「啞雜劇」中只描繪出演出者的服裝、道具、形象與動作，看不出有何故事情節。然筆者認爲不妨從「裝神鬼」整體的演出來看。《禮節傳簿》中啞雜劇《唐僧西藏取經》的節目單，請參見《中華戲曲》第三輯，pp.110－111；竇楷有〈試論「啞隊戲」〉一文，亦載於pp.168-178。

[41]有關浙江上虞《啞目連》的表演內容與形態，請參見徐宏圖、叢樹桂〈上虞的《啞目連》〉一文，載於《浙江戲曲史料》第二輯，pp.118-134。

[42]王兆乾依據池州儺戲指出「抱鑼」全稱爲「舞抱羅錢」，演員手攜者並非銅鑼，而是如銅鑼般大小的古銅錢砌末，爲「字舞」的一種。這種古銅錢的實物，又稱太平錢，羅漢錢，舊時常被用作吉祥之物或信物。儺

戲抄本多寫作「抱羅錢」爲「鮑老錢」的音訛，即爲傀儡舞太平錢之意。請參見〈池州儺戲與成化本《說唱詞話》——兼論肉傀儡〉，載於《中華戲曲》第六輯，pp.156-161。

[43]有關神話傳說，爲周貽白引自《三教搜神大全》。請參見〈中國戲劇與雜技〉一文，載於《周貽白戲劇論文選》，p.103；蕭兵則提出貴州儺戲的迎神賽社隊伍中有具有儺神格的「七聖」，並言四川「淮儺戲」中也有《打梅山》一劇。請參見《儺蜡之風》，p.227。

[44]各隊詳細名稱與服飾舞具，請參見《宋史·樂志》第一百四十二卷（頁三三五〇）。

[45]歐陽予倩從唐憲宗時人姚合的五首〈劍器詞〉推論，似乎已在向隊舞發展；而依據三首〈敦煌曲劍器詞〉，則顯然《劍器舞》已成爲隊舞，在軍營中表演。詩篇原文，可參見歐陽予倩主編《唐代舞蹈》第三節〈健舞、軟舞〉中註釋一、二，p.129。然從詩篇中，尚未發現具有如宋代的故事性情節。

[46]隊舞的指揮者，稱爲「竹竿子」，因手中持著以五彩裝飾成的竹竿，充當指揮棒而得名。類似舞臺監督與導演；爲隊舞伴奏的樂隊，稱爲「後行」，位於舞隊的後面；隊舞的主體是「歌舞隊」，其中主要隊員，因其位置往往在隊形的核心，故稱爲「花心」。隊舞表演有固定的程序，史浩《鄮峰眞隱大曲》中的《採蓮舞》，便爲完整詳細的記錄。

[47]或說是單劍，或說是雙劍，或認爲是空手而舞，或說是舞流星。歐陽予倩認爲可能有好幾套舞法，請參見《唐代舞蹈》第三節〈健舞、軟舞〉中「劍器」一單元，pp.106-109。

[48]史浩《鄮峰眞隱大曲》對《採蓮舞》、《太清舞》、《柘枝舞》、《花舞》、《劍舞》、《漁夫舞》的表演程序、誦詞、歌詞、地位調度等有詳細記載，可參考。本節中的觀點多受費秉勛啓發，請參見其〈從宋代舞

蹈的發展看我國戲曲形成過程中的部份軌跡〉，載於《藝術研究薈錄》第二輯，pp.195-207　。

[49]費秉勛〈釋「舞旋」〉一文中，綜合宋代幾本筆記中的記載，指出在用「舞旋」稱謂舞蹈節目時，不是泛稱一切舞蹈節目，而是指除隊舞、舞隊外的純舞，是穿插於廣場藝術或宴會排檔樂次中的單人舞、雙人舞或大曲舞蹈等徒手舞。請參見《中國舞蹈奇觀》一書，pp.281-283；而王克芬以為教坊的「舞旋色」，民間的「舞旋」，其舞蹈的特點與技巧動作是旋轉，可能繼承唐代「胡旋舞」的遺風。請參見《中國舞蹈史——隋唐五代部份》，p.12。

[50]河南禹縣白沙宋墓大曲壁畫，與河北宣化遼大曲壁畫的考古資料，請參見廖奔著《宋金戲曲文物與民俗》，pp.152-157。

[51]《都城紀勝·瓦舍衆伎》「肉傀儡」下，耐得翁自注「以小兒後輩為之」(頁九十七)，一般都認為是幼童在大人的托舉下表演各種技藝或戲劇，或如民間迎神賽會中的「臺閣」，與此描述極為類同。河南省博愛縣月山出土的宋代長柄樂舞銅鏡，鏡背所鑄畫面應即是「乘肩小女」的形象。

[52]有關南宋朱玉《燈戲圖》，原由香港趙從衍夫婦所收藏。由日本學者田仲一成於《中國祭祀演劇研究》中刊載並論述，其後又有〈南宋院本小考〉一文，發表於1978年香港中古史研討學術會中（筆者未得見）；另周華斌有〈南宋《燈戲圖》說〉一文，對田仲一成說法多有修正，並詳盡論述考證圖像中的內容，請參見《中華戲曲》第一輯，pp.5-25；殷亞昭則從燈戲與民舞的角度延探，有〈南宋《燈戲圖卷》中的民間舞隊〉一文，載於《中國古舞與民舞研究》一書，pp.188-205。本文擇取其三人意見，再加以推衍發揮。

[53]請參見王克芬《中國古代舞蹈史話》七〈宋代民間舞蹈和「舞隊」〉，p.58。另李杰明所編寫的〈宋代民間舞隊及其發展〉亦作相同描述。載

於《中國古代舞蹈史綱》，p.117。

[54]據《武林舊事·乾淳教坊樂部》中所述：「(雜劇)內終祇應一甲五人：……次淨劉袞；」「雜班(即雜扮)：……散耍劉袞、劉信。」（卷四，頁四〇五）劉袞爲雜劇藝人，也爲雜扮藝人，而雜扮可以單獨演出，也能成爲宋雜劇中的一段落。

[55]圖中共有十二人，人物排列貌似混亂，卻亂中有序，舞頭在前、舞尾在後，成「龍擺尾」的隊勢；其服飾、神態、動作雖各不相同，但又彼此呼應。其中九號的牛角裝扮，孫景深認爲是「春牛」的象徵，但廖奔則以爲是耕牛的裝扮。爲請參見孫景深〈《大儺圖》名實辨〉，載於《文物》1982年第3期；與廖奔著《宋金戲曲文物與民俗》第二編第二章第三節〈無名氏《大儺圖》〉，pp.170-174；蕭兵並對圖中人物舉例解說，有關論述請參見《儺蜡之風》，pp.324-325。

[56]清代稱爲「假人摔跤」、「韃子摔跤」，俗稱「跤人子」。在現今臺灣雜技藝陣中，仍可見到此具體形象，稱爲「假人摔跤」或「兩人摔跤」。

[57]在《夢粱錄》：「小兒戲耍家事兒，如戲劇糖果之類：行嬌惜」（卷十三，頁二四五）；《武林舊事》：「若夫兒戲之物，名件甚多，尤不可悉屬，如相銀杏、猜糖、吹叫兒、打嬌惜、千千車、輪盤兒。」（卷六，頁四五三）都提到「行嬌惜」、「打嬌惜」的小兒游藝，或許皆屬相同題材。

[58]有關圖像與詳細考證資料，請參見廖奔著《宋金戲曲文物與民俗》中附錄，pp.422-427。

[59]請參見寒聲、原雙喜、栗守田〈宋金舞隊戲線刻圖看三晉文化〉中的考證與圖像。載於《中華戲曲》第十輯，pp.96-107。

[60]請參見《東京夢華錄·宰執親王宗室百官入內上壽》中的記載，所謂「挼曲子」，挼有搓、揉、磨之意，與舞姿有關，歸納其特點有：(1)不

移動舞位，只在原地作小幅度動作；(2)不舉手揚袖，而是「叉手」，即拱手於胸前；(3)不轉身，只和音樂節奏聳肩動足而已。有如演奏弦樂器的「揉弦」。故元稹有詩「挼歌按曲皆承詔」(〈五弦彈〉)。以五弦琵琶伴奏樂曲曰「挼歌」，看盞者，舉其袖唱引曰「挼御酒」。請參見費秉勛〈怎樣理解挼曲子〉，載於《中國舞蹈奇觀》，pp.284-287。

[61]丁氏時諺有「臺官不如伶官」之語。在宋人筆記中頗多述及其搬演雜劇之言談，如彭乘《續墨客揮犀》「別開河道」；李薦《師友談紀》「頭上子瞻」；范公偁《過庭錄》「餓殺樂人」、「趕逐不上」；葉夢得《石林避暑錄話》「好橋好橋」、「只是落韻」；朱玉《萍洲可談》「無補朝廷」等。在任中敏《優語錄》中有所摘錄可參見。依《東京夢華錄·東角樓街巷》中所述，丁先現曾於瓦子中作場。

[62]劉念茲認爲這些藝人原都是在民間作場，由於技藝精湛，而被選入宮中，擔任教師即「溫習」，與演員即「弟子」。該文中並對丁都賽有詳加考證，請參見劉念茲〈北宋雜劇丁都賽雕磚考〉載於《戲曲文物叢考》，pp.15-26。然因版本句讀不同，張發穎詮釋爲藝人們在被教坊罷減下來後，正在「溫習」課業，準備再次再被徵召，現在在勾欄臨時演出，等待謀生。請參見《中國戲班史》，pp.48-55。

[63]有關腳色的名義與其職責、分化情形，在前賢的論著中多有詳細說明，如王國維〈古劇角色考〉，載於《王國維戲曲論文集》，pp.227-246；胡忌《宋金雜劇考》第三章〈角色名稱〉，pp.109-149；曾師永義〈中國古典戲劇角色概說〉、〈前賢角色論述評〉載於《說俗文學》，pp.233-297等，另有鄭黛瓊《中國戲劇之淨腳研究》，中國文化大學藝術研究所77年碩士論文；廖藤葉《中國傳統戲曲旦腳演化之考述》，師範大學國文研究所79年碩士論文。而曾師1994.4所提出的「論說『五花爨弄』」一文中，則總結各家說法將「腳色」分爲淨色、副淨、末、副末的「專

稱」，與引戲、裝孤、裝旦、裝外、戲頭、捷譏「俗稱」，載於《中外文學》第二十三卷四期。本文中多採用曾師論證。

[64]若依宋趙彥衛全文來看，參軍之扮演原本是要對那些「無員數、無職守、悉以曠官敗事，違戾改教者」加以嘲諷，使人一見即指其爲「參軍」，以作爲玩笑戲弄。而現今「多裝狀元進士」則失去原來的用意，故言「失之遠矣」。

[65]《東京夢華錄·宰執親王宗室百官入內上壽》：「第六盞御酒，……左右軍築毬……樂部哨笛杖鼓斷送。……第七盞御酒，……或舞採蓮，則殿前皆列蓮花。……且舞且唱。樂部斷送採蓮訖，曲終復群舞。唱中腔畢，女童進致語，勾雜戲入場，亦一場兩段訖」(卷九，頁五十五)爲樂曲演奏形式，穿插在前後兩舞蹈間，且不限於雜劇中使用。請參見青木正兒《中國近世戲曲史》，pp.20-26。

[66]李嘯倉認爲斷送是應用於雜劇前段之前，且引申有拴搐的作用，請參見《宋元伎藝雜考·說把色》，pp.13-18；而胡忌則認爲斷送爲演劇末了的應用節次，請參見《宋金雜劇考》，pp.270-273；廖奔《宋金戲曲文物與民俗》中則將「吳師賢『已』下」，記作「吳師賢『以』下」。或許是版本的不同，再加上諸家句讀的差異，遂在文意上有所出入。

[67]依據張相的考釋，「斷送」可有五義：如韓愈〈遣興〉：「斷送一生惟有酒，尋思百事不如閒。」則有「過」、「度」之意；《趙氏孤兒》：「險些兒鬧市裡把頭皮斷送」，爲「了結」之意；《張協狀元》：「我去討米和酒並豆腐斷送你去」，則言「發付」，猶云「逗引」；《竇娥冤》：「要什麼素車白馬，斷送出古陌慌阡」，有「迎送」之意；《西廂》：「老夫人倒賠房奩斷送」，爲「贈送」之意。請參見《詩詞曲語辭匯釋》下冊，pp.684-688。

[68]魏子雲老師認爲宋雜劇的演出形式，猶如三段式的「打鬧場」、正戲、

「煞戲」。有時應觀衆要求演出「找戲」，多爲粉戲一類。並指出出場入場都必須「饒」送一齣短劇，而「把」即有「戲把」之意。請參見《中國戲劇史》，pp.105-107。

[69]曾師提出在俗文學中，常有形近與音近相訛的情形。「拔和」即「拔禾」，爲農夫之意，如元雜劇《薛仁貴衣錦還鄉》中即有「拔禾」，爲薛仁貴之父，正是鄉下農夫。

[70]周貽白引證王棠《知新錄》與周密《古杭夢游錄》敘：「演戲而以班名，自宋『雲韶班』起。」認爲宋元之時已有戲班之稱。然唐有「雲韶府」，宋有「雲韶部」，未見有「雲韶班」之名。不知所據爲何。其後並又推測殆隨樂部衍進而來。請參見《中國戲劇發展史》頁一二一。

[71]相關的考古資料，請參見山西師範大學戲曲文物研究所編《宋金元戲曲文物圖論》與廖奔著《宋金戲曲文物與民俗》。

[72]王國維《宋元戲曲考·宋之滑稽戲》中彙集了不少宋雜劇資料。其後任中敏又繼續搜尋增補，於《優語錄》中收錄了北宋五十二條，南宋二十八條的宋雜劇資料，請參見pp.87-143。

[73]王國維從其樂曲去分析，考出用大曲者共一百零三種，用法曲的有四種，用諸宮調的有兩種，用普通詞曲調的有三十九種，其他不註明樂曲名而實用曲調的有四種，疑爲俗曲的有五種，共爲一百五十七種之多，並對各樂曲有詳盡析考。請參見《宋元戲曲考·宋宮本雜劇段數》與《唐宋大曲考》，載於《王國維戲曲論著》，pp.51-58及151-197。

[74]由於〈官本雜劇段數〉的劇目，有許多與陶宗儀《南村輟耕錄》中的〈院本名目〉名目類似，胡忌曾將二者加以比對，作成〈雜劇、院本名目類同表〉，藉由院本中的分類來探研雜劇段數的屬性，提供了我們更多釐析雜劇段數面貌的線索。請參見《宋金雜劇考》，pp.187-192。

[75]有關其具體故事內容，請參見譚正璧〈宋宮本雜劇段數內容考〉，載於

《話本與古劇》，pp.171-190。

[76]「爺老」，王國維考證為「曳刺」，即走卒胥役一類人物，應還包括馬夫、軍役等人物；「哮」，周貽白認為似是「檻哮」的簡稱，不妨視為男性人物，檻則顯示其衣衫襤褸、窮困落魄之樣；「偌」亦為男性人物，大抵為市井無賴之徒。有關論證請參見胡忌前揭書，pp.142-144。

[77]在文獻中，屢屢見到「踏爨」的表演，如元南戲《宦門子弟錯立身》題目為「戾家行院學踏爨」；天一閣本《錄鬼簿》著錄李直夫《錯立身》雜劇為「莊家副淨學踏爨」；《福祿壽仙官慶會》【三轉調貨郎兒】：「我則見藍采和踏了個淡爨」;《宣平巷兒復落娼》【混江龍】曲：「踏爨的著兩件彩繡時衣」等，劉金應以「踏」為基本舞步。

[78]李嘯倉說法，請參見〈艷段考〉載於《宋元技藝雜考》，pp.3-7；胡忌看法，請參見上揭書，pp.195-199；寒聲的主張則見於〈「五花爨弄」考析〉，載於《戲曲研究》第三十六輯，pp.165-167。

[79]周貽白主張在此圖為在衣帽上畫有眼睛圖案，為誇張式的戲劇服飾；而王長友則認為所穿著為普通儒生衣服，其眼睛乃是運用砌末裝飾。請參見王長友〈話說《眼藥酸》圖中的眼睛〉，載於《戲曲研究》第十六輯，pp.180-184。

[80]「打」為角牴中的技藝特點，也是舞蹈與武打中常運用的動作，從「打野胡」到以「打砌」、「打調」所形成的「雜扮」，彷彿說明以「打」為字首的稱謂，其中含有打鬧戲弄的技藝成分。宋劉昌詩《盧浦筆記》中曾記載筵席之間有「打雜劇」。

[81]據荷蘭學者伊維德的意見，金代時院本與雜劇二者可能實際上都用來指任何一種戲劇表演，長的，短的，滑稽的，嚴肅的，到元明之後才發展為不同的新意含。因此，元明雜劇院本可以看作為兩種分別對比的戲劇類型，各自有獨特的方式繼承金代傳統。請參見胡忌所翻譯的伊作〈院

本是十五、十六世紀戲劇文學的次要形式〉，載於《浙江省藝術研究》第九輯，pp.46-67。

[82]王國維引證元刊《張千替殺妻》雜劇：「你是良人良人宅眷，不是小末小末行院」，請參見《宋元戲曲考·金院本名目》；鄭振鐸之說，請參見《中國俗文學史》第七章；嚴敦易有〈論行院〉一文，舉證九條說明，請參見趙景深編《元明清戲曲論集》；胡忌類比宋元戲曲中有關行院的例詞，請參見《宋金雜劇考·宋元以來對戲劇的混稱》；丁伋有〈「瓦子」解與「行院」解〉一文，引述宋車若水《腳氣集》中所載而推論，請參見《浙江省藝術研究》第二輯，pp.344-351。

[83]有關諸家論證，請參見胡忌上揭書，pp.200-203。

[84]在院本中有些劇目與官本雜劇相同，只是無有曲調名的標示。如官本雜劇中有《義養娘延壽樂》、《偌賣旦長壽仙》、《錯曲薄媚》、《封陟中和樂》等，院本中只記爲《義養娘》、《偌賣旦》、《錯曲兒》、《封陟》等名目。有可能如本文所推論的，或者是同樣題材卻是不同的表現手法。本節中凡舉證宋〈官本雜劇段數〉中所登載的劇目，均以宋雜劇代之。

[85]有關考證，請參見張之中〈從稷山戲曲雕磚看金院本的演出〉，載於《戲曲研究》第十四輯，pp.180-190。

[86]王國維以爲從此四本，可以類推其餘諸本均是指宋徽宗。請參見《宋元戲曲考》，p.60；譚正璧指出王國維認爲是宋徽宗時事的《錯入內》，不知所據爲何，請參見《話本與古劇》，pp.195-196；胡忌以爲高文秀的《好酒趙元遇上皇》，「上皇」不是宋徽宗，此爲版本問題。請參見《宋金雜劇考》，pp.204-205。

[87]段成式《酉陽雜俎續集》：「世說曹著輕才，長於題目人，常目一達官爲『熱熬上猢猻』，其實舊語也。《朝野僉載》云：「謂光乘好題目人，

姚元之長大行急，謂之『趕蛇鸛鵲』。侍御史王旭短而黑醜，謂之『煙熏水蛇』楊仲嗣躁率，謂之『熱熬上猢猻』。」（卷四）並可參照張鷟《朝野僉載》卷四中對一些官員朝士的品題。轉引自胡士瑩《話本小說概論》，pp.120-121。

[88]胡士瑩並作有「唐宋合生異同表」，將合生的表演形式與發展以表列方式說明。請參見上揭書，pp.121-122。

[89]李嘯倉有〈合生考〉一文，對合生與雜嘲、戲曲之關係論述頗多，並辯證合生並非說話四家之一，載於《宋元技藝雜考》，pp.54-39；胡忌論點，請參見《宋金雜劇考》，pp.207-208。

[90]胡忌認爲由《南村輟耕錄》〈院本名目〉中所登錄的六種細目，符合我國「從上而下」的排列次序，由皇帝、公卿、文士、名妓、將軍武士、到社會上各種人物。然而據《題目院本》中的名目，似乎無法有力支持此論證，或可再探述。 請參見上揭書，p.208。

[91]請參見寒聲〈「五花爨弄」考析〉一文，載於《戲曲研究》第三十六輯。然曾師以爲五行說影響，過於牽合。

[92]李家瑞認爲由此可推衍五花爨弄爲舞蹈跳弄，故可簡稱爲「蹈爨」，並指出「五花爨弄」的搬演，主要在於滑稽調弄與吉利慶祝。請參見李家瑞〈蘇漢臣五花爨弄圖說〉一文，載於《李家瑞先生通俗論文集》，pp.253-265。

[93]李家瑞考證《五瑞圖》的圖像，即爲「五花爨弄」的搬演情形，並以爲此圖畫的是宋元時「應官身」的演戲情形。其指出右下一人爲副淨，左下一人爲裝孤，中心一人爲引戲，左上一人爲副末，右上一人爲末泥。詳細論證請參見上文。廖奔認同此看法，但對人物的考證有不同意見，本文採其所說，其論證請參見〈宋元戲畫四考〉，載於《戲曲研究》第二十四輯，pp.228-223。

[94]中國文字由形音義所組成，在交錯綜合的組織中會產生各種變化，院本中許多以論述為主的劇目，或與詩文有關題材，可能就是應用此類文字遊戲。張敬曾有研探詩詞曲文中文字遊戲與遊戲文字的相關系列論述，請參見《清徽學術論文集》。如《幽閨記》第二十五齣或許就是說藥的表演，為京劇《老黃請醫》的藍本，可參見。

[95]有關考古論證，請參見廖奔著《宋金戲曲文物與民俗》中〈稷山墓雜劇雕磚〉，pp.180-182。

[96]請參見〈宋金元雜劇院本體制考〉中有關「拴搐」部份，載於李嘯倉《宋元技藝雜考》，pp.11-13。

[97]其中光猜謎的花樣就有「打謎」、「走智」、「正猜」、「下套」（或稱「對智」）、「橫下」、「問因」、「調爽」等，有關表演方式的詳細記載，請參見《夢粱錄·小說講經史》(卷二十)。

[98]譚正璧認為么有「細小」之意，大概是指短小的院本，請參見《話本與古劇》，p.213；馮沅君以為是院本的么(後段)，請參見〈古劇四考跋〉載於《古劇說彙》，pp.64-65；李嘯倉指出么有「前」意，以院本來作為北雜劇前段，請參見〈宋金元雜劇院本體制考〉中有關「院么」部份，載於《宋元技藝雜考》，p.23-26；胡忌認為從金代以來逐漸複雜的劇本過程中，經過像院么那種的作品體例，才發展到元雜劇的前身，且元雜劇初期可能稱為「么末」，請參見《宋金雜劇考》，pp.221-225；曾師永義則推論其為院本的改進者，北雜劇的前身，請參見〈中國古典戲劇的形成〉，載於《詩歌與戲曲》，pp.94-96。

[99]有關侯馬市金代董墓雕磚戲臺及戲俑的考證與相關資料，請參見劉念茲〈金代侯馬董墓舞臺調查報告〉載於《戲曲文物叢考》，pp.40-55。

[100]本圖有學者斷為宋雜劇，懷疑為《老孤嘉慶樂》的搬演情景；也有指出其為大曲舞蹈；而焦作金承安四年(1199)鄒僙墓出土石刻圖與此圖極為

相近，只是畫面相反，且略有改動。目前該石棺於存修武縣文化館中。

[101]宋金雜劇院本中有些以「鬧」字爲首的劇目，是否就是類同此類的表演形式。而宋雜劇中有《土地大明樂》的劇目，是否即此《土地堂》的表演，需要再多相關資料方可推論。《禮節傳簿》中二劇，請參見楊孟衡〈宋金古劇在山西的流變——對上黨地區發現院本考辨〉載於《戲曲研究》第26輯，pp.45-61。

[102]錢南揚在《戲文概論·引論第一》中，開宗明義地爲戲文正名，指出戲文不僅指腳本，還包括演唱，請參見pp.1-7；劉念茲《南戲新證》則以爲戲文在明代爲中國戲曲藝術的總稱，北方雜劇與南方南戲，皆統稱爲戲文，故稱南戲較爲妥當，請參見pp.18-19；彭飛、朱建民則統合二說，提出南戲指戲曲劇種之一，包括演唱等表演藝術；而戲文則涵蓋南戲所有傳本、佚曲所代表的劇本，甚或僅存劇目而完全失傳的腳本。請參見《戲文敘錄》前言，p.15。

[103]劉念茲認爲南戲是在閩浙兩省沿海一帶同時出現，而相互影響，產生的具體地點爲溫州、杭州、與福建莆田、仙游、泉州等地。請參見《南戲新證》第二章第二節，pp.19-29。但此說法似仍值得商榷，倒不如說南戲是在宋光宗之時或以後，盛行於福建漳州、莆田、仙游等地。

[104]有關「鶻伶聲嗽」的論證，請參見錢南揚《戲文概論·引論第一》，p.5；洛地《戲曲與浙江》，pp.17-18；鄭西村〈「鶻伶聲嗽」新釋〉載於《南戲論集》，pp.443-449；以及鄭西村、馬必勝〈「鶻伶聲嗽」考釋〉載於《戲曲論叢》第二輯，1989.11，pp.28-31。劉大海〈釋「鶻」〉，載於《戲曲研究》第二十一輯，pp.265-266；另錢南揚《漢上宧文存》〈市語彙鈔〉中收錄宋金以來的各行行話，可以參看。

[105]有關戲文的敘錄，最早始於明徐渭的《南詞敘錄》，收錄宋元戲文六十五種，明初戲文四十八種，共輯一一三種；而後三十年代有趙景深《宋

元戲文本事》(北新書局，1934.9)、錢南揚《宋元南戲百一錄》（哈佛燕京學社，1934.12）、陸侃如、馮沅君《南戲拾遺》(哈佛燕京學社，1936.12)等，共輯得宋元南戲一二八種；五十年代出版錢南揚《宋元戲文輯佚》（上海古典文學出版社，1956），與趙景深《元明南戲考略》（作家出版社，1958）；近年來，又陸續出版錢南揚《戲文概論》（木鐸出版社，1982.2）共輯得南戲劇目二百三十八種；莊一拂《古典戲曲存目匯考》(上海古籍出版社，1982.12）記錄宋元南戲存目二百二十一種，明初一二五種；劉念茲《南戲新證》(中華書局，1986.11）輯錄宋元南戲劇目二四四種，明初劇目一二五種，另輯福建南戲特有劇目十八種，共三八七種；由王進珊審定、彭非、朱建明主稿的《戲文敘錄》（施合鄭民俗文化基金會，1993.12)共收南戲劇目三百九十種，可說是現今最為完備者。

[106]《永樂大典戲文三種》主要採用錢南揚校注《永樂大典戲文三種》，1979年中華書局出版；《荊釵記》、《白兔記》、《拜月亭》、《殺狗記》乃採用俞為民校注《宋元四大戲文》，1988.2江蘇古籍出版社出版；而有關各戲文的版本，請參見俞為民《宋元南戲考論》，1994.9臺灣商務印書館出版。《劉希必金釵記》則原有劉念茲以明代宣德本《新編全相南北插科忠孝正字劉希必金釵記》所作《金釵記》校注本，1985.5廣東人民出版社出版，而後有陳歷民再加校正補錯成為《劉希必金釵記》重校本，載於《金釵記及其研究》一書下卷，1992.10廣西師範大學出版社出版。

[107]錢南揚校注中指出這一段諸宮調為無尾聲不成套的散詞，後世曲譜都將之放在南曲引子中，請參見《永樂大典戲文三種校注》注十九，p.7；而趙景深則認為開場部份以諸宮調，並非待客的「饒頭戲」、「艷段」，是在鼓吹戲文，做廣告自我吹噓。其實此二者是可以相行不悖的。請參

見〈宋元古南戲研究三題〉載於《中國戲劇史論集》，pp.21-37。

[108]在現今閩南莆仙戲的表演中，仍存留副末開場的形式。在開場前先來一段「報鼓」作爲準備，接著「三鑼鼓」吹打後，演唱曲牌。而後由後臺文武場同念「盛世江南景，春風畫錦唐。一支紅芍藥，開出滿天紅。」每念一句，打鑼鼓一遍，念完演唱「哩囉嗹」。此爲筆者於福建莆田市仙縣郊尾鎮新和村，莆仙戲排場戲《武頭出末》中所見。

[109]張敬認爲在雜劇劇中、劇尾的詞云、詩云，不可能爲「乾念」作念誦的方式，應是以搊彈伴奏作結。請參見〈由南戲傳奇資料、臆測北雜劇中的一項懸疑〉載於《清徽學術論文集》，p.76。

[110]李家瑞認爲依李有《古杭雜記》中所記敘：「花鼓棒者，謂每舉法樂，則一僧以三四棒榛，在手輪流拋弄。」可得知三棒鼓又稱爲「花鼓棒」。而後演變爲打花鼓形式，運用於戲曲中，並成爲花鼓小戲的地方戲系統。請參見〈打花鼓〉與〈兩種打花鼓的來源〉，載於《李家瑞通俗文學論文集》，pp.111-145。

[111]郭亮認爲宋雜劇正式角色名目有四個，「戲頭」、「引戲」爲一組，是由大曲角色演變而來的歌舞表演角色：「副末」、「副淨」爲一組，是由唐代參軍戲角色演變而來的滑稽表演角色。至於裝孤、裝旦，似乎尚未形成獨立的角色，往往由戲頭或引戲兼任。請參見〈早期南戲表演探源《張協狀元》剖析〉載於《戲劇藝術》，1982.4，pp.37-49。

[112]如《張協狀元》第二齣中，貧女上場唱【大聖樂】與兩支【叨叨令】，來表現內心苦悶悽楚的情懷，很難想像場上只有她一人，獨自站立乾唱。應是配合曲文，通過外在形體的舞蹈與動作來顯現。還有如第三、七、十三、十五、二十二齣等，也皆爲配合故事情節，人物情緒來表現身段舞姿。請參見翁敏華〈從南戲現存的幾個劇本看其表現藝術〉，載於《藝術研究資料》第八輯，pp.159-189。

[113]如《宦門子弟錯立身》第五齣中，「(婆末改扮上)」末原裝扮堂侯官，而後改扮爲王恩深。而如《張協狀元》第三十九齣雖無註明改扮，但實質上即是利用此手法「(旦拜)(淨當面立)(末白)它拜神，你過去。(淨)我過去？神須是我做！(末)休道本來面目。」請參見張庚、郭漢城第六章第七節〈南戲的舞臺美術〉，載於《中國戲曲通史》，pp.433-442。

[114]「搭架子」指幕後的答話與聲音效果。常在劇本上標示「內答」、「內應」、「內打更介」、「馬嘶聲」等舞臺提示。請參見胡雪岡、徐順平〈試論早期南戲的舞臺表演藝術〉載於《戲劇藝術》，1984.4，pp.75-83。

[115]有關《朱文走鬼》的版本、劇情、方言、諢話、白曲、行當、科範、名物等，請參見吳捷秋〈泉腔南戲的宋元孤本——梨園戲古抄殘本《朱文走鬼》校述〉，其後並附有〈朱文走鬼〉(手抄殘本·校注)，載於《南戲遺響》，pp.5-107。莆仙戲與庶民戲資料，請參見唐湜〈南戲散筆〉，載於《民族戲曲散論》，p.97。另外，劉念茲的《南戲新證》中，也多以福建劇種做相互補證的資料，可以參考。

[116]孫崇濤以《張協狀元》爲例證，探討其所體現的南宋中期「永嘉雜劇」的戲劇體制，並指出其只能算是完整而成熟的中國戲曲體系的初級形態。請參見〈《張協狀元》與「永嘉雜劇」〉載於《名家論名劇》，pp.1-20。

第三章　雜技與戲曲結合吸收的時期——元

元代蒙古人入主中原，產生了迥異於傳統的政經文化。外族樂舞的傳入，國際貿易的繁盛，社會娛樂的需求，民間文學的興盛，不遇文士的參與，相對地提供了元代戲曲發展的契機。元劇貫串了宋金雜劇院本四段獨立演出的小戲群體制[1]，敷演一完整的故事，形成了豐富的劇目。雜技樂舞除爨弄穿插於各折間，也應用於劇中人物特質的型塑，與情節的調劑連結，並進一步地形成專門的科泛身段，融入舞臺表演藝術之中。

史籍中載錄的元雜劇有四、五百本之多，然現今存留下來的約只有一百五、六十種。[2]其中《元刊雜劇三十種》爲現存元雜劇的唯一元代刊本，提供我們元代民間演劇的資料；而明臧懋循所編《元曲選》流傳廣遠，收錄百種元代至明初的名家劇作，然其中多有文字曲牌的刪減改動；明趙琦美等錄校的《脈望館抄校古今雜劇》中，附錄有明宮廷內府的穿關，大量保留元雜劇衣冠服飾，有助於我們了解元代演劇面貌。[3]本文主要採用上述材料與隋樹森編《元曲選外編》，並參考《古今戲曲叢刊》初集與第四集，引證部份《孤本元明雜劇》中的明代雜劇，作爲本章探究的主體。

第一節　劇目類型的出現

元胡祇遹於《紫山大全集卷八·贈宋氏序》中有云：

音樂與政通，而伎劇亦隨時所尚而變，近代教坊院本之外，再變而爲雜劇。既謂之雜，上則朝廷君臣政治之得失，下則閭里市井父子兄弟夫婦朋友之厚薄，以致醫藥卜筮、釋道商賈之人情物理，殊方異域，風俗語言之不同，無一物不得其情，不窮其態。

可見雜劇的題材內容極爲廣泛龐雜，舉凡朝政得失、市井瑣聞、英雄風雲、兒女私情都兼容並收，盡態極妍。當時文人即嘗試將其分類，夏庭芝《青樓集誌》中列舉：「有駕頭、閨怨、鴇兒、花旦、披秉、破衫兒、綠林、公吏、神仙道化、家長裏短之類。」（《戲曲論著集成》第二輯，頁七）其中混雜著角色的分工，若對照集中所敘歌妓擅長的雜劇，可分爲：⑴駕頭雜劇；⑵閨怨雜劇；⑶花旦雜劇；⑷綠林雜劇；⑸軟末泥雜劇五類。

明朱權《太和正音譜》中則依劇作內容或主要人物身分，標示出「雜劇十二科」的名目：⑴神仙道化；⑵隱居樂道（又曰林泉丘壑）；⑶披袍秉笏（即君臣雜劇）；⑷忠臣烈士；⑸孝義廉節；⑹叱奸罵讒；⑺逐臣孤子；⑻撥刀趕棒(即脫膊雜劇)；⑼風花雪月；⑽悲歡離合；⑾煙花粉黛（即花旦雜劇）；⑿神頭鬼面（即神佛雜劇）。[4]

清姚燮《今樂考證》則在「元雜劇」的著錄中，將錢曾所藏《也是園古今無名氏雜劇》依照題材所屬時代與故事內容分爲：⑴春秋故事；⑵西漢故事；⑶東漢故事；⑷三國故事；⑸六朝故事；(6)唐代故事；(7)五代故事；(8)宋代故事；(9)雜傳故事；(10)釋氏故事；(11)神仙故事；(12)水滸故事，並附明代故事三種，說明「右劇有明代事，當不盡係元人作，姑以類從，附元劇後」(《戲曲論著集成》第十輯，頁一三六）。曾師則將之合併爲歷史劇、雜傳劇、釋道劇、水滸劇四類。[5]

羅錦堂則參酌夏、朱二氏之說及劇本內容，將元雜劇重新分爲八類：(1)歷史劇（又分以歷史與個人事跡爲主，而其事與史事相關者二目）；(2)社會劇(又分朋友、公案二目，公案中再分決疑平反、壓抑豪強、綠林三種)；(3)家庭劇；(4)戀愛劇(又分良家男女與良賤間之戀愛二目)；(5)風情劇；(6)仕隱劇(又分發跡變態、遷謫放逐、隱居樂道三目）；(7)道釋劇（又分道教劇、釋教劇二目）；(8)神怪劇。[6]

而海外學者如日本青木正兒也採用夏、朱二氏之說，並對各類作品加以闡述；日人鹽谷溫則根據《元曲選》分爲歷史劇、風俗劇、風情劇、道釋神怪劇四種；美國時鍾雯則以爲古代分類雖具有歷史意義，但無法概括說明現存的元雜劇，故依目前的研究標準，分爲：(1)愛情主題；(2)儒學主題；(3)佛教主題；(4)道教主題；(5)隱逸主題；(6)正義主題。[7]

審視各家的分類方式，雖不盡相同，但卻提供了較爲系統化與單一化的原則，能夠對繁雜的劇目，以不同的角度進行多方面的探索。從這些劇目的類型中，不難發現有些類型承襲了雜技樂舞百戲的技藝特點，而與戲曲的表演內容與形式相互結合，如綠林雜劇中充分應用了刀棒脫膊等雜技武藝；而神鬼雜劇則延續傳統社火中「扮神鬼」的象人之戲等，使得元雜劇在於劇目題材與技藝表現方面，都能更加地向外拓展。因此本節中擇定綠林雜劇與脫膊雜劇，神佛雜劇與神頭鬼面的劇型作爲研討的主題，探究雜技對於戲曲在題材、內容、裝扮等表現手法上所產生的影響。

一、綠林雜劇與脫膊雜劇

元代政治社會的黑暗，漢蒙民族的對立衝突，權豪勢要的橫行霸道，貪官暴吏的貪贓枉法，富商無賴的豪取強奪，在在都對百姓造成嚴重的壓迫。劇作家藉由舞臺所架構的世界，大膽地披露現實生活中的種種苦痛，表現正義對邪惡的懲罰與反抗，誠如《燕青博魚》第一折中，雙目失明的燕青爲楊衙內騎馬所撞倒，燕青唱道：「【六國朝】我不向梁山泊裹東路，我則拖的你去開封府裹的南衙。」劇作家標示出冤屈小民的兩條路徑，一是透過公正清明的朝廷官吏，如開封包拯來依法處置，懲奸罰惡；一是投訴行俠仗義的綠林英雄，如梁山好漢來拔刀相助，鋤強扶弱。

只是在當時的時政下，像包拯、張鼎、錢可、王脩然這樣的清官良吏，畢竟是屬於少數，官府往往爲利令智昏、枉顧律典的官吏所把持。是以劇作家採用了綠林諸盜、行俠作義的事跡，作爲「綠林雜劇」的素材，無疑是以更強烈的方式，映襯出官方權要的敗法壞紀，並寄望以另一種審判形式，以「替天行道」的思想法則彰顯正義公理。大體而言，劇作家都選擇了梁山好漢作爲舞臺的主角。

水滸英雄的故事，自宋代以來便流傳於民間。在南宋說話人的底本中，就有以水滸人物作爲公案、朴刀、桿棒的題材[8]；而元雜劇中的水滸戲根據統計約有三十多種，現今尚存的只有六種。[9]在這些劇作中，以「黑旋風」李逵最受青睞，共有十三齣以其爲劇目。而高文秀、康進之與紅字李二等，都是致力於水滸戲的劇作者。

梁山泊位居鄆州與東平之間，恰爲高文秀的家鄉，自然引發其創作水滸戲的意圖。其水滸劇作九種，有八種以「煙薰的子路，墨染的金剛」的李逵擔任主角，從現存《黑旋風雙獻功》劇作中，可以發現其對李逵的形塑，不僅是具有「理會的山性兒，我從來個路見不平，愛與人當道撅坑。我喝一喝，骨都都海波騰。撼一撼，赤力力山岳崩。但惱著我黑臉的爹爹，和他做場的歹鬥，翻過來落可便弔盤的煎餅。」(第一折)性情勇猛、除暴安良的性格，還賦與他細心用計、誆騙牢房的智慧與作爲。

這種粗中帶細的特性，恰符合「黑秀才」的形象，提示李逵是個足智多謀的豪爽英雄，是以會產生以嘲弄官府、譏諷文士、蔑視禮法、輕慢迂儒、揶揄神鬼等情節的《喬斷案》、《窮風月》、《牡丹園》、《麗春園》、《喬教子》、《借屍還魂》劇目出現。至於在康進之筆下的《李逵負荊》，以李逵處於桃樹林中的酒醉情境，描繪其天眞可愛的一面；由其觀察王林鬱悶的神情，體察事情的原委，顯現出細膩憐憫的心思；當然其烈性如火、莽撞率直的性格特點「我扶侍你，一隻手揪住衣領，一隻手答住腰帶，滴溜撲摔個一字，闊脚板踏住胸脯，舉起我那板斧來，覷著脖子上可插。」(第二折)也正是其鬧山、負荊的本色。

這兩個故事中，雖然都有著流血殺人的情節，但卻被認爲是正義的伸張，尤其在李逵魯莽歡快的情緒氣氛下，反而形成綠林雜劇特有的暴力美學。在李致遠的《還牢末》，李逵甚至以淨腳扮演強盜的形象「上山鞋履不聞聲，下山鑼鼓便齊鳴。驀然一陣風來處，知是強人帶血腥。」(第四折)但卻依然抱持著感恩圖報的俠義心腸。以「邦老趙家」著稱的綠林雜劇藝人賜恩深，應當就是扮演這類角色的最佳人選。《黃花峪》中宋江派遣李逵前去水南寨捉拿蔡衙內：

【牧羊關】則我這拳著處滴滴撲著那廝身占土。(宋江云)那廝掙起來呵呢。（正末唱）急起來著那廝嘴搵地。（宋江云）若那廝走了呵呢。(正末云)那廝欲待走，走哪去。（唱）我這裡破步撩衣，指東畫西，説南也道北，此一隻腳將那廝□□跳，兩隻手將那廝腿挺提。我腕頭齊著力，那去，我可便撅無徒在這兩下裏。（第二折）

李逵以說唱的方式「敷演一遍」他的拳術功夫，顯見場上必然有些武藝的表演。是以就內容題材而言，藉由行俠仗義的舉止，經由捉拿打殺的過程，達到對貪官污吏的懲罰，與對奸夫淫婦的報復，這正是綠林雜劇的主題；而就表演手法來說，所謂「十八般武藝咱都會」、「舞劍輪槍並騙馬，則消的我步走如飛」（第二折）的本事，恰爲脫膊雜劇「朴刀桿棒」的特色。

「脫膊」或作「脫剝」，爲音近相借，即言露出臂膊，其目的不外乎是減少衣服的束縛，以方便在演練武藝、打擂相撲時，動作更爲靈活敏捷。如《水滸傳》中描寫史進「只見空地上一個後生脫膊者 ，刺著一身青龍，銀盤也似一個面皮 ，約有十八九歲，拿條棒在那裏使。」(第二回)敘述「燕青智撲擎天柱」，燕青與任原皆「脫膊」廝擂相撲(七十四回)。然《燕青博魚》「則我這白氈帽半搶風，則我這破褡膊落可的權遮雨。」(楔子)；與《趙讓禮肥》「我則見他番穿著棉納甲，斜披著一片破背褡。」(第一折)中則有「褡膊」、「背褡」等服飾穿著，脫膊或者即意指脫去這類裝扮服飾。[10]

宋代之時，民間講武風氣盛行，市井子弟喜好弄拳使棒，作爲健身禦侮的技藝，並進而發展成爲社團組織，在歲時閒暇時競技戲樂。當時嫻於武技者，流行著一種紋身的風尚，以增加剽悍勇健的聲勢。如浪子燕青「脫去衣服，現出花繡，觀客都感歎他不是好惹的，任原心裡也有五分怯他。」（七十三回）刺青的精美，似乎成爲武藝高下的表徵。《忠義水滸傳》第七十四回有「燕青智撲擎天柱」的圖像(圖㊷)；而河南省博物館所藏宋《小兒相撲詞俑》，裸體頭挽小髻，臂刺花繡，腰束寬帶繫護襠；山西晉城南社宋墓後室南壁墓頂，繪有一相撲壁畫，圖中四人均頭戴黑巾，赤膊著三角短褲，其中兩人正奮力搏鬥(圖㊸)[11]，可見自宋時以比賽形式進行的相撲活動，已極爲盛行。

而當時也有一些所謂的「閒漢」，「專以參隨服事爲生，舊有百事皆能者，如扭元子、學像生、動樂器、雜手藝、唱叫白詞、相席打令、傳言送語、弄水使拳之類，並是本色」（《都城紀勝》頁一〇一）。專門充任外方官員、富豪子弟遊蕩幫閒的隨侍，也從手臂下雕刺花紋到腿，故稱爲「花腿」。[12]如《生金閣》第一折中龐衙內要小的安排些「花腿閑漢」與從馬到郊外去打獵；《魯齋郎》楔子中也云「但行處引的是花腿閑漢」等。

這些浮浪閒人嫻熟各種雜技武藝，或成爲棚頭野呵做場的民間藝人。官府唯恐人們會因此而聚衆造反，故敕令禁止，並嚴禁人們學習角觝武藝，《元史．刑法志》中載：

> 諸民間子弟，不務生業，輒於城市坊鎮，演唱詞話，教習雜戲，聚眾淫謔，並禁治之。諸弄禽蛇、傀儡、藏擫撇鈸、倒花錢、擊魚鼓、惑人集眾、以賣僞藥者，禁之，違者重罪之。諸棄本逐末，習用角抵之戲，學攻刺之術者，師弟子並杖七十七。（卷一〇五，頁二六八五）

是以江湖賣藝的雜技藝人，或改行轉往戲曲舞臺發展，因應著劇情的需求，將角觝武打等技藝，以各種形式予以藝術再現，遂使得在元劇中湧現出不少描述古人作戰，或廝擂角觝的脫膊武戲。如《藍采和》第一折中所述：

> （正末云）我試數幾段脫膊雜劇。（唱）做一段《老令公刀對刀》、《小尉遲鞭對鞭》或是《三王定政臨虎殿》。（鍾云）不要，別做一段。（正末唱）都不如《詩酒麗春園》。【天下樂】或是《雪擁藍關馬不前》。

如《獨角牛》一劇，就以民間所盛行的打擂爭交作爲故事的主軸，首折中劉千與拆拆驢的相搏；第二折有拆拆驢與獨角牛的廝打；第三折則爲東嶽泰安的社火打擂；第四折中爲劉千向父親秉報「遮截架解」、「劈排定對」的角觝過程。《夢粱錄·角觝》中載：「角觝者，相撲之異名也，又謂之『爭交』。」（卷二十，頁三一二）在劇中以說唱與科泛的方式，敷演爭交跌打的場面，極爲精采生動。其中即有香官命獨角牛「脫膊下來搊三遭」，與「獨角牛做脫膊了科」的記載。

《黑旋風》中孫孔目要前往泰安神州燒香，基於該地謊子極多，哨子極廣，故前往梁山尋討「護臂」跟隨。[13]李逵自願前往，宋江唯恐他有所錯失，與人「廝丟廝打，作那打家截道殺人放火的勾當。」故對其百般叮嚀尤其勿去打擂，李逵唱「【一煞】有那等打欄臺使會能，擺山棚薄個贏。占場兒沒一個敢和他爭施逞，拳打得南山猛虎難藏隱，腳踢的北海蛟龍怎住停。我也只緊閉口不放些兒硬，我只做沒些本領再不應承。」可見當時的爭交角觝，是在露臺上舉行，並有各種賭資獎品放置於山棚中。

《哭存孝》中，李克用聽信讒言，派李存孝與妻子鄭氏到艱苦的邢州爲官，鄭氏指出李存信與康君立二人，毫無武藝本事，卻居戰功鎮守潞州「【柳葉兒】你放下一十八般兵器，你輪不動那鞭楗檛錘，您怎肯袒下臂膊刀廝劈，鬧炒炒三軍內，但聽的馬廝鳴。早唬得悠悠蕩蕩，魂飛魄散。」（第一折）此中的「袒下臂膊」也就是脫膊之意。清代昆弋亂彈搬演《神州擂》、《白水灘》、《四杰村》、《金錢豹》等武戲時，仍遺留有袒臂上場的脫膊形式表演。[14]

而劇中李存孝「學的十八般武藝熟閑」，不僅於《存孝打虎》中以拳腳「【牧羊關】血鼻凹撲碌碌連打十餘下，死屍骸骨魯魯滾到四五番，恨不得莽拳頭打挫牙關。」將老虎打死，也於戰場上使用渾鐵鎗 、鐵飛撾與黃圭廝殺 。脫膊武戲中基本上以「十八般武藝」作爲人物形象的表徵：精通者往往能夠藉以「發跡變態」，成就一番戰功事業；而不學無術者亦藉以吹捧自我，製造出諢話的戲謔效果。如《老君堂》第二折中，高熊一出場便言：

> 十八般武藝無一件會，論文一口氣直念到蔣沈韓楊。論武隊子歪纏到底，在教場裡豎蜻蜓耍子。奉大王將令，統領十萬雄兵。大小三軍，聽我放屁。未曾上馬，先喫一醉。不穿鐵甲，披著錦被。撞見唐兵，和他對壘。射將劍來，舒著大腿，丟了殘生，黃泉做鬼。十萬兵擺列刀槍，一個個跨上綿羊。遇相持準備著逃命，夾迴馬寶跑到良鄉。

透過誇張風趣的的筆調，毫不隱晦地自我嘲諷，也預告出其後與敵人的交戰，必敗無疑；又如《襄陽會》第一折中蒯越自報家門道「某乃前部先鋒將，俺家老子是皮匠。哥哥便是輪班匠，兄弟便是芝麻醬。某乃蒯越，兄弟蔡瑁，我又沒用，他又不濟。我打的筋斗，他調的百戲。」刻意地以其他技藝來作爲比對，交代出二人無用的眞相；而劉表、劉琦，劉封父子三人「武藝不會，所事不知」，是以在《黃鶴樓》、《隔江鬥智》中也以「我做將軍慣對壘，又調百戲又調鬼。」來重疊強調劉封愚騃滑稽的嘴臉。

因此武將臨場作戰擺陣的武戲，也是爲脫膊雜劇的類目，並配合著劇情的發展，在表演中夾雜著沙場交戰的軍事場面，如《澠池會》、《博望燒屯》、《襄陽會》等。而根據《列女傳》鍾離春故事與《戰國策》齊襄王后事改編而成的《智勇定齊》，描寫醜女鍾離春以才智封后，會列陣縱馬、能舉刀廝殺，輔佐齊王破強秦威脅，安邦定國。可以說是後世「刀馬旦」角色的濫觴。而《青樓集》中善演綠林雜劇，「武步甚壯」的天錫秀，應即是扮演此類人物的合適人選。

搬演三國故事的《三戰呂布》，在第一、二折中描寫冀王袁紹聚集十八路諸侯與呂布率領的八健將，在沙場對陣廝鬥落敗。曹操薦舉劉關張三人，給淨扮的孫堅「雖然我爲大將，全無寸箭之功」以對抗呂布。其後楔子中，由孫堅與呂布對陣，不敵落敗，丟了衣袍鎧甲，使了個「金蟬脫殼計」逃脫。第三折中，身爲打陣將官掠陣使的張飛，故意拿著從楊奉手中奪來的孫堅衣袍鎧甲，與孫堅合同向衆人說明戰況。孫堅云：

> 張飛，那呂布怎生好，穿什麼衣袍，披什麼鎧甲，帶甚麼頭盔，騎甚麼鞍馬，使甚麼兵器，怎生打扮，你說與參謀試聽著。(正末云)我先說了呂布，後數演元帥也。（唱）
>
> 【迎仙客】呂布那三叉紫金冠上翎叉著那雉雞，他那百花袍鎧是唐猊。那一匹衝陣馬遠觀恰便是火赤赤。(孫堅云)他怎麼與我廝殺，使甚麼兵器來。（正末唱）垓心裡馬馱著人，鞍心裡手�定戟。（孫堅云）我看來，那廝力怯膽

> 薄也。（正末唱）覷了他英勇神威。（云）那呂布似一員神將。（孫堅云）可是那一員神將。（正末唱）恰便似托塔李天王下兜率臨凡世。

在兩人的問答中，描摹出呂布英勇威赫的扮相；繼而又再以同樣手法敷演孫堅的穿戴；而後孫堅又要張飛將兩家在虎牢關下，怎生排兵布陣，吶喊搖旗，演述一回。這樣逐次逐層地將戰爭的始末細節，經由問答說唱的形式，做了通盤全面的描繪，使人有親睹其事、親聞其聲的臨場感。之後呂布前來向張飛討戰，又安排了楔子作爲交戰的過場；第四折中由張飛向袁紹說明兄弟三人如何在虎牢關前調遣三軍，戰退呂布剿除賊黨的經過：

> 【脫布衫】虎牢關排軍校殺氣飄揚，鳴金鼓聲震穹蒼。（袁紹云）門旗開處，玄德公使的哪一般兵器。(正末唱)大哥哥雙股劍實難措手。（袁紹云）雲長公用那一般器械來。(正末唱)二哥哥三停刀怎生遮當。(袁紹云)三將軍你那槍到處人人失命，個個皆亡也。(正末唱)【小梁州】張飛我躍馬橫擔丈八槍，舞梨花攪海翻江。(袁紹曰)呂布可怎生對敵來。(正末唱)呂溫侯方天畫戟怎提防，殺得他無歸向，今日個一陣定興亡。

從曲文中得知有各種刀槍把子，這些劍刺、刀砍、槍扎、戟掃等長短兵器的武打演出，顯見爲後來「打把子」等武打動作的前身。就劇本「三戰」的結構來說，第一戰主要以詩讚式的道白敘事方式，詳細地刻畫了征戰的場面；而後第二、三次會戰，則以楔子的方式簡短的交代對陣的情形，然後再藉由曲文說唱問答的形式，重新鋪張敷陳兩次作戰的全盤過程。張飛在第二、三次中都擔任講述的腳色，不同的是前一次是以「旁觀」的身分，間接側面地對孫堅做了嘲諷譏刺；而後一次則是「親身」參與，直接表露劉關張三兄弟保家衛國的颯颯戰功。

「三戰」的架構「同中有異、異中有同」，避免了同一形式的單調重複，增添了變化的娛樂趣味，成爲元雜劇中慣用的戰爭演述筆法。而元刊本《氣英布》第四折中有「正末拿砌末扮探子上」，以第三者的身分獨唱一整套北曲的方式，來刻畫征戰場面，也是元雜劇中特有的「說戰法」。這種「探報」的手法發展成爲一種模式規範，具有著基本特質[15]，並成爲後世戲曲中常用的段子，如王濟《連環記》傳奇中的「問探」一齣，即以此段情節作爲藍本，應用蜈蚣身段的模擬，彰顯出探子行走如飛、無聲無形、機靈過人的長處，是爲崑丑《五毒戲》之一。

這樣的表現手法，存留著俗講、變文、諸宮調等說唱藝術的遺跡，並滲入了元末明初講史演義的影響，也在「說陣法」中表露無遺。[16]一般由主帥或軍師在「大小三軍，聽吾號令」一類詞語後，對其作戰武器、方位、旗幟、人員加以分配編排、擺陣佈局。當然，隨著劇情與人物的不同，可以長短、繁簡、褒貶不一。如《三戰呂布》楔子中，淨扮孫堅領卒子上擺了個「衚 衕陣」，「把這馬軍擺在一邊，把步軍擺在衣邊。中間留一條大路，我若輸了好跑。擺開陣勢，塵土起處。呂布敢待來也。」即是在嘲諷孫堅膽小無能、戰術不行。

是以元雜劇中的武戲繼承了說唱文學的題材與表現手法，再加入一些武打相撲的技藝，但尚未完全與劇情人物融合。其中沿襲自百戲中的相撲搏擊表演，遂成爲後來「短打」武戲的形式，如《御遲恭三奪槊》中，描述御遲恭與單信雄的對打格鬥，在清代「御果園」的表演中，仍保留著袒臂上場的脫膊形式。而《老尉遲鞭對鞭》中，老小尉遲披掛著卓袍烏鎧，戴上鐵襆頭，緊拴紅抹額，拿著鋼鞭對陣相鬥的表演，以角色應工來說，則成爲後世「長靠」武戲的類型。

在元代宮廷朝會宴享的「樂隊」中，擔任朝會時演出的「禮樂隊」，有男子八人「冠鳳翅兜牟、披金甲、執金執。」（《元史·禮樂志》卷七十一，頁一七七六)「兜牟」也就是「兜鍪」，爲作戰時所戴的頭盔；「金甲」，爲作戰時所穿著的鎧甲；而這也正是元雜劇中常見的武將服飾扎扮。在脈望館的穿關中，已出現有由「甲」演變成「靠」的藝術形象，開啓了明清「扎靠」武戲的先聲。

至於拴勒抹額、頂戴盔頭已經成爲武扮的基本穿關，然而又依隨著人物的不同類型，而有特定的扮飾。如呂布「三叉紫金冠上翎插著那雉雞」(《虎牢關》第三折)，在後世戲曲中甚至發展出「翎子功」的表演技藝；馬超「獅磕腦盔」，李存孝「用的虎磕腦、虎皮袍」(《存孝打虎》第二折)等則借用百戲中的假面假形，以「磕腦」的形式，將動物的形象集中於盔帽上。馮沅君曾歸納指出元明腳色「妝裹」的六項標準，其中番漢有別、文武有別、貴賤有別、善惡有別四類中，都提到與軍士兵將有關的穿戴，並提出「文官的帽子多是襆頭，武官則多是盔」的現象[17]。

《新唐書·車服志》載：「襆頭起於後周，便武事者也。」（卷二十四，頁五二七）襆頭在歷史上曾有過許多的變化，《元史·輿服志》中載百官公服「襆頭，漆紗爲之，展其腳。」（卷七十八，頁一九三九～一九四〇）應即如元代運城西里莊墓雜劇壁畫中第三位裹展腳襆頭、著袍秉笏的官員形象。又儀衛服飾中也有交角、鳳翅、控賀、花角等襆頭類別。元雜劇中有武將姚期戴「鐵樸頭」，尉遲恭「披掛了皂袍烏鎧、戴上鐵樸頭」（《鞭對鞭》第二折）的穿關與曲文描繪。以鐵形容，可能是指其材質或顏色，猶如言「金戈鐵甲」般，也許即是京劇武扮盔頭中的「大蹬」。[18]

是以脫膊從百戲中的相撲打擂，演變爲與古人作戰常有的舉動；脫膊雜劇概括了當時江湖好漢、綠林英雄的短打格鬥，以及軍士戰將沙場廝殺的兵刃排陣，成爲元代時武戲的總稱，並提供了後世「短打」武戲與「長靠」武戲的類型與裝扮。而水滸綠林、歷史演義等題材，也成爲後世武戲的主要內容，並在技藝方面繼續地發揮擴展。

二、神佛雜劇與神頭鬼面

「積善之家，必有餘慶；積惡之家，必有餘殃。」（《周易正義》卷一）的觀念，歷來爲傳統社會中整頓人倫秩序、支配世道人心的思想法則。而隨著宗教的盛行，因果業報的佛家觀點、點化度脫的道家思想，更根深蒂固地深植於人們心中。是以作爲反映人生的戲曲藝術，也藉由鬼神世界的架構虛擬，來「象徵現實，妝點現實、嘲弄現實、彌補現實」。[19]宋代社火百戲中已有「道術」的演出，宋雜劇中則出現「塑金剛大聖樂」、「和尚那石州」、「毀廟」、「青陽觀碑彩雲歸」、「鍾馗爨」等劇目，金院本中更有所謂的「先生家門」、「和尙家門」。

元代諸帝皆佞佛，在朝廷設立「宣政院」，執專掌天下釋教。並建立帝師制度「帥臣以下，亦必僧俗並用，而軍民通攝。於是帝師之命，與詔敕並行於西土」（《元史·釋老傳》卷二〇二，頁四五二〇）。每歲並由帝師於大殿啓建白傘蓋佛事，引領倡優衆僧，以百戲周遊皇城內外，以示與衆生袚除不祥，導迎福祉，謂之「遊皇城」(《元史·祭祀志》卷七十七，頁一九二七)。是以民間也廣爲流傳佛教，但以禪宗、白雲宗、白蓮宗與糠禪（頭陀教）等爲主[20]，尤其精於思辯、長於哲理的禪宗，深爲知識份子所喜好。

至於道教各立名號，分爲全眞教、正一教、眞大道教、太一教等，也頗爲朝廷所尊禮。其中由丘處機(教祖王重陽)爲首的全眞教，以「清心寡慾爲要」甚爲元太祖所契；且由於其主張「援儒、釋爲輔」，以服膺儒教爲業，並用易、詩、書、道德、孝經等作爲勸導帝王、教諭徒衆的經典，講求息心養性、除情去欲的自我修持，輕視驅鬼鎮邪、祭醮禳禁的符籙科術，所以頗爲士林文人所認同。然而發展到後期，漸失其教義原旨，而成爲「末流之貴幸」。[21]

世祖於中統初年「立仙音院，復改爲玉宸院，括樂工。」（《元史·世祖本紀》卷四，頁六十八）其後於禮部設立「儀鳳司」與「教坊司」（《元史·百官志》卷八十五，頁二一三八～二一四〇），掌管樂工藝人，職司供奉祭祀和宴享娛樂等事宜。元耶律鑄有〈初閱仙音院〉與〈贈仙音院樂籍侍兒〉等詩文，記載了中統年間宮廷演出的劇藝情況。其中〈爲閱俳優諸相贈優歌道士〉云：

一曲春風踏踏歌，月光明似鏡新磨。誰游碧落騎鸞鳳，記姓藍人是采和。（卷六）

詩中「鏡新磨」應爲五代優伶「敬新磨」的諧音雙關，馬致遠【南呂一枝花】〈詠莊宗行樂〉中亦曰：「鏡新磨無端，把李天下題名兒喚」(《陽春白雪後集》卷二)。[22]如從詩意來說，應是吟詠俳優扮演藍采和故事中的「踏歌」。[23]藍采和爲道教八仙之一，元雜劇中有《藍采和》一劇，敷演漢鍾離如何度脫藝名藍采和的伶人許堅，在第三折中即有一段描述藍采和踏歌的表演：

（正末舞科念）踏踏歌，藍采和，人生得幾何。紅顏三春樹，流光一擲梭。埋者埋，拖者拖，花冠彩舉成何用，箔捲椽臺人若何。生前不肯追歡笑，死後著人唱挽歌。遇飲酒時須飲酒，得磨跎處且磨跎。莫恁愁眉常戚戚，但只開口笑呵呵。營營終日貪名利，不管人生有幾何。有幾何，踏踏歌。藍采和。

八仙爲道教神仙譜系的縮影，其得道成仙的事跡，產生於唐宋，完成於元明，爲元雜劇中經常搬演的神仙題材，並以度脫作爲劇作的重點：如上劇與《黃粱夢》爲鐘離權度脫藍采和、呂洞賓；《岳陽樓》、《竹葉舟》、《城南柳》、《升仙夢》、《鐵拐李》爲呂洞賓度化郭馬兒、陳季卿、柳樹精、桃樹精與李鐵拐；《金安壽》則由鐵拐李度化金童玉女等，具有著度脫者與被度脫者的雙重身分。

授度爲仙凡交合的重要過程，或原爲神仙精怪，由於過失而被貶謫降入凡塵，經悟道後再回歸仙境；或本爲凡人俗物，因爲衆仙的說法點化，而棄世離俗位列仙班，大體而言，具有著「凡度必爲三」的概念化公式，先說以富貴不足恃，再喻以功名不足戀，其三則假借仙佛的超越力量，幻設出各種驚愕魔難，而終使被度脫者開悟，最後能得成正果。[24]如《度柳翠》中的柳翠，原爲觀音菩薩淨瓶中的柳枝，由於偶染微塵，故罰其前往人世「打一遭輪迴」，而後經由月明和尚的禪說偈語，使其還本歸元。

參禪悟佛的佛教思想，也是神佛雜劇的表現重點。如「我佛將五派分開，參禪處討個明白」(《忍字記》第三折)；「我可也自來無喜亦無嗔，直將這一心參透，五派禪分」（《東坡夢》第一折)；「休笑我垢面瘋痴，恁參不透我本心主意，則與世人愚，解禪機。」(元刊本《東窗事發》第二折)等，都蘊含著禪宗教派的講述，與禪宗教義的宣揚。在只能意會不能言傳「釋家拈花露本心，迦含微笑遇知音。」(《來生債》第四折)之下，運用參禪與機鋒來開悟衆人，使其在霎那間立地成佛。

宗教原具有慰藉人心的力量，尤其在現實中遭遇困阨時，便希冀借助神佛超凡的神力，重整人間的秩序與公理，讓正義與良善得到護持，而給於罪惡嚴厲的懲治；或在面對情義的憾恨時，能夠超越時空的隔絕，突破生死的界限，讓至情者償獲其情，至義者彌見其義；更甚而建構超脫物外的虛幻仙境，希冀經由試煉與授度的過程，掙脫凡俗的酒色財氣、免除人世的生老病死，與天地融合爲一，取得宇宙與人生的和諧，而臻於逍遙自在、長生不滅的永恆。

是以舉凡天上神佛，到海中龍王；從陽世仙眞，到冥府鬼蜮，都可以粉墨登場，化身於戲曲舞臺上。如《盆兒鬼》中的神道還親自現身，將盆罐趙從床下「攢住頭髮拖出科」，並且「做坐淨身上科」，要將其坐成一個「柿餅兒」，生動地描摹出窯神主持正義的形象。通常，爲凸顯鬼神迥異於常人的面貌形態，多應用假頭面具的化妝扮飾，作爲舞臺上神鬼的化身。如描寫呂洞賓度化陳季卿的元刊本《竹葉舟》雜劇，第二折中有「(正末引淨孤四人戴逍遙道粧上云），神仙每好快活！」的舞臺提示，《元曲選》中指出此爲呂洞賓、列御寇、張子房、葛仙翁四位仙人。從「戴」字來看，其可能即是以面具臉子的方式裝扮。

因而以演述神仙鬼怪故事爲主體的神佛雜劇，也可稱爲「神頭鬼面」。南宋旅日大覺禪師蘭溪道隆，曾有詩吟詠曰：「戲出一棚川雜劇，神頭鬼面幾多般。夜深燈火闌珊處，應是無人笑倚欄。」(〈馬大師與西堂百丈南泉玩月〉)描繪出南宋晚期（1213～1233）四川境內戲劇表演的情況。從禪師的身分與四川的地域背景來推測，演出的或許正是集「神頭鬼面」大全的「目連戲」。

面具從遠古時代的宗教樂舞中， 便結合了寫實與抽象的原則，從自然生物的象徵模擬，到神靈崇拜的誇張形塑，創化出各種圖騰意象；漢唐之時進而強化其娛樂性，成爲角觝百戲的「象人」表演：應用著魚龍獅子的「象獸」裝扮，作「曼延之戲」；也能以神仙精怪的「象神」化身，表演「總會仙倡」；亦可扮飾爲英雄人物的「象人」形態，演出「大面之戲」；宋代則增添更多世俗性的戲劇色彩， 混雜著塗面與面具的雙重手法， 表現出「諸軍百戲」中的神鬼群舞。

面具兼具著宗教驅儺與百戲娛樂的雙重功能，在歷史的推衍中交錯地運用著。就造型手法而言，或者使用全身的「假形」，改扮成各種動物形態；或者利用套頭類的「假頭」，誇張頭形的各種造象；或者經由面具式的「臉子」，賦予不同的身分表徵。陸游曾訝於「一副」面具，居然有八百枚之多，而「老少妍醜，無一相似」(《老學庵筆記》)。而「戲面」（范成大《桂林虞衡志》）則突顯出面具的戲劇機能，在不斷地上升擴展中；元代宮廷樂舞中的「音樂王隊」也以「戴紅束髮青面具」、「戴孔雀明王面具」、「戴龍王面具」、「戴毗沙神面具」等，作爲樂舞的服飾裝扮。

雖然隨著戲曲的成熟發展，塗面化妝的臉譜藝術，相較於固定笨重的面具而言，能夠更生動細緻地具現演員的臉部神情，突破唱念與肢體語言的某些侷限，並方便劇團衝州撞府、流動作場的表演生態。然而面具以其誇張的雕塑性手法，與改裝扮飾的便利，在戲曲的舞臺表演藝術中，仍然具有著生存的空間。尤其在某些類型化的劇目與劇種中，經由面具造型的符號標記，轉換異化爲另一種身分表徵，而具有著降福賜吉、驅鬼逐疫的功能[25]。

神佛雜劇以演述神佛鬼怪的故事爲主體，如《鎖魔鏡》描寫那吒神與二郎神飲酒比試武藝，二郎神一箭射破鎖魔鏡，逃脫了百眼鬼、牛魔王兩洞妖魔，驅邪院主命二郎神將功贖罪、擒拿二妖：「身長萬於丈，腰闊數千圍，面青髮赤，巨口獠牙。二郎神變化顯神通，掣電轟雷縹緲中，領將驅兵活灌口。殺敗那法力低微牛魔王」(第三折)。這種以惡相來面對妖魔鬼怪，以達到威嚇震懾目的，爲佛教中常見的「忿怒像」造型。

當神佛面臨鎮伏邪魔、殲滅妖孽時，往往經由「變形」來顯現本領。曲文中描述二郎神與二妖魔對陣時「顯神通變出本相」。或如《斬健蛟》第二折中「正末變化青臉紅髯」的形象，經由改扮的方式，表現誇張威猛的造型。[26]而以「紅髮笄角佗頭抹額」爲裝扮的九首牛魔羅王，亦以「巨口獠牙顯化身」的方式，表現法力；戴著「百眼鬼頭」的金睛百眼鬼，則是以「個個眼似亮燈盞」的造型，彰顯其特質。神頭鬼面的造像原則，往往帶著濃厚的民間想像成分，或是威武勇猛、或是扭曲變形，滲透著廣大群衆對各類神祇的審美判斷。

關於二郎神的傳說很多，或以爲是李冰、趙昱、楊戩等。最早出現武器使用的是「(李)冰乃操刀入水與神鬥」(《水經注》)；張唐英《蜀檮杌》載：「廣政十五年，夏六月朔，蜀後主宴，教坊俳優作灌口神隊二龍戰鬥之狀。」顯然在五代之時，宮廷已有以灌口二郎神爲題材，類似於角觝爭鬥的表演。而在民間則將北巡的王衍比喻爲灌口神「旌旗戈甲，百里不絕。衍戎裝，披金甲，珠帽，錦繡。執弓挾矢。百姓望之，謂如灌口神。」都顯見當時已有弓矢盔甲等武打裝扮。[27]

元雜劇中二郎神所使用的兵器有三尖刀、斬妖劍、金臂弓、鳳翎箭、金彈等，在《斬健蛟》中趙昱用「三尖刀、鳳翎箭」作爲武器。元代山西紅洞明應王殿，爲一四面繪滿壁畫的水神廟。其中西壁爲《祈雨圖》，東壁爲《行雨圖》、南壁殿門上方繪有二龍相鬥，赤龍逃，青龍追的圖像；南壁東次間牆面爲「大行散樂忠都秀作場」壁畫(彩圖㉘)，在演員後面布幔上，即繪有一人揮劍追鬥青龍的圖像，配合此廟特性推測應是《斬健蛟》的舞臺形象。[28]

爲顯現神鬼超人的法術神力，經常夾雜著「鬥法」的盛大排場，如《柳毅傳書》中，洞庭湖龍女三娘被夫君罰在涇河岸邊牧羊，托柳毅傳書於洞庭。錢塘火龍聞言大怒，頓開鐵鎖，與涇河小龍交戰：「那火龍倚仗他狂煙烈火、俺小龍施展他驟雨飄風。風來雨去勢洶洶，各自當場賣弄。火起雨能相滅，雨飛火又來攻。二龍爭鬥在長空。」(第二折)其中還穿插著小龍變做小蛇、被火龍吞於腹中的「龍蛇變化」情節，更增添闕目的熱鬧壯觀。

這種正義與邪惡間的爭鬥，不啻是廣大民生的內在心聲，經由種種驅邪打鬼、斬蛟鬥龍、呼風喚雨、倒海翻江、起死回生、點石成金、役使萬物的情節安排，紓解現實中的壓抑迫害，在虛幻中體現自由解放。通常神佛雜劇中，安排了衆多的神仙鬼力，以映襯場面的神幻靈妙。如《風花雪月》中「今日個風花雪月相逢日，抵多少龍虎風雲聚會時。」(第三折)就有封(風)十八姨、桂、荷、菊、梅花仙、雪神、桂花神(月殿)等衆仙的演出。

而一些穿插有鬼神情節的劇目，也不乏聲勢浩大的神仙陣容。如描寫蔡順孝感動天，諸神將奉命化冬爲春，降生桑葚的《降桑葚》一劇中，有增福神「展腳襆頭、紅襴、笏」；鬼力「鬼頭」；門神「鳳翅冠膝襴曳撒、金靠、鉞斧」；戶尉「鳳翅冠、劍、金爪」；土地「方巾、拄杖」；井神「枕頭冠、執圭」；灶神「弁冠、執圭」；廁神、桑樹神「展腳襆頭、綠襴、笏」；風伯「鬼頭、風布袋」；雪神「雲冠、雪光、執圭」；雨神「如意冠、柳枝、水盞」；雷公「雷公頭、飛翅、雷光、雷楔」；電母「花箍、雙鏡」等裝扮與砌末的配置，表露出諸神的法相神力。

大體而言，仙官道家都有約定俗成的穿關，如八仙都配帶著不老葉，說明其有長生不老的神力。鐵拐李的「鬅髮」，爲僧道與天兵神將、鬼卒妖魔等角色所戴的髮套，常用以表現披頭散髮、或蓬頭垢面的形象；呂洞賓的「九陽巾」可能以條紋或圖形繪成陰陽乾坤、太極八卦的巾帽。元刊本《竹葉舟》中記載其穿著「鶴氅提荊籃上開」（第一折），明代穿關中則演化爲「茶褐雲鶴道袍」[29]等。所謂「寧穿破、不穿錯」，這些服飾裝扮遂發展爲戲曲舞美的定則規範。

基於對歷史英雄的崇拜心理，民間往往藉由附會、聯想、孳乳等傳說改造過程，賦予其超凡入聖的能力，而納入神佛體系中。如《蔣神靈應》描寫東晉謝玄統兵抵禦苻堅南下，獲得鍾山之神蔣子文所率領的神兵鬼力協助，得以於大勝淝水之戰的故事。其中蔣神的裝扮與民間武將的穿著相類同[30]，或者是因緣於「角色轉換」的身分改變方式，而使神將基本上取法於民間人物的造型，再依照神能而加以不同的裝扮。

《單刀會》演述魯肅設計索取荊州，關羽單刀赴會的故事。劇中透過喬國老的贊歎，生動地刻畫出關羽近乎「神道」的威猛形象：「【金盞兒】上陣處三九美鬚飄，將七尺虎軀搖。五百個爪關西，簇捧定個活神道。敵軍見了嚇得七魄散五魂消。你每，多披取幾副甲，剩穿取幾層袍。您的呵！敢盪翻那千里馬，迎住三停刀。」(第一折)這齣描寫關羽「生前」英勇事跡的劇作，歷來爲人們所傳誦不已。

在元刊本中著錄了「正末扮尊子燕居扮將主拂子上坐定」(第三折)，與「正末扮尊子席間引卒子做船上做定云」(第四折)的舞臺提示。依曲文得知，此處的正末是由關羽所擔任。「尊子」依《墨娥小錄》「行院聲嗽」中的「人物」記載，乃是「神道」的調侃語；再對照《看錢奴買冤家債》第一折中將「聖帝」稱爲尊子的例証，可知雖然在《單刀會》中關公尚未由人格轉化爲神格，但在當時民間已是將關羽視爲神靈來扮演。[31]

而《大破蚩尤》演述宋徽宗時解州鹽池乾旱，道士請解州本地的「土地神」關公，出來降伏作怪的蚩尤。[32]在劇中關公的裝扮爲「滲青巾、莽衣曳撒、紅袍、項帕、直纏、褡膊、帶、帶劍、三髭髯。」大致與其生前的形象類同。至於《西蜀夢》中，關羽張飛二人以「陰魂」的形象，雙赴西蜀，向劉備托夢訴願，俾使其出兵復仇：「九尺軀陰雲里惹大，三縷髯再把玉帶垂過。正是俺荊州裏的二哥哥，咱是陰鬼，怎敢陷他。嚇的我向陰雲中無處躲」(第三折)。

鬼魂申冤爲元雜劇慣常使用的鬼神情節，如歷史劇中描寫秦檜因陷害岳飛遭到報應的《東窗事發》，最後秦檜果被勾到陰司，受盡「千般淩虐苦」。而遭屈殺的岳飛岳雲張憲三人，則「已上昇三個全身」；又社會劇《硃砂擔》中「撒潑行凶」的白正，終被「押赴地獄重重」。而王文用、王從道一雙屈死的怨鬼，則「償還他來世(亨)通」，如此處置「才得見冤冤相報、方信道天理難容」。可以說都是直接請出神佛來干預人間善惡，表達出天理昭彰、輪迴不爽的「因果業報」。

在一些無頭公案中，更須借由鬼魂告狀的方式，來協助案件的審理。如《神奴兒》中王臘梅爲自己私利爭奪財產，將姪子勒死埋在水溝中；《盆兒鬼》小商人楊國用出外經商，被惡人圖財害命，將尸骨燒作瓦盆。二劇中都充滿著陰風鬼雨，極力渲染鬼魂的作用，並因爲鬼魂的啓示，使官府得以將眞兇繩之以法。而官吏也應用人們敬畏鬼神的心態，在審案的過程中裝神弄鬼，藉以取得人證物證，平反冤獄。

如《生金閣》中，包拯以「生金閣」爲斷案的重要物證，將殺人奪寶的龐衙內，繩之以法。第二折中，龐衙內命小廝把郭成拿在那馬房裏，對著李幼奴的面前「他便按著頭，我便提起銅鍘來，可叉一下，刀過頭落，那郭成提著頭，跳過牆去了」。郭成雖已身首異地，但因是被含冤謀害，故以無頭鬼的方式「魂子提頭」現身訴冤，「鬼頭」遂成爲演出時的砌末。而鬼魂輕渺迅盈的身段舞步，則形成上下場時類似旋風般的科汎「上旋風科」、「旋風下」，將舞臺陰森的氣氛烘托地更爲虛渺。

還有一些以婚姻愛情爲故事題材的，如《兩世姻緣》中韓玉簫與韋皋情投意合「心事人拔了短籌，有情人太薄倖。他說道三年來到，如今五載不回程，好叫咱上天遠、入地近，潑殘生恰便似風內燈。」(第二折)卻因歸期未回而香消雲殞；《倩女離魂》

王文舉赴京應試，倩女相思難耐「沒揣地靈犀一點潛相引，便一似生個身外身，一般般兩個佳人，那一個跟他取應，這一個淹煎病損。」(第四折)化身爲二人。劇作中爲彌補情天憾恨，往往藉著還魂轉世的虛幻意識與情節，使有情人終成眷屬。

元仁宗嘗言：「明心見性，佛教爲深；修身治國，儒道爲切。」(《元史·仁宗本紀》卷二十六，頁五九四)佛道思想自唐宋以來的長期接觸交流下，已有儒釋道三教合一的傾向。再加上元代社會政治背景的關係，文人亦常藉由神鬼題材與情節，來創作反映現實、抒發情感的劇作；而在「神頭鬼面」的形塑上，雖漸有以角色與鬼魂合一的「魂子」、「魂旦」與塗面化妝方式的運用，但基本上仍繼承自角觝百戲以來假面、假形的「象人」傳統，並對後世的鬼神戲曲有著深遠的影響。[33]

第二節 人物情節的形塑

元代都會經濟繁榮，商業交易熱絡，市民文化興起，促使都城內外勾欄遍佈「內而京師，外而郡邑，皆有謂勾欄者，辟優萃而隸樂，觀者揮金與之。」(《青樓集誌》《戲曲論著集成》第二輯，頁七）而民間祭祀活動興盛，迎神賽社頻繁，在娛神與娛人的雙重功能下，鄉鎮廟宇戲臺林立「臨汾縣西北魏村牛王廟……至於清和誕辰，敬誠設供演戲，車馬駢集。」（《山西臨汾牛王廟元時碑記》）宮廷則由儀鳳教坊諸司，執掌樂工戲伎，竭盡巧藝呈獻「風調雨順四海寧，單墀大樂列優伶。年年正旦將朝會，殿內先觀玉海青」(朱有燉《元宮詞》)。

當時雜劇是與院本、雜技同臺演出的，元高安道【般涉調】

〈嗓淡行院〉中記錄了當時勾欄演出的實況：在呼喝叫吼、擂鼓篩鑼的熱鬧氣氛下，搬演了清唱、舞蹈、雜技、院本、北曲雜劇與打散等六種體例。[34]《禮節傳簿》表現了迎神賽會時，樂舞、隊戲、雜劇、院本等多種藝術體制，長期以來歷史的積淀；「傳奇雜劇競排場，末旦裝成出教坊。蹺索上竿陣百戲，隔牆又聽打連厢。」(《吳興叢書》輯《遼金元三朝宮詞·金宮詞》頁十八)則具現了宮廷教坊演出的情形。而《水滸傳》八十二回亦描述宮廷宴樂時，有隊舞、雜技、院本、么末等四種藝術類型的演出[35]。

元雜劇承繼著宋金雜劇的腳色行當與體制結構，發展爲「一正衆外」的主角制，與「一本四折」的搬演體制。正末、正旦透過曲唱，詮釋著人間的悲歡離合、喜怒哀樂。而「悉爲之外腳」的其他角色，則運用各種技藝的搬演，來烘托顯現劇中人物的形象特質；並依據故事情節的進展，設計各種關目排場，應用科諢歌舞的表演，以貫串連結劇情的發展，而使元雜劇成型爲整體有機的戲曲體制。

一、運用技藝以表現人物

元代夏庭芝《青樓集》中，載錄了元代著名女伶一百餘人，以「色藝表表在人耳目者」爲其撰述標的。除了兼具姿色、風神、慧性等先天的才質外，也經由後天的訓練，培養文學、音樂、說唱等技藝。[36]而這些藝術修爲，恰是其在搬演雜劇時，詮釋故事情節、形塑人物個性的憑藉。如「張奔兒，姿容丰格，妙於一時，善花旦雜劇。」花旦以扮演煙花粉黛一類的年輕女子爲多，丰神娟秀的姿容，自然爲扮飾的重要條件。是故喬吉吟詠歌妓「教坊馳名，梨園上班。院本詼諧，宮粧樣範。膚若凝脂，

顏如渥丹。香肩憑玉樓，湘雲擁翠鬟。羅帕分香，春纖換盞。」確實「不枉了喚聲粧旦。」(【越調·鬥鵪鶉】〈歌姬〉)

又如「南春宴，姿容偉立，長於駕頭雜劇，亦京師之表表者。」駕頭以扮演皇帝后妃爲主，「粧孤的貌堂堂雄糾糾口吐虹霓氣」，高偉壯立的身態有助於突顯君王貴戚的威嚴英姿。是以藉助形貌儀態、風度神韻等外表姿容，能夠更爲貼切地表達人物的特質，創造出光彩耀目的舞臺形象，達到藝術共鳴的效果。當然後天的才藝，也能襄助彌補先天的缺憾，如「和當當，雖貌不揚，而藝甚絕，在京師曾接司燕奴排場，由是江湖馳名。老而歌調高如貫珠。」司燕奴是與珠帘秀、順時秀齊名的大都早期雜劇演員，能接替其演出，可見其技藝精湛。

雜劇原以曲唱聲情的發揮爲本質，因而如陳婆惜雖形貌微陋，但「聲遏行雲」，且「談笑風生，應對如響。」所以能獲致「省憲大官，皆愛重之。」尤其是「在弦索中，能彈唱韃靼曲」，南北之中不過十人而已。是故如李直夫緬懷感傷金貴族昔日富豪生活而寫作的《虎頭牌》雜劇，需運用金民族樂曲來敷演金人的風俗習性，「則聽的這剌古笛兒悠悠聒耳喧，那鼉皮鼓鼕鼕的似春雷健。」演員勢必需要具備演唱女真樂曲歌舞的才藝，方能符合劇中女真人山壽馬的身分形象。[37]

《青樓集》中以演唱出色而聞名的演員極多，如人稱「郭二姐」的順時秀，劉時中嘗以「金簧玉管，鳳吟鸞鳴」擬其聲韻。其歌藝歷來爲詩人所贊頌不已：如元張弼〈輦下曲〉：「教坊女樂順時秀 ，豈獨歌傳天下名；意態由來看不足，揭帘半面已傾城。」；元高啓〈聽教坊舊妓郭芳卿弟子陳氏歌〉：「仗中樂部五千人，能唱新聲誰第一？燕國佳人號順時，姿容歌舞總能奇。」

等，同時歌舞演技也相當超絕，「雜劇以閨怨最高，駕頭、諸旦本亦得體。」能擔任不同類型的腳色扮演。

閨怨雜劇，多取材於深閨女子的悲怨，就表演的角度來說，著重於唱工的顯現，是以順時秀能運用曲唱發揮人物特色。如《留鞋記》描寫郭華與王月英情定胭脂鋪，卻因郭生酒醉耽誤元宵佳期「【中呂粉蝶兒】雲鬢堆鴉，斂雙眉不堪妝畫，有甚事愁緒交加。我這裡晝忘餐，夜廢寢，把咱牽掛。想昨宵短命冤家，引的人放心不下。」（第三折）全劇都由正旦王月英主唱；又《菩薩蠻》敘述蕭淑蘭傾心於張雲傑，以【菩薩蠻】寄情寫意，卻又屢遭張生所拒「【鴛鴦煞】病淹煎苦被東風禁。淚連綿惟把春山滲。飯不湯匙，繡不拈針，暢道閨思添多，愁懷轉深，煙冷龍沉銀蠟消紅淋。想起他這狠切的毒心，好著我半晌沉吟倒替他參。」將女子幽怨淒婉的心緒表露無遺。

順時秀與文人交往深密，「平生與王元鼎密，偶疾，思得馬板腸，王即殺所騎駿馬以啖之。」王元鼎為飽佳人口慾，不惜烹殺座騎。明傳奇《繡襦記》甚至將此段佳話借為關目：「《疑耀》云：『今俗演《繡襦》，鄭元和殺駿馬奉伎人李亞仙，乃元翰林學士王元鼎與妓人順時秀事也。』」（《劇說》卷二，《戲曲論著集成》第八冊，頁一二〇）而成為塑造鄭元和情痴形象的藍本。

元雜劇雖以旦本或末本為主，「旦本女人為之，名妝旦色；末本男人為之，名末泥。」然依劇情人物的需要，會形成不同的表演風格。如張奔兒、李嬌兒均擅長旖旎裊娜的花旦雜劇，然時人視奔兒為「溫柔旦」，詮釋如《玉梳記》中溫柔可人、情深意重的顧玉香「【油葫蘆】覷了這憐香惜玉心上人，叫喒家情越親。那勞承那敬愛那溫存，則喒這情牽人意終朝印，似恁的塵隨馬足何年盡」(第一折)；而以嬌兒爲「風流旦」，如《救風塵》中對趙盼兒舉止的描摹「我將他掐一掐，拈一拈，摟一摟，抱一抱，著那廝通身酥，遍體麻。將他鼻凹兒抹上一塊砂糖，著那廝舔又舔不著，吃又吃不著。」（第二折）那萬種風情如在眼前。

而末泥中又可分支出所謂的「軟末泥」，朱有燉《香囊怨》「做一個泣樹的田眞是軟末泥。」(第一折)或許是指扮演性格善良軟弱，如田眞一類的年輕子弟，所謂「濟楚衣裳眉目秀，活脫梨園、子弟家聲舊。諢砌隨機開笑口，筵前戲諫從來有。 玉敲金裁錦繡，引得傳情，惱得嫦娥瘦。離合悲歡成正偶，明珠一顆盤中走。」後半闋中正是「軟末泥」的寫照。[38]當時「雜劇爲當今獨步」的藝人珠簾秀，衆藝兼備，無論是「駕頭、花旦、軟末泥等，悉造其妙」。

後輩尊稱珠帘秀爲「朱娘娘」，爲元初最著名的演員，演技精湛全能，「雲外歌聲，寶髻堆雪，冰弦散雨，總是才情。」(盧摰〈醉贈樂府珠簾秀〉)能扮演王公貴族、青樓妓女、文弱書生等三教九流的人物，元初精通雜劇藝術的評論家胡祗遹在〈朱氏詩卷序〉中，曾描繪其「以一女子，衆藝兼並。」舉凡道、釋、儒、兵、官、僕、卜、醫、慈母、貞婦、媒婆、閨秀、清官、污吏、商賈、農民、帝王、孝子、夫人、貧女等[39]，幾乎各種類型的劇目都能擔綱演出，眞可說是「旦末雙全」。這些「京師角妓」歌舞絕倫，聰慧無比的多元表演技藝，遂成爲劇作家創造角色人物時的原型與素材，並成爲劇作「量身定作」的最佳詮釋人選。

元代書會才人側身於勾欄瓦舍之間，躬踐排場；「倡夫」藝人於「戾家把戲」之外，演而優則寫；失意文人掙扎於功名宦途之後，寄情劇作。這些人生的際遇與自身的才力，遂成爲其創作劇本、形塑角色的豐厚資源。如元代著名雜劇作家關漢卿，形容自己「我是個普天下郎君領袖，蓋世界浪子班頭」，因而「我也會圍棋，會蹴鞠，會插科、會歌舞、會吹彈、會咽作、會吟詩、會雙陸。」(【南呂·一枝花】〈不伏老〉)這些流行於民間的市井游藝，遂轉化成其筆下的情節關目與人物藍本。

是以在藝人與作家的雙重範例下，雜技技藝遂成爲引領故事情節，塑造人物形象的慣用法則。在元雜劇中大致可以區分爲：

㈠穿插游藝角技

元雜劇中的仙佛道士，爲彰顯其役使萬物、通神變化的法力，往往藉由法術的施展，製造出種種出人意表的蹟象。《莊周夢》描寫莊周本是大羅神仙，謫降塵世，迷戀花酒，後由太白金星等引其證果還原。第一折中太白金星當場變相「末變艱難相見科」，表現栽花結果的幻術六次「(末云)小人有一花盆能種花，頃刻結果，食用可充飢渴。(生云)情願看一看，(末種花科)(末結果科)。」並扮成道士著朱頂鶴舞，最後「末騎鶴上升科」離開。

又如《翫江亭》中，鐵拐李岳運用「無船渡江、穿門入戶、寒波造酒、枯樹開花」的神通，使金童牛璘與玉女趙江梅驚訝拜服；《岳陽樓》中呂洞賓將袖袍往東西一拂，邀請道伴前來共同飲酒「（正末云）疾！你也來，你也來。（酒保云）你看這先生風了。（正末云）一個舞者，一個唱者，一個把展者，直吃的盡醉方歸。」(第一折)而《竹葉舟》中，呂洞賓以竹葉變幻出船隻「(做取竹葉黏壁上科)(唱)你覷這渺渺滄波賽一葉蘆(云)疾！秀才，兀的不是一隻船了也。」惠安言道此奇事「倒也好個戲法。」（第一折）

這些奇法異術，無中生有，超越時空，強化了仙人神通廣大的形象。或許只是虛擬動作的表演，使場上與觀衆都能認同其所捏塑的情境；但也可能適度地應用藏狹戲法，造成視聽上的錯覺，而於迅速之間變化場景人物。戲法幻術自先秦以來即蓬勃發展，具有高度的技巧性與可觀性，載籍中經常可見。宋代時更出現「雲機社」的專業性社團，並有施小仙、張遇仙、金逢仙等「撮弄藝人」，其中還包括女性藝人如林遇仙與女姑姑等。

從這些藝人的名號，不難想見其出神入化的高超技藝；換個角度看，儼然自詡是經過神仙的指點。而神佛仙道思想的普遍流傳，不僅使戲曲結合雜技幻術來顯現神威，連不少幻術戲法的表演，也以仙道命名，如「八仙過海」、「八仙上壽」、「五路財神」、「仙人擺渡」等。其中還有一些是屬於神算卦卜的類型，如「未卜先知」、「隔夜神數」、「鐵板奇門」、「不語神相」等，利用「手訣過門」與「風鑒法」等技巧，能測算人的庚辰姓氏、禍福吉凶。[40]

這些卜卦占課，看相望氣的陰陽道術，遂成爲元雜劇中的熟套。《裴度還帶》中「肉眼通神相」的無虛道人趙野鶴「肉眼藏天地理，風鑑隱鬼神機。斷禍福觀氣色占兇吉。」(第二折)；《東牆記》馬文輔害了相思病「卜金錢禱告神靈，生前禽演分明判。」(第二折)；《倩女離魂》中倩女對王文舉眷戀不捨「不索占夢揲蓍草」(第一折)；《桃花女》全劇以周公與桃花女鬥法爲主線，詳實地記錄了增福延壽、禳災避邪的厭勝之術；《硃砂擔》中王文用去長街上算了一卦，道有「一百日血光之災」等。陰陽卦卜不僅流行於市井百戲之中，也成爲一些文人的技能，如趙善慶「善卜數、任陰陽學正」（《戲曲論著集成》第二冊，《錄鬼簿》，頁一三二）。

《博望燒屯》第四折中，劇作家刻意穿插具有「藏機之術」的管通，表演「猜棋子」的情節，「您二人暗使機關，我通玄機妙用難量。您手梏著黑白二棋，乾坤事一掌包藏。」以便引領管通「相法」的表演，藉此來標舉劉備具有「祥雲籠罩、紫氣騰騰」的貴人相貌，乃是眞龍天子。劇作家並特意安排諸葛亮的曲唱，來誇讚管通的神通。並隱含著與管通各爲其主互較短長的意味，也透露出其妙策神機的本領：

> **【剔銀燈】**非是我廳階前賣弄，你眾將休要打閧。若猜著眾將休驚恐，您試看變化的這神通，這的是眞術藝，又不是説脱空，睁著眼都不要轉動。**【蔓青菜】**您把兩隻手拳的無縫，這棋子暗包籠，端的是用功。死共活都在我心中，不撒了成何用。

博戲奕棋，爲中國傳統的游藝活動，孔子嘗言「飽食終日，無所用心，難矣哉。不有博奕者乎，爲之猶賢乎矣。」（《論語·陽貨》)可見「玩物適情」比無所事事要好的多，博戲奕棋的種類相當繁多，如六博雙陸、骰子彩選、牙牌葉子、圍棋象碁等[41]，設局布棋千變萬化，縱橫詭譎莫測，全憑智能機巧取勝，雅俗共賞。歷來名家好手輩出，流派紛陳，相關論述甚多，專著如宋張擬《棋經》主記「圍棋」；宋洪遵《譜雙》專寫「雙陸」；司馬光《古局象棋圖》述論「七國象棋」等，洋洋大觀。

近年來的考古文物中，常可見到有關於博戲的用具出土。如湖北雲麓睡虎秦墓挖掘出戰國末期棋局；長沙馬王堆 3 號西漢墓槨出土完整博具（彩圖㉛）；山東梁武祠前室第三層畫像石刻有兩人對奕圖；新疆吐魯番阿斯塔那唐墓中出土了「圍棋士女圖」

（彩圖㉜）與嵌螺鈿木雙陸局，局盤構造大體相同於日本正倉院藏品；遼寧法庫葉遼墓出土局盤板；河南安陽張盛墓瓷圍棋局；甘肅西安榆林窟第三十窟有「弈棋圖」壁畫；武威磨咀子48漢墓出土的彩繪六博俑；福建泉州後渚港出土的南宋木製象棋；北京後英房元代居住遺址出土的瑪瑙圍棋等[42]，都說明了博戲弈棋的普及盛行。

大都名妓玉蓮兒更以多才多藝，精於博戲奕棋「端麗巧慧，歌舞談諧，悉造其妙；尤善文揪握槊之戲。」」而於英宗之時在宮廷承應，名冠京師。「握槊」或稱「長行」、「婆羅塞戲」與「雙陸」，相傳爲南北朝時自西竺傳入，盛於梁陳魏齊隋唐之間。《北齊書·和士開傳》曾載：「世祖性好握槊，士開善於此戲。」（卷五十，頁六八六）和士開甚因此而得辟「府行參軍」之職。《元史·哈麻傳》則日：「帝每即內殿與哈麻以雙陸爲戲。」(卷二〇五，頁四五八一）由此可見出帝王士人對於博戲的熱衷。

誠如趙明道所描述「樂府梨園，先賢老郎。上殿伶倫，前輩色長。承應俳優，後進教坊。有伎倆，盡誇張。燕趙馳名，京師作場。」(【越調·鬥鵪鶉】〈名姬〉)能夠承應於宮廷教坊的伶優，必然是渾身解數，卯出全副技藝。人稱「張四媽」的張玉蓮「舊曲其音不傳者，皆能尋腔依韻唱之。絲竹咸精，蒱博盡解，笑談亹亹，文雅彬彬。南北詞令，即席成賦；審音知律，時無比焉。」音樂造詣深厚、博戲游藝嫻熟、辭令揮毫立就，可視爲典型的「才妓」。

元雜劇中博戲游藝的穿插，恰能發揮所長。如《謝天香》中，第三折描寫謝天香與錢大尹姬妾在竹雲亭上賭戲擲骰子的情境，(正旦拿色子科，唱)「【倘秀才】么四五骰著個撮十，二三

四趁著個夾七 ， 一面打個色兒，也當得幺二三四是鼠尾 。賭錢的、不伶俐，姊姊你可便再擲。」當天香與二人在賭玩時，錢大尹出現斥責，要天香以骰子盆中色子爲題，當場詩作：「一把低微骨，置君掌握中，料應嫌點涴，拋擲任東風。」而錢大尹也當場和詩四句以回：「爲伊通四六，聊擎在手中；色緣有深意，誰謂馬牛風。」

這段情節巧妙地應用雜技中的賭戲游藝，以引領其後詩題的創作，表達天香對錢大尹的不滿，及錢大尹的回應暗示。在輕鬆活潑的氣氛中，將天香聰慧靈敏、即場賦詩的「才妓」形象，表露無遺。在此折中還提到下象棋、手帕兒等其他博戲類目，並夾帶著賭玩的性質，具有錢財物品的輸贏交易。元謝宗可〈雙陸〉詩「 惟恨懷英誇敵手 ， 御前奪取翠裘歸 。」曾引用了唐狄人杰與張宗昌打雙陸贏得集翠裘的典故；遼興宗亦曾與太弟重元打雙陸，「賭以居民城邑，帝屢不競，前後已償數城。」（《遼史·羅衣輕傳》，卷一〇九，頁一四八〇）其賭注不可不謂之龐大。

故如《燕青博魚》第一折中以「頭錢」爲賭具，以魚作爲賭籌「魚也賣也博，博五純六純。(燕大作博科)」；《麗春堂》第二折中，右副統軍使李圭與丞相丸顏樂善比賽「打雙陸」，約定輸者必須在臉上搽墨示罰「（李圭云）你這馬不得到家，可不輸了。(止末云)則我要一個幺六。(做喝科)(李圭云)他喝幺六就是幺六，這骰子是你的骨頭做的。」這形象具現於《事林廣記》中的元刻〈雙陸圖〉，圖中兩官員作蒙古裝束，各騙腿隔局作於榻上，正以搗衣椎形的馬子，與擲彩用的骰子在進行對打。

劇中李圭由淨腳擔任「幼年習兵器，都誇咱武藝。也會做院本，也會唱雜劇。」(第一折)王實甫爲了營塑李圭才庸疏狂的形象，特意安排塗抹黑臉的賭約，來彰顯淨腳「腆囂龐張怪臉發喬科踮冷諢立木形骸與世違」的本質原貌。在第一折中，更以「射柳」的競技，強調其「一生好唱曲，弓馬原不熟」的拙劣武藝。然而其卻能因「唱得好、彈得好、舞得好」而獲得高官厚職，恐怕劇作家也有所意於言外。

射柳爲女眞人的騎射活動，「行射柳擊毬之戲，亦遼俗也，金因尙之。」(《金史·禮志》卷三十五，頁八二六)具有著軍事體育的特點，在重五、中元、重九的拜天儀禮時舉行競技。《麗春堂》的首折，正是藉由端午蕤賓節令的「射柳會」，來表現完顏善樂的騎射箭藝「【勝葫蘆】不剌剌引馬兒先將箭道通，升猿臂攬銀鬃。靶內先知箭有功。忽的呵弓開秋月，撲的呵箭飛金電，脫的呵馬過似飛熊。【么篇】俺只見一縷垂楊落曉風。」這三箭皆中的本領，贏來了御賜的錦袍玉帶，不僅顯現出善樂的武藝出衆，也預伏下折李圭大鬧香山會的因由。

《射柳捶丸》一劇第四折中，則借用太平蕤賓宴的「射柳擊毬」作爲關目，來評定究竟是葛監軍或延壽馬射死耶律萬戶，立下戰功。只見延壽馬穿楊射柳「鞍上整彪軀，手內月彎弧」，柳中金簇；「杓棒起月輪孤，綵毬落曉星疏」，打過毬門，贏得加官賜賞。劇作家再度地運用射柳擊毬的技藝，來爲習武善戰的女眞人造型。捶丸，爲擊鞠一類的球戲，唐稱爲「步打球」，北宋稱爲「步擊」。元初有位以「寧志齋」爲書室名的人，根據宋元時流行的捶丸活動著成《丸經》一書，詳盡地總結了捶丸的用具、場地、技術、競賽規則等，類似於現今的高爾夫球運動。在山西洪洞縣廣勝寺水神廟明應王殿壁畫中，就有元代「捶丸」（彩圖㉝）與「對弈」（彩圖㉞）的具體形象。[43]

元代律令禁止民間「習練角抵之戲，學攻刺之術」，是以備受壓制的角觝武術便轉移到戲劇舞臺，發展出另一種「傳藝」空間。如《射柳捶丸》第四折中，安排了部署「輪槍舞劍、耍棍打拳」的表演；承繼自角觝百戲的脫膊雜劇，自然更以角力競技作爲舞臺表演的重心，如《劉千病打獨角牛》中劉千拳擊的招式的演練「【寄生草】這一個吐架子先纏住手。(帶云)這一個展不的也。(唱)怕扣落緊剌了頭，這一個撞入去往上可便鼻凹裏扣。這一個著昏拳廝打住胡廝扭。你與我中間裏解開分前後。麥場上禾豆您親收。你若到兀那泰安州銀碗難能勾」(第一折)。

藝人必須經由更多的藝術鍛鍊與實踐，才能勝任這類劇目的表演。如以「綠林雜劇」著稱的天錫秀「足甚小，而武步甚壯」，突破先天形體侷限，臺步極爲威壯；平陽奴「一目眇，四體文繡」，倚借身上的花繡，顯現尙武勇猛的精神，彌補眼睛的缺陷；賜恩深謂之「邦老趙家」，特別鑽研「強人盜賊」一類的人物扮演；國玉第「猶善談謔」，借以襄助人物形象的揑塑。類型劇目的出現，意味著這類素材具有觀衆的市場性，或者符合劇作家的創作旨趣，也促使演員朝向專精的路線發展，形成專工一類戲路的傾向。

《趙讓禮肥》中「學成十八般武藝」的馬武，就是典型的「綠林邦老」。由於「料綽口凹凸著面貌，眼嵌鼻嘔撓著臉腦」，應試武舉被拒，故於虎頭寨落草爲寇。適巧趙禮到山中採野菜時，遇著馬武等強人「【脫布衫】見騰騰的鳥起林梢。(內儸儸打鼓科)（唱）聽鼕鼕的鼓振山腰。(敲鑼科唱)噹噹的一聲鑼響。（打哨科）（唱）颼颼的幾聲胡哨。(衆嘍囉出圍住科)(正末唱)【小梁州】我則見齊臻臻的強人擺列著」(第二折)。

場面上運用了打鼓、敲鑼、打哨等舞臺音效，作爲招呼聯絡同伙前來的暗號。如《昇仙夢》中由漢鍾離扮演邦老，帶領婁羅「胡哨颼幾聲那答。見強人一簇，吵鬧山下。」(第三折)在元雜劇中，打哨常是淨角的特有技能，也是作爲其形象的表徵「趨搶嘴臉天生會，偏宜抹土搽灰。打一聲哨子響半日，一會道牙牙小來來胡爲。」(《錯立身》第二十二齣)如《燕青搏魚》中，燕青打楊衙內，「楊衙內做怕打哨子下」(第二折)，就是特意展現淨腳滑稽作怪的不正經嘴臉。

在宋金墓葬雕刻中，已經出現許多打呼哨的形象，如宋偃師酒流溝墓雜劇雕磚左側第二人，以右手拇、食二指置於口中打呼哨；宋溫縣墓左第四人，左手握垂穗木刀，右手作打口哨狀；金代山西侯馬董墓最右邊一人 ，懷抱一黃色大棒 ，右手作打口哨狀；元初山西芮城潘德沖石槨壁上左第一人，雙眉眼各貫墨線，右手打呼哨等[44]，基本上都是屬於副淨角色的扮演，以「插科打諢」爲表演特點，爲元雜劇中淨腳的前身。

淨腳在元雜劇中衍化爲「一正衆外」的外腳地位，所扮飾的人物空間極爲寬廣：或爲滑稽無賴之徒，或爲奸詐權豪勢要，或爲兇殘綠林強人，或爲昏庸貪官污吏，或爲卑微市井小民等，可以說上至君王臣僚、下到百姓走卒，皆在涵括的範圍中。爲了場面腳色分配的需要，產生了副淨、大淨、二淨、外淨、董淨、薛淨等腳色分稱來代指；並在人物個性的捏塑上，呈現出滑稽奸邪的多元面向；且由於不必擔任主唱的職司，散說、道念、筋斗、科汎遂成爲其表演的技藝重點。

㈡結合說唱曲藝

元代角妓名伶容顏窈窕、心性聰明、才藝出衆，正是元雜劇中青樓女子「拆白道字、頂真續麻，談笑詼諧，吹彈歌舞，無不精通，盡皆妙解。」(《度柳翠》中楔子)「上廳行首」的寫眞。「拆白道字、頂眞續麻」都是文字遊戲的類別，具有著鬥智鬥口的「角觝」風格，爲宋代百戲衆技中相當受到歡迎的門類。在《西廂記》第五本第三折中，紅娘以拆白道字與鄭恆辯個清渾「君瑞是個肖字這壁著個立人，你是個木寸馬戶尸巾」，即言君瑞是個「俏」，鄭恆是個「村驢屌」；《竹葉舟》楔子中，行童對師父惠安稟報有個「自稱耳東禾子即夕」的故人來訪，即是將「陳季卿」三字拆開。

而《金線池》第三折中，則設計了蕊娘與衆親眷在金線池旁的飲酒行令「【醉高歌】或是曲中唱幾個花名，詩句裡包攏著『尾聲』，續麻道字針針頂，正題目當筵合笙。」(第三折)可以將花名編在曲子中唱；或用尾聲「詩頭曲尾」，末尾三句須能唱出來；或爲次句首字頂上句末字的頂眞格形式；或是「於席上指物題詠以應命」的「合笙」技藝，編成詩文來演唱。蕊娘說明可以任意爲題，就是不許提及「韓輔臣」三字，生動地描繪出蕊娘對輔臣又愛又氣的矛盾心情。

元雜劇中經常結合各種說唱曲藝的運用，來引領故事劇情的發展。如《望江亭》第三折中譚氏裝扮爲漁婦，計賺楊衙內的勢劍金牌。劇中特意安排了二人「對對子」的情節：楊出「羅袖半翻鸚鵡盞」，譚對「玉纖重整鳳凰衾」；楊又出「雞頭個個難舒頸」，對「龍眼團團不轉睛」，以引領出其後與文書掉包的「淫辭」詩作，顯現了譚記兒機智謀略、才思敏捷的特性。至正間藝人劉婆惜「頗通文墨，滑稽歌舞，迥出其流」，嘗在筵間切膾，與劉廷信當場唱和。彷彿是譚記兒的原版模型；其後爲全子仁納爲側室，此段佳話也成爲明汪廷納的《青梅佳句》戲曲，並爲祁彪佳選爲劇作中的「能品」。[45]

《紅梨花》中安排著趙汝州與謝金蓮二人的「對花名」表演，謝金蓮以「猜謎」的方式，與趙汝州說唱海棠、石榴、山茶、次梅、碧桃等花：

> 待道是海棠呵杜子美無詩興；若是桃花呵怕阮肇卻早共你爭；那石榴花夏月開，這期間未過清明；若論山茶花卻是冬暮景。若說著碧桃花那裡討牆外誰家鳳吹聲。往將依徯倖說與你便省。**【烏夜啼】**這的是一朵紅梨花休猜做枯枝杏。（第二折）

二人並以紅梨花爲題吟詩賦詠。經由猜謎及詩作的安排，引領出牽繫二人情緣的重要關目「紅梨花」，也顯露金蓮的冰雪聰穎。猜謎，先秦時稱爲「廋詞」、「隱語」，漢代稱爲「射覆」，其中一方出題，給予提示但不明言直說，答方憑線索尋求正確解答，腦力激盪。元宵佳節民間普遍舉行射虎活動，蔚爲習尙；瓦舍衆伎中更發展爲「商謎」的表演伎藝，「先用鼓兒賀之，然後聚人猜詩謎、字謎、戾謎、社謎，本是隱語。」(《夢粱錄》卷二十，頁三一三）元雜劇中亦常透過隱語的設計，貫串劇情的發展。

如《緋衣夢》中即應用了字謎「緋衣兩把火，殺人賊是我。趄的無處躲，走到井底躲。」（第三折）來暗示賊人的姓名與形跡，成爲破案的關鍵；《襄陽會》第一折中，劉表請劉備三月三日襄陽會飲宴，劉琦以桌上果木爲題「好棗好桃好梨也」，警示劉備早點離去，此亦爲諧音隱語的運用；《黃鶴樓》第三折中姜維扮漁夫，傳達諸葛亮命令，周瑜與劉備則利用「魚」語涉雙關，相互譏諷。

書會才人中多有能隱語的，如陳無妄「於樂府隱語，無不用心」；吳本世「好爲辭章、隱語、樂府」，作有「詩謎數千篇」；李顯卿「酷嗜隱語」；張可九「又有吳言蘇堤等曲，編於隱語中」；陸登善「能詞、能謳，有樂府、隱語」；董君瑞「隱語、樂府，多傳於江南」：李邦傑「有隱語、樂府，人多傳之」；朱凱編有「隱語包羅天地謎韻」；顧德潤更「自刊九山樂府詩隱二集，售於市肆」(《戲曲論著集成》第二冊《錄鬼簿》)，可見隱語的普遍與風行。位居《青樓集》卷首的藝人梁園秀亦善於「隱語」，且「歌舞談謔，爲當代稱首」。

談謔，也就是談笑諧謔，爲歷來俳優滑稽調戲的傳統「談諧之說，其來尙矣。秦漢之滑稽，後世因爲談諧而爲之者，多出於樂工、優人」(宋馬令《南唐書·談謔傳》序)。在輕鬆幽默的氣氛中，經由調侃戲弄的說話技藝，可以強化人物的喜劇特質，或借以做反面的嘲諷批判。「付末色說前朝論後代演長篇歌短句江河口頰隨機變」，是以才思敏捷、出口成章應是爲「談笑」的基本要件。

「能詩詞，善談笑，藝絕流輩，名重京師」的張怡雲想必是此中的高才。怡雲向史中丞進酒所歌的「雲間貴公子，玉骨秀橫秋」，正是取自宋蔡松年贈曹浩然【水調歌頭】的詞句，以贊譽其人品高秀。可見其諳通文墨，才能在席間佐樽獻詩，以侑酒興「明月小樓間，第一夜相思淚彈」。藝人劉燕歌不僅以爲齊榮顯餞行，所賦【太常引】而膾炙人口，且被推居於女詞人行列[46]；而如有時小童、時童童「如丸走板，如水建瓴」的舌辯技巧，當有助於表現說話劇藝的生動流利、輕重疾徐、中節合度，氣勢磅礡。

《百花亭》中王喚欲入承天寺見賀蓮蓮，「皂頭巾裹著額顱，斑竹藍提在手，叫歌聲習演的腔兒溜」(第二折)喬妝爲賣查梨條的，以詩讚與詞曲的交錯方式，連唱帶叫的推銷福州新剝的圓眼荔枝，松陽壓扁的凝霜柿餅，婺州糖捏的龍纏棗頭，新疆細切的蜜糖薑絲，高郵吹乾的去殼菱米，魏郡收來的指頭大瓜，宣城酸甜得法的軟梨條等各色果品「做叫科云」：

> 春蘭秋菊益生津，金橘木瓜偏爽口。枝頭乾分利陰陽，嘉慶子調和臟腑。這棗頭補虛平胃，這柿餅滋喉潤肺，解鬱除焦，嚼一個百病都安。這荔枝頭紅噣煩養血，去穢生香，長安歲歲逢天使。這查梨條消痰化氣，醒酒和中，帝城日日會王孫。查梨條賣也，查梨條賣也。【掛金索】松陽柿全別，滋潤能清肺。婺州棗爲魁，細嚼堪平胃。嘉慶子弟風，製度實奇美。枝頭乾流傳，可口眞佳味。(第三折)

這種「叫果子」的說唱技藝，儼然是院本中〈諸雜院爨〉「講百果爨」的應用「我這爨體，不查梨格樣，全學賈校尉。」面對著長串的疊語對句，若非具有「枝詞游說，捷口水注」的說唱功力，是很難在場上得到喝采的。劇作家形象地具現了風流王喚「知音達律磕牙聲嗽」的本領，並巧妙地使用棗子早聚會，梨條休拋離，柿餅事事完備，嘉慶嘉樂喜，荔枝喻離，圓眼寓圓等雙關語意，表現民間文學的趣味，傳神地道出王喚期待的心情。

另外，宋元往返城鄉叫賣貨物的貨郎(彩圖㉟)，營業時吟哦歌叫的聲韻，類同於「叫聲」的技藝，發展成社火中的舞隊名目（《武林舊事》卷二），所謂「調百戲的貨郎兒」（《金瓶梅詞話》八十七回)；後來所唱的曲調逐漸定型化，成爲【貨郎兒】、【貨郎太平歌】、【貨郎轉調歌】等樂曲。元雜劇中有不少是以貨郎兒作爲劇中人物身分的，如《緋衣夢》、《救風塵》、《秋湖戲妻》、《磨合羅》等，《水滸傳》中燕青「扮作山東貨郎，腰裡插一把串鼓兒，挑一條高肩雜貨擔子。」一手燃串鼓，一手打板，唱出【貨郎太平歌】來。(七十四回)元代律令曾經下令禁斷此行業[47]，可見在當時市井生活中的普遍性。

《貨郎旦》中張三姑因爲沒有其他的謀生本領，只得「無過是趕幾處沸騰騰、熱鬧場兒，搖幾下桑琅琅蛇皮鼓兒，唱幾句韻悠悠信口腔兒。」說唱貨郎兒來餬口維生。底下以張撇古所編的二十四回說唱爲底本，作場表演時先敲醒木念定場詩，而後以【九轉貨郎兒】與散說夾唱的方式敷演故事：

> (副旦做排場敲醒睡科)(詩云)烈火西燒魏帝時，周郎戰鬥苦相持；交兵不用揮長劍，一掃英雄百萬兵。這貨單題著諸葛亮長江舉火燒曹軍八十三萬，片甲不回。我如今的說唱是單題著河南府一樁奇事。(唱)【轉調貨郎兒】……只唱那娶小婦的長安李秀才。（第四折）

此段說唱彈詞的加入[48]，使得詞情聲情別開生面，豐富了劇作，也成爲後世說唱貨郎兒的技藝。元代有許多藝人以小唱、慢詞等曲藝聞名，如王玉梅「聲韻清圓」而「善唱慢詞」；元壽之尤爲京師「唱社」中之巨擘。[49]「更有小唱、唱叫，執板慢曲、曲破，大率輕起重殺，正謂之『淺斟低唱』。若舞四十六大曲，皆爲一體。但唱令曲小詞，須是聲音軟美，與叫果子、唱耍令不犯腔一同也。」(《夢粱錄》卷二十，頁三〇九)都是講究運用聲音技巧來表現唱工。

《紫雲庭》描寫諸宮調藝人韓楚蘭與完顏靈春分離聚散的故事。諸宮調爲宋金元時流行的曲藝，連綴許多不同宮調的樂曲說唱故事「我勾欄裡把戲得四五迴鐵騎，到家來卻有六七場刀兵。我唱的是三國志先饒十大曲，俺娘便五代史續添八陽經。」（第一折)楚蘭描述自己與母親的生活光景,也標示出所表演的題材。元代劇作家胡正臣能演唱董解元《西廂記諸宮調》「自『吾皇德化』，至於終篇」（《錄鬼簿》《戲曲論著集成》第二冊，頁一二九）；藝人趙眞眞、楊玉娥、秦玉蓮、秦小蓮善唱諸宮調，元楊立齋曾聽過楊玉娥演唱張五牛與商正叔所編的《雙漸小卿》，而作有【般涉調·哨遍】「趙眞眞先佔了頭名榜，楊玉娥權充個第二家」：

> 【六】前漢又陳，後漢又乏，古尚書團偌損殷商周。五代史只談些更變，三國志無過說些戰伐，也不希詫。終少些團香弄玉，惹草粘花。【五】這個才子文藝高，那個佳人聰俊雅，可知道共把青鸞跨。一個是紗巾蕉扇睁睁道，一個是翠靨金毛俏鼻凹。無人坐，一個是玉堂學士，一個是金斗名娃。【四】又有個員外村，有個商賈沙。一弄兒黑漆筋紅油靶，一個向麗春園大碗裡空嘛了酒，一個揚子江船中就與茶，精神兒大。著敲棍也門背後和伏地巴背，中毒拳也教鐺裡仰臥地尋叉。（《太平樂府》九）

曲中提及諸宮調的內容有談論歷代史事的，有敘述才子佳人、敷演雙漸蘇卿的民間傳說等題材。石君寶特意擇取金戈戰馬一類的歷史題材，以映襯楚蘭與母親間的爭執對立，說明其母的阻擋反對。張相則引【滿庭芳】小令「五代史般聒聒炒炒，八陽經般絮絮叨叨」說明其母所演唱的「五代史、八陽經」乃是胡鬧之義[50]，是故楚蘭以「粗枝大葉，野調山聲」來形容其母親的曲藝。

元雜劇中也常配合劇目人物的需要，擷用自宗教衍生的俗曲來表現。如元刊本《竹葉舟》中有「(正末打愚鼓上)(詩曰)昨日東周今日秦，咸陽燈火洛陽塵。百年一枕滄浪夢，笑殺崑崙頂上人。(云)今朝無事，上街抄化。」而後演唱八支散曲，曲文內容主要在勸世覺迷，表現仙人與世無爭、逍遙自在的形象，可以說是屬於散曲化的「道情」。道情，本是道士傳道或講經時所演唱的樂曲，而後或有文人以為詩作散曲，或有乞食用以通俗宣講，或成為諸色百戲中的技藝。[51]一般以漁鼓、簡板為主要打拍樂器，故或稱為「漁鼓簡子」。

如《翫江亭》中，被鐵拐李點化的牛員外牛璘，「頭挽雙髽髻，身穿粗布袍，腰繫雜彩條，腳下行纏八答鞋，手拍漁鼓簡子，口念黃庭道德經。」在沿路之上大唱道情：「(牛員外打漁鼓簡子上）(唱道情云)年少青春正好脩，一口咬破鐵饅頭。滋味得時合著口，穩取白日赴瀛州。」(第二折)此處共唱六支道情，或四句、或六句、或八句不等，皆為七言體詩歌形式，以宣揚淡泊名利、舒心快意的道家出世思想為主。文字通俗口語，頗具民間生活氣息，表現出人物快樂自在的形象。

道情多半被運用在神仙道化劇中，度脫者或被度脫者，都提及或引用道情的說唱技藝。如《岳陽樓》中勸世人及早修道的呂洞賓；《劉行首》中論述人生無常的馬丹陽；《西遊記》中宣揚遠離世俗的採藥仙子等。至於從僧侶募化所唱「落花」曲子演變而來的「蓮花落」，原用以宣傳佛教教義，而後成為乞丐貧人求食的手段。[52]《合汗衫》中淨扮邦老陳虎因積欠店錢，被店小二趕出：「沒奈何我唱個蓮花落，討些兒飯吃咱。(做唱科)『一年春盡一年春，哩哩蓮花。』你看地轉天轉我倒也。(做倒科)」在天寒地凍淪落於外打蓮花落乞食，再時配合倒下的動作，具現出乞者淒涼落魄的形象。

是以「蓮花落」幾乎等同於乞者，如《救風塵》宋引章言若嫁與安秀才，則「一對兒好打『蓮花落』」(第一折)；《東堂老》中李實罵揚州奴迷戀風月「只想量倚檀槽聽聽唱一曲桂枝香，你少不得撇搖槌學打幾句蓮花落。」(第一折)；《忍字記》劉均佑出外遊學，無衣無食，只得「唱個蓮花落咱『一年春盡一年春』」遂因寒冷不支倒地；《曲江池》中鄭元和錢財用盡，窮途陌路之下，只好爲人迎喪送殯唱輓歌。而此於開場鄭父命元和詩作時，已先作預示「回來必定蓮花落」(楔子)；最後功成名就時，鄭父也以詞作結「空餘下蓮花落樂府流傳。」(第四折)可見得蓮花落爲劇中的重要關目。[53]

元雜劇中，佛教長老長老講經說法或度脫人物時，常應用禪語與機鋒的方式來表現，如《度柳翠》中月明和尚一上場，即以偈語的方式自述，並將之拆開爲前後兩半，用以表明自己的出身，與參禪傳教的職責：

(偈云)祖上非爲和尚，法名本是月明。見我何曾識我，有聲畢竟無聲。(行者云)你看這和尚又醉了也。(正末笑科偈曰)好個醉和尚，人間非有相。參禪祖一宗，傳教尊三藏。處事有機權，脫身改模樣。心地甚分明，月在垂楊上。咄，臨了兩句怎生道。蘆花兩岸雪，煙水一江秋。

禪語，又叫做偈語，「參禪」著重於啓發人的悟性。禪宗認爲人人皆具有佛性，可以在剎那之間去掉妄念，頓悟眞如立地成佛。是故「文字禪」專用「繞路說禪」的文字技巧，採用偈、誦、詩歌等體裁，在晦澀難解的寓意中，讓聽者自己去琢磨了悟。宋代瓦舍衆伎中有「說參請」與「說諢經」的表演，大抵爲「賓主參禪悟道等事」，應即是運用機鋒犀利的問答，舌辯嘲謔的言詞，來作爲技藝的表演。在第四折開首則安排長老、行者、柳翠向月明問禪作爲引子，都是採用緣物取譬、語含玄機的方式，不完全說破來開悟對方，頗有「說參請」的技藝表演意味。

《度柳翠》中月明與柳翠從相識結交，到頓悟坐化，無不巧妙地串連偈語來演說佛理。如二人相較圍棋，運用雙關二意說禪機「爲去爭交意，先忘黑白心。一條無敵路，撇了無人尋。」；對打雙陸，色數兒有陰陽之分「一把哭骸骨，東君掌上擎。自從有點污，抛擲到今生。」以骰子相比喻；踢抛氣毬，以「難當」作爲隱語，兼含戲耍與使氣的雙關語意「地水與風火，包含無爲公。一朝公去後，四大共西東。」以添氣爲之說明(第三折)。本折在輕鬆活潑的氣氛下，於游藝耍玩中揭露佛機禪理，以隨物譬喻來點醒柳翠，表現出得道高僧月明隨處自得，無處不可說法的本事。

《忍字記》中的布袋和尚一上場：「佛佛佛，南無阿彌陀佛。(坐笑科偈云)『行也布袋，坐也布袋。放下布袋，何等自在。」(第一折)便以四句四言偈語，表明自己的形象特徵。而後劇作家又著意在其肥胖的身態上大作文章，猜測如何吃得如此大肚量，借喻古人安祿山、董卓的身材，闡說佛家如來的事跡神通，而後以大乘佛法相授「我只見忍字分明把一個心字挑」，點出了本劇的主題要旨；也描摹出布袋和尚常以杖貿一布袋，貯入供身之具，臥雪不沾，示人吉凶禍福的彌勒佛化身形象。

「看話禪」，爲參禪的另一種表現形式。乃是以禪宗公案的語句作爲「話頭」，所謂「有解可參之言乃是死句；無解之語去參才是活句」。[54]如《野猿聽經》中禪師開經堂講經，衆僧問禪「(衆僧)敢問我師如何是西來意？(師)九年空冷坐，千古意分明。(衆)如何是法身？(師)野塘秋水盡，花塢夕陽遲。(衆)如何是祖意？(師)三代諸法不能全，六代祖師提不起。」(第四折)在語出機鋒，比喻迅捷，寓意深遠中，將教祖當年說教留下的案例語句，作爲參禪的「題目」來參求。

《東坡夢》第一折中，東坡與佛印先後合說四首五言偈語「(蘇)眉山一塊鐵，特地來相謁」「(佛)急急上堂來，爐中火正熱」；「(蘇)我鐵重千金，恐汝不能挈」「(佛)我有八金剛，將汝碎爲屑」；「(蘇)我鐵類頑銅，恐汝不能爇」「(佛)將你鑄成鐘，衆僧打不歇」；「(蘇)鑄得鐘成時，禪師當已滅」「(佛)大道本無成，大道本無滅。心地自然明，合必叨叨說。」每首各自有所寓意，且逐首遞進逐層深入，體現出東坡的佛性禪根，佛印的機謀禪理，描摹出二人勢均力敵，互相鬥智的生動情境。

在東坡與佛印的參禪過程中，穿插著一「丑扮行者」在其間傳達話語、揣度私解的情節，製造出詼諧幽默的喜劇情調。丑並非元雜劇中的角色，應是明人刊刻編訂時，參用明代的角色用語，原來可能是由淨腳來擔任演出。《藍采和》中有言：「俺將這古本相傳，路岐體面。習行院，打諢通禪。窮薄藝知深淺。」(第一折)可見「參禪」成爲演員的一種技藝類別，等同於插科打諢的笑料運用。李開先的《打啞禪》雜劇，以手勢或動作來表現滑稽嘲諷，即是擷取參禪中的「啞禪」形式。

元雜劇中劇作家從自身與藝人中，擇取劇作人物的原型，經由「藝寓於戲，戲寓於人」的方式，以雜技戲法、陰陽卜卦、博戲奕棋、射柳擊毬、打哨筋斗等游藝角技的穿插運用，來刻畫人物的多元類型；或者是結合說唱曲藝，經由拆白道字等文字遊戲，猜謎說禪等舌辯才能，諸宮調、貨郎兒等說唱表演，蓮花落、道情等宗教俗曲等技藝的設計展現，來彰顯腳色的特有形象。元雜劇的角色人物在雜技百戲的運用發揮下，不僅顯得更爲生動鮮明，同時也促使元雜劇的表演藝術朝向更豐富且高難度地專業精進。

二、視劇情需要調劑連結

元雜劇承繼著宋金雜劇院本的四段式體制結構，逐步發展成熟爲整體的戲曲藝術。所謂「做一段有憎愛、勸賢孝新院本」(《藍采和》第一折)，寓意著從原本宋金院本「全用故事，務在滑稽」(《夢梁錄》)的「調笑詼浪」表演特點，轉化爲元雜劇闡揚「厚人倫、美教化」(《青樓集誌》)的社會功能；雖仍保留著故事敷演的本質，但卻使插科打諢的戲弄傳統，退居爲劇情的附屬成分；而以曲唱聲情的套曲組織，躍升爲表演藝術的主體。

猶如明顧啓元《客座贅語》中的描繪：「若大席，則用教坊打院本，乃北曲四大套者，中間錯以撮墊圈，舞觀音，或百杖旗，或跳隊子。」元雜劇的演出形式，是在「每折間以爨弄隊舞吹打」，穿插其他表演技藝。[55]這固然是爲了使擔任一人主唱的旦末，有短暫的休息時間；也能讓雜技樂舞等表演技藝，有伸展發揮的表演空間，提供給觀衆不同的審美情趣。

是以在元雜劇中，樂舞雜技因應著故事情節的發展，或者緊密連結於劇情中，融鑄爲有機的組合成分；或者游離穿插於故事中，刻意安排技藝演出作爲調劑。常見的表現形態大致有：

㈠院本形式的穿插

金元之時「爨罷將么撥」，院本與雜劇原爲同臺前後的形式演出「說到前截兒院本調風月，背後么末敷演劉耍和」（杜人傑〈莊家不識勾欄〉）；是以藝人往往兼具扮演雜劇與院本的雙重才華，如楚伴良兼抱雜劇與院本末色（張炎〈題末色褚伴良寫眞〉）；朱錦繡「雜劇旦末雙全」，且與其夫侯耍俏於院本方面「時稱負絕藝」(《青樓集》)；許度既可扮演各類脫膊雜劇，也能「舊么麼院本我須知，論同場本事我般般會」（《藍采和》第四折）等。

因此在元雜劇中，仍穿插著不少的院本形式，可供藝人發揮技藝。如《圯橋進履》描述張良得黃石公親授兵書，輔佐漢高祖劉邦滅楚興漢的故事。傳本首折前部闕佚，首見的是打家截盜、貪花戀酒的「喬仙」，「道我是個清閒眞道本，說我是個無憂無慮的散神仙」，講說院本〈打略拴搐〉「先生家門」中的《清閒眞道本》。之後則借用了院本中〈拴搐艷段〉的《打虎艷》，引領張良遇見斑斕大蟲的老虎，央求師父救命的情節：

> (正末云)師父，可憐見救小生性命咱。(喬仙云)這個不是大蟲，是我養熟的個小貓兒。又換做善哥。我如今喚他一聲善哥，他便抿耳鑽蹄，伏伏在地。我如今喚他三聲，頭一聲他便跪在我身邊；叫他第二聲，我便騎在他身上；我叫他第三聲，騰空駕霧而起。

喬仙自吹自擂法力高強、馴虎有術，結果不僅「虎打喬仙科」、「虎推倒喬仙科」，還落得「虎拖喬仙下」的諧謔結局，形象地塑造了一個嘻戲瘋癲的「喬神仙」，也符合「先生家門」的道士身分。本段「喬仙打虎」就若就劇情的發展來說，並無特殊的必要性，可能是沿襲「東海黃公」的戲弄傳統，以滑稽熱鬧的科諢角觝，來表現技藝增添趣味。

《五侯宴》則描寫李嗣源出獵追趕白兔，適遇王屠妻李氏被迫於荒郊棄子王阿三，因而收養其子改名李從珂，日後從珂井邊認母的故事。在第四折中，劉夫人設五侯宴慶賀戰功，從珂逼問自己身世，「李嗣源說雞鴨論云」感嘆「世人養他人子一般，養殺也不親，與此同論，後作雞鴨論，與世人爲戒。」應是借用「諸雜大小院本」中的「雞鴨兒」，先敘說雌雞孵抱鴨蛋的故事內容，繼而引詩爲例證，奉勸世人「勸君莫養他人子，長大成人意不留。養育恩臨全不抱，這的養別人兒女下場頭。」

細察此段院本其實是額外增衍的。然而加入後，卻能增添劇情的高潮起伏，使得嗣源因不願透露眞相，而與從珂間的矛盾衝突性加強。自始至終，均由李嗣源一人以散說道念的方式，講說市井中的尋常瑣事，應屬於「小院本」的形式。而《飛刀對劍》第二折中，亦由淨腳所扮演的張士貴講念〈打略拴搐〉中「卒子家門」的《針線兒》院本，作爲開場的引子「那裡戰到數十回，把我渾身都縫遍。哪個將軍不喝采，哪個不把我談羨？說我廝殺全不濟。嗨！道我使得一把兒好針線。某是張士貴是也。」

正由這段兼具嘲諷戲謔的說白中，表露出張士貴武藝平庸、誇炫自贊的軍將面貌，雖然此段院本屬於游離的插入性質，但卻具有著烘托映襯的作用，鮮明地對比出前來投軍爲卒的薛仁貴「損弓折箭、氣力特大」的好本事。而後並刻意藉由二人在武藝、姓名方面的對話，彰顯士貴庸俗無能、滑稽逗笑的形象。折末士貴點兵排陣的散說，其實也是《癩將軍》、《雙排軍》、《軍鬧》、《敗陣》等「卒子家門」之類的科諢表演：

> 大小三軍，聽吾將令。三通鼓罷，拔寨起營。到來日，忙擂破鼓，急篩歪鑼，聚豆腐兵一萬，妳妳軍八千，人人英

雄。喫飯處拼命當前，個個猥慵，都在帳房裡打盹。俺這裡大旗頭、小旗頭，偏能喫飯；放下箸、撇下碗、肚裡又飢；張瘸子、李瘸子，忙輪麤拐；常禿廝、王禿廝，頭似鹽梅；宋長官、劉長官，偷人家貓狗；小賈兒、小魏兒，搶人家肥雞。到晚夕下營安寨，到來日看俺相持。俺見他來，唬的俺一齊落馬，唬的俺丟了箭、撇了甲、掉了頭盔。他那裡雄赳赳、氣昂昂，一個個都是好漢。我領著些無鼻子、少耳朵、駝著腰、瘸著腿、都是些鷹嘴刺梨。

至於《蔣神靈應》第二折中，則藉由謝安與王坦之下圍棋，使謝玄能觀棋得計，「能通變識行藏，觀勢要分勝敗，知進退緊追逐」，參透用兵的進退節度，所謂棋局如戰場「有方圓動靜親疏，靜埋伏暗計包藏，動交戰攻城必取。圓用兵如棋子，方下寨似棋局。倚親者添雄壯，接疏者情勢似孤。」其後則由謝安與王坦之的相互答問，先說明棋中「幽微之趣」，再言「棋有一十九路」的變化，外加「五盤小棋勢」與「二十四盤大棋勢」的列舉，最後則析論下棋的手法與心境。這段長篇的說棋賓白，應是運用了院本〈打略拴搐〉中的「著棋名」。然而其卻藉由博戲的游藝，巧妙地與劇情連結，呼應著謝玄出兵作戰的勝敗輸贏「數著殘棋用意深，包藏天地在其中。周智施謀生妙算，局中已有定乾坤」。

元刊本《公孫汗衫記》第三折劇本中，提示有「正末引卜兒扮都子上」「叫街住」。都子，乞丐也。曲文中描寫員外張文秀與趙氏夫婦二人，由於「一場天災送了家財」，在無米無柴、無鋪無蓋的飢寒交迫下，只好沿路叫化乞食。在相國寺中巧遇捨齋的孫子陳豹，因半幅汗衫而得以相認團圓。雖然元刊本只提供了演出底本中，簡略的科介動作，但推想其可能是應用院本〈打略拴搐〉下「都子家門」類中《後人收》、《桃李子》、《上一上》的表演套子，猶如打蓮花落即爲乞者慣用的表演技藝般。無名氏【正宮·醉太平】〈嘆子弟〉中的描述，或可作爲表演情景的想像參考：

> 尋葫蘆鋸瓢，拾磚瓦攢窯，暖堂院翻做乞兒學。做一箇蓮花落訓道，戴一頂十花九裂遮塵帽，穿一領千補百衲藏形襖，繫一條七斷八續勒身條，這的是子弟每下梢。蓮花落易學，桃李子難教。張打油囉囉連和得著，學不成打爻。牽著箇狗兒當街叫，提著箇爽兒沿街調，拿著箇魚兒繞街敲，這的是子弟每下梢。
>
> (《盛世新聲》戌集，《詞林摘艷》一，《北宮詞紀》外集六)

上半闕描繪著乞兒的穿著打扮，後半闕演述「都子家門」中《桃李子》的表演情況。這段行乞的院本情節，關係著本劇的後續發展，成爲劇情轉圜的重要關目。而《百花亭》中第二折，王喚因思念賀蓮蓮，心中困倦，前往茶房喫茶消悶，遇到雙解元、柳殿試「（二淨鬧上雙云）柴又不貴，米又不貴，兩個瘋子，正是一對。」二人同爲太學中同齋，只因爲個「白捉鬼」的婊子而爭論不休。彰顯出文人無行不才的嘴臉，深刻地諷謔了「儒家體面」。

這類腐儒愚生的素材，在院本中也相當普遍，或嘲人或自嘲，元雜劇中或藉以引領人物的心聲寫照，既具現風流王喚的子弟形象，也再度強化劇中的主腳特性：「我是個錦陣花營郎君帥首，歌臺舞榭子弟班頭。雙秀才你是個豫章城落了第的村學究。柳秀才你是個麗春元除了名的敗柳，我王喚是個百花亭墜了榜的銀鎗頭。」劇中雙秀才與柳殿試「雙鬧上」到「打鬧下」，儼然具有著院本性質，但已與劇情渾融整合爲一體，發揮調劑連結的功能。其中「雙秀才」亦爲南宋時「合生」藝人的渾名或綽號，而就王喚以三人名字爲題目的歌唱取笑，應就是「題目院本」的類型運用。下一折中還有王喚叫賣果子的表演，也可視爲《象生爨》、《學象生》、《講百果爨》、《果子名》等類的院本演出。

此外，元雜劇中談論琴棋書畫、詩文典籍方面的情節，也好自院本中取材。如《老生兒》第二折提到的「太公家教」，原是本輯錄俚語俗諺的書籍，內容以表現道德家教爲主：「【調笑令】若說俺上祖，盡爲儒，輩輩無官士大夫，看太公家教蕭何律，大學小學和論語。」可見其作用與意義。[56]而後被擷取作〈諸院雜爨〉中的劇目，在《凍蘇秦》第二折中，也被應用於蘇母詞云：

> 不是我吵吵鬧鬧，痛傷情搥胸跌腳。那蘇秦不得官羞故里，怎當得一家兒齊攢聒噪。作爺的道「學課錢幾時掙本」，作媳婦的道「想殺我也五花官誥」，作哥的纔入門便嗔罵，作嫂嫂的又道是「你發跡甕生根驢生笄腳」。老賊你道「再回來我決打殺你二百黃桑棍」，可甚的叫「父慈子孝」。俺一家兒努眼苫眉，只待要逼蘇秦險些上吊。這早晚不知大雪跌倒在那個牆邊，叫我著誰人訪尋消耗。不爭凍餓死了俺這臥冰的王祥，兀的不沒亂殺你那太公家教。蘇秦兒，則被你痛殺我也。

將一家人對蘇秦的嘴臉生靈活現的描繪出來。而此作爲本折蘇秦爲父兄母嫂所逼趕離家的劇情結語，雖無必然的存在需要，但可以作爲外腳的技藝表演空間。

又院本〈打略拴搐〉「唱尾聲」一類，如《獨角牛》中劉千唱「【尾聲】你看我橫裡丟、豎裡砍、往上兜、往下抛、虎口裡截臂骨，扛紐羊頭枷稍墜。」解說自己摶打爭交的拳路套數。

而後拆拆驢再度陳述一遍，並插唱「他道是馬前劍撲手有三十解」。胡忌曾指出淨腳在劇中可以有唱尾聲的權利，或許這就是「唱尾聲」的一種運用形態。[57]又如末本的《劉弘嫁婢》，第二折在【中呂粉蝶兒】的聯套【尾聲】中，先由劉弘演唱叮囑李春郎要寫書信報平安。而後在折尾處，再由淨腳扮的王秀才講唱一遍「(淨王秀才云)啊呀！罷罷罷，你去你去。(唱尾聲科)你與我頻頻的寄一紙書，常常的著這王王王秀才知。這恩念你報不報知不知，當哩的打哩打哩哩哩。(下)」並進而發展成爲表演的科汎形式。

自宋金雜劇院本以來，有不少劇目與情節，都以生病請醫作爲題材。如宋雜劇中有《醫淡》、《黃丸兒》、《風流藥》、《眼藥孤》、《諱藥孤》等；金院本中〈諸雜大小院本〉、〈諸雜院爨〉及〈打略拴搐〉「大夫家門」中，都有爲數不少與醫藥有關的劇目。從劇名字面來推測，大抵是以滑稽詼諧，嘻鬧嘲弄爲表演特質，很可能反映了當時市井生活中，「死的醫不活，活的醫死了」胡言扯淡的庸醫面貌。

而這種表現手法，也在元雜劇中大量出現。基本上在生病請醫的情節處理上，仍是偏向於輕鬆笑鬧的逗樂表演。如《降桑葚》第二折中，穿插了《雙鬥醫》的院本形式，全段主要由宋了人與糊塗蟲的插科打諢，製造出輕鬆諧謔的喜劇氣氛；而在《西廂記》第三本第四折中，則直接標注「潔引太醫上，雙鬥醫科汎了」，顯見其已經形成特有的表演程式，具有可遵循的格式規範，不須再著錄其內容與形式。

是以如《風花雪月》楔子中張千替陳世英請醫一段，「（淨云）老哥不知，但是我家的小的每，都是生藥名。(張千云)這個我不知道。（淨叫云）丁香奴。（內應科云）有。（淨云）你藥來不曾。（內云）我丸藥來。」此後就是在「說丸藥」上打砌諢說，頗近似於《小丸兒》、《黃丸兒》等表演[58]；而《碧桃花》第二折興兒請賽盧醫替張道南看病一段，「我害的病，則是風月二字起的。」彷彿是《風流藥》的類型。而其都可以概括爲「雙鬥醫科汎」之類的調笑手法[59]，延壽馬便能趨搶嘴臉、抹土擦灰、牙牙胡爲表演「雙鬥醫」院本。（《宦門子弟錯立身》第十二齣）

元山西芮城縣永樂宮所發掘的「潘德沖石槨院本圖」(圖㊹)，場上左一塗墨臉吹哨、表情滑稽；左二戴展角幞頭、披袍秉笏、表情莊重；左三一人袒胸露腹、發喬賣弄，肘上吊一砌末；第四人戴卷角幞頭，抱拳恭立。學者們認爲就演出場景來看，應是屬於滑稽科諢的院本演出，而非以曲唱爲主的元雜劇。同時由於潘德沖爲道教全眞教邱處機的弟子，是以其演出內容可能與道教有關，並指出左第三人手上所吊的砌末，可能就是「漁鼓」。[60]

宋金院本以副淨副末爲主要角色，元雜劇時則由正旦正末取代，而退居次要地位。如新絳寨里村元雜劇五人雕磚，與遠城西里莊墓元雜劇壁畫的裝扮與組合方式，都以末泥色居中（彩圖㊱）。[61]這種角色的轉變，使得原先由副淨居中，末泥居次的場面圖置有所調整對換，這在金代後期的戲曲雕磚中已初露端倪。而本圖從人物的位置、神態、動作來看，乃是面對著左二的末泥，以其爲表演重心。這不僅顯現元代正末主演體制的確立與形成，同時也意喻著院本從金代演變到元代，雖仍以插科打諢爲主，但在角色體制上受到元雜劇的影響，故在主從地位上有所更易。

在宋元的劇團組織與勾欄表演中，都顯現著院本與雜劇並存的表演方式，如《宦門子第錯立身》中的王金榜劇團，藝人多半兼具做雜劇與院本的才藝。更有不少夫妻藝人是院本與雜劇的搭檔，如趙偏惜爲樊孛閑奚之妻「旦末雙全」「樊院本，亦罕與比」；而事事宜的丈夫玳瑁斂、叔象牛頭「皆副淨色，浙西馳名」。可見元院本在元代應仍是相當風行的，或是獨立搬演的形式，或是穿插融入於元雜劇之中。

明徐充《暖姝由筆》云：「有白有唱者名雜劇，用弦索者名套數，扮演戲跳而不唱者名院本」。以其與元雜劇中的院本相互印證，可以發現院本確以散說科汎搬演爲主，或單人講說，或二人對答，雖有時也會加入一些曲唱，但相對於元雜劇以套曲爲主體的特質，的確是近乎不唱的形式。是以李開先言「字多音少爲院本」(《李開先集·西野春游詞序》)，其所創作的《一笑散》院本，也不外乎以「攪、喬、昏、鬧」爲意。

院本的演出以滑稽逗笑見長，擷取了雜技曲藝說唱的方式，以淨腳爲擔綱爲主，偶爾也提供正旦正末表現曲唱以外的技藝機會。在元雜劇中應用了較多〈打略拴搐〉的院本劇目，充當作人物上場時的家門，可以藉此渲染撲墊情節氣氛；院本經由世代相傳的表演後，多半成爲「尋常熟事」的習套，並發展出特定的程式科汎，可以隨時靈活取用。甚至形成後世「戲中戲」的表現手法，在明清傳奇中被大量地使用，而增添了戲曲豐富的表演技藝。

㈡插曲打散的運用

元雜劇謹嚴規律的套曲組織，形成了「一本四套」與「一人主唱」的劇場體制，使得在起承轉合的故事發展中，只有正旦或正末，能經由曲唱抒情，來表現人物的個性特徵。因此，劇作家透過插曲與打散的運用，來突破劇本結構的制約侷限，而給予其他腳色有所抒情表意的機會，並能發揮技藝以調劑連結劇情。

插曲，爲元雜劇體制結構的變例，可以在任何一折套曲的中間或前後，插唱一兩支與本套不同、或相同宮調韻部的小曲。[62] 插曲演唱者的腳色屬性並無嚴格規定，若以表演性質來區分，以滑稽打諢爲主的插曲，多由淨或搽旦來演唱。如《九世同居》第二折折末，淨扮的張狂、李奈二秀才，遭考官斥退時「(張狂曰)兄弟，別人做了狀元，把咱趕出來，咱一人唱唱兩句兒，回家來去罷。」二淨分唱【雙調清江引】。

劇中張狂、李奈扮演不學無術的秀才，前往選場赴試應考。當貢官問二人本事時，張狂言「會吟詩、會課賦、丟了斧子拽的鋸」；李奈說「十九般武藝皆會」，以誇張的方式說出比常人多一般武藝，「我會打筋斗」。十足地滑稽調笑，藉以對比出張公藝二子的文才武略，也作爲該場劇情高潮後的餘興安排，頗具有「吊場」的釣鉤作用。而插曲的演唱形式也較爲靈活變化，可以由一人獨唱 ，也可多至二到四人演唱 ，或同唱、或分唱、或輪唱、或合唱，帶來不同的情趣與效果。

如《蝴蝶夢》第三折末，王三與張千在臺上唱答「(王三唱)【端正好】腹攬五車書，(張千云)你怎麼唱起來？(王三云)是曲尾。」王三唱了【端正好】與【滾繡球】兩隻插曲。一般插曲多爲【醉太平】、【豆葉黃】、【金字經】等小曲，或唱尾曲如【清江引】可替代【尾聲】。至於本劇以向來被作爲散曲、雜劇的首曲【端正好】，頗有強化王三內心怨忿與渲染悲劇氣氛的作用；而以具有排比、對稱格式的【滾繡球】，在經由襯字的加入後，助長了滾唱的氣勢，酣唱淋漓地表現對官府黑暗的強烈抨擊。

可見插曲可以因應劇情的需求，考慮排場的因素，在曲牌上有所選擇。如《昊天塔》第三折在【正宮端正好】聯套中，【滾繡球】與【倘秀才】以「子母調」的方式循環應用，其中第二支【滾繡球】由丑扮的和尚演唱，應用類似「數板」的唱法，表現其伶牙俐齒的特性，製造出幽默諧趣的喜劇情調：

> 你爲什的來便吆呼，只那楊令公骨殖兒有件數數。試聽俺從頭兒說與。這便是太陽骨八片頭顱，這便是胸膛骨無腸肚，這便是肩膀骨有皮膚，這便是膝蓋骨帶腿挺全付，這便是脊梁骨和脇肋相屬，俺這裡都明明白白交點你，您那裡件件樁樁親接取，便可也留下紙領狀無虛。

融入了淨腳散說道念的技巧，頗類似滾腔的板式，給予丑腳「對工」的表演空間，並直接推動了劇情發展的節奏，後爲傳奇皮黃轉化應用。而《硃砂擔》中有兩處插曲的穿插，第一折末尾寫正末王文用與淨扮邦老白正，在旅店中相遇，命令文用唱支小曲以侑酒，文用推辭未允，只得唱支【喜秋風】應付。本曲夾雜於【先呂點絳唇】的套曲中，在元代早期劇本中較爲罕見，以中晚期劇本出現較多。再者由正末演唱，著力於其淩亂紛雜、驚恐膽懼的心緒刻畫，也顯現出迥異於滑稽諢唱的曲情。

而在第三折中，淨腳所扮演的地曹與正末所扮的東獄太尉，在森羅殿上對案，二人分別就文卷的內容，予以不同的評判：作假尺寸開剪裁鋪的，命其後生變個螞蝗「要長也隨的他，要短也隨的他」；洗壞熨破開洗糨鋪的，令其來世變個鐵匠「要硬也隨的他，要軟也隨的他」；傷枝損葉的花園子，責其到筋斗房去托生「這邊栽也由他，那邊栽也由他」；運用歇後語的比喻象徵手法，逗趣地點染場面的氣氛，並串聯出底下察看白正謀財害命的文卷、前往擒拏勘問的情節：

（淨云）上聖去了。我也跟著趁打夥，捉拏白正跑一遭。(唱)【么篇】我將這廝琅琅鐵索把那廝肩膀綁，沈點點鐵棍將那廝臂膊膊搪。打碎天靈共眼眶，踢折蠻腰和腦漿。(做嘴臉科)(鬼力云)怎麼做這個嘴臉。(淨唱)把那廝直拏到酆都那邊著他慢慢想。

淨腳以擠眉弄眼、呲牙咧嘴的臉部動作，表露出猙獰忿怒的鬼臉神情，具現出誇大滑稽的美學趣味，也暗示出下場白正惡貫滿盈，被叛決永爲餓鬼，大快人心的結局。此處與京劇《天雷報》張繼保不孝拒認父母，而遭遇雷神擊斃的故事末尾情境頗爲類似，想必地曹也有如雷神在場面上，載歌載舞的工架與身段，以突顯其威猛活潑的神采。

《薛仁貴》第三折開首，有「丑扮禾旦」的村婦演唱【雙調豆葉黃】，置於正末扮的村哥演唱的【中呂粉蝶兒】之前，作爲衝場的小曲，取代了上場詩的家門說白。曲文中充滿濃厚的民間氣息，頗有里巷歌謠的俚俗趣味，也相當符合村婦的身分造型。此段表現手法，恰與《黃鶴樓》中的第二折開場大致雷同，淨扮演的伴姑兒，悠然閒暇地上場演唱：

【豆葉黃】那裡那裡，酸棗的林兒西裡。您娘叫你早來家，早來家，恐怕那狼蟲咬你來。摘棗兒，摘棗兒，你道不曾摘棗兒，口裏核兒那裏來。張羅張羅，見個狼呵，跳過牆呵，嚇殺你娘呵。(云)我做莊家不須誇，厭著城裏富豪家。喫的飯飽無處去，水坑裡面捉蝦蟆。【禾詞】春景最爲頭，綠水青泉遶院流，桃杏爭開紅似火。王留，閒來無事倒騎牛，村童扶策懶凝眸。爲什莊家多快樂，休休，皇天不負老實頭。（云）自家村姑兒的便是。

【豆葉黃】的曲文以本色爲主，表現村姑的純樸天眞；【禾詞】不見於南北曲牌中，應是爲山歌小調。此處較《薛仁貴》除多了一支插曲外，也添加了伴姑對自己的介紹。接著引領了伴姑兒與正末扮的禾俫，模仿社火田村農家樂的情節：

【叨叨令】那禿二姑在井口上，將轆轤兒乞留曲律的攪。瞎伴姐在麥場上，將那碓兒急并各邦的搗。廝兒他手拏著鞭桿子，他嘶嘶颼颼地哨。唱那牧童兒便倒騎著箇水牛，呀呀的叫。一弄兒快活也麼哥，一弄兒快活也麼哥。正遇著風調雨順民安樂。

曲文中還夾雜著扮姑的說白，藉由二人的說唱，表現了說學逗唱、吹舞擂哨的技藝，猶如宋雜劇中散段「雜扮」的演出。[63]插曲置於二三折前後，是常見的通例。作爲開首的衝場曲，可以爲其後上場的主要人物，鋪敘周遭的景物環境，調劑渲染場面的氣氛；可用北曲、或運用南曲，山歌小曲的使用率較低；以一支小曲爲多，但亦不侷限數量；其中或顯現「疏離」的特質，與劇情的發展關聯性不大，如《望江亭》中，譚記兒巧騙勢劍金牌後，張衙內與親隨張千、李稍輪唱、合唱【馬鞍兒】，衙內云「這廝每扮(南)戲那」，向觀衆明顯的指出其是在扮戲，從劇中表演的情境游離出來。

另外還有一類插曲，或在劇中演唱「道情」以勸世覺迷，如《竹葉舟》第四折【正宮端正好】套曲前列禦寇所唱四支插曲；《翫江亭》第二折在【南呂一枝花】中所夾雜的六支插曲等；或爲穿插歌舞場面所唱舞曲，如《東坡夢》第二折末尾，松神了緣變化出花間四友的歌舞表演：

(四友舞唱介)【月兒高】謾折長亭柳，情濃怕分手。欲跨雕鞍去，扯住羅衫袖。問道歸期，端的是甚時候。淚珠兒點點鮫綃透。唱徹陽關，重斟美酒，美酒解消愁。只怕酒醉還醒，這愁懷又依舊。

此首南曲簡短動人，塡詞造境表露文人典雅色彩，也能相互搭配樂舞的表演。而《金安壽》中有兩處插曲演唱，一爲首折【仙呂八聲甘州】聯套中穿插四支插曲，搭配「扮歌兒引戲樂上舞科」，曲文以歌頌太平盛世，四海清明的景象爲主，頗合適富麗堂皇的歌舞場面；而另一在第四折【雙調新水令】聯套中，在「八仙上歌舞科」後，同唱【青天歌】曲牌，運用「頂針格」的俳優體，聲情與舞隊隊形變化渾成和諧，成爲一種歌舞熟套，在元明雜劇中習用頻繁。

至於在雜劇劇尾，第四折套曲結束後，所饒出來多餘的曲子，並非插曲，而是作爲雜劇收場的「散場曲」。[64]另外還有作爲雜劇搬演後餘興的「打散」，《水滸傳》中描繪東京新來打踅的行院白秀英，色藝雙絕，在勾欄裡「說唱諸般品調，每日有那一般打散，或是戲舞，或是吹彈，或是歌唱，賺得那人山人海價看。」(第五十回)可見打散具有歌舞彈唱等多種形式。

例如高安道【般涉調·哨遍】〈嗓淡行院〉中的打散，是屬於隊舞的形式「打散的隊子排，待將回數收」；而《青樓集》中的女藝人魏道道，則是以表演【鷓鴣】獨舞著稱「勾欄內獨舞《鷓鴣》四篇打散，自國初以來，無能繼者。」；元刊本《紫雲庭》曲文中提到「不索你自誇揚，我可也知道你打了個好散場」（第四折），並在劇尾處保留著【鷓鴣天】的曲文：

玉軟花嬌意更眞，花攢柳寸足銷魂，半生碌碌忘丹桂，千里悠悠覓彩雲。鸞鏡破、鳳釵分，世間多少斷腸人，風流公案風流傳，一度班著一度新。

從曲文內容來看，與劇情似乎並無牽連，純粹是外饒的歌舞。由於元雜劇在搬演上，是與百戲雜技穿插演出或同臺演出，因此有可能承繼宋金雜劇搬演的遺風，提供觀衆不同的技藝表演，增加舞臺的臨場效果。[65]《鷓鴣》爲金代流行的歌舞曲，《大金國誌》卷二九「初與風土」條載：「其樂唯鼓笛，其歌唯《鷓鴣》曲，第高下長短如『鷓鴣』聲而已。」由於鷓鴣屬於南方鳥，北方人不熟識，遂模擬其聲音，仿效其飛翔而編排成歌舞曲，屬鼓吹樂，樂器主要用鼓、笛，舞姿以手與足的變化表現爲主「前襟倏閃靴尖踢」。[66]

《鷓鴣》到元代「今日樂棚爲賤藝」，已流落演變爲勾欄中「蠅營」謀利的歌舞節目，深爲人們所喜愛，也被元雜劇所吸收。如《拜月亭》第四折【駐馬聽】「悠悠的品著《鷓鴣》，雁行般但舉足都能舞」；《金安壽》第三折【涼亭樂】「仙風道骨，爭如俺鼉骨笛兒者剌古。歌鸚鵡，舞鷓鴣」；《哭存孝》第一折【油葫蘆】「將一面鼉皮畫股鼕鼕擂，悠悠的慢品《鷓鴣》曲」；白樸【雙調·駐馬聽】《舞》小令：「謾催鼉鼓品《梁州》，《鷓鴣》飛起春羅袖。」提供了我們相關的音樂舞姿資料。

在《西廂記》的第一至第四本的末折都有【絡絲娘煞尾】曲「則爲你閉月羞花相貌，少不得剪草除根大小」、「不爭惹恨牽情鬥引，少不得廢寢忘餐病證」、「因今宵傳言送語，看明日攜雲握雨」、「都則爲一官半職，阻隔得千山萬水」。凌濛初《西廂記五本解證》中云：「此非復扮色人口中語，乃自爲衆伶人打散語。猶說詞家有有分交之類，是其打院本家數」。[67]從曲文內容與凌氏解證中，可知其顯然是劇外人的口吻，似在總結該本的劇情，預告下本的發展，乃宋元院本的家數。

是以元雜劇承繼了宋金雜劇院本的四段結構體制，兼容並蓄地吸收融鑄了各種技藝，發展成爲整體的戲曲藝術，然仍部份地存留著從院本蛻化出來的軌跡遺痕。因而提供劇作家在劇情的形塑上，運用院本形式的穿插與插曲打散的安排，配合著故事的發展，或游離式的插入以作爲劇情的調劑，烘托不同的娛樂氣氛；或是渾融於其中與人物緊密結合，作爲劇情發展的重要關目。同時也提供了技藝表演的機會，讓正旦正末可以展現曲唱外的技藝；讓淨腳可以發揮散說道念的本領，偶爾唱些小曲，製造插科打諢的趣味。而這些「說、學、逗、唱」的表現手法，充分地發揮了雜技百戲的技藝特質，並進而發展成爲熟套或科汎，可以在戲曲中隨時拿來靈活運用。

第三節　科範的形成

戲曲吸收結合了各種姊妹藝術，在「唱念做打」的四功基礎上，透過「手眼身法步」的五法實踐，參酌傳統形神並重、虛實相生、詳略繁簡的美學思維，融鑄出「有聲必歌，無動不舞」的舞臺藝術，並形成特有的程式規範，從生活中取法轉化，奠定普遍的類型通式，創發獨特的個性手法，體現戲曲藝術的整體風格與趣味。

在長期的演出實踐下，戲曲身段動作的科範，積累成豐富的舞臺表演語彙，標注提呈於劇本之中。「科範」，範或記作泛、汎，顯然爲同音訛變，又可簡稱爲「科」，爲有規範可資依循的身段動作。徐渭《南詞敘錄》載：「科者，相見、作揖、進拜、舞蹈、坐跑之類，身之所行，皆謂之科。……今戲文于科處皆作介字。」(《戲曲論著集成》第三冊，頁二四六)在南戲中多寫為「介」，當為省文訛變，並出現「科介」的複義詞。[68]

宋金時各種表演技藝，已漸趨形成規模法度「其間副淨有散說、有道念、有筋斗、有科汎。教坊色長魏、武、劉三人鼎新編輯。魏長於念誦，武長於筋斗，劉長於科汎；至今樂人皆宗之。」(元陶宗儀《南村輟耕錄》)並成為元代演員崇拜與取法的對象。延壽馬即自誇能「我學那劉耍和行蹤步跡」；高安道則以「辱末煞馳名魏、武、劉」衡量演技，譏誚差勁的演員；杜善夫「背後敷演劉耍和」更是難得的粧哈；更導致了《黑旋風敷演劉耍和》的劇目出現。

再者這些各懷技能，被視為「戾家把戲」的演員，也投入參與劇本的寫作，以自身實際的演出經驗，「鼎新編輯」擴大戲曲的內容與形式。是故如劉耍和的女婿花李郎作有《釘一釘》、《相府院》等劇，紅字李二以《板沓兒》、《病楊雄》、《武松打虎》等水滸戲目的豪放風格著稱；且能與當時的文人，共同創作劇本，如《開壇闡教黃粱夢》下載：「第一折馬致遠，第二折李時中，第三折花李郎學士，第四折紅字李二」。[69]將自己本身的經驗技能，融匯發揮於劇作中。

縱觀元雜劇作品中的科範，大抵有著重表情動作的做工身段；表現武打動作的武功程式；穿插歌舞表演的舞臺提示；運用聲音聽覺的舞臺音效；帶有撿場性質的砌末動作等類別。[70]這些自生活原型中摹象取神的動作，變形提煉為程式化的舞臺做表，是以賽簾秀中年後雖雙目失明，但以精熟的表演科範「然其出門入戶，步線行針，不差毫髮，有目莫之及焉。」能夠趨和規矩、步中圓方；藍采和「試看我行針步線，在這梁園城一交，卻又早二十年。」（《藍采和》第一折）亦因而能在勾欄瓦舍中作場營生、奠立聲名。

所以科範既為演員塑造人物的基本手段，也是觀衆欣賞戲曲的審美媒介。雜技百戲以其豐富多元的表演類目，奇巧精妙的技藝特質，成為戲曲取法借鏡、吸收涵養的豐富資源。或經由撲旗筋斗等武功技能，具現刀光劍影、廝殺打鬥的戰場情景；或透過砌末穿戴等舞蹈身態，營造輕歌曼妙、輕鬆愉悅的歌舞場面，生動鮮明地傳達了戲曲藝術的視聽美感。

一、武工科介與身段

從秦漢以來「講武之禮，罷為角觝」，角力、比武、射御等軍事競技，就在雜技的溫床中發展成長。在長期的藝術實踐與累積中，武術衍生出各種攻防格鬥的拳勇技擊，與刀槍劍把的兵器戰陣。宋代瓦舍中就有角觝、使拳、踢腿、使棒、弄棍、舞杖、舞刀、弄槍、舞劍、舞蠻牌、打交棍、打筋斗、打彈、射弩等武藝表演；元代在政令的箝制下，戲曲成為練武傳藝的新形式，「十八般武藝」遂成為武戲人物的工夫技能。

十八般武藝，是武術器械的泛稱。中國自古以來武器樣式繁多，或淵源於古代戰場的兵器，如刀、槍、劍、戟、弓矢；或自生活用品工具演變而來，如叉、鏟、錘、斧、棍棒等。以「十八」指稱，乃以極數九的倍數來表示數目衆多。若依其形狀與使用方法可分為刀、劍、殳、間等短器械；槍、矛、戟、檛等長器械；弓弩等抛射器械；鞭、棉繩套索等軟器械；盾是為護衛器械；而

「白打」則統稱屬於徒手的武藝。[71]

這些器械武藝，不僅成爲舞臺上使用的砌末，也圍繞著劇情的發展，配合著人物的刻畫，汲取雜技翻騰旋轉、踢弄擊打等技巧，發展出徒手格鬥、器械耍舞或套路對打的戲曲武功科介，具有著神似意眞、寫實抽象兼備的藝術形美。尤其在演述戰場廝殺、對敵格鬥或爭交較量等脫膊綠林武戲中，得到充分地發揮與展現。

㈠爭交跌打

每逢歲時節慶、迎神賽社時，總是百戲駢驪、諸藝競陳「社火鼓樂擺開科」（《生金閣》第三折），人們藉者各種社火的酌獻，向神明表達祝賀之意與增添節慶歡娛的氣氛。每年三月二十八日，泰安州東嶽廟誕「依古禮鬥智相搏，習老郎捕腿拏腰。賽堯年風調雨順，許人人賭賽爭交。」(《獨腳牛》第三折)總在露臺上由「那吒社」舉行「跌打相搏，爭交賭籌」的競賽，而自言「打遍乾坤無敵手，獨占那吒第一人」的獨角牛，就是此間的個中好手。[72]

「相撲爭交，謂之角觝之戲。」(《都城紀勝》，頁九十七)角觝爲百戲雜技的類目，也是武術徒手搏鬥的一種形式。先秦之時，「角力」爲軍事講武的要項，拳勇爲治國平天下的大旨；春秋尚戰，「士民貴武勇而賤得利」(《管子·五輔篇》)，諸國皆以提倡拳術爲力，典籍中屢屢有手法技巧的相關記載。如山東臨沂銀雀山漢墓出土的《孫臏兵法》殘簡中，就載錄著「左右旁伐以相趨，此謂稷鉤拳。」這種招數是先用左、右手從側面橫擊，緊接著再向前猛擊；又如《荀子·議兵篇》:「若手臂之悍頭目，而覆胸腹也。詐而襲之，與先驚而後擊之，一也。」則已經有了進攻、佯攻、格擋防守、擊上打下的戰術運用。[73]

秦漢時，角觝成爲一種表演藝術，《漢書·哀帝紀》載：「雅性不好聲色，時覽卞射武戲。」蘇林注曰：「手博謂卞、角力爲武戲也。」（卷十一，頁三四四）並有《手博六篇》的專門著述（《漢書·藝文志》），可惜已亡佚無從得見；三國之時，會武之人輩出，拳術的水平也大爲提升，如黃回「拳捷堅勁，勇力兼人」（《宋書·黃回傳》），且能使十餘人以水交灑而不沾溼其身，可見其招法的快速有力。

南北朝時，吉林高句麗墓中出現角觝壁畫(彩圖㊲)；甘肅敦煌莫高窟第290窟也有北周「太子相撲圖」(彩圖㊳)[74]；二者都展現出當時爭交踢打摔拿的技巧，以及「壯士裸袒相博而角勝負」(《續文獻通考》)的形象；隋唐時，手博成爲習武者必練的項目，宮廷中還設立有相撲的專門機構「相撲朋」，「左旋右抽，擢兩肩於敏手，奮髯增氣，示衆目以餘威。」（韋肇〈駕幸明樓試武藝絕倫賦序〉）君主並親自觀看比武競技的情形；五代時李存賢更曾因與莊宗較量角觝得勝，獲蔚州刺史的賞賜。

宋代相撲活動開展的極爲廣泛，宮廷中有由軍卒編制的「內等子」，由皇帝「當殿呈試相撲」進行檢閱與考核；民間勾欄瓦子中有「相撲」、「喬相撲」等技藝演出，宋代雜技藝人楊望京，就是以搬演「小兒相撲」而著稱。「先以女颭數對打套子，令人觀睹，然後以膂力相交。」（《夢梁錄·角觝》，卷二十，頁三一二）在相撲前還安排幾對女藝人表演武術套路的對打，作爲吸引人的開場表演，顯見當時已有成套單練或對練路數的產生。時人調露子的《角力記》總結五代以前大量的角力史料，闡述了角力的沿革，對其後相撲理論、技巧、規則等方面的發展，都有所深遠的影響。

角力是遊牧民族的傳統，遼金舉行宮廷宴享、國家儀典時，以「角觝」作爲壓軸搬演的項目，如遼代皇帝生辰樂次，「酒三行，琵琶獨奏，餅茶致語，食入，雜劇進。」「酒七行，歌曲破，角抵終。」(《遼史·樂志》卷五十四)；元代「置勇校署，以角觝者隸之。」(《元史·仁宗》卷二十六，頁五八九)英宗則「賜角觝者百二十人超各千貫」（《元史·英宗》卷二十七，頁六〇三），所謂「臂纏紅錦繡襠襦，虎搏龍擒戰兩夫，自古都人元尙氣，摩肩累跡隘康衢。」(《紫山大全集·相撲》卷七)可見當時大都相撲技藝的高強與興盛。

相撲講求拳腳並用的格鬥技擊，「眼睛要轉，拳頭取勝，觔脈亂，撲手成功。」(《獨角牛》第二折)必須眼到手到身到，還要運用智謀遮截架解「瞞過人，一狠二毒三短命」；可以「拽直拳、使橫拳」、也能「使腳去手腕上剪」。拆拆驢問劉千使得是「上三路、下三路、中三路」哪一路拳，劉千說共有「橫裏丢、豎裏砍、往上兜、往下抛、虎口裏截臂骨、扛扭羊頭帶蹄兒」等三十種不同的招術。爭交角觝時大抵脫衣以減少束縛「獨腳牛做脫剝了科」；呂彥彪「做飛腳支架科」吆喝衆人上來打擂，王矮虎「正末做脫剝小打扮上露臺」(《東平府》第三折)。

這些角觝爭交的技巧，是在歷史中逐漸積累成熟的。而生活中的行爲舉動往往是其創發的養分，如《遇上皇》中，宋元好酒貪杯，丈人劉二公夥同婆婆與女兒前去酒店尋覓，被拳打腳踢地教訓了一番：

(孛老云)孩兒你說的是，我打這弟子孩兒(打科)(正末唱)嗤嗤把頭髮揪。(搽旦云)父親拳撞腳踢，與他個爛羊頭。

> (孛老云)我踢這不成半器的畜生。（正末唱）連帶的使腳撞。(孛老云)我耳根拳打這狗弟子孩兒。(正末唱)耳根上一迷裡直拳搶。(搽旦云)你穿的這尸皮，不是我做的，我扯碎你。(正末唱)他惡狠狠都扯破我衣裳。[75]

又如元刊本《任風子》中，馬丹陽欲點化任屠，故意使其附近都吃了素齋。衆屠戶嘆怨買賣被攪，衆人約定較量拳腳工夫，由武藝最佳者前去打殺馬丹陽。只見任屠一人便將所有屠戶都打得東倒西歪「做打科衆倒科」，頗有以一當百的架式：

> 你道我近不得他來；咱白廝打，你贏的我你便去，我贏的你我便去。(做廝打科)【金盞兒】這個拳兒來到眼跟前，躲閃過把臂忙揊。這個溜溜班踅的似風車轉。拳來躲過似放過一蠶椽，一個胸膛裡番背，一個嘴縫上中直拳。一個早撲地腮搵土，一個亨地腳稍天。

是以在打架毆鬥中，便常可見到拳腳齊飛的場面。而這些都轉化爲雜技角觝的養分，當其發展成爲一種游藝競技時，更格外強調在技巧花式方面的創發。這些技藝並在戲曲藝術中，形成廝打跌撲的動作，如《張協狀元》「(末)你教我恁地。(末起身科)(丑顛末)這回饒個跌大」；《忠義水滸傳》第八十四回〈交跌太尉〉，顯現了高太尉被燕青撲跌後的狼狽不堪；《昊天塔》第四折「（正末做跌打科云）打死這廝，纔雪的我恨也。」《智勇定齊》第二折中，孫儆奉父親孫操的命令，到東齊進蒲琴，被無鹽女操響並刺背而回，「淨孫儆做長吁氣跌垂胸科」向父親稟報。配合著劇情的發展，形成「跌打科」等身段科汎。

又如《氣英布》第二折英布扮正末，背楚歸漢與隨何回轉漢營見漢王，漢王故意濯足輕慢「正末做臨古門見科」、「漢王引二宮女上做濯足科」、「正末做怒科」、「做仰天掀髯噴氣科」；第三折中漢王命光祿寺排設筵席，校坊司選歌兒舞女前去款待英布，說明因足瘡未愈，故適間多失禮處。正末「做噴氣科」、「正末做不應科」、「(樊噲做扯架子科云)想是他還惱著，待我老樊與他打一個流星十八跌。」則以「扯架子」表現出動武時的架式身段，並運用了吹鬍掀髯的「噴口」技巧，傳達生氣忿怒的情態，隱約有「耍鬍」技藝的影跡。

元雜劇中有些身段動作，寓含有武力的成分，如元刊本《遇上皇》中酒保廝打趙普三人「扯拽揪捽」；《瀟湘雨》第四折中「做打科」有連續責打的情節；《盆兒鬼》第一折中「邦老揪住正末髮科」；元刊本《追韓信》第一折「等淨上打撞怒云」；元刊本《紫雲庭》第二折韓楚蘭與鴇母發生衝突「卜兒打撞了」；《桃花女》第三折中有「媒婆上做打撞科」等科汎，不外乎是擊打拳技的應用。

㈡筋斗搶背

在爭交角觝的過程中，翻滾摔打等動作身段，形成了筋斗搶背等特殊技巧，如《九世同居》中李奈即戲謔地表明自己具有「十八般武藝」外的第十九樣「打筋斗」技藝；《襄陽會》第三折淨扮的曹章上場即云「某正在空地上翻筋斗」；《襄陽會》第三折蒯越諢說「我打得筋斗」等，多半藉以刻畫淨腳人物的滑稽特質。《南村輟耕錄》中即載錄著「打筋斗」爲副淨的本領，教坊色長武光頭擅長於此，「侯副淨筋斗最高」（《青樓集》說集本），堪稱爲當時絕藝。

所謂「戲曲的筋斗，雜技的拿頂」，筋斗本是雜技百戲的節目，運用身體的彈力移轉重心，以頭抵地而折腰顛倒翻轉。或稱作「金斗」，原語意指以金屬製作的斗狀酒器，反向倒擲而殺人「起於簡子之殺中山王，後之工人以頭委地，而翻身跳過，謂之金斗，一作筋斗。」[76]或因諧聲轉音又可稱爲「跟頭」。[77]所以筋斗的表演，從「反斗」音近相訛爲「翻斗」，又因語音相轉可引申爲「翻金斗」、「翻筋斗」、「翻觔斗」、「翻跟頭」。

山東濟南無影山西漢墓中，有「拿大頂」、「折腰」、「柔術」等動作操演的雜技陶俑（彩圖⑪）[78]，即〈西京賦〉中的「侲童」，或稱作「倒挈面戲」；晉時散騎常侍顧臻曾向晉成帝上奏表，禁止用手支撐走路、倒立、爬行兼連續翻跟斗的「逆行連倒」等技藝表演(《晉書·樂志》卷二十三，頁七一九)，一則是由於其「日稟五斗」太過浪費，再者是因其爲「末世之伎」太過危險；梁天監四年的散樂百戲節目單上，則出現「擲倒伎」、「擲趫伎」與「擲倒案伎」的項目，一爲在平地表演；一是踩高蹺翻筋斗；一是以桌子爲道具，在桌子上翻滾倒立，如「安息五案」一類的表演。[79]

唐代〈鼓架部〉中包含了「觔斗」的類目（《樂府雜錄》，《戲曲論著集成》第一冊，頁四十五）；教坊中「有一小兒，筋斗絕倫」，能攀緣長竿倒立許久（《教坊記補錄》，《戲曲論著集成》第一冊，頁二十三），詩人張祜亦爲詩贊揚「大酺三日洛陽城。小兒一技竿頭絕」(〈大酺樂〉)；筋斗經常可搭配道具或別樣雜技，組合連結爲多元化的技藝表演。

如宋代把翻筋斗與上竿，打鞦韆聯結成爲「又一人上蹴鞦韆，將平架，筋斗擲身入水，謂之『水鞦韆』。」（《東京夢華錄》卷七，頁四十一）元代王振鵬所繪〈寶津競賽圖〉手卷跋語中明言乃依此而畫，爲後世「空中飛人」的基礎；其他像「筋骨上索雜手伎」、「喬筋骨」、「鵓鴿旋」、「板落」等技藝，亦是從筋斗中再加工演化而成。「或以兩手握蹬褲，以肩著鞍橋，雙腳直上，謂之『倒立』。」(頁四十四)這是在馬背上結合筋斗倒立的馬戲表演。

元代高安道嘲諷那些「沒一個生斜格打到二百個筋斗」的演員，「翻跳的爭些兒跌的迸流」，並說其「辱沒煞馳名魏武劉」(〈散淡行院〉)，可見當時是相當注重筋斗的技巧；是以如《水母砌》、《少年游》等院本表演，非得具有「庄心巔背」的本領，不能勝任（《宦門子第錯立身》第十二齣）；藍采和「上高處捨身拼命」（《藍采和》第二折），說明了動作的驚險困難，可能是應用桌子梯子等道具的擺設，表演從高處淩空翻下，或在其上展現各種身段技巧[80]，都可說是雜技技巧的延伸應用。

明于愼行形容筋斗的表演「今之演劇者，以頭委地，用手代足，憑虛而行，或縱或跳，旋起旋側，其捷如猿，其疾如鳥，令見者目眩心驚，蓋即古人擲倒伎也。」(焦循《劇說》卷五，《中國古典戲曲論著集成》第八冊，頁八十八）具有著翻滾騰躍，旋轉迅捷的特色，猶如猿猴飛鳥一般。是以猴戲中大量地運用筋斗技巧，來表現猴子活潑敏捷、靈巧頑皮的神態，如「轉旋兒」、「碎地蹦」、「翻身撲虎」、「浪船」、「搬磚」、「猴小翻」等武功特技[81]，往往能顯現出猴子打鬧好動、嘻戲追打的場面。

元雜劇《西遊記》中銅筋鐵骨、火眼金睛的通天大聖孫行者「一筋斗千里勢如飛，論神通誰敢和他做勍敵」，打一個筋斗，能「去十萬八千里路程」。因搗亂天庭被觀世音壓於花果山下，欲使其協助護持唐僧西天取經。當唐僧揭了花字「唐僧做揭字科」、「行者做筋斗下來拜謝科」(第三本第十齣)；其後爲借法寶過火焰山，與鐵扇公主大戰「賣弄他銅筋鐵骨自開合，我一扇子敢著你翻筋斗三千個」，於是「做扇科」、「行者做一斤斗下」，將悟空搧得滴溜溜半空中。

劇中配合悟空猴子的性格特徵，再賦予其神通變化的色彩，能夠在瞬間翻山越嶺來去千里，可以騰雲駕霧飄然於天地間；而「能搧翻地獄門前樹，捲起天河水上波」的寶扇，自然能將悟空如疾風捲落葉似的，或是墮在遠岡，或是落在淺波，「今生必定害風魔」，渲染出酣戰淋漓的戰鬥氣氛。適度地將筋斗技巧貫串於劇情的發展中，成爲合情入理渾然一體的安插，在京昆的《借扇》表演中，借用了「小翻」（後手翻）與「搶背」的技巧，來表現悟空狼狽的形象。[82]

搶背，類似宋雜技中「就地跳身而起，以背部著地有聲」的「板落」，《氣英布》第三折中「(正末扮探子執旗打搶背上云)這一場好廝殺也呵。」表現探子匆忙打探軍情，趕緊回報戰況，急遽跌撲的動作情境。「【尾聲】嗔忿忿將一匹馬跨下征㘸緊纏住，殺得那楚項羽促律律向北忙逋(打旋風科)俺英元帥呵，(唱)兀的不生若損明晃晃這簸箕般金蘸斧。」在述說中，還運用猶如「打旋子」的技藝，在快速旋轉中拄成圓圈，彷彿旋風吹掃一般。

山西省右玉縣寶寧寺中，存有水陸畫一堂共一百三十九幅，其中第五十七幅「往古九流百家諸士藝術衆」（彩圖㊴）、五十八幅「一切巫師神女散樂伶官族橫亡魂諸鬼衆」(彩圖㊵)繪有戲曲、百戲的人物圖像。五十七圖下層中有一赤裸侏儒肩扛瓶子；有一赤膊大漢頭做行者梳裹，上體遍刺青龍花繡，應爲角觝相撲的演員；一老者頭裹碎花青巾，左手持三環，或爲套圈的手技表演；還有一人肩披青色獅衣，爲獅子舞者；中有一女扮男裝，著襆頭袍服執板的正末角色；一傅粉塗面，以墨濃點髫鬢眉毛的淨腳；一人肩背杖鼓，攜帶行頭的模樣；圖畫中心爲士人打扮執筆老者，或爲編撰劇本的才人；另有一似爲班主者。這些人或者爲一沿村轉莊的戲班成員，雜技藝人有可能也參與戲曲的活動搬演。

第五十八幅圖中，亦分爲上下兩層，下層右側一人一手托水盞，一手提七星劍，爲巫師作法的形象；一女子右手持令箭，左手執拍板；一男子腿裹行纏護膝，右手持鼓，左扛一鉞，上係一畫軸一扇袋，腰懸一柄帶鞘短刀；另有一人戴猴形臉，裹皂紗帽簪花，著紅袍繫帶，穿皂靴，肩扛一扇，彷彿是孫悟空的形象。[83]《二郎神鎖齊天大聖》中，大哥爲通天大聖(外扮)，老二爲齊天大聖，兄弟爲耍耍三郎孫行者(淨扮)[84]，再加上個老獼猴(淨扮)，在脈望館穿關中，都是「爽兒臉，爽扇」的裝扮，誠可視爲猴子行當的基形。

耍耍三郎出場時誇耀「顯神通則我搊搜扒竿上得滑熟，繫上條茜紅褡膊，山頂上打會筋斗」（《齊天大聖》第三折），全然都是雜技的把式耍弄。等到與二郎神會戰時，又言若天兵追趕來「我且躲在筋斗房裡」，完全是淨腳逗趣諢笑的本色。「筋斗房」隸屬於明代內府衙門中的「鐘鼓司」[85]，《黃花峪》中店小二云：「收了鋪兒，往鐘鼓司學行金斗去來」（第一折）；《硃砂擔》「直著他鐘鼓司筋斗房裡託生去。」(第三折)可見在執掌宮廷戲曲音樂的機構中，有專門提供給筋斗習練的場所，很可能也有類似後世「筋斗行」的腳色行當，淨扮的移山大聖即自言「自小裡是筋斗腳色出身」（《八仙過海》頭折）。

練習筋斗時爲避免摔傷筋骨，多半於地上鋪墊毯子保護，成爲戲曲武功中的「毯子功」。[86]筋斗的表現手法很多，如「翻桌翻梯、筋斗蜻蜓」類的表演(明張岱《陶庵夢憶》)，《老君堂》第二折中高熊「在教場裡豎蜻蜓耍子」[87]，以及拿頂、搶背等身段科汎，都從筋斗爲基本動作再演化發展，並且也可與服飾(如翎子)、穿戴(如髮鬚)、道具(如桌竿)、器械(如刀槍)等組合爲不同的表演程式，以單人或雙人，或在武陣群檔子中翻滾跌打的形式表演。[88]

遲月亭曾提出「跟頭宜甩不宜拽，跑步曲步不要歪，虎跳韃子是根本，各樣跟斗由此來。心勁一紅翻得快，幌法必定要挨摔。」[89]的筋斗技巧口訣，指出將筋斗著重於彈力妙勁的運用，翻得高而騰空，落地輕盈無聲，動作靈巧飄灑，速度迅捷遛快，姿勢優美準確等，這些都是筋斗科介所必須具有的藝術技巧與美感。在戲曲中運用筋斗，能夠揭示人物的性格特徵，或是正面地表現高超的身手武藝，或是側面地嘲諷淨腳的滑稽誇大，都有助於故事的發展推動，反映特定的戲劇情境。

㈢頂技繩吊

經由道具砌末的輔助，舞臺上各種閃頂騰挪、翻滾摔撲的動作，發展出更多類型的表演科汎，如脈望館抄校本《四春園》第二折在一干人犯都下場後，由淨扮演的官人賈虛「(做滾叫科)天也，兀的不欺負殺我，他都去了，桌兒也沒人抬，罷、罷、罷，我自家收拾了家去。在衙人馬平安抬書架。(頂桌兒云)炒豆兒量米下。」[90]先於場上做出滿地撒野翻滾的動作，而後再頂搬文案桌子下場，刻畫出其無奈逗趣的情態，並發揮了撿場的作用。

《盆兒鬼》中正末扮的張撇古，向盆罐趙討了以楊國用骨骸燒成的盆兒回家，一路上魂兒想要向張撇古顯示冤情，喚起注意，不斷地以各種方式作弄，或「做打正末頭科」、或長吁短嘆

「正末做歎氣魂子亦歎氣科」、或正末扯草「做吹火科」，或走偷臥鋪的羊皮「魂子將羊皮在正末頭上轉科」，或掇過盆子「魂子頂盆兒科」，將個張撇古嚇得魂不附體，渾身上下汗水淋漓（第三折）。這一連串的動作中，都提供了藝人表現技藝的空間，也巧妙地與貫串了情節的發展。

《岳陽樓》中呂洞賓提墨籃，裝扮爲賣墨的先生，要度脫柳樹精成仙「（做與墨籃科）你與我將著這物。（柳做頭頂科云）師父，我這般將著是麼。(正末云)不是，再將著(三科)」由於柳精爲土木之物，不曉得常人行事習慣爲「抱籃科」，故意設計讓其把墨籃頂於頭上，同時藉由動作的連續重複，再三強調柳精非人的形象，也增添了舞臺的娛樂效果。

「頂技」爲雜技的表演項目，靠頭部支持物件的重心，物品的體積與重量，都關涉著耍弄的技巧。漢唐之時，頭上頂竿相當風行，稱爲「戴竿」。漢代山東沂南畫像磚上有伎人額上頂著一根長竿，竿上有十字橫木，竿頂附有一小輪，有一孩童腹臥輪上旋轉；另有兩孩童勾掛於橫木兩端，表現翻轉倒掛的動作(圖㊺)。此情境恰與晉傅元〈正都賦〉中所描繪的形象大致相符。[91]

南北朝時「備有額上緣橦，至上鳥飛左回右轉，又以橦著口齒上亦如之。」(陸宗羽《鄴中記》)藝人或將竿頂於頭頂，或用口齒咬住，故又創發出「齒橦」的技藝。[92]隋代大業年間，突厥染干來朝，煬帝陳百戲以誇耀之「並二人戴竿，其上有舞，忽然騰透而換易之。」(《隋書·音樂志》卷十五，頁三八一)竿上的舞者在頭頂淩空易位，在下面的頂竿者勢必需要以技巧掌握平衡，此技藝之高超驚險，無怪乎使「染干大駭之」。

唐代戴竿技巧發展的更爲精湛，《信西古樂圖》中的「柳格倒立」，以力士頭頂分插雙竿，各有一童立於竿頂；教坊藝人王大娘「善戴百尺竿，竿上施木山，狀瀛洲方丈，令小兒持絳節出人於其間，歌舞不輟。」（《明皇雜錄》《叢書》第一〇三五冊，頁五〇七）讓孩童在頭頂竿頭所架小木山唱唱跳跳，可爲神乎其技；而同名藝人三原王大娘則能「首戴十八人而行」（《獨異志》），其載重承力殊爲可觀。

玄宗曾詔「太常禮司，不宜典俳優雜伎」，故設置教坊而管理之。其緣由即是因爲「戴竿」競技而引起（《教坊記序》《戲曲論著集成》第一冊，頁二一），故教坊中戴竿名家特別多，而文人也喜好以此作爲吟詠的題材，如劉晏〈戴竿詩〉、王建〈尋橦歌〉等。敦煌壁畫《張義潮宋國夫人出行圖》(彩圖㊶)，在出行的盛大雜技歌舞行伍中，即是以頂竿表演作爲先鋒，婦人頭戴四人，或懸掛、或攀緣、或拿頂、還有一人想縱身跳躍到旁邊人的戴竿上。在行走間要掌握平衡重心，實非易事。

教坊藝人呂元眞「打鼓，頭上置水碗，曲終而水不傾動，衆推其能定定頭項。」（《教坊記》補錄，頁二十二）唐代演奏羯鼓，必須先練習「定頭項」，使頭正直不動搖，所以雖放置物品在其頭上，也不會掉落。如汝陽王花奴，善於擊鼓「時戴砑絹帽子，上安葵花。數曲曲終花不落，蓋能定頭項耳。」（《樂府雜錄·羯鼓》《戲曲論著集成》第一冊，頁五十七)《羯鼓錄》中亦有汝南王璡演奏《舞山香》曲，曲終花仍然不墜落相仿記載。[93] 這類技藝實乃頂技的應用，爲後世「頂碗」、「頂杯」的濫觴。

宋代諸色藝人中，李賽強、一塊金、李眞貴、閒生強擅長於「頂橦踏索」(《武林舊事》卷六，頁四六二)。踏索，乃是繩技的表演項目，「走索上而相逢」(〈西京賦〉)，「陵高履索，踴躍旋舞。」(〈平樂觀賦〉)多半是在兩梁間架起繩索，由人在其上行走，旋轉舞蹈，並表演各式翻滾躍跌的動作，有時手中還可耍弄器具，「又作繩技，騰虛繩上，著履而擲，手弄三仗刀楯槍。」（《法苑珠林》）南北朝楊大眼，跳走如飛「出長繩三丈許繫髻而走，繩直如天，馬馳不及，見者莫不驚嘆。」（《魏書·楊大眼傳》卷七十三，頁一六三三）因繩伎的功夫而被委以軍職，並屢獲勝仗。

唐代的繩技頗爲盛行，唐玄宗時的「嘉興雜技」，能將百餘尺的繩索，抛高二十餘丈，然後凌空遠颺而去，實在是猶如天方夜譚般[94]；然從封演《封氏聞見記》中所描繪，不能不令人贊絕藝人繩技的高超「妓女以繩端躡足而上，往來倏忽之間，望之如仙。有中路相逢，側身而過者。有著履而行之，從容俯仰者。或以畫竿接脛，高五六尺；或蹋肩蹈頂，至四五重。既而翻身倒擲，至繩還注，曾無蹉跌。皆應慶鼓之節，眞奇觀也。」（卷六《四庫》第八六二冊，頁四四四)在鼓樂的伴奏下，或擦肩而過，或俯仰翻轉，或執竿踩蹺，或疊羅漢倒掛。無怪劉言史贊譽繩技爲「泰陵遺樂」中最珍貴者。[95]

宋代繩技常與其他表演技藝組合演出，如「索上擔水」、「踏蹺上索」等，充分表現平衡重心的技巧。朝廷宣赦儀式上亦結合了上竿與上索的表演「金雞竿，長五丈五尺，四面各百戲一人緣索而上，謂之『搶金雞』。」(《武林舊事》卷一，頁三四六)爲衆人爭相圍睹的焦點；金代仍然存留這種儀典，由「竿木伎人四人，緣繩爭上竿，取雞銜絳幡」，以展示「大赦天下」四字。（《金史·禮志》卷三十六，頁八四四）

元代繩戲稱爲「踏索」(馬端臨《文獻通考》)，以「踏」字標示行走踩踏於繩索上的種種身段。繩索原為民間生活中的日常用物，或用以搭架索橋行走，或用來籠套牛馬牲畜，或以其懸吊器物用品等。《秋胡戲妻》第一折中，勾軍奉上司差遣，前來勾秋胡去當軍「做套繩子科」。這一動作鮮明有力地刻畫出人命的卑微，有如牲口一般的「不由自主」；而《單鞭奪槊》楔子中「做吊上尉遲做認科」，則是徐茂公命小校將尉遲恭的主公劉武周腦袋吊在鞦韆板上，這些都是舞臺繩索的實際運用。

元雜劇中「刑吊」的情節，不僅反映出當時社會眞實刑罰的樣態，而且往往作為一種嘲弄的手段。如元刊本《鐵拐李》中，呂洞賓要度化岳受，故意在其門口裝瘋作顛，岳受命張千將呂洞賓吊起。恰韓魏公奉上聖命攜誓劍金牌來鄭州察看「私行到岳受門首，吊著一個先生，我放了。看有什麼人出來。」於是岳受命張千將韓魏公「你拿那老子高高的吊起，放下問事簾來，我問這老子。」其後要韓魏公拿些錢鈔買酒便赦放，「張千去取，見這腰間誓劍金牌，張千嚇倒在地。」將場面上滑稽嘲諷的氣氛帶到最高潮。

《元曲選》中雖刪除了韓魏公被吊的情節，在劇情細節上略有出入，但其卻清楚地標示出呂洞賓被吊「作弔科」。《陳州糶米》中同樣有外扮的韓魏公，不過這次被吊的卻是擔任正末的包拯「（小衙內云）斗子，我與我將那老頭子吊在那槐樹上。（做吊起正末科）」而後當包拯的僕人張千向小衙內吹噓「包待制是坐的包待制，我是立的包待制」，可以幫忙周旋時，忽見包拯被吊在屋外，「做見正末怕科」嚇得來面色如金紙，手腳似風顛（圖㊻）(第三折)。

二劇在表現手法上，頗有異曲同工之妙。只是包拯非但不是屬於外、淨一類次要滑稽的角色，同時還在被吊時唱了三支曲子，才由「張千做解正末科」，可見被吊的時間不短。David Hawkes指出此處的吊刑，的確有在舞臺上凌空吊起，可能是應用一些特殊的舞臺裝備。[96]睢玄明〈詠鼓〉提及「棚角頭軟索是我隨身禍」，說明劇場中備有繩索的道具，並發揮演員繩技來擔綱演出，如川劇《白蛇傳》中「扯符弔打」的表演形式。[97]

《金錢記》中的韓飛卿還被處以刑吊兩次，第二折中，因追隨尾趕遺錢示情的柳眉，誤闖入王府家宅，而被王府尹命張千將其吊將起來「做吊科」；第三折當王府尹翻閱飛卿所讀《周易》時，從書中掉落「開元通寶」金錢，而得知誤入花園事由，又再次命張千「做吊科」。可見這種懲處責罰的手段，不僅爲官府衙吏所使用「拿到官司，三推六問，吊拷綳扒」（《羅李郎》第三折），也被用作官家維護府第所執行的懲戒方法「你也恃不得官高，動不動將咱弔。」

《羅李郎》中蘇文順買了倈童受春爲小廝，猜測其偷盜銀唾盂，命張千將小廝吊起「張千吊倈科」；恰受春之父湯哥經過看見，又被懷疑爲接贓人，故令人也將之吊起「吊淨科」。在舞臺上要同時呈現兩個被吊的場景，運用抽象寫意的繩技來表現，應是最符合劇場經濟的原則。又《黃鶴樓》中張飛得知劉備單身過江赴周瑜邀宴，大怒命人將劉封以麻繩子綁在柳樹梢頭「(云)令人與我將劉封吊起來者。(做吊淨科)(劉封云)我又不曾欠糧草，怎生吊起我來。」(第四折)反映出當時積欠糧草則處以吊刑，足見民間普遍使用的吊刑作爲責罰的手段。

元雜劇中頂技吊刑的情節，多半偏向於作爲一種戲謔的穿插手法，運用頂桌、頂盆、頂籃、套繩等映襯人物的形象特質；而使用吊刑者則大都應用「誤會」的手法，或誤吊來巡查的上級長官，或因爲懷疑而私心用刑，結果被吊者或成爲自己的女婿，或爲自己的孫兒姪子，極具嘲諷的意味。頂技在後世發展出結合筋斗翻滾鑽凳的頂燈、頂紅磚等戲曲特技；而繩技上竿則衍化出「七十二吊」，成爲特殊劇目的技藝搬演外，還形成劇場中的鐵欄杆扛子等設備，藉以表現武行的武技。

㈣朴刀使棒

戲曲武功中除徒手空拳的「手把子」外，各種武器道具的「刀槍把子」，也是廝殺作戰等場面不可缺少的組成部分。如《衣襖車》第一折中狄青從軍殺敵，先於市曹添置兵器披掛「狄青做輪刀科」；第二折中敷演狄青與昝雄對陣「射箭科」，將昝雄射死於杏子河，以刀劈死史牙恰於野牛嶺「刀劈科」。無論是箭射、劍刺、刀劈、槍扎、戟刺、棒打、鞭擊等單人耍舞或持械對打的表演，都是演員「打把子」身段科介的發揮應用。

在原始社會中，人們取用石頭、竹子、獸骨、木材等素材，製作採集與漁獵生活所需的器具，一方面藉以挖掘加工、捕魚狩獵獲求食物，一方面協助襲擊野獸、提高自衛防身能力。是以這些原始的生產工具與武器，遂發展爲武術器械的前身，並有了基本的劈、砍、刺、擲、打、扎等搏擊動作。部落間頻繁的爭戰，促進了兵器與武技的發展，蚩尤作五兵「造立兵杖刀戟大弩，威振天下。」（《龍魚河圖》）遂初步形成弓箭、石球、飛石索、棍棒、釜鉞等進攻格鬥性武器，與盾、甲胄、護臂等防衛護體兵器的類型。

「國之大事，在祀與戎。」（《左傳》）祭祀促成了武舞的成形，在武術中加入樂舞的藝術表演色彩；戰爭推動了兵器的進步，緊密地聯繫了格防攻鬥的技巧變化。「一軍之中，必有虎賁之士，力輕扛鼎，足輕戎馬，搴旗斬將，必有能者。」（《吳子·料敵第二》）武士的選拔標準在於力度、靈巧、準確的講求，而扛鼎、馬術、搴旗亦都歸屬於雜技的範疇。「禮樂射御書數」六藝中的射禮，結合了射箭的技術與禮儀的規範，成爲游藝競賽的活動項目。

秦漢時角觝戲的內容逐漸豐富，百戲的體制也越趨完備。手搏角力的翻滾，舞輪扛鼎的練力，跳劍弄丸的耍弄，柔術筋斗的技巧等，都爲武術拳械體能與身法，奠立了良好的根基。鴻門宴中項莊的劍舞(《史記·項羽本紀》)、飛將軍李廣的弩射（《史記·李將軍列傳》)、三國壯士典韋的雙戟(《三國志·魏書·典韋傳》)、東吳名將凌統的刀舞(《三國志·吳書·甘寧傳》)等，具現了兩漢三國時劍術、射術、戟術、弩術的技藝，並在考古圖像中出現許多長、短兵器技擊與對練的圖像，反映出武術套路，與攻防擊刺技術正在積累組合。

魏晉時武術一方面在軍事實戰中，繼續充實發展套路技術；一方面則延續武舞的藝術特質，趨向純表演化的形式發展。傅玄在觀看模擬戰爭，突出兵器戰鬥爲表演重點的《宣武舞》後，作有描寫「劍舞」的〈短兵賦〉：「劍爲短兵，其勢險危，疾踰飛電，回旋應規。武節齊聲，或合或離，電發星騖，若景若差。兵法攸衆，軍衆是儀。」闡述了劍舞的表演手法與藝術形象，也說明了這類武舞亦可作爲練兵習武的方式。

「 武舉 」於唐代武則天時 ， 正式被納入科選的制度中「其制，長垜、馬射、步射、平射、筒射，又有馬槍、翹關、負重、身材之選。」(《新唐書·選舉志》卷四十四，頁一一七〇)考核的標準包括騎射與武器運用的武藝，以及體能、體力、身材等。太宗時以自己實戰生活，改編大型樂舞《破陣樂》「左圓右方，先偏後伍，魚麗鵝貫，箕張翼舒，交錯屈伸，首尾迴互，以象戰陣之形。」由樂工一百二十人「披甲執戟而習之」(《舊唐書·音樂志》卷二十八，頁一〇四六）其中包含了各種陣式變化與攻防擊刺動作。

宋代武術逐漸形成獨立的社會活動，州府節制諸軍每歲春秋兩教「禁中教場，呈試武藝，飛鎗斫柳，走馬舞刀，百藝俱呈。」(《夢梁錄》卷二，頁一五〇)諸軍百戲中夾雜著具有軍事操練性質的武藝與戰陣表演；民間出現衆多的武術社團，如使棒的英略社，相撲的角觝社，射弩的錦標社等，經常在迎神賽會等節慶活動中，進行武藝的切磋競技，提供了武術交流傳授的有利契機；勾欄瓦舍中有女颭、使棒、舉重、打彈、射弩等諸色藝人，「目連戲」中應也參合著雜技武術來表現故事情節。[98]

元雜劇中「朴刀扞棒」的武戲，大抵以列國、兩漢、三國、隋唐、五代、兩宋的歷史「演義」式劇目爲多，往往經由歷史眞實與藝術虛構的筆法，述說朝代的興衰變遷，刻畫人物的本領事跡。如《風雲會》中，形塑趙匡胤文武兼備「【金盞兒】論弓箭不曾差，使劍戟頗熟滑。提一條桿棒行天下，十八般武藝非自矜誇。折末槍刀並劍戟，鞭簡共推撾。往常學成文武藝，今日貨與帝王家。」(第一折)以爲其後「發跡變態」的基本要件。

《老君堂》中李世民前去偷觀金墉，「外扮白鹿上跑科了」於是世民拈起弓箭「見射箭科」、「白鹿帶箭下」，將世民引到魏都闕，而爲程咬金追趕到老君堂，「程咬金做劈門科」當頭就要世民喫其一斧，幸好「秦叔寶用間架住斧科」。此段情節主要是呼應袁天罡相卜世民有「百日之災」，世民果眞做了階下囚；械子中則有世民與蕭銑雙方的激戰「衆將一齊戰科」，秦叔寶間打死蕭虎、段志玄劍斬蕭彪，世民以雁翎刀力敵蕭銑的方天畫桿戟，馬三寶槍刺死高熊。但見戰場上刀光劍影，征塵籠罩、殺氣騰飄，爲秦王繼帝位一統大唐江山，奠下勝利的基礎。

鋼鞭是尉遲恭家族的「正字標記」。尉遲恭爲救李世民，以竹節鋼鞭與單信雄的棗木槊對打「格截架解不放空」（《單鞭奪槊》第三折)；李淵誤信讒言欲殺尉遲恭，命其與元吉在御園中表演救駕情節「那廝槍尖兒武藝都呈遍，被我遮截架隔難施展。」(《三奪槊》第四折)尉遲恭與兒子小尉遲對陣鬥鞭，憑著水磨鞭陣前相認(《小尉遲》第三折)；鋼鞭遂成爲描摹撰寫尉遲恭劇目的重要砌末，脈望館穿關中標註爲「竹節鋼鞭虎眼」，而徐茂公贊歎形容道：

> 軍器多般分外別，層層疊疊攢霜雪。有如枯竹節攢成，渾似烏龍尾半截。千人隊裡生殺氣，萬象叢中損英傑。饒軍披上鎧三重，抹著鞭梢骨節折。[99]

元雜劇中常以「遮截架隔」、「劈排對定」描寫雙方格鬥較量的套路對招。雖然只是抽象寫意的動作科泛，但是爲了爲呈現藝術的眞實與美感，戲曲武功中的打把子，相當講究默契的嚴絲密和，動作的準確連貫，情緒的熾烈剛猛，體態的神形相似等，要打出感情、節奏、層次、章法來。無論是上打下扎、或左刺右砍，都要與手眼身法相互配合，適度地控制力度大小、照顧全身上下，才能生動地具現出戰鬥廝打的熾熱情境。

元刊本《衣錦還鄉》中，由薛仁貴與張士貴比賽射箭，以決定誰是戰功的建立者「（射垛子了）【醉扶歸】薛仁貴箭發無偏曲，手段不尋俗。張士貴踐硬射親卻不大故，薛仁貴那箭把金錢眼裡吉丁的牢關住，張士貴拽滿了弦鳴箭出，那箭離垜子有三十步。」(第一折)透過武藝的競賽較量，清楚地分判出二人武藝的高下，揭示出戰功歸屬的眞相，同時也使作假者當衆出醜、成爲衆人嘲弄的對象。這種比武較技的情節，也是元雜劇中慣用的手法。

如《射柳捶丸》中，葛監軍欲罷佔延壽馬的戰功，也是以射箭打毬作爲評判的依據。在競賽前由「外扮的部屬領打拳打棍四人上」，「衆做耍棍子打拳科」，此外還能「輪槍舞劍顯高強」（第四折）。這種表演性質的「花套武藝」，是武術朝向表演藝術化的結果。隨著城市經濟的發達，江湖賣藝的散樂藝人爲招攬觀衆，講求武術的表演花招，「圖取歡於人」「圖人前之美觀」（《紀效新書》）。《水滸傳》中也多次提及「那漢子使得是花棒」，來形容這些「中看不中用」的花拳繡腿。雖然其無法發揮軍事實戰的功用，但卻體現了觀賞性與藝術美，遂成爲戲曲藝術追求學習的方向。

由於打把子的速度快、動作疾、難度大、技巧高，屬於連續性的搏擊動作，在路線方位與旋轉角度上都有大幅度的變化。因此必須全面的鍛鍊身體的各個部位，並與翻、騰、扑、跌等技巧緊密結合，才能表現出帥漂脆的精采科介身段。如現今舞臺中的「打出手」，就是在藝人不斷的創化設計中，提煉融鑄出來的武打特技。[100]而在長期的舞臺實踐中，也積累總合出百十種單練「套子」與對打「檔子」[101]，通過這些刀槍靶子的技巧演練，可以達到塑造人物與鋪陳劇情的作用。

㈤擺陣撲旗

《博望燒屯》中劉備臥龍崗三顧茅蘆，方請得諸葛孔明下山佐政。在校場上擺列大小三軍，以授任孔明軍師職權「【南呂一枝花】我則見遮天雜彩旗，震地花腔鼓。關雲長青龍偃月刀，張翼德銀蟒可兀的點鋼毒。齊臻臻鎧甲結束，銀纏桿花燒弩，獸呑頭金蘸斧。有五千員越嶺奔彪，有百萬隻爬山猛虎。」(第一折)校場上旌旗蔽日、鼓聲震天，軍士兵卒披掛整齊、執弩拏斧，猶如猛虎威武彪騂。再加上關公、張飛兩員大將，將軍容聲勢烘托得更威武壯盛。

秦兵馬俑的出土，使我們窺見了當時兵種類別、武器裝備與戰陣擺設等各方面的軍事武藝。其中包括了車兵、步兵與騎兵，武器有矛戟劍鏃、弓弩戈鉞等。行進時依傳統的左中右三路，編制成車步兵陣、車騎弩兵陣與短兵陣；駐屯紮營時，依照地域區位配置戰力部署。作戰時一般以車步兵與敵軍正面交鋒，而以車騎弩兵出奇制勝，這正是戰術講求的「凡戰者，以正合以奇勝。」必要時還能「奇正相生」。[102]

歷代論述兵制、戰陣經驗與軍事武藝的兵書極多。宋時將《孫子》、《吳子》、《六韜》、《司馬法》、《黃時公》、《三略》、《尉繚子》與《李衛公問對》合成「武經七書」付梓印刷，對於武學的全面發展，有著重大深遠的影響。《圯橋進履》中的張良，即是得受黃石公所贈與的三卷「六義三才」的奇書，方成「天下鬥勇正教之師」，安邦定國封侯拜相。而作爲對比的淨扮鍾離昧，誆說自己「文通四略，武解七韜」，比一般人多懂得「馬料、核桃」，引領著拿著鍋碗瓢盆的大小三軍：

> 一個人要三十根好箭，一個人要五張硬弓。身穿上五領胖襖，一個人帶著八十個酒瓶，左肩上挑著五石白米，右肩

上擔著五萬個燒餅，左脚上綁著爐鍋，頭上頂著五十個銅盔，左手裡拏住鐵叉，右手裡拿著四十條麻繩，到去上陣廝殺。（第三折）

前去與張耳、灌嬰、鬖噲等擺陣交戰，其「兵敗如山倒，潰不成軍」的下場，可想而知。武裝配備通常是廝殺對陣的先決條件，「君欲善其事，必先利其器」，這是千古不移的道理。「齊臻臻排開陣勢，則聽的悠悠的畫角吹，鼕鼕的花腔鼓擊。小可的見了肝膽碎，便英雄怕不魂魄飛。都是些沈點點鞭簡撾鎚，明晃晃槍刀劍戟。（做調陣子科）」(《鞭對鞭》第三折)有了齊全的武器兵備後，就看主帥軍師，如何運籌帷幄，決勝千里。

在《伊尹耕莘》中方伯指出排兵布陣，下寨安營的要領「兵列八方，軍分四壁，依地勢排軍隊、覷方位安形勢。這的是行兵立陣謀，先識那臨敵攻戰機。」要能觀看地理形勢，察看四方八位，並且掌握敵情，洞測軍機，所謂知己知彼、百戰百勝也。同時需「體士功，安心計」，與軍卒同甘苦，方能得民心「陣列八門生最奇，爲將須知，軍卒未飯帥休食。以此能伏制，甘苦共同宜。怒無加責歡無會，士無衣將無重衣。萬衆歸依」(第三折)。

《東京夢華錄》的諸軍百戲中，有撲旗、筋斗與擺陣的表演。軍士執著雉尾、蠻牌、木刀，做「一字陣」、「偃月陣」等隊形變換的「變陣子」表演。《柳毅傳書》中錢塘君與涇河小龍作戰，命「水族一字兒擺開」，應就是準備交戰時所列的「一字陣」。[103]《智勇定齊》中的無鹽女鍾離春，向來懶攻針黹女紅，好習詩書頗諳武事，一心期待能夠「施逞韜略驅兵將」。當其成爲齊國皇后後，憑著神機妙策，擺了個周天二十八宿的「九宮八卦陣」，來與秦國對戰。劇中「正旦同田能淨合眼虎蹦馬兒領卒子打旗號上」：

> **【越調鬥鵪鶉】**則我這陣布奎星，旗分箕尾，暗置虛危，明排翼壁，勢若參星，形如斗室。作用稀，兵法奇，一會兒遯起天山，師承地水。**【紫花兒序】**憑著我五行幹運，八卦周流，萬象璇璣。用先天乾坤南北，坎離東西，週迴。互兑風雷一任疾，山澤通氣，霎時天地相交，水火相催。（第三折）

「九宮八卦陣」結合了五行八卦的方位組合，運用相生相剋奇正變化的規律，成爲戰陣中最爲奇險的陣法。《射魔鏡》中，李天王奉玉帝敕令，點起神將天兵追尋緝捕孫行者，總計派遣「角木蛟」到「虛日鼠」共二十八星宿擔任將領，兵分八路：遮斷東方、攔合北塞、截住南方、阻絕西域，扎塞中央，上下提防，高低點照，遠近搖奔。各路以二到四個星宿神將，帶領大批神兵依方位衝往，隊伍嚴整而全面，聲勢激烈浩大，應就是此陣的原型。元雜劇中運用此陣，多能克敵致勝，顯現主陣者的高超謀略。《馬陵道》中，孫臏也因此陣而埋下刖足禍端。

龐涓向魏公子保舉孫臏，但又想試探其所學，故於教場撥給三千人馬中擺陣較量，其中並穿插丑扮得鄭安平於其中插科打諢。首先孫臏調「卒子做擺陣科」，擺了個「一字長蛇陣」，鄭戲說是「扁擔陣」，龐以「二龍戲水陣」破之；其後孫又擺了個「天地三才陣」，鄭戲說是「丫髻陣」，龐以「四門鬥底陣」破之；孫又擺出一陣，鄭先瞎猜是「螃蟹陣」，又胡說是「鼇鱉陣」，連龐也識不得此陣。於是龐先命鄭去打陣「（鄭安平打陣科）哥也，到的這裡面，可怎生東南西北都不省的了。」而後龐也親自下場「做入陣科」，在前推後擁中「衆孥科」、「卒子推科」，亦無法辨識破解（第一折）。

這個讓龐嚇得「戰欽欽頭疼腦痛」的戰陣，正是「九宮八卦陣」。是孫臏從天書中摘出「九宮上九個天王，八卦上八個那吒。把這軍馬擺將過來，將一個軍卒撥倒在的，將那刀槍都簇在那軍卒上」的陣勢。此段中藉由龐涓與孫臏的排兵布陣，可以得知各種陣勢的名目，且陣勢間各有相互剋殺破解之道。其中穿插著鄭安平以器物、人物、動物作為渾說的陣名，瞎攪糾纏反覆著墨揮灑，逐漸地進入孫龐二人之間的較勁情境。

由曲文內容與科介標注可以得知，場上確實有軍士兵卒在排陣，並有方位兵器的配置。《楚昭公》中無忌費也說要與伍子胥「鬥三百合耍子(做調陣子科)(戰科)」(第二折)。三百回和打下來，恐怕也得數天光景，這自然是種誇飾的筆法，應是如《吳起敵秦》中姬成云「我與你鬥幾合」描述，戰鬥幾個回合。這些擺陣的軍卒應是歸屬於當時的「雜當」，而後遂發展演變「雜行」，成為「武行」、「流行（龍套）」的前身。[104]

元雜劇中也常出現將士騎竹馬擺陣應戰的科介。如元刊本《追韓信》有「竹馬兒調陣子上」(第四折)；《鞭對鞭》有「劉無敵踹馬兒領番卒上」(第三折)；《馬陵道》有「龐涓蹿馬領卒子上」(第四折)；《西廂記》中「將軍引卒子騎竹馬調陣拿綁下」(第二本楔子)等。《單鞭奪槊》第三折中正末(李世民)與段志賢踹馬觀看洛陽城，「單雄信踹馬引卒子」帶領三千人馬追趕，「做調陣科」；「徐茂公踹馬慌上」要單雄信念舊交之情，放過世民。單雄信割袍斷袖不應允，幸得尉遲恭踹馬來護救，「做調陣科」：

【禿廝兒】尉遲恭威而不猛，單信雄戰而無功。我見他格截架解不放空，起一陣殺氣黑濛濛。遮籠。【聖藥王】這一個鎗去疾，那一個鞭下的猛。半空中起了一個避乖龍。

那一個雌，這一個雄。吉叮噹鞭槊緊相從。好下手的也尉遲恭。

鞭來槊往，叮噹作響，可見尉遲恭與單信雄在馬上定然有一場好廝殺。這場戲中，五個角色都跚著竹馬，然而其神情行色卻有所不同：單雄信耀武揚威，領兵追趕；段志賢膽怯害怕，逃上跑下；世民驚慌失措，慌上奔逃；徐茂公哀求說情，揪住雄信；尉遲恭厲聲高叫，剗馬單鞭。同時要因應著故事劇情的發展，表現各種情境身段。「調陣子科」的提示，表明了雙方在馳驟的戰馬上，擺陣布兵會陣廝打的搬演。

諸軍百戲中，精采多元的馬戲，也是創發身段動作的絕佳養分。如「以身下馬，以手攀鞍而復上」的「騙馬」（《東京夢華錄》卷七，頁四十四），就出現在《黃花峪》第二折「武劍輪槍並騙馬，則消的步走如飛。」與《襄陽會》第三折「能行戰馬上不去，整整的騙到四十遭」之中；「以柳枝插於地，數騎以剗子箭，或弓或弩射之」的「楷柳枝」，應就是《射柳捶丸》第四折中「射柳」技藝的前身；而「復馳驟團旋分合陣子訖，分兩陣，兩兩出陣，左右使馬直背射弓，使番鎗或草棒，交馬野戰，呈驍騎訖，引退，又作樂。」彷彿就是「躧馬兒擺陣科」的藍本。

《藍采和》中提到那一夥村路岐，「持著些槍刀劍戟，鑼板和笛鼓，更有那帳額牌旗」在公料地做場賣藝（第四折）；雖然在河南溫縣宋雜劇磚雕中，已發現有副淨手持朴刀的圖像；河南洛寧縣上村宋金社火雜劇雕磚中，也有雙手持刀或棒槌的人物形象，說明了武器兵具的應用。但是對於衡州撞府的戲班來說，實在很難攜帶太多的行頭，來表現大規模的戰陣表演。因此運用

「探報文唱」的方式來交代戰況，固然是說唱藝術的遺痕，但未嘗不是種經濟通變的手法。

如《飛刀對劍》中「摩利支騎馬兒引卒子上」與「淨張士貴領卒子騎馬兒上」，兩人「做交馬科」，而後正末薛仁貴也「騎馬兒上」，與摩利支飛刀對箭，雙方都在場上擺上大小三軍的人馬(楔子)；而《三戰呂布》中，所有的將領都是「纜馬兒上」，「做混戰科」。如果不以虛擬象徵的手法，在狹隘的舞臺上，是很難容得了如此衆多的人馬。是以藉由特定的道具砌末，與身段動作相互組合，也能呈現出特定的戲劇情境。

是以或如婺劇中的戰爭對陣，由雙方兵卒（龍套）各執文旗(方旗)與武旗(蜈蚣旗)，運用搖旗走位的方法，寓意象徵的表演「調陣子」，來取代刀槍靶子的短兵相接，成爲「武戲文做」的形式[105]；也可應用撲旗翻跌的耍弄，與筋鬥、騰躍、滾翻等武功技巧結合，旗在人中捲揚，人在旗中飛舞，來具現戰爭中「刺刺的旌旗雜彩搖，殺氣飄。」（《老君堂》第二折）旌旗飛揚飄蕩、殺氣熾熱火紅的情境。而隨著陸戰與水戰的不同屬性，還有紅旗與淺綠淡藍色旗的區分。

元新絳吳嶺莊元墓雜劇磚雕(彩圖㊷)，上懸橫幔，幔下中部雕五個角色，左右兩側各在一塊磚上雕兩個演奏樂器的人物，九人並排成一列。其中左第一人，著藍色圓領緊袖長衫，青色褲，烏靴、腰束帶，兩腿並立，腳尖外撇成八字形，雙肘架起，左手持劍，右手撩襟作武功架子科，近似後世短打武生的形象；根據這五人的裝扮與表情動作，自右至左依次爲副末、副淨、末泥、裝孤、裝旦，顯現出元雜劇「末本」演出的體制。

戲曲舞臺上的打，提煉自軍事實戰的格鬥場面，經過武術雜技的藝術化過程，運用肢體的柔韌性與靈活度，形成獨特的武功科介，包含了翻扑騰跌等各種筋斗技巧的「毯子功」，以及砍殺擊刺等刀槍靶子的「把子功」。或是徒手格鬥的爭交技能，以赤手空拳，翻滾對打等招數為主，成為短打武戲的表演程式；或是單練對打的套路技術，有講究功架、耍弄武器單人獨打，也有各式寫意性強的攢蕩群戰，對於後世的長靠武戲與龍套藝術都有深遠的影響。

二、歌舞科介與砌末

歌舞原是戲曲表演的本質，藉由對各種舞蹈身姿的吸收借鏡，創發出豐富多元的身段動作，在推展劇情、形塑人物等方面，發揮舒情敘事的藝術功能。元雜劇中蘊含了大量的歌舞情節，或是連說帶唱，以載歌載舞的形式與劇情緊密結合，成為戲曲的有機組合；或為單人獨舞、抑或多人群舞的手法，獨立穿插於故事中，以技藝的展演為特色等，對於戲曲歌舞語彙的成形發展，具有著重要的里程意義。

樂舞百戲結合了道具服飾，展現不同層面的表演技藝。戲曲也承繼了這個傳統，運用服飾穿關來強化歌舞的表演；而舞臺上的各種音效砌末，也進而發展出獨特的歌舞技藝，藉以表現不同的情感意象、人物造型與特定情境。底下即嘗試將元雜劇中的歌舞，加以分類析論：

㈠宮廷宴樂舞蹈的取用

周公制禮作樂「文以昭德、武以象功」，標誌著宮廷樂舞的建立，然其主要是擔負著禮儀祭祀的職責；秦漢時宮廷女樂得以較大的發展，提升了歌舞的技巧藝術，盤鼓舞「浮騰累跪、跗蹋摩跌」(傅毅〈舞賦〉)結合了歌舞與雜技，表現出翹袖折腰、翻騰跌跪的技藝；魏晉玄風瀰漫「清商」盛行，晉世寧舞「務手以接杯盤反覆之」(《晉書·樂志》卷二十三，頁七一七)運用了「轉盤」的手技；「至於大齋，常設女樂。」(《洛陽伽藍記》)佛道寺院伎樂興起，胡舞胡樂也陸續傳入。

隋唐統籌了漢族、外族與異域的歌舞，凡大燕會則設「十部伎」於庭，鼓舞曲多用龜茲樂「或踴或躍，乍動乍息，蹺腳彈指，撼頭弄目」(杜佑《通典》)。其後則分設為坐、立二部伎，「堂上坐部笙歌清，堂下立部鼓笛鳴」，立部伎經常搬演「舞雙劍、跳七丸。嫋巨索，掉長竿」(白居易《立部伎》卷四二六，頁四六九一)的雜技樂舞；並又依舞蹈的風格區分為勁健橋捷、熱情明快的「健舞」，與柔婉溫雅、節奏舒緩的「軟舞」；另外還有以「大曲」為結構的多段體樂舞，以及綜合歌舞科白的「歌舞小戲」。

宋代在大曲的基礎上，發展出「隊舞」的宮廷樂舞，多取材自世俗生活，並有意識地向故事性轉化，其中偶雜道教思想。宋徽宗時曾贈送朝鮮樂器、服飾與曲譜等樂舞資料。高麗李朝鄭麟趾等纂修的《高麗史·樂志》，將中國傳去的樂舞統稱為「唐舞」。雖然經過朝鮮藝人在演出實踐中，加以發展而有所變化，但就其表現的內容與演出的形式，都可見出其與宋代隊舞的關係。[106]元代承襲宋隊舞形制，設有四隊「樂隊」，在特定的節日儀典中演出。樂舞的內容與服飾穿戴，帶有濃厚的宗教氣息，並存留著遊牧狩獵生活的文化遺跡。

元雜劇《梧桐雨》以唐玄宗、楊玉環及安祿山的故事作為題材，在劇作中也穿插一些歌舞的表演，來烘托人物的特性。如楔子中祿山因失機敗北，而押解入官請玄宗裁決。祿山「猾黠能奉承人意」，故爲玄宗赦免「（安祿山起謝云）謝公主不殺之恩。(做跳舞科)(正末云)這是甚麼。(安祿山云)這是胡旋舞。」史書中形容安祿山肥胖「腹垂過膝」，然其在玄宗前「作胡旋舞，疾如風焉。」(《舊唐書·安祿山傳》卷二〇〇，頁五三六八)是以元雜劇中，特意插入這段舞蹈，一方面表現祿山善舞形象，一方面作爲其與楊玉環間的聯繫。

胡旋舞屬於唐代的「健舞」。《新唐書·禮樂志》載：「胡旋舞，舞者立球上，旋轉如風。」而《樂府雜錄·俳優》亦載：「舞有『骨鹿舞』、『胡旋舞』，俱於一小圓毬子上舞，縱橫騰踏，兩足始終不離於毬子上。」（《戲曲論著集成》第一冊，頁五〇）如旋風般地快速迴旋，彷彿是帶有雜技性的舞蹈藝術，明代胡震亨更將之詮釋爲「踏毬戲」(《唐音癸籤》)。[107]元稹也藉由各種雜技「竿戴朱盤火輪轉」與其他鮮明的物象(〈胡旋舞〉卷四一九，頁四六一八～四六一九），來描繪其「舞急轉如風」的姿容。清代《太平樂事》劇本第六折〈太平有象〉中，也特意設計了胡旋舞表演的熱鬧場面。從敦煌莫高窟 220 窟北壁「藥師淨土變」的圖像中，可擬見其舞姿(彩圖㊸)。

胡旋舞原出自安西康居，北周時傳入中原，唐代盛行於宮廷與民間。白居易即言「天寶季年時欲變，臣妾人人學圜轉；中有太眞外祿山，二人最道能胡旋。」可見在當時跳胡旋舞，是爲一種流行的風尚。《哭存孝》第一折中李克用言「鳳翎箭手中施展，寶雕弓臂上斜彎 。林間酒闌胡旋舞 ，呵著丹青寫入畫圖間。」《射柳捶丸》中亦有類似的描繪「林前酒醉胡旋舞」(第三折)，可見劇作家常藉此來表現胡部番落的歌舞情形。

楊玉環不僅善於胡旋舞，更以「霓裳羽衣舞」膾炙人口。《梧桐雨》第二折在御園沈香亭中，玄宗引領高力士等人，由鄭觀音彈奏琵琶，寧王吹笛，花奴打羯鼓，黃翻綽執拍板，「（高力士)請娘娘登盤，演一回霓裳之舞。(正末云)依卿奏者。(正旦做舞）（衆樂攛掇科）。」爲玉環的霓裳羽衣舞充任伴奏。玉環登翠盤而舞的表演，應與漢代盤鼓舞的歌舞類型相似。清代傳奇《長生殿》第十六齣的〈舞盤〉，仍保留了貴妃在盤上歌舞的表演形式，京劇中則或添以機關砌末的輔助。[108]

唐代霓裳羽衣舞爲「大曲」中頗具代表性的樂舞：「散序六奏未動衣，陽臺宿雲慵不飛。」表現出悠揚自在、朦朧含蓄的幻夢詩境；「中序擘騞初入拍，秋竹竿裂春冰坼。」時而疾徐迴旋，時而婆娑起舞；有時象弱柳拂風，有時又如蛟龍戲水。嫻靜時低眉垂手，急促處裙裾繚繞；「翔鷹舞了卻收翅，唳鶴曲終長引聲。」末了曲破時，節奏加快多變，舞姿激烈如「珠跳撼玉」，觀衆目不暇接，審美情趣達到最高潮。嘎然間音樂倏忽停止，又長引一聲而結束。[109]

樂舞中寄寓著玄宗希望長生不死，永享富貴榮華的理想，交融了佛曲與道調的思想情感，以大量的腰肢律動，長袖的低昂飛揚，表現曼妙婀娜、輕盈飄逸的仙女形象。在風格上，既有漢族的傳統柔媚，又有西域的俏麗迴旋，兼具健舞與軟舞的風情神韻，代表著唐代樂舞的藝術水平。[110]難怪白居易「千歌百舞不可數，就中最愛『霓裳舞』。」而元雜劇中的這段舞蹈，表現出玉環能歌善舞的本領，也鋪墊了馬嵬兵變與梧桐夢憶的劇情發展。

元代盛行以仙佛爲題材的故事劇，如馬臻曾於宮廷中觀賞到這類劇目的表演「清曉傳宣入殿門，簫韶九奏進金樽。教坊齊扮群仙會，知是天仙朝至尊」。[111]或者是表達度脫的主題，或者是宣揚輪迴的思想，或者是顯現鬥法的本領等，多於劇中參雜著仙人歌舞的表演，增添排場的壯觀熱鬧。道教中的八仙集團，歷來為人們所喜愛的神仙傳說，在元雜劇中，便常以「八仙隊子」的歌舞形式出現。如元刊本《竹葉舟》第四折中即有「攞八仙隊子上」的舞臺提示：

> 【十二月】這個勝仙花曾遊大羅，這個吹鐵笛韻美聲和，這一個口略綽手拿著個笊籬，這個髮蓬鬆鐵拐斜拖，這個曾將那華陽女度脫，這個綠羅衫笑舞狂歌。【堯民歌】這個落腮鬍常帶醉顏酡。我邯鄲店黃粱夢經過，覺來時改盡舊山河。正是一場興廢夢南柯，眞個當初受坎坷，今日個萬古清風播。

應是以載歌載舞的形式，揭示八仙的名籍與裝扮。其實，在南宋臨安的酒庫迎新行伍中，已有「八仙道人」的社隊出現（《夢粱錄·諸庫迎煮》卷二，頁一四九）；《武林舊事》中也載記了迎新隊伍中有「漁父習閒、竹馬出獵、八仙故事」(卷三，頁三七八)的裝扮，但很可能都只是單純的化妝遊行，並無歌舞的表演。倒是在朝鮮流傳的北宋隊舞《獻仙桃》中，有樂官奏【八仙引子】，奉竹竿子二人念致語，引領舞者舞蹈而進。這或許是八仙隊子歌舞形式的前身。

八仙在不同時期的傳說中，有不同的組合方式。然大抵是以「基型」為本體，經過觸發、緣飾與附會，而不斷孳乳展延的。[112]是以在法器穿戴等方面，應是有其依循的藍本，根據人物的形象特質，與身世遭遇而形塑的。在元刊本《竹葉舟》中並未確地說明八仙的名氏，但元曲選中則指出為「張果老、漢鍾離、李鐵拐、徐神翁、藍采和、韓湘子、何仙姑、呂洞賓」八人。其中「貌娉婷笊籬手把」的何仙姑，即指元刊本中「口略綽手拿著個笊籬」者，其實應當是曹國舅的人物扮飾。

考察現存的元雜劇劇本，雖然在八仙成員上有所出入，但大體是以張果老、漢鍾離、李鐵拐、藍采和、韓湘子、曹國舅、呂洞賓、徐神翁八人爲多，有時則以張四郎取代徐神翁，幾乎未曾見到有何仙姑的出現。而一九五二年，山西永樂鎮所發現的元代全眞教宮觀，純陽萬壽宮門楣上的《八仙過海圖》，亦與元雜劇中的八仙人物符合。[113]再者參照《純陽帝君神話妙通紀》的記敘，與元雜劇《城南柳》曲文，《度黃龍》的脈望館鈔校內府穿關等相關資料來看，也都說明「笊籬」爲曹國舅所持。[114]

根據學者的考證，何仙姑是在明代《東遊記》中，取代徐仙翁，而使八仙群體穩定下來。[115]是以元曲選中的何仙姑形象，或是由於臧懋循的改動誤植，或是依據明代八仙傳說的面貌反映，遂使何仙姑接收了曹國舅的笊離法器，並成爲明代之後劇作的樣本。如明湯顯祖《邯鄲記》〈合仙〉中「(何仙姑上)我笊離兒漏洩春」、「一個荷飲笊何仙姑」(三十齣)；以至於在臺灣北管扮仙戲《蟠桃會》中：「何仙姑提皀莉隨後跟」，都有類似的法器作爲歌舞表演的砌末。[116]

在金院本有《八仙會》、《蟠桃會》、《瑤池會》等劇目，不知是否以宋代隊舞的形式搬演；《金安壽》第四折中敘述金童玉女重登仙籍後，西王母爲表歡迎，嚮以「八仙舞」的情節「(八仙上歌舞科)(共唱)【青天歌】」，可見八仙隊舞已成爲一種程式科汎，在《鐵枴李》、《邯鄲店》等劇中例用。陳玲玲推測其排陣的原則當不出「寓變化爲整齊」，即以「單純的線性」組合方式表現。[117]

元雜劇中，除了八仙隊子以外，也有其他的隊子形式。如元刊本《東窗事發》第四折末尾，有「等地藏王隊子上」「斷出了」的運用；《鎖魔鏡》第一折中那吒與二郎神飲酒作樂，要天、地、運、色四魔女表演歌舞「您四魔女何不做天魔隊舞，也來勸俺哥哥一鐘(魔女作歌舞勸酒科)」。天魔舞盛行於元代宮廷，屬於贊佛的樂舞「西天法曲曼聲長」(元張昱〈輦下曲〉)，舞態「飄飄初似雪回風，宛轉還同雁遵渚。」(元瞿祐〈天魔舞歌〉)據《元史·順帝本紀》的描繪：

> 時帝怠於政事，荒於游宴，以宮女三聖奴、妙樂奴、文殊奴等一十六人按舞，名爲十六天魔。首垂髮數辮，戴象牙、佛冠，身披纓絡、大紅銷金長短裙、金雜袄、云肩、合袖、天衣綬帶，鞋襪，各執加巴剌般之器，内一人執鈴處奏樂。……又所奏樂用龍笛、頭管、小鼓、箏、蓁、琵琶、笙、胡琴、響板、拍板。以宦者長安迭不花管領，遇宮中贊佛，則按舞奏樂。宦官受祕密戒者得入，餘不得預。
>
> （卷四十三，頁九一八～九一九）

由十六個宮廷舞伎「分行錦繡圍」(元張翥〈宮中舞隊歌詞〉)，裝扮爲神佛模樣。手執「加巴剌般」法器，或曇花等舞具「玉手曇花滿把青」(元張昱〈輦下曲〉)，踏著河西參佛曲，運用「手印」式的手勢語言，雙臂左右開合，上下翻舞「背番蓮掌舞天魔」(明朱有燉〈元宮詞〉)，表現出「回雪紛難定，行雲不肯歸。舞心挑轉急，一一欲空飛」的舞容。其中以「輕歌妙舞世間無」的「三聖女」，最爲元順帝所喜愛。

天魔，爲佛經四大魔王之一，性惡嗜殺專破壞修道者，元雜劇中常用以比喻爲害人的妖物，如《三戰呂布》「我是個好廝殺的天魔祟。」(第三折)《救風塵》「這女子是狐媚人女妖精，纏郎君天魔祟。」(第一折)等。《元典章》中曾載記：「今後不揀什麼人，十六天魔休唱者，雜劇裡休做者，休吹彈者，四大天王休妝扮者，髑髏頭休穿戴者。如有違犯，要罪過者。」（卷五十七，刑部十九雜禁條）可以想見元雜劇中常採用此類神佛歌舞的穿戴扮演。

明李昌祺的《至正妓人行並序》：「茜罽縫袍竺國師，霞綃甃帔天魔隊。齊姜宋女總尋常，惟詫奴家壓教坊。樂府競歌新北令，勾欄慵做舊《西廂》。煞寅院本偏蒙賞，唱采箜篌每擅場。」(《剪燈餘話》卷四)具現了元代至正年間宮廷歌舞演劇的情形，有隊舞、雜劇、院本、歌唱等。敦煌莫高窟元代建造第 465 窟壁畫中，繪有天魔女舞姿，可藉以印證《十六天魔舞》的舞技與姿態。

由於隊子屬於群體性的歌舞，具有著紛華富麗的特質，能夠表現出衆仙雲集、神仙妙舞的場面，是以在神佛雜劇中被普遍地採用，幾乎成爲「厭套」的模式，產生單調性與重複性的缺失，「調隊子全無些骨巧」(〈散淡行院〉)，無法作較充裕靈活的調度。然而基於其喜慶熱鬧的歌舞排場，可以點染節日慶典中的歡娛氣氛，故在宮廷教坊中，成爲「慶壽佐尊」的劇本主流；在民間廟會中，則發展爲「祈福除煞」的儀式劇目。

㈡民間百戲樂舞的吸收

民間散樂匯聚了各種表演技藝，成爲名符其實的「百戲」。漢代仙人神獸長歌戲舞的「總會仙倡」，舍利巨獸魚龍變幻的「曼延之戲」，黃公白虎喬妝搏鬥的「東海黃公」，應用了象神象獸象人的表現手法，表演角牴戲象的假形舞蹈；梁元會中由西方老胡率領「設寺子導安息孔雀、鳳凰、文鹿、胡舞，登連上雲樂歌舞伎。」(《隋書·音樂志》卷十三，頁五三〇二)呈技上壽；而民間宮觀寺院的林立「辟邪獅子，導引其前。吞刀吐火，騰驤一面，踩幢上索，詭譎不常。」(《洛陽伽藍記》卷一)形成後世行香走會的社火游藝活動。

隋唐時「俳優歌舞雜奏」,「大面」、「撥頭」、「踏謠娘」等歌舞小戲，從民間進入宮廷，與雜技同列於教坊「鼓架部」中，具有著人物與故事情節的搬演；洛陽元宵「竟夕魚負燈，徹夜龍銜燭」的盛況，揭示了元夕夜晚百戲歡騰的情境，燈飾製作精巧或已有「燈舞」的表演；宋代市民社群的興起，形成了各種社團組織，成爲節慶儀典、迎神賽會中的表演主力，市井生活中的人生百態、諸行各業，都成爲社火舞隊所擇取的表演題材。

如《圯橋進履》中「虎打喬仙科」(第一折)，《存孝打虎》中存孝「打死虎科」(第一折)，都有人與獸鬥的情節，猶如「東海黃公」式的角牴歌舞；《黃鶴樓》、《薛仁貴》中都穿插著類似宋代民間舞隊「村田樂」的歌舞，而《西遊記》第二本第六齣的《村姑演說》，胖姑向爺爺敘說社火的情景，有穿皀靴的官人、有做院本的、有裝神鬼的、有做傀儡的「【雁兒落】見一個粉擦的白面皮，橫栓著油髮髻。他笑一笑，打一棒槌，跳一跳，高似田地。」雖然並無有歌舞科介的註明，但從曲文的敘述中，可以想見在演出時是連唱帶舞的，從崑曲「胖姑學舌」的折子戲中更可推見其表演形式。

元代藝人多半能歌善舞，如梁園秀、劉燕歌、順時秀、賽天香、趙梅哥、一分兒、事事宜、樊香歌、連枝秀、魏道道等，這正是元雜劇中舞蹈表演的最佳人選。《揚州夢》楔子中，張太守命好好爲杜牧「唱一曲金縷悠揚雲謾行，舞一回綵袖輕盈花弄影」歌舞一回，由好好一人獨舞「旦歌舞科」；《後庭花》第二折中，李順回轉家中「(帶云)我來到後巷裏舞一回咱。(做舞科)(唱)自歌自舞，那些兒教我心寬處。」由正末擔任單人歌舞的表演。

當然也有以群舞的方式表現，如《射柳捶丸》第四折中，范仲淹吩咐「一壁廂歌兒舞女，大吹大擂，慶賞太平筵席，一壁廂動樂者(外動樂器舞科)」是由「外腳」表演；《東坡夢》第二折中，佛印密遣花間四友前去東坡夢中「（東坡云）有勞四位舞一回，唱一回，待小官吃個盡興方歸也(四友舞唱介)。」還以插曲的形式，唱了一支「月兒高」。雖然在劇中並無交代是何種樂舞，但應是自當時民間的歌舞取材。

《莊周夢》第一折中，莊周在夢中見到「蝴蝶仙子上」「舞一折下」，想必是模仿蝴蝶的身形與舞姿；《藍采和》第三折中「正末舞科」的表演，應是運用以腳踏地的「踏歌」形式，作爲舞蹈的基本身段動作；至於《金安壽》中更是安排了各種歌舞的場面，如第一折中由歌兒舞女，「扮歌兒引細樂動舞科」，唱了四支插曲；第四折中由金安壽與嬌蘭「帶舞帶唱」，表現女直家多會歌舞「正末同旦舞科」；折末則由「八仙上歌舞科」作結，使該劇充滿歌聲舞樂，顯得活潑熱鬧。

《薦福碑》中張鎬在潞州教童蒙維生，「一個個拴縛著紙鈹子，一個個粧畫悶葫蘆，一個撮著那布裙踏竹馬，一個舒著那廉刃跳灰驢。」(第一折)感歎學生們或作毽子、或亂塗鴉、或踏竹馬、或跳灰驢，嬉戲遊樂「頑愚乖疏」。馬與驢，原都是生活中的重要交通工具，如《陳糶州米》第三折包拯私行恰遇見「搽旦王粉蓮趕驢上」，包拯替其籠住牲口，「做拏住驢子科」，「正末扶旦兒上驢子科」中「籠驢」的表演，並演變爲民間模仿嬉鬧的童戲游藝。

竹馬爲折竹當馬騎，最早見於漢代史籍中「有兒童數百，各騎竹馬，道次迎拜。」（《後漢書·郭伋傳》卷三十一，頁一〇九一）東漢郭伋爲官賢能，是以所到縣邑皆「老幼相攜，逢迎道路」；陶謙「年十四，猶綴帛爲幡，乘竹馬而戲。」（《後漢書·陶謙傳》卷三十一，頁二三六六）執著以帛布縫綴成的幡旗，跨乘竹竿模仿眞馬跳躍奔跑，頗有著「騎馬打仗」的味道。

唐白居易追憶童年與同伴鬥草、竹馬嬉戲的光景「一看竹馬戲，每憶童騃時。」(〈觀兒戲〉，全唐詩第四三三卷，頁四七八四）七、八歲的髫齡孩童，似乎總有那麼一段「漏（編）草竹爲馬」(敦煌〈左街僧錄大師壓座文〉)的童趣歲月。也許不再只是簡單地以竹竿爲騎，如遼寧朝陽遼墓出土的鎏銀質戲童紋大帶圖（圖㊼）；還加上編織製作的手藝，如宋（金）磁密窯枕上所繪（圖㊽），絡上個馬頭或添加個竹尾，完全以眞馬爲藍本；而蘇漢臣有《百子嬉春圖》、《長春百子圖》與《百子歡歌圖》(圖㊾)都是以孩童竹馬戲爲題材，《百子歡歌圖》中孩童或戴盔執矛，或手拿纛旗，連竹馬都披戴盔甲，儼然是揚威沙場的英勇戰士。其竹馬似爲一體而人跨乘其中的裝扮。

宋代竹馬戲已發展成爲舞隊的形式：「小兒竹馬」應是以兒童騎馬嬉戲爲雛形；「踏蹺竹馬」則加入了踩蹺的雜技技藝；「男女竹馬」或喬妝爲男女模樣，騎著用布覆蓋的竹編馬型。[118]清翟灝《通俗編·俳優》載：「竹馬，蓋古戲也。《武林舊事》元夕舞隊有男女竹馬，乃爲今俗之馬兒燈。」(卷三十一，頁二五〇)

清代的竹馬燈已能搬演「明妃出塞」等劇目，具有著故事情節與扮飾，帶有音樂、舞蹈等表演藝術的成分[119]，儼然是歌舞小戲的形式了。

由此可見到宋代之時，竹馬的表演內容與型制，已經有多元的發展與裝扮。[120]至於在元雜劇中的竹馬，究竟是採取哪一種型制，由於資料不足無法確知。但從元刊本《霍光鬼諫》「正末騎竹馬上開」(第二折)，霍光騎馬回到家中「(到家科云)左右接了馬者。(卜兒接住了)」表現出上馬下馬的動作；而《追韓信》第二折中「正末背劍踏竹馬兒上開」、「蕭何踏竹馬兒上開」蕭何在其後死命的追趕韓信，來到河邊「棄駿馬雕鞍」；第四折有「竹馬兒調陣子上」的舞臺提示。這都揭示在元代戲曲舞台，已有竹馬砌末與相應的身段表演。

元刊本《貶夜郎》第二折中有籠馬、上馬、騎馬、跪馬的身段；《燕青博魚》第一折中「楊衙內馬兒領隨從上」，將燕青撞倒在地，燕青爬起「正末做起籠住馬科」；《謝天香》第四折中錢大尹命張千前去攔住柳耆卿坐騎，有「張千扯馬」的動作；《牆頭馬上》第一折中裴少俊對李千金相思顧盼，不捨離去，「張千做催打馬科」等。這些自實際生活原型出發的動作身段，大抵即是民間歌舞竹馬的游藝表演內容。[121]

宋元南戲《白兔記》第三齣〈報社〉中，就有「忙行走竹馬似飛(舞下)」的社火竹馬舞隊表演；《黑旋風》第二折中白衙內與郭念兒「兩人疊騎著馬」，把李逵撞倒跌交，活脫是「男女竹馬」調笑逗趣的裝扮表演[122]；《怒斬關平》第二折中「正末扮關西同曳刺牽馬上」，正逢著好天氣，於是提議去「渲馬」，曲文中顯現出爲馬兒刷鉋渲洗的歌舞身段。[123]在戲曲的表演體系中，擷取了民間歌舞的表現手法，經由竹馬的砌末假借模擬，在舞台上組合出兼具眞實與藝術的身段科介。

所以砌末可以經由共同的生活體驗，配合各種虛擬象徵的動作，將形式與內容統一，呈現出特定的戲劇情境，達到溝通共鳴的舞臺效果。其實砌末的大小眞假，並不是絕對必然，一成不變的。可以依照劇情的需求，如戰爭廝殺的多人群戲，受到舞臺空間的侷限，或選擇用竹竿來寓意；而洗馬、籠馬等身段的表演，或可採用較爲具體的「形兒」，或視情況分扎於身上。是以在其後的戲曲舞臺上，能展現出不同形式的竹馬風貌。[124]

因而各種砌末穿關，可以協助舞臺身段科范的具體化，充分展現出歌舞的藝術美感，如《硃砂擔》第三折中，東嶽太尉出場唱「我將這帶稈來攙，我把這唐巾按，舞蹁躚兩袖風翻。」「摩弄的這玉帶上精光燦爛，拂掉了羅襴上衣紋便可直坦。」等曲文，即是以載歌載舞的形式，表演攙鞋、按巾、舞袖、弄帶、拂衫等身段，近似《東京夢華錄》諸軍百戲中的「舞判」形象。而這些服飾穿戴，並可結合各式雜技手法的運用，或以手技拋耍舞弄、或以頂技騰轉抖動、或以踢技蹬撢飛旋等，形成兼具藝術美感與技巧難度的舞蹈身姿。

如《陳州糶米》第一折中，小衙內糶米減兩少斗，引起老撇古的不滿，小衙內命人以紫金錘打老撇古「做打正末科」。小撇古見父親被打「做拴頭科」要父親精細些振作點。拴者，具有拴束縛緊的意含，或是將頭髮纏繞緊束，而後配合著頭部與頸部的工夫，表現遭受到意外打擊、悲傷絕望、忿怒驚嚇的情緒。唐代「撥頭」舞中即有「披髮」啼哭的模樣，在後世戲曲中亦大量使用，而形成「甩髮」的戲曲舞蹈特技。

《澠池會》中，秦昭公叫康皮力過來舞劍「掣龍泉席上舞，整虎軀輕移步」，其實意欲藉此以殺害趙成公。是以趙國大夫藺相如，也特意加入舞劍的演出「(正末唱)【笑歌賞】我我我輕將這猿臂舒，是是是骨碌碌睜怪眼衝冠怒。明晃晃劍離匣生殺霧，一隻手將腰帶捽，誰敢將我當攔住。」(第三折)在場上形成雙人舞劍的歌舞身段，並突顯出相如足智多謀、膽識過人的文官形象。劍器原即是武舞中常用的舞具，在戲曲中發展爲武打把子功的重要兵械道具，在特定的環境與人物的造型下，也能形成歌舞科汎，發揮不同的審美趣味。

雜技游藝自生活中取材，經過藝術的表現手法，將現實與虛擬加以結合，並透過對於各種具體實物的假借，形成寫意象徵的動作身段。元雜劇中，也吸收借鏡其象神、象獸、象人的「戲象」裝扮方式，轉化爲創發身段科介的養分，並利用舞臺的服飾穿關，融入雜技的技巧組合，形成甩袖、帽翅、耍髮、耍袖、耍髯、甩帽、耍翎、耍劍、耍扇、耍帕等特殊舞蹈身段，藉以揭示人物內心情感、突出角色性格特點，烘托戲劇情境氣氛。

㈢生活物象情境的提煉

戲曲乃是現實人生的投射，天地間的自然萬物、生活中的形色百態，都是劇作所要再現的物象與情境。這些生活中的原型素材，往往經由加工美化的提煉過程，形成具有舞蹈性質的身段程式。如《風雲會》第四折中，衆王前往朝見宋太祖「作拜科」，而後趙普「奉聖旨教四國君臣，演習禮儀，隨長朝官拜舞者。」原本覲見皇帝有一套繁複的參拜禮儀，在舞臺上以「拜科」註明，「則見他曲躬躬拜舞單墀」並轉化爲具有舞蹈意涵的動作。

是以《梧桐雨》第一折中，張九齡參見唐明皇「外見拜舞科」；《青衫淚》第四折中裴興奴參見唐憲宗「(內侍云)宣到裴興奴見駕。(正旦拜舞科)」；《貶黃州》第四折中蘇軾向皇上稟告在黃州受到馬正卿的扶持，楊太守的窘辱「（駕云）宣過來。(楊馬見駕拜舞科)」等，都因應著故事中「見駕」的劇情，標示著「拜舞」的動作科汎，並爲後世戲曲表演所繼承。如《牡丹亭》中第五十五齣〈圓駕〉，杜麗娘參見皇帝「(內)奏事人揚塵舞蹈。(旦作舞蹈，呼『萬歲萬歲』)介」，則已然省去拜字，強調其身態舞姿。

元刊本《竹葉舟》第三折中，呂洞賓扮演漁夫撐舟，載送陳季卿返鄉探望父母妻子，有「正末扮漁夫披著簑衣搖船上開」與「做船停住科」的舞臺提示。船原是生活中的交通工具，是以元雜劇中不乏行船泛舟的情境再現，如《伍員吹簫》二折中「做撐船科」、「正末上船科」；《城南柳》第二折中「做帶船」、「淨上船，正末收簑衣開船科」；《漁樵記》第一折中「做上船科」；《青衫淚》第三折有「做移船科」等，皆標示有各種行船上下的動作科介。

從《衣錦還鄉》第二折「船公駕船上」，與《鬧銅臺》第二折「張橫駕船上」的穿關「斗笠、蓑衣、拏篙子、駕船」說明，推想應是藉由艄翁的撐篙搖槳，配合曲文的說唱與擬擬的身段，來表現泛舟江行的各種景象。這種路上行舟的表演，其實早在五代就有類似的大型歌舞搬演，依據宋田況《儒林公議》中所載：

> 王建子衍嗣於蜀，侈蕩無節，庭爲山樓，以綵爲之。作蓬萊山，畫綠羅爲水紋地衣。其間作水獸芰荷之類，作「折紅蓮隊」，盛集鍛者於山內鼓鞴，以長籥引於地衣下，吹其水紋，鼓蕩若波濤之起。以雜綵爲二舟，轆轤轉動，自

山門洞中出。載妓女二百二十人，撥掉行舟，周遊於地衣之上，採折枝蓮列階前。出舟致辭，長歌復八周，回山洞。俄而，唐莊宗遣使李嚴入蜀，復作此舞以誇之。

（《四庫》第一〇三六冊，頁七〇）

前蜀王衍曾於宮廷中，設置蓬萊仙山的舞臺景致，在繪有水紋的綠羅地衣上，由女伎乘著以轆轤轉動的「彩舟」，表演撥棹行舟折採紅蓮的歌舞。其間並藉由長管吹風鼓動水衣，呈現碧波起伏的景象，彷彿眞的置身於湖中採蓮。這樣大型繁複的機關砌末，顯現出舞美技巧地精進。而在宋代則有女弟子採蓮隊舞「衣紅羅生色綽子，繫暈裙，載雲鬟髻。乘綵船，執蓮花。」（《宋史·樂志》卷一四二，頁三三五〇）的演出，似乎也都還保留有實體的彩船道具。

然而若從《東京夢華錄》與史浩《鄮峰眞隱漫錄》中對「採蓮舞」表演內容的描繪來看，並無有彩船的道具裝置，只是簡單在殿前陳列蓮花以供採摘，而由舞者以群舞、花心獨舞與隊舞變化，來模仿乘彩船採蓮的舞姿。倒是在元宵舞隊中有「旱龍船」、「旱划船」的類目，依據范成大「旱船搖似水」的形容「夾道陸行爲競渡之樂，謂之『划旱船』。」〈上元紀吳中節物俳諧體三十二韻〉在陸上摹仿水中行船的表演，故以「旱」字點明其特質，其間則仍有具體船形的應用。[125]

馮夢龍墨憨齋定本《邯鄲夢》總評中載：「東游折向年串者，累桌掛彩以象龍舟。唐皇與群臣登之，采女舟行棹歌，略如吳王採蓮折扮法，甚可觀，近見優童，殊草草。」在第十五折《東巡聞警》中，唐玄宗與衆人乘龍舟東游「內鼓吹上衆登舟左行介」，並有「四采女作棹歌右行介」的情節，應即是采蓮歌舞的穿插運用。馮夢龍指出其與《浣紗記》第三十齣的《採蓮》「衆起鼓發舟科」，都使用了「累桌掛彩」以象徵舟船的砌末手法。這種兼具抽象與寫實的舞美手法，在明清戲曲中廣泛地被使用，如清《單刀赴會》中則有「扮船兵推大船從上場門上」「關公、周倉上船科」的舞臺說明。[126]

歌舞百戲歷來即十分重視舞美的設計，從《西京賦》中的「魚龍曼延」、「轉石成雷」百戲，到魏晉時的「天臺山伎」，唐代「嘆百年隊」舞（《舊唐書·曹確傳》），五代的「折紅蓮隊」、宋代「棘棚百戲」都可見到舞美設計的工藝技巧。金代雜技中「又有五、六婦人，塗丹粉，艷衣，立於百戲後，各持兩鏡，高下其手，鏡光閃鑠如祠廟所畫電母，此爲異爾。」(《三朝北盟會編·政宣上帙》卷二十，《四庫》第三五〇冊，頁一五四～一五五）有舞女數人，持鏡上下，表現出神話中的電母形象。

《柳毅傳書》第二折中，「正旦改扮電母兩手持鏡上」向涇河老龍報告戰況的裝扮；《西遊記》第五本第二十齣，李天王調兵點將，那吒領卒子上水部滅火，場面上由雷母引風伯雨師雷公上「(風云)走石揚沙日月昏。(雷云)慣將斧劈巨靈神。(雨云)銀瓶瀉進天河水。(電云)時掣金蛇射火輪。」表現風雷雨電的自然變幻，古本戲曲叢刊本中刊有電母手持兩鏡在雲端掣閃電光的插圖；《降桑椹》中風神刮風、雪神降雪、雨師下雨、雷公震雷「雷響科」、「（電母云）吾神掣起這電光來」，穿關中載記著「風布袋、雪光、水盞、雷光雷楔、雙鏡」的道具與舞美效果。

這種表演手法是取象於天地間的自然變化，而再加以想像力的藝術創造，並受到百戲雜技的啓發，而逐漸發展成爲戲曲特有的表演程式。元刊本中《遇上皇》第二折有「正末扮冒風雪上」；

《追韓信》第一折有「末抱籃背劍冒雪」、「做冒雪的科」；《介子推》第三折有「扮風雪上」的舞臺提示。可見在舞臺上有風雪場面的扮飾，而演員們則配合著劇情表現在風雪中行走的情境，而形成「走雪」的歌舞身段。

如《燕青博魚》第一折中燕青無錢住店，被小二趕出門外「【喜秋風】我與你便丫丫叫，我與你便磨磨擦。我為甚將這腳尖兒細細踏，我怕只怕這路兒有些步步滑，將那前街後巷我便如盤卦。」描摹出瞎眼燕青小心翼翼地拄杖在風雪中行進的情景；而《瀟湘雨》第三折中翠鸞「帶枷鎖同解子上」，在淋漓驟雨中顛仆行走「行行著車轍把腿陷住，可又早閃了胯骨。怎當這頭直上急簌簌雨打，腳底下滑擦擦泥淤。(正旦做跌倒科)」又復被解差催促喝責，這段悽楚悲苦的情景，在戲曲中形成精采的「走雨」表演程式。

因而無論是抒情、敘事、或寫景等戲劇情境，透過舞美砌末與虛擬身段的組合，可營造出各種藝術性的視覺意象；而配合運用雜技中的口技，更增添了聽覺的舞臺音效。如《梧桐雨》第一折中「內作鸚鵡叫云：萬歲來了接駕」；《墻頭馬上》第四折中「內杜鵑叫科」；《東坡夢》第一折中「打五更做雞鳴科」等動物叫聲的模仿。《漢宮秋》第四折中更以五次「鴈叫科」，烘托元帝孤戚、怨懟、思慕、煩躁的情緒變化。這些音響可由場上次要人物或後臺內做的方式製造。

《盆兒鬼》中張撇老拿著盆兒到開封府告狀，約定好敲三下「(做敲科云)一二三(魂子云)我叮叮噹噹的說」。結果一連敲了三次，魂兒因口渴、害飢、門神阻擋，而無法現身訴冤。這種重複的動作程式，在元雜劇中被廣泛地使用，並形成所謂「三科了」的科泛，如《貨郎擔》第三折「三喚科」；《看錢奴》第三折「三次打嚏科」；《竇娥冤》第三折「三次噴水科」；《薦福碑》第二折「擲珓三科」等，經由聲音與砌末的輔助，強調突顯劇中人物的際遇，形成另一類視聽的科泛。

《寶光殿》第四折中，虛玄眞人抬移武當山會仙觀的琉璃寶塔，前來爲長生大帝祝壽。此寶塔的奇異點在於推動後「仙音嘹亮，五色祥雲」顯現，正可以祝延聖壽「衆做推塔科」「古門道動樂器放煙火科」，不僅有音效的配置，同時還有「火彩」的應用，實爲諸軍百戲「爆仗」一類的技藝表演。而《盆兒鬼》中也安排了開窯燒盆「做裝柴科」、「淨坐吹火科」，與張撇老扯草燒火「做扯草科」、「做吹火科」，造成火燒鬍子的情節，或也是「吐火」雜技的發揮，與砌末結合出獨特可觀的戲曲特技來。當然如《介子推》第四折中「駕提燒山了」，與《博望燒屯》第三折中「火箭如神射」的發箭燒屯等，無法在舞臺上實際呈現，但可以經由「以少勝多、以簡御繁、以虛代實」的美學原理，來營塑出寫意象徵的戲劇情境。

元雜劇中的砌末極多，或者作爲劇情發展中的重要關目，從劇目中便清楚地標示出來，如《魔合羅》、《金錢記》、《紅梨花》、《對玉梳》等；或者是基於劇情的需要，必須陳列使用的器物，如桌子、扇子、笏、鏡子、箱子、擔子等；或者是作爲人物身分的表徵，如武將作戰時持用的武器、道士唱道情伴奏的漁鼓，探子探報時所執拿的令旗，僧人念佛誦經時計數的數珠，以及裝扮成各種動物獸類的「形兒」等，並發展爲特定的服飾穿戴，創發出各種歌舞科介來。

歌舞原爲戲曲表演的本質，經由對宮廷宴樂舞蹈的襲取，對民間百戲舞隊的吸收，對生活事物情境的提煉等，創發出豐富多樣的歌舞科泛。或者以連唱帶說、載歌載舞的形式，與情節緊密結合，成爲戲曲的有機部份；或者是單人獨舞、多人群舞的表演，成爲獨立穿插式的技藝表現；或者是應用音效穿關，以虛實結合的表現手法，積澱爲約定俗成的表演程式，不僅能提升舞臺表演藝術，也能達到「以歌舞演故事」的目的。

小　結

元代君王的佞佛好道，推動宮廷百戲演劇盛行；市民經濟文化的繁榮，促使都城內外勾欄遍佈；民間祭祀賽會的需求，造成鄉鎮廟宇戲臺林立，在在都提供了戲曲的表演空間。在與雜技、樂舞、院本、隊舞等藝術類型同場演出中，相互地借鏡交流涵養，擴展了表演藝術的領域，也參雜不同的審美情趣。而外族音樂歌舞的融合，元曲宮調套數的成熟，不遇文士的投身創作，與雜技藝人的參與加入等，都積累爲元雜劇成長發展的資源。

元雜劇貫串了宋金雜劇四段獨立的小戲群，敷演完整的故事情節，在北曲音樂套數的組織規律下，形成「一本四折」的搬演體制，並創作出多元的劇目類型；而雜技樂舞除穿插於各折間爨弄外，也結合應用於戲曲中，根據「一正衆外」的角色特質，發揮各類的藝能技巧，塑造劇中人物的形象。且能因應劇情的發展，設計不同的關目排場，達到調劑連結的效用；進而從生活原型中取材，吸收武術、雜技、歌舞的藝術手法，形成舞臺身段科汎，表達出戲曲藝術的視聽意象。

因此，元雜劇是戲曲獨立成熟的里程界碑。在百戲樂舞的長久孕育中，戲曲的整體藝術逐漸地豐厚圓熟，而其對於雜技的吸收結合，從幾個層面中可以得知：

㈠劇本題材

從滑稽詼諧的院本特質，轉化爲厚人倫美教化的社會功能，元雜劇所搬演的題材內容，也相對地寬廣了許多。劇作家從現實社會的生活原型出發，憑藉著人生的際遇，與自身的才力，拓展出不同的寫作題材，並配合藝人的多樣才藝，再加上觀衆的喜好品味，逐漸形成類型化的劇目。其中脫胎於水滸故事的綠林雜劇，與取材自歷史演義的脫膊雜劇，融鑄了角觝武術的表演技藝，成爲後世武戲的主要題材；而神鬼雜劇繼承了社火百戲的傳統，應用了假面假形的象人傳統，成爲後世神怪戲的雛形。

㈡體制結構

元雜劇從宋金雜劇的四段式結構，發展爲「一本四折」的體制形式。遂使得插科打諢的戲弄傳統，退居成劇情的附屬成分；轉而由曲唱聲情的套數組織，躍升爲戲曲藝術的主體。但在劇作中仍保留著從院本蛻化的遺痕，運用院本家門的講述爨弄，透過插曲打散的科諢歌舞，或以游離式的插入作爲劇情的調劑，烘托不同的表演情趣；或渾融於人物情節之中，成爲故事發展的關目排場。這些表現手法逐漸地發展爲熟套科汎，可以隨時拿來靈活應用於劇本結構中。

㈢人物塑形

所謂「藝寓於戲，戲寓於人」，在長期的舞臺實踐與藝術鍛鍊中，演員具有著談笑詼諧、散說道念、吹彈歌舞等多項才藝，可藉以塑造劇中的人物形象。由於元雜劇「一正外」的主角演唱制，是以曲唱爲表演的主體，因而「悉爲之外腳」的其他角色，必須經由戲法博奕的手法，透過筋斗擊毬的角技，應用猜謎說諢的舌辯，發揮說學逗唱的曲藝等技藝，來作爲詮釋劇中人物思想情感的造型手段。同時在元雜劇的「改扮」原則下，借助這些藝能技巧，更能生動鮮活、立體多元地表現各種人物的不同特質。

㈣表演程式

宋金時各種表演技藝，已漸趨形成法度規範。在元雜劇時，借鑒吸收了雜技、歌舞、武術等表演技藝，發展出神似意眞、抽象寫實兼具的舞臺表演語彙，成爲演員身段動作的科汎，也是觀衆藉以欣賞共鳴的媒介。如翻撲騰跌的「毯子功」，砍殺擊刺的「把子功」，組成了戲曲武功的表演程式，可以具現出廝殺格鬥、刀光劍影的征戰場面；宮廷宴樂的隊舞，民間百戲的舞隊，創發出豐富多樣的歌舞身段，融鑄成「有聲必歌、無動不舞」的戲曲藝術。在「戲不離技」的原則下，成爲「做打」的主要表演程式，能夠發揮抒情、敘事、寫意的作用。

㈤穿關妝扮

穿關妝扮原爲人物身分特性的表徵，從角觝百戲中的「象人」傳統，發展成爲神仙鬼怪、水族鳥獸、以及各色人物的造像原則。透過特有的服飾裝扮，可以清楚地得知角色人物的屬性，或用神頭鬼面作爲化身，或以形兒磕腦作爲寓意，或以盔翎兵械作爲裝備，或藉塗灰抹粉作爲妝扮等，逐漸地演化爲特定的妝裹程式，在造型手法上，滲透著俗民文化的審美意趣、評價觀感。更能組合雜技的耍弄技巧，形成獨特的身段科汎，藉以揭示人物內心情感、突出角色性格特徵，渲染場上戲劇氣氛。

㈥**舞美砌末**

樂舞百戲從先秦以來，便利用各式的工藝配備，展現舞臺美術的巧思設計。而各類的砌末道具，也從生活中的具象實物模擬，在「以少勝多、以簡御繁、以虛代實」的美學原理下，營塑出各種寫意象徵的戲劇情景。於是或有馬驢奔走、行船泛舟的場景畫面，或為風霜雪雨、閃電雷擊的自然景觀，或者吹火繩吊、搬桌頂藍的生活經歷，都一一具現在戲曲的舞臺時空中。往往經由這些道具砌末的輔助，可以將表演技藝發揮得淋漓盡致，創發出驚險精湛的戲曲特技。

戲曲從先秦角觝開始孕育成長，經過了漢唐的歌舞百戲，宋金的雜劇院本，到元代逐漸獨立於雜技百戲之外，發展成為獨立的藝術門類。並進而結合應用雜技技藝，在題材創作、結構排場、表演技藝、舞美穿關等方面，提煉演化出各種程式科汎，形成蔚然可觀的表演程式，而使元雜劇成為完整成熟的整體藝術，並成為後世戲曲繼續朝向精緻專業開展的重要根基。

【註釋】

[1]曾師永義指出元雜劇一本四折的體制，是貫串於宋金雜劇院本四段獨立的小戲群的體制。請參見〈元雜劇體制規律的淵源與形成〉載於《參軍戲與元雜劇》一書。

[2]依據曹楝亭刊本《錄鬼簿》中的統計，元雜劇作品共有四百五十二種；

《太和正音譜・群英所編雜劇》標目為「元五百三十五種」，而實際只有收錄四百二十七種，其中還加上「娼夫」作家四人所作十一種。另「古今無名氏雜劇一百一十本」中，也參雜有一些元人作品；而莊一拂《古典戲曲存目匯考》中記載元雜劇為五百三十六種，另外還有一些元明佚名作品。

[3]元雜劇版本，大致可區分三個系統：⑴元刊本：《元刊雜劇三十種》；⑵《元曲選》本：臧氏《元曲選》與孟稱舜《古今名劇合選》(包括《柳枝集》與《酹江集》)；⑶刪潤本(即《元曲選》以外的明刊本)：如明趙琦美《脈望館抄校古今雜劇》，新安徐氏刊《古家名雜劇》，《盛世新聲》、《雍熙樂府》等書。

[4]引自《戲曲論著集成》第三輯，頁二十四。曾師永義指出這十二類中由於劃分的系統不純，容易產生界限不明、混淆不清的現象。若將《青樓集》中所記敘的五類，加上雜劇十二科附註中去掉重複所剩餘的君臣、脫膊、神佛三類，從其名稱可知為民間的分類法。其中除脫膊一項外，大致就劇中主要人物的身分來分類。請參見《中國古典戲劇的認識與欣賞》，p.54。

[5]曾師以為這樣的分法雖然詳密，但是還有疏漏，且頗嫌瑣碎。請參見〈明代帝王與戲曲〉，臺大文史哲學報第四十期，1993.6。

[6]羅錦堂並於每類細目列舉劇目，並加以闡述說明。請參見〈元人雜劇之分類〉一文，載於《錦堂論曲》，pp.72-98。

[7]青木正兒的論述，請參見《元人雜劇序說》，pp.32-40；鹽谷溫的意見，請參見《元曲概說》第九章；時鐘雯的看法，請參見《中國戲劇的黃金時代－元雜劇》，p.51。

[8]宋羅燁《醉翁談錄》卷一〈舌耕敘引・小說開闢〉中羅列了話本小說的分類目錄：有靈怪、煙粉、傳奇、公案、朴刀、桿棒、神仙、妖術八

類。其中公案類《石頭孫立》疑寫病御遲孫立事；朴刀類《青面獸》應為楊志賣刀事；桿棒類《花和尚》、《武行者》為魯智深與武松之事。

[9]根據曲籍的著錄，學者們歸納統計的水滸戲數目不盡相同，而對於一些無名氏的作品，究竟歸於元末或明初，意見不一。〈元雜劇水滸戲研究綜述〉中，則有述及各家的意見與討論的篇章。載於《元雜劇研究概述》，pp.285-289；而國內學者如謝碧霞認為有三十三種、耿湘沅則認定為三十二種。

[10]褡膊，背褡為賑望館中常見的穿關。「褡膊」又稱褡褳、搭包、答連，皆音近意同。為長方形的布袋，中間開口，可放置錢物，平時繫在外衣作腰巾，亦可肩負或手提；而「背褡」指無袖的短衣，僅能蔽胸背，或稱馬甲、坎肩。參引於顧學頡、王學奇《元曲釋詞》第一冊，pp.90，92，339-340；脫膊或作脫剝，馮沅君指出剝訓褫，訓脫，剝為脫的借字，請參見《古劇說彙》，pp.54-55，69。

[11]相關文獻請參見呂品〈河南省博物館藏唐宋雕塑藝術小品淺析〉圖七，《中原文物》1990.4；與〈山西晉城南社宋墓簡介〉，《考古學期刊》第一集，中國社會科學院出版，1981。

[12]宋莊綽《雞肋篇》：「獨張浚一軍常從行在（臨安），擇卒之少壯長大者，自臂而下文刺至足，謂之『花腿』。京師舊日浮浪輩以為夸。」而《都城紀勝》與《夢粱錄》（卷十九）都有「閒人」條作相關說明。

[13]護臂，也就是所謂的「保鏢」，舊時富貴人家出門，由勇士護送，以確保安全。如隨徽商外出護衛的佃僕家兵，稱為「拳門庄」（庄為庄僕簡稱）或「郎戶」。這類行業人員，對於後來戲曲武功的發展有極大的影響。如「文武老生」譚鑫培，曾流落江湖為看家護院的鏢客；武淨劉奎官亦是鏢行出身，都具有紮實的眞功夫。

[14]黎新引證已故鄭菊瘦先生的回憶：「以前有不少短打武戲，武丑、武花

臉多有袒臂上臺者。宮廷演戲，以袒臂不敬，遂穿『百骨鈕』(青快衣)以表示赤臂之意。(御果園的尉遲敬德，從前必須袒臂)」請參見〈脫膊雜劇小考〉載於《戲曲研究》1958.1，pp.117-118。

[15]林鶴宜從元雜劇運用「探報」刻劃征戰場面的十種劇本，歸納出「探報」敘事手法的四個特質：在探子以旁觀身分對征戰作客觀敘事之前，皆先安排參與征戰的一方主唱或演出征戰過程（《氣英布》例外），造成所謂「重疊敘事」；而除了探子所唱的曲牌體套曲之外，問探者以詩讚在內容和形式上與之配合，和套曲占有相同的分量，則形成所謂「交錯結構」；無論征戰的朝代、人物、場面、戰情如何變化，「探報」的敘事模式和敘事用語都是固定的；甚至連使用的音樂，都獨鍾【黃鍾·醉花陰】套和【越調·鬥鵪鶉】套。請參見〈從說唱到戲曲的唯美結合——談元雜劇征戰情節中的「探報」〉一文，發表於淡江《文學與美學》研討會論文集第五集。pp.383-427。

[16]「說戰法」與「說陣法」是取用譚達先的說法，其在《講唱文學·元雜劇·民間文學》〈講唱文學被元雜劇吸取的情況〉一節中，對此二者曾加以舉例剖析。請參見pp.24-30；35-38。

[17]馮沅君將脈望館中的穿關與劇中人物的性格、年齡、社會地位做比較研究，得出六項標準。請參見〈古劇四考跋〉中第十六「做場考：戲衣」，載於《古劇說彙》中，pp.66-73。

[18]京劇武扮盔頭中的「大蹬」(或稱「扎蹬」、「踏蹬」)，帽形近方，前低後高，背後有朝天翅一對。舊時爲黑色，故又名「鐵樸頭」，或即其形制。而其通常爲劇中屢建戰功，或朝中身居尊位的年老勛臣所用，亦頗爲符合上述二人的身分。請參見《京劇知識辭典》，p.106。

[19]曾師永義指出雜劇中的鬼神世界，具有著：⑴彌補現實人生的不足；⑵解脫塵寰、逍遙物外的冥想；⑶抒憤寄慨和深寓諷世之義；⑷純屬迷信

思想的反映等意識形態。請參見〈雜劇中鬼神世界的意識形態〉一文，載於《說戲曲》，pp.49-72。

[20]佛教自唐宋以來便流派繁多，大概可分爲禪宗、教宗與律宗；白雲教與白蓮教，在宋時被視爲在南方流行的異教邪黨，曾一度禁絕，然元代仍在民間流行；康禪、瓢禪在金代被認爲是北方的佛教異端，但在元代則深爲朝廷帝王所禮奉。

[21]《元史·釋老傳》中對全眞教、正一教、眞大道教與太一教的主要代表人物與該教發展，皆有所記敘可參見。而有關佛教與道教的派別與特色部份，則參引自周良霄、顧菊英著《元代史》第十三章第二節的宗教。pp.733-754。

[22]「李天下」爲後唐莊宗的優名。此爲記敘莊宗與群優戲於庭，敬新磨以手批頰之事，載於《新五代史·伶官傳》卷三十七，p.399；另外任中敏編著《優語錄》中收錄有多條關於敬新磨的優事，可參見。

[23]依據《太平廣記》引《續神仙傳》的記載：「藍采和，……每行歌於城市乞索，持大拍板，長三尺餘。常醉踏歌。老少皆隨看之。譏捷諧謔，人問，應聲答之。笑皆絕倒。似狂非狂。行則振靴唱，踏歌，踏歌藍采和，世界能幾何。紅顏一春樹，流年一擲梭。古人混混去不返。今人紛紛來更多。……後踏歌於濠梁間酒樓，乘醉，有雲鶴笙簫聲，忽然輕舉於雲中，擲下靴衫腰帶拍板，冉冉而去」（卷二十二，頁一五一～一五二）。藍采和大抵爲五代時貧窮滑稽的民間歌者，是以後來在元雜劇中遂被型塑爲一戲曲演員。

[24]同註十七。

[25]如《跳加官》、《跳財神》等祈福扮仙戲，使用臉子的方式而成爲神明的造型；而「地戲」、「關索戲」等儺戲，應用面具來裝扮神靈形象，並作爲靜態式的神靈供奉。在臺灣宗教祭儀中，也常可見到運用形兒作

爲神鬼化身的七爺八爺，與舞獅的獅頭在平時或出隊前，都燃香點燭、頂禮膜拜，賦予宗教的神威法力。

[26]劇中並未提及其是在後場改扮，或是當場變換。《斬健蛟》爲後場改扮形式；而《拔宅飛昇》第三折則爲當場「變出本像」：「正末做仗劍斬蛟科」「蛟精做變出本像科」云：「吾神我神通廣大，變化多端，顯出我這本相者」；《那吒三變》第三折中有百眼金精鬼「作變科」，變作麋鹿。無異爲現今「變臉」藝術的前身。

[27]關於灌口神的說法很多，請參見馮沅君〈元劇中二郎斬蛟的故事〉，載於《古劇說彙》，pp.331-340；鄭運佳〈武打戲灌口神〉，載於《中國川劇通史》，pp.105-107；江亞玉〈由形象特徵之演變談二郎神〉，載於《小說戲曲研究》第一集，pp.67-118。

[28]相關的考古論證請參見廖奔著《宋金戲曲文物與民俗》，pp.225-226。

[29]由於元代戲曲服飾裝扮的資料甚少，一般認爲脈望館抄校本所記錄的明初、中期宮廷內府的演出穿關，部份爲依照元代雜劇的演出服飾。本文除加以擇用外，並盡量應用元刊本中的曲文科泛，及參考現代京劇服飾書籍圖案，作爲研究推論的資料。「鬅髮」又稱蓬頭，如京劇中《金錢豹》中的金錢豹、《三打白骨精》中的大妖、《鬧天宮》中的青虎、白虎仍然使用；「九陽巾」可能如「八卦巾」、「道巾」類型；「鶴氅」爲早期傳統神話劇中的神仙服飾，形制用途相似於八卦衣，只是所繡紋樣不同，以雲鶴爲主，別具飄逸瀟灑的美感，爲通曉天文地理的智慧人物所專用，如京劇中《百壽圖》北斗仙、《盜草》南極仙翁的穿著。

[30]王安祈指出天將的扮飾，與一般武將相同，以「冠、曳撒袍、項帕、直纏、搭膊、帶」作爲基本裝束，但爲區別人與神的不同，故稍做變化。如《斬健蛟》眉山七聖爲「撒髮陀頭抹額」，《鬧鍾馗》扎上金靠。請參見〈明雜劇的演出場合與舞臺藝術〉載於《明代戲曲五論》，p.124。

[31]關於「正末扮尊子燕居扮將主拂子上坐定」這句舞臺提示，曾師以為可詮釋為「正末扮尊子，燕居扮，將主拂子上坐定」，乃指關公作平常燕居的打扮；或如李大珂解作「正末扮尊子，燕居扮將，主拂子上坐定」，燕居可能為角色行當名目，請參見〈元刊雜劇的價值〉，載於《戲曲研究》，1980.2，p.333。而「主」拂子應是「拄」字的俗寫，如《黃鶴樓》第二折中諸葛亮將周瑜令箭置於「拄拂子」中，命關平送去給劉備以解圍。應該是有一個角色手持拂塵，拂塵常作為僧道神佛所持拿的砌末，亦可說明此間作神道裝扮。

[32]此故事在關公宗教圖誌中曾予收錄。洪淑苓指出宋代為關公形象由人而神的轉變期，此可能是宋元之際興起的民間傳說。請參見《關公「民間」造型之研究——以關公傳說為重心的考察》，p.86；在元刊本《單刀會》中，共提到四次神道。劉靖之以為關漢卿在劇中，即已將關羽刻畫成一個「神」樣的人物，直接地或間接地造成後人稱關羽為「關帝」。請參見《關漢卿三國故事劇研究》，p.91。

[33]面具在明清仍多應用於鬼神特有的扮飾，如明弘治游潛《夢蕉詩話》：「優人以髹塑神鬼面像而帶之以弄，叫嘯踴躍，百狀惟怪，望之可為辟易，然其本來面目，終莫得而揜焉。李若虛嘗於戲間戲為吟云：『鐵面虬髯眊似霜，人人道是四金剛。一回戲臉都拋卻，仍是郎當老郭郎』。」；清〈附題戲館門設各種砌末〉：「戲園門首勝酆都，鬼怪妖魔面具鋪。引祟招邪驚稚子，昇平歌舞好形模。」（《元明清三代禁毀小說戲曲史料》第三編引)都說明了神頭鬼面具有著驚嚇威儀的作用；而清趙翼《檐曝雜記》有「神鬼畢集，面具萬千」的記載，說明當時神鬼雜劇陣容的可觀。

[34]高安道【般涉調·哨遍】〈嗓淡行院〉曲文，請參見《全元散曲》，pp.1109-1111。胡忌曾加以注箋，並提出上演的六種體例次序。請參見

《宋金雜劇考》附錄，pp.311-326；其後又曾以《禮節傳簿》民間賽社的演出節次相比較，指出民間賽會亦爲歌舞、正隊、院本、雜劇穿插演出的形式。請參見〈「院本」之概念及其演出風貌〉載於《中華戲曲》第八輯，p.9。

[35]《水滸傳》八十二回描述「教坊司奏樂，天子親御寶座陪宴(宋江)」的情節。曾師依其文字區分爲四種藝術類型的演出，請參見〈論說「五花爨弄」〉載於《中外文學》二十三卷，第四期，p.218。

[36]《青樓集》中記述坤角演員共一百一十七人，並兼及同時代男演員三十五人(其中多數爲女演員丈夫)，爲本節探討演員技藝的主要資料，是故除引用其他書籍中的資料相互印證補述外，不另加註明出處。又李惠綿引胡袛遹的「九美說」將《青樓集》中的女伶分爲三類型，以評論夏庭芝的「色藝論」，可參看其八十三年臺大博士論文《戲曲搬演論研究——以元明清曲牌體戲曲爲範疇》中第一章第一節〈色藝的品評〉，pp.26-33。

[37]該劇第二折兄弟飲酒一場，多用女眞曲調。明何良俊《四友齋叢談》曰：「李直夫《虎頭牌》雜劇十七換頭……在雙調中別是一調，牌名如阿那忽、相公愛、也不囉、醉也摩挲、忽都白、唐兀歹之類，皆是胡語，此其證也。」是以一般多將此折十七曲牌，通稱爲「十七換頭」。周德清《中原音韻》中亦言：「且如女眞風流體等樂章，皆以女眞人聲音歌之。」故演員必須具有此類曲唱的才藝。

[38]前爲孫崇濤、徐宏圖《青樓集箋注》中的說法，請參見p.90。而曾師永義指出張炎《山中白雲詞》【蝶戀花】〈題末色褚仲良寫眞〉這首詞的前半闋乃說明金院本中副末與副淨打諢諷諫的任務，後半闋則說明與旦腳合演的情形，頗有元雜劇「軟末泥」的韻味。請參見〈有關元人雜劇搬演的四個問題〉，載於《詩歌與戲曲》，pp.214-215。

[39]其中描述到有關人物的扮演文字爲：「學業專攻，積久而能。老於一

藝，尙未能精。以一女子，衆藝兼並：危冠而道，圓顱而僧。褒衣而儒，武弁而兵；短袂則駿奔走，魚貫則貴公卿；卜言禍福，醫決死生；爲母則慈賢，爲婦則孝貞；媒妁則雍容巧辯，閨門則旖旎娉婷；九夷八蠻，百神萬靈，五方之風俗，諸路之聲音，往古之事跡，萬代之典型；下吏污濁，官長公清談百貨則往商坐賈，勤四體則女織男耕；居家則父慈子孝，朝則君聖臣明。離筵綺席，別院閒庭，鼓春風之瑟，弄明月箏；寒素則荊釵布裙，富艷則金屋銀屏。九流百伎，衆美群英，外則曲盡其態，內則詳悉其情。心得三昧，天然老成，見一時之教養，樂百年之升平。」轉引自《紫山大全集》卷八。

[40]詳細表演方式，請參見楊小毛、葛修瀚根據古代《鵝幻匯編》所譯編《中國古典魔術》一書，pp.107-114。

[41]《古今圖書集成·藝術典·博戲部》收錄許多相關詩文史述，請參見。另有關博戲奕棋的發展與類型，楊蔭深《中國游藝研究》第三、四章中有詳細闡述，p.52-104。

[42]博戲奕棋的考古文獻甚多，如〈吐魯蕃現阿斯塔那——哈拉和卓古群墓發掘報告〉，載於《文物》1973.10；〈法庫葉茂臺遼墓記略〉，載於《文物》1975.12；熊傳新〈談馬王堆三號西漢墓出土的博陸〉，載於《文物》1979.4；〈武威磨嘴子48漢墓出土文物〉，載於《文物》1979.12；〈安陽隋張盛墓發掘記〉，載於《考古》1959.10；金惟諾、衛邊〈唐代西州墓中的絹畫〉，載於《文物》1975.10；〈西安榆林窟勘查簡報〉，載於《文物參考資料》1956.10；〈泉州灣宋代海船發掘報告〉，載於《文物》1975.10；〈北京後英房元代居住遺址〉，載於《考古》1972.6等。

[43]請參見柴俊澤、朱希元〈廣勝寺水神廟壁畫初探〉，載於《文物》，1981.5。

[44]相關考古資料，請參見廖奔著《宋金戲曲文物與民俗》中第二編〈宋元主要戲曲文物敘考〉，並可參看第三編第二節〈副淨、副末〉圖83中的打呼哨圖象。

[45]請參見《錄鬼簿續編》中藍楚芳 、 全子仁的記載 ，載於《戲曲論著集成》第二冊，p.287。與《遠山堂劇品》〈青梅佳句〉載於《戲曲論著集成》第六冊，p.183。

[46]《聽秋聲館詞話》卷八：「元時閨秀寥寥，《詞綜》所采，只管道升與妓女劉燕歌、陳鳳儀三詞。」《古今女史》卷六與《青樓韻語》也載錄有劉燕歌〈有感〉詩，其他相關載籍資料，請參見孫崇濤、徐宏圖箋注《青樓集》，p.99。

[47]《元典章》〈雜禁·刑部〉十九：「至大十二年，……在都唱琵琶詞貨郎兒人等，聚集人衆，充塞街市，男女相混，不唯引惹鬥訟，又恐別生事端。蒙都堂議得，擬合禁斷，送部行下合屬，依上禁行，奉此施行」（卷五十七）。

[48]鄭騫指出《貨郎旦》歌場稱爲女彈詞，簡稱女彈，以別於《長生殿》彈詞。其並對貨郎兒九曲有所疏證，請參見〈李師師流落湘道雜劇——附九轉貨郎兒譜〉，載於《景午叢編》上冊，pp.446-525。

[49]《青樓集》所載藝人有孔千金「能慢詞」；小娥秀「善小唱、能慢詞」；李芝儀「工小唱、尤善慢詞」；眞鳳歌「善小唱」；李心心、楊奈兒、袁當兒、于盼盼、于心心、吳女燕雪梅、牛四姐「皆國初京師之小唱」等，擅長曲藝。

[50]請參見張相《詩詞曲語詞匯釋》〈五代史〉條，p.863。

[51]葉德均指出宋金元時一方面有道士與文人作的詞或散曲的道情，一方面又有道士與乞食者的通俗宣傳的道情。但二者都不是敘事的道情，敘事的道情主要在明代才流行，主要敘述道教故事，作爲勸說的說教。請參

見〈宋元明講唱文學〉，載於《小說戲曲叢考》，p.646；而在《武林舊事·諸色技藝人》「彈唱因緣」下所列演唱者如童道、費道、李道、沈道、甘道、俞道似爲道士之名，可能即是「道情」的表演；且「唱耍令」藝人葉道底下註明有「道情」二字，可見道情已變成一種雜技曲藝（卷六，p.459）。

[52]唐道宣《續高僧傳》：「世有法事，號曰『落花』。」《敦煌雜錄》中尙錄有兩種。現今最早見到的蓮花落記載爲南宋釋普濟《五燈會元》：「俞道婆，金陵人，賣油滋爲業。一日，聞貧子唱蓮花落云：『不因柳毅傳書信，何緣得到洞庭湖？』忽然契悟。」清《通俗編》亦引此事載：「俞道婆嘗隨衆參瑯琊，一日，聞乞者唱蓮花樂，大悟。」且言蓮花落爲乞者所唱曲名，其來已久。可見宋時已流行。請參見倪鍾之《中國曲藝史》，pp.231-233。

[53]在明代朱有燉的《曲江池》與徐霖的《繡襦記》中，都有關於蓮花落的具體描述，演變爲「四季蓮花落」的形式，且於明末又加工出「文詞說唱」的敘事性蓮花落；清乾隆後出現專業演員，取材於民間傳說，以竹板按拍，由一、二人演唱，嘉慶後則漸與「十不閒」相融合，成爲「彩扮蓮花落」，增加打擊樂器，扮演人物故事，逐漸向小戲過渡。

[54]請參見陳宗樞著《佛教與戲劇藝術》，p.35-36。

[55]臧懋循改訂《玉茗堂四種傳奇》《還魂記》第二十五折的眉批中言：「臨川此折在急難後，蓋見北劇四折止旦末供唱，故於生旦等皆接踵登場。不知北劇每折間以爨弄隊舞吹打，故旦末常有餘力；若以概施南曲，將無唐文皇追宋金剛，不至死不止乎。」

[56]胡忌以王國維〈唐代寫本太公家教跋文〉中的相關資料，加以論述。請參見《宋金雜劇考》，p.228。

[57]同上揭書，p.252。

[58]在明代劉兌《嬌紅記》所插入的七處院本中，有「院本黃丸兒」。胡忌以為依曲文推測，其內容當為醫士「亂下虎狼藥」的胡鬧；「黃」有「假」的意思，如俗言說黃貨就是假貨。請參見上揭書，p.215與p.268；依本劇內容而言，則偏於假藥買賣的胡鬧說笑。

[59]而曾師指出「雙鬥醫」被插入雜劇中演出已成為習套，此二劇雖未必是完整的「雙鬥醫」，但起碼也保留不少這種「院本科範」。請參見〈參軍戲及其演化之探討〉，載於《參軍戲與元雜劇》，p.95。

[60]相關考古論證，請參見廖奔著《宋金戲曲文物與民俗》，pp.206-209；楊明珠〈永樂宮潘德沖石槨戲曲線刻圖試談〉，載於《河東戲曲文物研究》，pp.29-38。

[61]相關考古論證，請參見《中國戲曲志·山西卷》，p.582，pp.584-585。

[62]插曲，為鄭騫借用現代語名之。在〈論元雜劇的結構〉中，曾對插曲加以探析，載於《景午叢編》上冊，p.194；而後曾師永義在此基礎上，結合徐扶明在《元代雜劇藝術》中對花面腳色所唱小曲特質，有所歸納闡釋，請參見〈元雜劇體制規律的淵源與形成〉一文中的「插曲」部份，載於《參軍戲與元雜劇》，pp.211-213；另外張啓超〈元雜劇的「插曲」研究〉一文，載於《小說戲曲研究》第一集，pp.209-260；與柯秀沈在臺大中文研究所碩士論文《元雜劇的劇場藝術》中，皆以鄭說為依循，對插曲進行分析論述。本文參酌採用以上諸文。

[63]曾師指出這種插科打諢的插曲，自然是院本成分融入元劇中者。令人聯想到雜扮中的裝扮村落野夫，以資笑樂的演出。而淨腳歌唱小曲打諢，其實就是宋金雜劇院本淨腳歌唱隻曲小調的遺留。請參見上揭文，p.213；在宋代的民間舞隊就有「村田樂」的類別，應是以農家生活素材做為表演內容的歌舞小戲，臺灣地區現存的歌舞小戲「牛犁陣」，也屬於此一類型的表演。

[64]鄭騫指出劇尾附曲散場這名詞，最早見於元刊雜劇三十種，其中有七種劇尾注有散場字樣。而「散場曲」為第四折套後所饒出來的曲子，也有賓白科介，用以完成劇情或另起餘波。請參見〈論元雜劇散場〉載於《景午叢編》上冊，p.203。

[65]徐扶明指出有人以為「打散」的形式，源於宋雜劇的「斷送」，也就是饒戲的形式。後世戲曲中頗多沿用，如早年京劇演完大軸後，加演小戲，稱為「送客戲」；川劇中正戲後有「墊臺戲」，午場稱「花戲」，夜場稱「添湯」。亦可加於開場迎客的，如《張協狀元》開場前先饒諸宮調、踏場；《嬌紅記》演雜劇前，先演鶻鴣。請參見《元代雜劇藝術》，p.91。

[66]季國平引金末元初人楊玄道，約寫於1250年前後的《鶻鴣》古詩（《小亨集》卷二）為依據，解說鶻鴣舞的具體內容，請參見《元雜劇發展史》，p.196-197。

[67]請參見傅曉航編輯校點《西廂記集解》，p.72。

[68]徐扶明歸納歷來對「介」的說法有：⑴《南詞敘錄》中載：「今戲文于科處皆作介，蓋書坊省文，以科字作介字，非科、介有異也。」⑵原作舀，意即假扮劇中人的種種動作，簡寫作舀，再省作介。⑶介字乃界字之省文，當其讀劇本時，於唱曲念白之間，表明其演時態度，以此為界線，喚起其注意也。⑷兩人動作曰科，一人動作曰介。⑸北劇曰科，南戲曰介。並又補錄錢南揚之說，指出南北有混合科介連用的現象。請參見《元代雜劇藝術》，p.221；王安祁則懷疑為「開」字省文訛變，開有開始表演之意。請參見《明代傳奇之劇場及其藝術》，p.319。

[69]《錄鬼簿》載：「李郎，劉耍和婿，或云張國寶作。撇躁判官釘一釘，莽張飛大鬧相府院。」載於《戲曲論著集成》第二冊，p.1114；「紅字李二，京兆人。教坊劉耍和婿。病楊雄、板踏兒黑旋風、折擔兒武松打

虎。」載於《戲曲論著集成》第二冊，p.113。而《太和正音譜》也有類似的記錄， 載於《戲曲論著集成》第三冊，p.44；而《錄鬼簿》天一閣本於略傳後有賈仲明補輓詞，贊揚紅字李二：「梁山泊壯士病楊雄，板達兒撏搜黑旋風。打虎的英俊天生勇，窄袖兒猛武松，是京兆紅字李二文風 。才難盡，興未窮 ，再編一段全火兒張弘。」載於《戲曲論著集成》第二冊，p.1191；又《錄鬼簿》李時中劇作下載有《開壇闡教皇梁夢》，載於《戲曲論著集成》第二冊，p.117。

[70]徐扶明將其劃歸爲五種類型，其說明請參見上揭書第十二章〈科介〉部份。pp.220-221。

[71]歷來各地區 、 流派對十八般武器的解說各不相同 ， 其中明代謝肇制在《五雜俎》卷五所提出的十八般，可視爲代表說「一弓、二弩、三槍、四刀、五劍、六矛、七盾、八斧、九鉞、十戟、十一鞭、十二鐧、十三檛、十四殳、十五叉、十六把頭、十七棉繩套索、十八白打。」請參見《神奇的武術》中〈器械篇〉，pp.145-178。

[72]顧學頡、王學奇指出北方舊俗冬日農隙，聚小兒令學技擊，謂之「那吒社」，蓋因那吒爲小兒形。請參見《元曲釋詞》第二冊，pp.532-534。

[73]有關拳勇與相撲的歷史發展，參引自宋調露子《角力記》（《叢書》第五四冊），學者張純本、崔樂泉《中國武術史》與林伯元《中國古代體育史》中的相關論述。

[74]相關考古論述請參見邵文良編著《 中國古代體育文物圖集 》，p. 235-236。

[75]元刊本《遇上皇》中僅有簡單的曲文敘述「嗤嗤把頭髮揪，使腳撞，耳根上一迷的直拳搶，都扯破我衣裳。」（第一折）此處乃依孤本元明雜劇中所加註的科介與賓白。

[76]《言鯖》中云：「伎人以頭委地，而翻斗跳過，且四面旋轉如毬，謂之

金斗。穀山笙麈云：齊梁以來，散樂有擲倒伎。疑即翻金斗也。翻金斗義。起於簡子之殺中山王，後之工人，以頭委地，而翻身跳過，謂之金斗，一作筋斗。」轉引自《中文大辭典》第七冊，頁二十六。其中所述及史事，為《戰國策·燕策》中所載：「(趙王)令工人作為金斗，長其尾，令之可以擊人。與代王飲，而陰告廚人曰：『即酒酣樂，進熱歠，即因反斗擊之。』於是酒酣樂進，取熱歠，廚人進斟羹，因反斗而擊之。」（卷二十九，四庫四〇六冊，頁四三七）

[77]清翟灝《通俗編》：「李氏疑耀云：孫與吾韻會定正于跟字注云：腳跟也。又：跟頭戲，倒頭為跟也。觔斗二字，當從跟頭。今作筋斗，兩字皆誤。」（卷二十一，頁二四五）跟，腳跟也，頭是腦袋，所以「翻跟頭」也就是腳與頭倒轉翻。至於跟頭，觔斗與筋斗並非字形訛誤，而是由於諧聲轉音的緣由，因而翻金斗，翻跟頭，翻筋斗，翻觔斗皆為語音之轉。

[78]「拿大頂」，也就是倒立的動作，頭向下，雙手著地，雙腳向上倒立，必須有良好的平衡度，以掌握身體的重心。「折腰」，為「柔術」表演中的一種，或為反腰貼地，彎曲身體到腰部向後折下，甚至於貼到地上；也有以雙足由身後柔軟地分置在頭的兩側，以手握住足脛的動作，這必須有極高的柔軟度，來彎曲肢體的各部位，以塑造各種形態，故稱為「柔術」。

[79]「安息五案」為漢魏百戲的節目，是在積累的桌子上，表演筋斗倒立的動作，《太平御覽》卷五九六，頁三十一。《文獻通考》卷一四七，頁一二八七等書皆載。安息，為古波斯國名，或因此技藝自古波斯國傳來；案指桌子，五案只是一種泛稱，因為在各種圖像上所顯示的桌子數目不一，如徐州畫像石上有兩案，內蒙和林格爾出土壁畫上為五案，四川郫縣東漢畫像石棺中，有九案，四川彭縣出土的畫像磚中，則多達十

二案。

[80]徐扶明推測「上高處」，大概是類似現在戲曲的高臺武功，把幾張桌子疊在舞臺上，演員從最高桌面上淩空翻下，類似京劇《金錢豹》中「臺漫」、「臺提」的動作；或是在在最高桌子上面做著各種輕巧動作，猶如京劇《時遷盜甲》中「卷窗」、「踹燕」的表演。請參見《元代雜劇藝術》，p.220。

[81]在戲曲武功特技中，有許多是在翻滾跌撲的動作上，演化發展出來的。關於其詳細的身法技巧，請參見陸建榮、王佩孚《戲曲武功特技選》。

[82]鄭法祥則不用「搶背」，其認爲此會貶低悟空威武勇猛的形象。其多半以案頭、加官、單躦子、單提、虎跳前撲、出場、跺子躦子等表現悟空動作神態。請參見《談悟空表演藝術》中〈筋斗功〉，pp.82-83。

[83]廖奔以爲此可能是《西遊記》中悟空借扇的情節。其論證請參見〈宋元戲畫四考〉，載於《戲曲研究》第二十四集，pp.251-253。

[84]《西遊記》中大兄爲齊天大聖，老二爲通天大聖，兄弟爲耍耍三郎，其中大鬧天宮的是通天大聖孫行者，亦爲本劇主角，與《二郎神鎖齊天大聖》一劇在角色行事上有所顛倒。

[85]鐘鼓司又稱爲「御戲監」，明洪武二十八年置，《明史·職官志》載：「掌管出朝鐘鼓、及內樂、傳奇、過錦、打稻諸雜戲。」（卷七十四，頁一八二〇）與隸屬禮部外廷教坊的教坊司，同樣負責宮廷中樂舞與戲曲的演出。

[86]論述戲曲武功訓練的書籍中，多有提到「毯子功」，意指在毯子上練習翻撲騰跌等各種筋斗技巧，概括有基本功、硬毯子功、軟毯子功、雙人翻騰、翻撲跌倒、桌子功、彈板功等類型。中國戲曲學院所編《戲曲表演毯子功教材》中，即以基礎動作、短筋斗、長筋斗、軟毯子功，走跤、彈板筋斗等六類筋斗的練習，作爲毯子功的訓練課程。

[87]從李聲振《百戲竹枝詞·豎蜻蜓》中的描繪，我們可以清楚得知蜻蜓豎立的形象「（亦反腰戲，但此則以手帖地行，或托於掌上，反雙足上舉，殊顛倒之甚也。又名「蝎子步」。）雙足翹翹轉踏空，步來反掌似生成。自從看罷蜻蜓豎，始信人間有倒行。」

[88]古峰將戲曲筋斗分爲基本的輔助筋斗、單筋斗，與較複雜的長筋斗、翻滾筋斗、雙人筋斗、桌類筋斗等六大類，請參見《戲曲筋斗練習方法》一書。

[89]遲月亭爲楊隆壽的學生，爲楊小樓的老搭檔，以翻筋斗著稱。「法」是行話，也寫作翻兒、法兒。請參見〈記徐蘭沅先生談戲曲口訣三則〉，載於《戲劇報》1962.3。

[90]本劇在《元曲選》、《元人雜劇選》中名爲《緋衣夢》，此段情節均被刪除。

[91]晉傅元〈正都賦〉：「乃有材童妙伎，都盧迅足，緣修竿而上下，形既變而景屬，忽跟挂而倒絕，若將墜而復續，縈龍蟠，委隨紆曲，杪竿首而腹旋，承嚴節之繁促。」竿木的表演形式衆多，戴竿只是其中一種，而其名稱也因動作或來源而有分歧，或稱上竿、緣竿、扶盧、都盧、尋橦、木熙、唐梯、獼猴幢伎等。

[92]據〈資治通鑑·齊紀〉載：「南齊東昏侯爲一擔橦迷，白虎橦高七丈五尺，能于齒擔之，折齒不倦。」無視於牙齒折斷反復耍弄，可見東昏侯的沈迷。

[93]任中敏《教坊記》中另引了蘇軾《池州筆記》中的記載，可與此相對照。請參見pp.56-57。

[94]《原化記》載：「唐開元中，數敕賜州縣大酺。嘉興縣以百戲與司競勝。直獄者語於獄中云：我等但一事可觀，即獲財利，歎無能耳盜。因曰：吾解繩技。吏白于監主，主召問曰：繩技人常也，又何足異乎。因曰：

衆人繩技，各繫兩頭，然後於其上行立周旋。某只消一條繩，粗細如指，二十尺，不用繫著，抛向空中，騰擲反覆，無所不爲矣。官大驚悅，明日，吏領至戲場，此人捧一團繩，計百尺餘。置諸地，將一頭手擲空中，初抛二三尺，次四五丈，仰直如人牽之。衆大驚異，後乃抛高五十餘丈，仰空不見端緒。此人隨繩運手，尋身足離地，抛繩虛空，其勢如馬。旁飛遠颺，望空而去，脫耳犴狴，此日焉。」（《太平廣記》頁一四四九）。

[95]劉言史〈觀繩伎〉詩:「秦陵遺樂何最珍，綵繩冉冉天仙人。廣楊寒食風日好，百夫伐鼓錦臂新。銀畫青綃扶雲髮，高處綺羅春更切。重肩按立三四層，著屐背行仍應節。兩邊圓劍漸相近，側身交步何輕盈。閃然欲落卻收得，萬人肉上寒毛生。危機險勢無不有，倒挂纖腰學垂柳。下來一一芙蓉姿，粉薄佃稀態轉奇。坐中還有沾巾者，曾見先皇初教時。」載記了唐代繩技的表演場地、伴奏、服飾，與藝人高超的技藝，恰可與封氏所記相參照。

[96]David Hawkes指出其無法同意飾演被吊者的演員，兩手放在背後，站在戲臺上、或戲臺桌子上或其他東西上，假裝自己已經被吊起。同時對白顯現有一段時間吊者未被看見，故肯定元劇院中定有用來製造這種特殊效果的工具或方法。請參見〈環繞幾本元雜劇的一些問題〉載於《中國文學論著譯叢》下冊pp.584。此說法還可再加補充。因爲元劇團雖可能在設備較完整的勾欄中演出，但也有很多是在廟臺搬演，且劇團衝州撞府隨處做場。因而砌末道具的設置應以精簡爲主，筆者以爲在舞臺角落運用繩技是最合適的方式。

[97]蛤蟆大仙變化的王道陵，向許仙說明白素貞爲妖怪，給予靈符一道以剋妖虐。詭計爲白蛇知曉，命青蛇將王道陵擒回吊打嚴懲。舞臺設計從空中降下繩索，由演員自己懸吊於空中，並在其上變化倒掛金鉤、蛤蟆游

水等雜技技巧。四川省川劇院七十二年五月間曾來臺於演出。

[98]從金院本中《打青提》的劇目，以及張岱《陶庵夢憶》中有關目連戲的記載「如度索舞柦、翻桌翻梯、筋斗蜻蜓、蹬罈蹬臼、跳索跳圈、竄火竄劍之類。」可以推想宋雜劇中應也有類似的技藝搬演。有關目連戲探討的文章資料甚多，大都肯定其含有衆多雜技武術的搬演，有關此問題將待後續研究繼續鑽研。

[99]鞭可分爲軟鞭與硬鞭兩種，軟鞭俗稱九節鞭，借助手臂搖動與身體的轉帶，來增加動力與改變圓心及方向，有單鞭與雙鞭之分；硬鞭一種爲竹節鋼鞭，行如竹根。一種爲水磨鋼鞭，不算柄共有十三節，鞭尾有堅木或鐵制柄，鞭頭鞭尾皆可握，能兩頭使用。劇目中有時形容爲竹節鋼鞭，有時則描繪成水磨鞭。

[100]打出手與出手有所不同，廣義的出手爲腳色將手中各種兵器有意識的脫手技巧；而打出手有上、下把之分，著重於「打」字，指敵對雙方間相互地拋、擲、踢、接武器的表演，必須由兩人以上，或三人、五人、七人、乃至多人的群體來完成。藝人「九陣風」閻嵐秋可算是此中宗師。

[101]有關把子的套路可分爲單槍、單刀、雙槍、雙刀、男女生大刀姿態等，包含有各種套子、功架、動作、姿式。請參見中國戲曲學院編《戲曲把子功》，孫盛雲編著《戲曲表演把子功教材》。

[102]有關秦始皇秦俑考古挖掘報告極多，此處綜合諸說載錄。《中國考古文物》中有專輯介紹，圖文並茂。有關戰陣的分析理論，乃參引張純本、崔樂泉《中國武術史》一書。

[103]明《雙珠記》中載：「(小外）軍士們傳令下去，把人馬扎住，一字兒擺定，勿得擅動，待他來時，然后交鋒。」（第三十三齣）又京劇《蘆花蕩》中張飛云：「將陣勢與我一字兒排開」。由兵卒（龍套）擺成一字準備作戰開打的樣式。具體表演方式，請參見上海戲曲學校郭建英編

著《戲曲龍套教材》，與葉仰曦、魯田《戲曲龍套藝術》。

[104]元雜劇中「雜當」是扮演一些無關緊要的配角，如小廝 、夥計、家人等，這些作戰時的軍卒、神怪戲中的水卒等，應是歸屬於此一行當。而後戲曲腳色行當分工越趨細密，但大致可統整爲生旦淨丑雜五大行當體制。其中「雜行」包括流行（龍套）、武行、零碎與其他雜色。

[105]其運用了龍套「二龍出水」的會陣交戰組合隊形，請參見譚偉〈婺劇表演藝術的特點〉載於《戲曲研究》第十三輯，pp.38-59。

[106]《高麗史·樂志》爲李朝文宗元年（1451年，明景泰二年)修纂，其中載睿宗九年（1451年，宋徽宗四年）贈樂舞事。那時傳去的樂舞有《獻仙桃》、《五羊仙》、《抛毬樂》、《蓮花臺》等。董錫玫曾將其中的《獻仙桃》與宋史浩《鄮峰眞隱漫錄》所記《太淸舞》加以比較，更確證其與隊舞的關係。請參見《中國舞蹈史·宋元部份》，p.82-83。另外朝鮮所編纂的《樂學軌範》、《進饌儀軌》、《進宴儀軌》等書，亦載記有朝鮮古典樂舞，提供與宋隊舞的相關資料可供參考。

[107]劉慧芬引證宋刊本《太平御覽》卷五六七「樂部」引《樂府雜錄》的記載，說明此「毬」應是「毯」字筆寫形近之誤，乃指在「舞筵」一類的小圓地毯上表演。並引證許多圖像資料作爲解說，請參看〈胡旋舞與胡騰舞〉載於故宮《文物光華》，pp.368-379。

[108]曾師永義認爲此即如沂南漢畫像磚中「盤舞」的場面；而董錫玫則指出歐陽予倩在京劇《楊貴妃》中，也採用了登盤而舞的表演，據說是用了機關佈景，盤可以自由轉動，舞蹈臥魚姿態特別優美。請參見上揭書，p.144。

[109]白居易〈霓裳羽衣歌——和微之〉詩中對舞者的服飾，演奏的樂器，全曲散序、中序、曲破等不同遍數的音樂特點，與隨之而變化的舞姿，擅長此舞的歌妓優伶，與舞曲的製作者等，做了詳細生動的描述。本段主

要引錄其詩文。《全唐詩》卷四四四，頁四九七〇～四九七一。

[110]有關於霓裳羽衣舞的表演形態，意境思想，創作宗旨，請參見袁禾《中國舞蹈意象論》，p.149-152。

[111]元代大德五年，馬臻隨江西龍虎山張天師北上上都（灤京）朝見元成宗，其〈大德辛丑月十六日灤都棕店朝見謹賦絕句〉第三首詩作中即描寫宮中演劇情境。載於《霞外詩集》卷三。

[112]曾師永義提出民間故事傳說的發展，大都經過基型、發展、成熟三個階段，而使其孳乳展延的因素，可分爲文人學士的賦詠，庶民百姓的說唱與誇飾兩個來源；民族的共通性、時代的意義、地方的色彩、文學間的感染與合流四條線索。請參見〈從西施說到梁祝——略論民間故事的基型觸發合孳乳展延〉，載於《說俗文學》，pp.159-172。

[113]這一幅畫，筆者並未得見。依侯光復所記載，繪於元至正十八年以前。其並指出其與馬致遠、谷子敬的劇作中的八仙人物相符。請參見〈談元代神仙道化劇與全眞教聯繫的問題〉，載於《中華戲曲》第一輯，p.117。

[114]元中葉全眞道士苗善時《純陽帝君神化妙通紀》中有〈度曹國舅第十七化〉、〈度何仙姑第十九化〉與〈探徐神翁第三十六化〉等篇，對其三人事跡記敘較爲詳盡。其中曹國舅：「丞相曹賓之子，曹皇后之弟，美貌紺髮，秀麗敏捷，本性安恬，天資純善，不喜富貴，酷慕清虛。……一日持上及后，上問何往，日：『道人家信意十方，隨心四海。』上與后阻擋數次，賜鞍馬人從，皆不受。上賜一金牌，刻云：『國舅到處，如朕親行。』遂三五日忽不知所往。惟持笊籬化錢度日。……」可見金牌笊籬確爲其身分表徵。而何仙姑的裝扮服飾，文中則絲毫無所言及。今於篇末附錄元雜劇中所見的八仙形象，做一比照。

[115]請參見車錫輪〈八仙故事的傳播和「上中下」八仙〉，與呂洪年〈略論八仙傳說〉，載於《民間文學論壇》1985.4；以及劉守華《道教與民間

文學》中第三章〈八仙傳說的魅力〉等相關資料。

[116]請參見臺中新豐園《蟠桃會》劇本，載於陳玲玲《八仙在元明雜劇及臺灣扮仙戲中的狀況》，文化大學藝術研究所碩士論文附錄。其並引柏卡德(V. R. Burkhardt)在《中國人的信仰與風俗》(Chinese Creeds and Customs）中的推論，說明何仙姑自小受後母虐待，衣食不飽。所以當其被點化到達仙境時，手中還拿著盛湯的勺子。或許即是其拿笊籬的緣由。

[117]陳玲玲從扮仙戲總排隊與二字隊爲直線形，正推倒推呈曲線狀變化，但有一定的方向，且來回重複。此四種皆可歸納爲「單純的線形」。同上揭書，p.90。

[118]邱坤良認爲宋時的竹馬舞隊已有基本的表演型式，演員其先或仍由幼童擔任，但已經以化妝來「喬裝男女」。至於竹馬的型式，並非再用竹竿，很可能就是我們在各種民間戲劇裡，所能看到的竹馬——用竹編成馬型，再覆蓋一層布，由人居中作騎馬狀，也就是民間遊藝中「竹馬燈」的型式。請參見《現代社會的民俗曲藝》，p.250。

[119]如清李聲振《百戲竹枝詞·竹馬燈》詩與題解：「元夜兒童騎之，內可秉燭，好爲『明妃出塞』之戲。詩云：『豈爲南陽郭下車，篠驂錦袄倩人扶。紅燈小隊童男好，月夜胭脂出塞圖。』」轉引自《北京傳統節令風俗與歌舞》，p.29；清紀昀〈烏魯木齊雜詩〉以「元夕，各屯十歲內外小童扮竹馬燈，演昭君琵琶雜劇，亦頗可觀」之事，作了一首詩云：「竹馬如迎部細侯，山童丫角轉清謳。琵琶彈徹明妃曲，一片紅燈過彩樓。」轉引自趙山林《歷代詠劇詩歌選注》，p.420。

[120]但在清代的《昇平樂事》(彩圖㊹）以及《歡洽寰區》中，則明顯地是以馬頭與馬尾分成兩截繫在身上，同時還有弓箭、鑼鼓等配置；金廷標的《嬰戲圖》(圖㊿)，則以竹竿上絡馬頭，尾端加上輪子更便於跑動。

其旁還有一隻哨吶，增添了肅殺熾熱的戰場氣氛；而明代的竹馬大抵類同金廷標所繪，然在題材上似以狀元遊街，皇帝出巡等故事為主，如仇英《人物圖》中（彩圖㊺），官服官帽的官吏打扮。可見得竹馬有不同的製作形式與題材內容，這些童戲游藝可視為當時社會生活的投影，極有可能與戲曲相互影響學習。

[121]以臺灣的布馬戲為例，無論是搬演《瘋老爺》、《狀元遊街》、《騎驢探親》等任一故事題材，都參雜有餵馬、籠馬、扯馬、洗馬等身段，作為表演的基本情節動作。

[122]《黑旋風》：「【一半兒】我適纔途中馬上見他些那，一個婦人疊坐著鞍兒把身體趄，那一個喬才橫捽著鞭兒穿插的別，我打個模狀兒說，可不道有一半兒朦朧倒有一半兒切。【後庭花】那廝綠羅衫條是玉結，皀頭巾環是減鐵。他戴著個玉頂子新稷笠，穿著對錦沿邊乾皀靴。那廝暢好是忒車庶，且莫說他駥兒小鴿。吹筒粘竿有諸般來擺設，只他馬兒上更馱著一個女艷冶。」戲中如果採用較為具體的馬形，更能突顯出男女竹馬詼諧逗趣的情趣。

[123]徐扶明以為若以扎竹馬燈的形式，是很難表演洗馬的。是以元雜劇中的竹馬，應是採用竹竿來寓意馬匹，如後世戲曲表演洗馬，乃是以鞭代馬，放在一旁。而藉由演員的虛擬動作，表現刮洗、整蹬、鞍韂的過程。請參見《元代雜劇藝術》，p.225。

[124]福建龍溪地區的竹馬戲，開場時必定以竹竿代馬，表演「跑四美」；京劇富連成科班演《請清兵》，梅蘭芳、尙小云等演昭君出塞，以「大跑竹馬」為號召，則是用竹篾扎成馬形的骨架，分成前后兩半綁在腰間；而浙江溫州的和劇、廣東海陸丰的正字戲，都保留有騎馬形的表演。參引自周育德〈竹馬說〉，載於《戲曲研究》1980.2，p.340。

[125]現今民間舞蹈中的旱船表演，是以竹子或木頭為骨架扎成的船形，外

面再糊上紙布，飾以彩綢與紙花。表演者居於船其中空間，用寬布將船繫在身上，然後再穿上衣褲，裝上假腿盤放在腹前，以雙手拎住船邊，運用平穩快速的碎步行走，彷彿在水中行船的表演，故名。而隨著各地船形的差異，在名稱上也有所變化，如稱「蕩湖船」、「打漁船」、「采蓮船」、「采龍船」、「花船燈」、「陸地行舟」等，但其表現的形式基本上是大同小異的。

[126]請參見《美術辭林——舞臺美術卷》中的〈機關砌末〉，p.230。

結　論

雜技，爲一切遊戲技藝的總稱，指攝著各種「奇巧技能」。其源起於狩獵農牧，部落爭戰，宗教祭儀，樂舞遊戲等先民文化中，在長久的流傳發展過程裡，與人們的生活習俗、情感信仰緊密依附。是以無論在宮廷宴享、或勾欄作場、或廟會社火的活動場合，都可見到其活潑熱鬧、多元繽紛的技藝展演。

歷代以來雜技所囊括的品目，隨著時代的演進而有所增減變化、繼承創新，並有著「散樂」、「角抵」、「百戲」、「雜戲」、「把戲」、「雜耍」、「雜嬖」、「技戲」等不同稱呼。或是強調其散在四方的民間性；或是說明其角力競技的衝突性；或是著重於其形式的多樣化；或是指出其耍弄遊戲的技藝特質等。大體而言，從名義上具現了其「散」、「百」、「雜」的多元品類；以「技」來顯現其技巧與技藝性；而用「戲」來泛稱遊戲或具有戲劇的表演成分。

戲，從《說文》本義來看，與戰鬥有關「三軍之偏也，一曰兵也。從戈，虛聲」，具有著「角力比武」的意思；而後從軍事的戰鬥模仿，兵杖玩弄，衍生出「戲豫」、「戲謔」的引申義，具有著「裝假耍樂」的遊戲性表演，二者都密和了雜技「游藝競技」的本質。由於雜技囊括了各類的表演技藝，如雜耍、樂舞、說唱、優伶表演等，且基於在長期同臺競演、相互涵養的契機下，遂逐漸地發展成熟，獨立分化爲個別的藝術門類。其中具有著多元血統的「戲曲」，從先秦萌芽孕育到宋元獨立成形，也是一直在雜技的溫床中汲取養分。

從歷史分期的來看，戲曲從周代戲禮、漢代戲象到隋唐戲弄的發展階段，其實都脫離不了「角觝」的範疇。角觝原是牛羊相抵的形象，被藉以作爲「講武之禮」的武功射御競技，發揮體育式角觝的本質，運用「大武」來教育貴族子弟；在神話義涵上，基於萬物有靈的圖騰崇拜，加上對於先祖英雄的崇拜緬懷，遂發展爲追念黃帝戰功的「蚩尤戲」，表露儀式性的角觝功能。所以在以祭祀禮樂爲主體的周代「戲禮」中，爭鬥競技的戲劇衝突已逐漸孳生。

漢代神仙思想的風行，投射出對仙境神怪的想像憧憬。經由「觀物取象」、「立象盡意」的思想法則，從天地中取象模擬，或假扮爲仙人歌舞的「總會仙倡」，或模仿作「魚龍曼延」的奇禽異獸，或化身成「東海黃公」等各色人物，形成漢代「戲象」喬妝扮飾的特質。再配合運用無中生有、詭誕惑人的幻術戲法，來貫串豐富故事劇情的進展，角觝的娛樂性與技藝性漸次增強，顯現出較完備的戲劇因子。

隋唐威盛的國力，聚合了胡漢中西，側重於政治社會、現實人生的反映嘲弄。具有歌舞小戲性質的唐代「戲弄」，綜合了歌舞樂白、喬妝假扮、調弄搬演等表現手法，呈現出「蘭陵王」著戴假面的戰鬥情境，「踏謠娘」歌舞唱念的戲樂場面，「參軍戲」滑稽諷諫的毆打表演等，遂形成戲弄式的角觝歌舞，加深了刻畫人物形象、鋪敘故事劇情的抒情敘事功能，奠立了初步的戲劇形態。

宋金時期，宮廷宴享頻繁盛大，設立了專門的部色組織，並使雜劇躍居於正色的地位；都會經濟的蓬勃熱絡，產生了專業的勾欄劇場，促成技藝品質的提升精進；鄉鎮農村的迎神賽會，形成了路岐的散樂班社，積綻出虛擬寫意的表演美學。宋金雜劇院本在民間小戲，與宮廷小戲的基礎上茁壯，形成了「小戲群」的結構體制；而宋元南戲進而將這些歌舞科白、雜技技藝有機組合，朝向整體的戲曲藝術邁進。

元代從「院么」發展過渡爲元雜劇，貫串了四段式的小戲群結構，形成「一本四折」的搬演體制及「一正衆外」的腳色特質。在「故事文學」的核心下，由「務在滑稽」的詼諧表演旨趣，轉化爲人倫教化的社會功能，開闊了劇目題材的表演內容；在「戲不離技」的原則下，結合運用雜技樂舞等表演技藝，衍生出或偏重唱功、或傾向作表，或專長武打的專工戲路。在長期的藝術實踐與鍛鍊下，積累出各種身段科汎與表演程式，融鑄出豐富的舞臺藝術語彙，戲曲終於分化爲專門的藝術品類。

從先秦角觝到元代雜劇，雜技與戲曲經歷了孕育成長、混合參雜到結合吸收的不同歷史階段，呈現出交流借鏡的關係脈絡：

一、題材內容

先秦時作爲宗教祭儀的戲禮，主要表達對先祖象功昭德的緬懷；漢代透過喬妝變幻的戲象手法，渲染出色彩濃厚的圖騰神話；隋唐則發揮調笑嘲弄的戲弄特質，揭露社會人生的眞實面；宋金則傳延優笑諷諫的科白小戲，與戲謔扮飾的歌舞小戲，反映出宮廷朝政與市井百態。元雜劇在這些題材上繼續增衍，從話本小說、歷史演義、以及現實人生的際遇與抱負取材，成爲名副其實的「雜」劇。而配合著演員專精的表演技藝，觀衆的欣賞品味，逐漸形成劇目的類型化，具有著基本的故事架構，固定的關目排場，與情節開展的模式，穿插著各種雜技手法的運用。而明清戲曲在這些資源上，繼續耕耘開拓，創作出「唐三千、宋八百、數不清的三列國」等劇目。

二、武打技藝

從體育式的角觝競技，到戲弄式的角觝歌舞，雜技提供了戲曲「做打」的藝術原型。「大武」中的隊形戰陣，「蚩尤戲」中的角力比武，「東海黃公」中的持刀搏鬥，「蘭陵王」中的對打擊刺等，都結合了角觝與武術，成爲武藝的表演形式；宋代的諸軍百戲，具有著濃厚的故事性，與軍事操練的性質，「撲旗」、「板落」、「蠻牌調陣子」等兼具雜技特質的表演技藝，也被應用到元雜劇中，成爲戲曲武功的程式科泛，並進一步地發展出翻滾跌撲，各種筋斗技巧的「毯子功」，與砍殺擊刺等刀槍箭靶的「把子功」。有徒手格鬥的角觝相撲，也有對打擺陣的套路技術，能夠充分地表現爭交較量、對敵格鬥或戰場廝殺的場面，成爲武戲中「短打」與「長靠」類型的濫觴。

三、歌舞身段

戲曲以「歌舞」演故事，歌舞具有抒情敘事的機能，能夠表達人物的思想情感，敘述故事的情節發展。先秦的文舞與武舞爲祭祀樂舞的主流；「總會仙倡」中總集仙人神獸的歌舞會演，「踏謠娘」且步且歌、或搖頓其身，成爲「弄字戲」的歌舞鼻祖；宋金雜劇院本中大量的爨段，與標注有曲調的劇目，都說明了樂舞的組合。漢唐以來的宮廷樂舞，如盤鼓舞、胡旋舞、劍器舞等，結合了雜技的表演技藝；而組織龐大的隊舞，具有著故事情節的發揮，以及人物的裝扮，服飾道具的配備；宋金時的社火舞隊，更是兼具雜技與歌舞藝術表演的大宗；元代則綜合運用各種歌舞形式，或成爲穿插式的展演，或成爲載歌載舞的身態舞姿。尤其藉由虛擬象徵的手法，從生活原型中提煉出來的身段科泛，既具寫實性又有寫意性，充分表現出「有聲皆歌、無動不舞」的舞臺藝術。明清戲曲舞蹈在此基礎上繼續前進，發展出細緻優美的歌舞程式。

四、角色行當

從業餘到專業、從巫覡到倡優、在秦漢時已有巫優合流的傾向，隋唐中則有專業藝人從事歌舞、科白小戲的表演。「踏謠娘」繼承著「弄假婦人」的傳統，成爲「裝旦」的前身；「參軍戲」中的參軍、蒼鶻，則延續「優孟衣冠」的特色，演化爲「副淨」、「副末」的雛形。宋金雜劇院本，則在此二小與三小的演員組織上，發展出「五花爨弄」的腳色行當，並有著俗稱與專稱的不同名義。而腳色只是一種符號標誌，必須透過演員的搬演，才能成爲劇中人物類型與性質的象徵，因而宋金雜劇院本滑稽嘲諷的特質，由副淨副末來擔綱演出，多半具有插科打諢、散說道念、呼哨筋斗等雜技百戲的本領；而元雜劇以曲唱爲主體，正旦、正末遂以歌舞聲情取代，形成「一正衆外」的主角地位，其中也引用不少自雜技樂舞所衍化的表演技藝。而隨著戲曲藝術的演進，各種角色分工形當也越趨精密，在明清之際趨於完備。

五、妝扮穿關

從儺儀、八蜡到角觝，基於圖騰崇拜與巫術祈願的需求，人們藉由喬妝假扮的形象模擬，化身爲各種腳色人物。是以秦漢時「魚龍曼延」、「總會仙倡」的象人之戲；「文康樂」、「蘭陵王」的代面之戲；「弄假婦人」、「弄假官」等喬妝戲弄；到宋金時大量「弄」、「喬」、「裝」的劇目，都不外乎是運用假頭假形，與粉墨塗面的手法來扮飾。元雜劇中延續著這種舞美的裝扮程式，若著重於表情的細緻刻畫，則用塗面或磕腦的形式，寓意象徵；若要發揮其威嚇中介的功效，則以假面或假形的方式，突顯造型。而各種服飾穿關的搭配，更有助於整體的人物型塑，在舞臺實踐的約定俗成中，形成特定的妝裹程式，亦為人物身分性格的符號表徵，成為後世舞美藝術的藍本。

六、舞美砌末

樂舞百戲在舞臺美術方面，歷來成就非凡。從「總會仙倡」中雲起雪飛、雷聲轟鳴的聲光音效；「魚龍曼延」中魚龍變幻、噴霧翳日的變化景觀；「折紅蓮隊」中碧波起伏、陸地行舟的機關道具；「棘盆百戲」中假形象人、扎彩動物的鰲山燈彩等，都顯現出舞美工藝技巧的高超。然而散樂藝人路岐做場、衝州撞府的表演形態，在行頭砌末的配置攜帶上，勢必得恪遵精簡寫意的原則；同時侷限的舞臺空間，無法容納繁複笨重的場景道具，因而透過「借扮」的手法，模擬再現各種實物具象。在「以少勝多，以繁御簡，以虛代實」的運用原則下，又綜合爆竹、煙火、口技、頂技、手技、蹬技等雜技技藝，營塑出各種虛擬象徵的舞臺時空。明清時則更進而發展出精采動人的戲曲特技，用以表現特殊的情感意象，人物造型與戲劇情境。

是以雜技在戲曲發展史中，提供了多面相的原始雛型，也促使戲曲在不斷地吸收涵養中，逐漸豐厚成型，並成為其後明清戲曲發展轉化的重要資源，實具有不容忽視的影響與定位。

參考及引用書目

歷史古籍（依經史子集順序）

十三經注疏本　藝文印書館　1965版

二十五史　北京中華書局出版　1959.9第一版　1989.9湖北第十一刷

洛陽伽藍記校注　北魏楊炫之　華正書局　1980.4第一版

荊楚歲時記校注　梁宗懍原作　王毓榮著　文津出版社1989.8第一版　1992.6第二刷

東京夢華錄外四種　宋孟元老等著　大立出版社　1980第一版

文獻通考　馬端臨　臺灣商務印書館

古今圖書集成　鼎文書局　1977.9第一版

教坊記箋定　唐崔令欽撰　任二北校注　宏業書局　1973.1第一版

南村輟耕錄　陶宗儀　木鐸出版社　1982.5第一版

太平廣記　宋李昉等奉敕撰　文史哲出版社　1978.1第一版

三才圖會　明王圻纂輯　成文圖書公司　1974第一版

文選　梁蕭統編、唐李善註　華正書局　1984.7第一版

全唐詩十二冊　文史哲出版社　1987.12第一版

說文解字注　清段玉裁撰　漢京文化事業有限公司　1983.9第一版

景印文淵閣四庫全書　臺灣商務印書館　1983版

第三五〇～三五二冊：三朝北盟會編　宋徐夢華撰

第四六八冊：雲麓漫鈔　宋趙彥衛撰

第四八四冊：淳熙三山志　宋梁克家撰

第五七三冊：水經注　後魏酈道元撰

第七二九冊：韓非子　周韓非撰

第九二〇冊：事物紀原　宋高承撰

第一〇三六：王文正公筆錄　宋王曾撰

第一〇三七冊：聞見近錄　宋王鞏撰

第一〇五九冊：抱朴子　晉葛洪撰

第一一四一冊：鄮峰眞隱漫錄　宋史浩撰

第一四七八冊：中山詩話　宋劉攽撰

第二一一一冊：樂書　宋陳暘撰

叢書集成新編　新文豐出版社　1985.1版

第三二冊：紀效新書　明戚繼光撰

第三二冊：陣紀　明何良臣撰

第八十二冊：述異志　宋任昉撰

第九一冊：吳社編　明王穉登撰

第一八二冊：夷堅志　宋洪邁撰

近人著作（依各類目書名筆畫順序）

雜技民藝

小戲法　馮玉堂、王華芳編著　寶文堂書店出版　1988.8第一版

幻術奇談　周楞伽編著　上海古籍出版社　1993.12一版

中國古今民間百戲　黃華節　商務印書館　1979.1第一版

中國古代游藝史—樂舞百戲與社會生活之研究　李建民著　東大圖書公司　1993.2第一版

中國古典魔術　楊小毛、葛修瀚譯編　江蘇文藝出版社　1990.3第一版

中國百戲史話　葉大兵　浙江人民出版社　1985.3第一版

中國的魔術　傅騰龍、徐秋編著　人民出版社　1988第一版

中國新文藝大系　1949—1982　雜技集　夏菊花主編　中國文聯出版社　1988.11第一版

中國游藝研究　楊蔭深　商務印書館　1946.1第一版

中國雜技史　傅起鳳、傅騰龍　上海人民出版社　1989.9第一版

中國古代雜技　劉蔭柏　商務印書館　1993.12第一版

百戲奇觀　聶傳學　文化藝術出版社　1989.5第一版

百戲圖　殷登國著　時報文化　1994.1第一版

現代社會的民俗曲藝　邱坤良　遠流出版社　1983第一版

漢代樂舞百戲研究　蕭亢達　文物出版社　1991.12第一版

雜技精英　郁青主編　湖南少年出版社　1988.6第一版

雜技：超常的藝術　唐瑩著　中國文聯出版社　1991.2第一版

戲曲史論

中國古代戲劇史初稿　唐文標　聯經出版社　1985第一版

中國近世戲曲史　青木正兒著、王吉廬譯　臺灣商務印書館　1988.3臺五版

中國戲曲通史　張庚、郭漢城著　丹青圖書公司　1986年臺一版

中國戲曲通論　張庚、郭漢城主編　何爲副主編　上海文藝出版社　1989.9第一版

中國戲曲史漫話　吳國欽著　木鐸出版社　1983.7第一版

中國戲曲史話　彭興隆編著　1985.4第一版
中國戲曲文化概論　鄭傳寅著　武漢大學出版社　1993.8第一版
中國戲劇發展史　周貽白　學藝出版社　1977.4第一版
中國戲劇簡史　董每戡著　藍燈文化事業公司　1987.9第一版
中國戲劇史論集　趙景深、李平、江巨榮著　江西人民出版社　1987.5第一版
中國戲劇史　魏子雲著　學生書局　1992.3第一版
中國戲劇文化史述　余秋雨著　駱駝出版社　1987第一版
中國戲劇學史稿　葉長海著　駱駝出版社　1987第一版
王國維戲曲論著宋元戲曲考等八種　王國維著　純眞出版社　1982.9第一版
古劇說彙　馮沅君著　學海出版社
西域戲劇與戲劇的發生　曲六乙、李肖冰編　新疆人民出版社　1992.10第一版
元明清劇曲史　陳萬鼐著　鼎文書局　1987第一版
元代雜劇藝術　徐扶明　上海文藝出版社　1981.1第一版
元人雜劇序說　青木正兒著、隋樹森譯　長安出版社　1981.11臺一版
元雜劇所反應之時代精神　耿湘元著　文史哲出版社　1987.7第一版
元雜劇發展史　季國平著　文津出版社　1993.3第一版
元雜劇研究概述　寧宗一、陸林、田桂民　天津教育出版社　1987.12第一版　1989.7第二刷
宋元南戲考論　俞爲民著　臺灣商務印書館　1994.9第一版
宋元伎藝雜考　李嘯倉　學藝出版社　1982.5第一版

宋金雜劇考　胡忌著　上海古典文學出版社　1957第一版
金雜劇院本考　洪讚　文史哲出版社　1975版
明雜劇概論　曾永義著　學海出版社　1979.4第一版
明代傳奇之劇場及其藝術　王安祈著　學生書局　1987.5第一版
明代戲曲五論　王安祈著　大安出版社　1990.5第一版
南戲論集　中國戲劇出版社　1988.12第一版
南戲新證　劉念茲著　中華書局　1986.11第一版
南戲研究變遷　金寧芬著　天津教育出版社　1992.5第一版
唐戲弄　任中敏著　漢京文化公司　1985第一版
戲劇發生與生態　葉長海著　駱駝出版社　1990.12第一版

戲曲專論

大綜合舞臺藝術的奧秘—中國戲曲探勝　許祥麟、陸廣訓編著　高等教育出版社　1990.1第一版
中國文學論著譯叢—戲曲類　王秋桂編　學生書局　1985第一版
中國市井文化與傳統曲藝　段玉明　吉林教育1992.6第一版
中國古典戲曲論著集成　十冊　中國戲劇出版社　1959.7第一版　1982.11第四刷
中國古典戲劇的欣賞與認識　曾永義　正中書局 1991.11第一版
中國歷代劇論選注　陳多、葉長海選注　湖南文藝出版社　1987.7第一版
中國戲曲與中國宗教　周育德著　中國戲劇出版社　1990.12第一版
中國戲曲臉譜文集　黃殿旗輯　中國戲劇出版社　1994.5第一版
中國戲曲與社會諸色　路應昆著　吉林教育　1992.6第一版
中國戲曲通論　張庚、郭漢城主編　上海文藝出版社　1989.9第

一版
中國戲班史 張發穎著 瀋陽出版社 1991.11第一版
古典戲曲美學資料集 隗芾、吳毓華編 文化藝術出版社 1992.10第一版
民族戲曲散論 唐湜著 上海古籍出版社 1987.9第一版
江淮戲曲譜 安徽省文化局文學研究所編 安徽文藝出版社 1985.1第一版
青樓集箋注 元夏庭芝著 孫崇濤、徐宏圖箋著 中國戲劇出版社 1990.10第一版
佛教與戲劇藝術 陳宗樞著 天津人民出版社 1992.12第一版
周貽白小說戲曲論集 沈燮元編 齊魯書社 1986.11第一版
周貽白戲劇論文選 周貽白 湖南人民出版社 1982.5第一版
參軍戲與元雜劇 曾永義 聯經出版社 1992.4第一版
傀儡戲考原 孫楷第著 上雜出版社 1952.9第一版
現代中國戲劇考察錄 日本松原剛著、叢林春譯 中國戲劇出版社 1992.6第一版
詩歌與戲曲 曾永義著 聯經出版社 1988第一版
說劇 董每戡著 人民文學出版社 1981.2第一版
說戲曲 曾永義著 聯經出版社 1983第一版
傳統文化與古典戲曲 鄭傳寅著 湖北教育出版社 1990.8第一版
講唱文學、元雜劇、民間文學 譚達先 貫雅文化 1993.7第一版
戲曲表演規律再探 阿甲著 中國戲劇出版社 1990.11第一版
戲曲美學論文集 張庚、蓋叫天著 丹青圖書公司 1987第一版

戲曲筆談　趙景深著　上海中華書局編　中華書局　1962.11第一版
優語集　任中敏輯　上海文藝出版社　1982第一版

表演藝術

中國戲曲表演技術述要　李熙編著　文華圖書公司　1981.5香港第一版
手眼身法步——國劇旦角基本動作　梁秀娟著　遠流出版社　1983.1第一版
國劇把子大全　馬儷珠編著　開俐實業　1986第一版
國劇龍套　國立復興劇藝實驗學校編印
粵劇南拳　花城出版社　1985.3第一版
談傳統戲曲表演藝術的形體鍛鍊　白雲生著　通俗文藝出版社　1957.2第一版
談悟空表演藝術　鄭法祥　上海文藝出版社　1963.11第一版
戲曲武功與墊上體操技巧　馬莉珠編著　開俐實業　1989第一版
戲曲武功特技選　陸建榮、王佩孚著　中國戲劇出版社　1993.3第一版
戲曲龍套藝術　葉仰曦、魯田　中國戲劇出版社　1983.4第一版
戲曲龍套教材　郭建英　上海文藝出版社　1962.5第一版
戲曲表演把子功教材　孫盛雲編著　中國戲劇出版社　1986.5第一版
戲曲把子功　中國戲曲學院編　文化藝術出版社　1983.10第一版
戲曲表演身段基本功教材　中國戲劇出版社　1982.2第一版
戲曲表演毯子功教材　中國戲劇出版社　1982.3第一版
戲曲表演的十要技巧　董維賢、曲六乙編寫　中國戲曲出版社

1960北京第一版
戲曲身段表演基礎訓練　萬鳳姝編寫　湖北人民出版社　1978.8第一版
戲曲筋斗練習方法　古峰　上海文藝出版社　1960.5第一版

劇本、戲曲工具書

永樂大典戲文三種校注　錢南揚校注　華正書局　1985第一版
元曲選　明臧晉叔編　共四冊　北京中華書局　1958.10第一版　1991.12北京第五刷
元曲選外編　全三冊　臺灣中華書局　1967.5第一版
全元雜劇（初編、二編、二編、外編）楊家駱主編　世界書局　1963.5第一版
西廂記集解　傅曉航編輯校點　甘肅人民出版社　1989.12第一版
宋元四大戲文　俞爲民校注　江蘇古籍出版社　1988.2第一版
金釵記及其研究　陳歷民　廣西師範大學　1992.10第一版
孤本元明雜劇　全十冊　臺灣商務印書館　1977.12臺第一版
校訂元刊雜劇三十種　鄭騫校訂　世界書局　1962.5第一版
馮夢龍全集　墨憨齋定本傳奇　魏同賢主編　上海古籍出版社
劉希必金釵記校注本　劉念茲　廣東人民出版社　1985.5
中國大百科全書－戲曲、曲藝　中國戲劇出版社　1983.8第一版
中國戲曲志·山西卷　文化藝術出版社　1990.12第一版
中國戲曲曲藝辭典　上海辭書出版社　1981.9第一版　1985.2第三刷
元曲釋詞（一至四冊）　顧學頡　王學奇　社會科學研究院　1983.11第一版
元明北雜劇總目考略　邵曾祺編著　中州古籍出版社　1985.6第

一版
古典戲曲存目匯考　莊一拂　上海古籍出版社　1982.12第一版
京劇知識辭典　天津人民出版社　1990.10第一版　1991.4第二刷
詩詞曲語詞匯釋（上下冊）張相　北京中華書局　1955.1第三版
詩詞曲語詞匯釋（增訂本）王瑛　北京中華書局　1986.1第二版
美術辭林——舞臺美術卷　陝西人民出版社　1989.7第一版

舞蹈、曲藝

中國古代舞蹈史綱　彭松、于平主編　浙江美術學院出版社　1991.6第一版
中國古代舞蹈史話　王克芬編著　人民音樂出版社　1980.1第一版
中國古舞與民舞研究　殷亞昭著　貫雅文化　1990.5第一版
中國民間舞與農耕信仰　張華著　吉林教育出版社　1992.6第一版
中國舞蹈發展史　王克芬著　南天書局　1991.10第一版
中國舞蹈史——先秦部份　孫景琛著　文化藝術出版社　1983.10第一版
中國舞蹈史——秦漢魏晉南北朝部分　彭松著　文化藝術出版社　1984.6第一版
中國舞蹈史——隋唐五代部分　工克芬著　文化藝術出版社　1987.2第一版
中國舞蹈史——宋遼金元部分　董錫玫著　文化藝術出版社　1984.第一版
中國舞蹈史——明清部分　王克芬著　文化藝術出版社　1984.8第一版

中國舞蹈史初編三種、二編兩種　蘭亭書局　1985第一版
中國舞蹈奇觀　費秉勛著　華岳文藝出版社　1988.12第一版
中國舞蹈意象論　袁禾著　文化藝術出版社　1994.5第一版
唐代舞蹈　歐陽予倩主編　上海文藝出版社　1980.8第一版
絲綢之路——樂舞藝術　新疆人民出版社　1985.12第一版
中國曲藝史　倪鍾之著　春風文藝出版社　1991.3第一版
曲藝論集　關德棟著　上海古籍出版社　1958.12第一版
曲藝民俗與民俗曲藝　倪鍾之著　百花文藝出版社　1993.11第一版
說唱藝術簡史　中國藝術研究院曲藝研究所　文化藝術出版社　1988.5第一版
敦煌壁畫樂史資料總錄與研究　牛龍菲著　敦煌文藝出版社　1991.2第一版

體育、武術

中華武術辭典　安徽人民出版社　1987.12　第一版
中國古代體育史　林伯原著　華聯出版社　1990.3第一版
中國古代體育史簡編　李季芳、周西寬、徐永昌主編　人民出版社　1984第一版
中國古代體育　徐永昌　北平師範大學出版社　1983第一版
中國古代體育文物圖集　邵文良編著　人民體育出版社　1986.6第一版
中國體育發展史　吳忠著　三民書局　1981第一版
中國體育史話　曠楠、胡小月、巴蜀書社　1989第一版
中國體育風俗　盛琦、丁志明編著　天津人民出版社　1992.12第一版

中國武術史略　松田隆智著　四川科學藝術出版社　1984第一版
中國武術史　張純本、崔樂泉著　文津出版社　1993.7第一版
神奇的武術　鄭勤、田雲清著　廣西人民出版社 1991.11第一版

考古、文物、儺戲

中國考古學文獻目錄1990—1949　文物出版社　1991.7第一版
中國考古學文獻目錄1949—1966　文物出版社　1978.12第一版
文物考古工作十年　1979—1989　文物出版社　1991.1第一版
中國古代銅鼓　文物出版社　1988.10第一版
中國美術全集　繪畫編18畫像石畫像磚　上海人民美術出版社　1988.4第一版
中國陝西社火臉譜　李繼友繪　上海人民美術出版社　1989.8第一版
京都古戲樓　周華斌　海洋出版社　1993.9第一版
四川漢代畫像石　巴蜀書社　1987.6第一版
宋元戲曲文物與民俗　廖奔著　文化藝術出版社　1989.2第一版
宋金戲曲文物圖論　山西師範大學戲曲文物研究所編　山西人民出版社　1987.11
河南新鄭漢代畫像磚　上海書畫出版社　1993.10第一版
河東戲曲文物究　傅仁杰、行樂賢等編　中國戲劇出版社　1992.6第一版
南陽兩漢畫像石　文物出版社　1990.6第一版
花山堐壁畫資料集　廣西民族出版社　1963第一版
陰山岩畫　蓋山林　文物出版社　1963.12第一版
雲南滄源堐畫的發現與研究　汪寧生　文物出版社　1985第一版
戲曲文物叢考　劉念茲　中國戲劇出版社　1986.3　第一版

嬰戲圖　故宮博物院出版　1993第一版
中國面具文化　郭淨　上海人民出版社　1992.2第一版
中國儺戲儺文化資料彙編　楊啓孝　施合鄭民俗文化基金會　1993.12第一版
儺蜡之風　蕭兵著　江蘇人民出版社　1992.6第一版

文學、民俗

中國俗文學概論　楊蔭深　世界書局　1985第一版
中國古代詩歌與節日風俗　韓廣澤、李岩齡著　天津人民出版社　1992.12第一版
中國一絕　李維琨主編　上海文化出版社　1993.12第一版
元代史　周良霄、顧菊英　上海人民出版社　1993.10第一版
李家瑞通俗文學論文集　李家瑞著、王秋桂編　學生書局　1982.4第一版
唐代民俗與民俗詩　何立智等選注　語文出版社　1993.12第一版
唐代樂舞書畫詩選　彭慶生、曲令啓選注　北京語言學院出版社　1988.8第一版
唐代音樂舞蹈雜技詩選注　傅正谷選釋　人民出版社　1991.3第一版
清徽學術論文集　張敬　華正書局　1993.8第一版
道教與中國民間文學　劉守華著　文津出版社　1991.12第一版
敦煌古俗與民俗流變——中國民俗探微　高國藩　河海大學出版社　1989.12第一版
詞曲論稿　羅沆烈著　香港中華書局　1977.8第一版
景午叢編　鄭騫著　臺灣中華書局　1972.1第一版
話本小說概論　胡士瑩

外文論著

中國藝能史——雜技の誕生がら今日まで　傅起鳳、傅騰龍　三一書房發行　1993.5.15初版第一刷

散樂源流考　尾形龜吉著　三和書房　昭和二十九年

學位論文

八仙在元明雜劇及臺灣扮仙戲中的狀況　陳玲玲　文化藝術研究所　1978碩士論文

元雜劇的劇場藝術　柯秀沈　臺大中文研究所　1988碩士論文

元劇科汎研究　曾蘭蕙　中國文化藝術研究所　1987.6碩士論文

元劇科諢研究　蔡靜娟　師大中國語文所　1981碩士論文

中國戲劇之淨腳研究　鄭黛瓊　文化藝術研究所　1988.6碩士論文

戲曲搬演論研究——以元明清曲牌體戲曲爲範疇　李惠綿　臺大中文研究所　1984.6　博士論文

關公「民間」造型之研究——以關公傳說爲重心的考察　洪淑苓　臺大中文研究所　1984.6　博士論文

單篇論文（依作者筆畫順序）

丁伋　「瓦子」解與「行院」解　《浙江省藝術研究》第二輯

孔瑾　論中國戲曲形成的新起源　《戲劇》　1993.2

王永敬　樂床辨　《戲曲研究》　1980.2

王兆乾　池州儺戲與成化本《說唱詞話》——兼論肉傀儡　《中華戲曲》第六輯

王長友　話說《眼藥酸》圖中的眼睛　《戲曲研究》第十六輯
王政　中國戲劇美學史前史初探　《汕頭大學學報》　1985.2
王秋桂　元宵節補考　民俗曲藝第六十五期　1980.5
王秋貴　中國戲曲形成期異說　《戲曲研究》第二十九輯
田進　唐戲弄俑　《文物》　1959.8
任中敏　戲曲、戲弄與戲象　《戲劇論叢》　1957.1
曲六乙　當代中國大陸儺學研究的歷史軌跡及其理論架構　《中國祭祀儀式與儀式戲劇研討會論文　83.5.12
朱印　漫談元代的雜技藝術　《雜技與魔術》　1994.1
朱杰勤　中國雜技考　《雲南學報哲學社會科學版》　1982.1
江亞玉　由形象特徵之演變談二郎神　《小說戲曲研究》第一集　pp.67-118
江琳　中國古代樂舞文物的分布及其分期研究　《舞蹈藝術》第三十四期　1992.2
吳戈　參軍戲，還是宋雜劇——浙江省黃岩縣靈石寺塔戲劇人物雕磚淺探　《中華戲曲》第十五輯
吳震　阿那斯塔 336 號墓所出戲弄俑五例　《文物》1987.5
吳雙連　論「戲」　《戲劇藝術》　1990.1
呂品　河南省博物館藏唐宋雕塑藝術小品淺析　《中原文物》　1990.4
呂品　河南滎陽北宋石棺線畫考　《中原文物》　1983.4
呂洪年　略論八仙傳說　《民間文學論壇》　1985.4
李大珂　元刊雜劇的價值　《戲曲研究》　1980.2
李大珂　曲海摭拾　《戲曲研究》第四輯
李大珂　曲海摭拾　《戲曲研究》第八輯

李春祥 略論元雜劇中的舞蹈 《曲苑》第一輯 1986
李頓 淺談戲劇定義及戲曲特徵 《淮北煤師院學報》 社科版 1984.1-2
李暢華、滕仲飛 試論我國戲劇的起源 《南寧師專學報》 1983.2
李嘯倉、余從、趙斐 關於中國戲曲史研究的幾個問題 《戲曲研究》 1958.2
車文明 露臺的興衰 《民俗曲藝》第九十九輯 1996.1
車錫輪 八仙故事的傳播和「上中下」八仙 《民間文學論壇》 1985.4
周育德 竹馬說 《戲曲研究》1980.2
周洪 雜技藝術要創新 《文藝報》 1983.3
周華斌 南宋《燈戲圖》說 《中華戲曲》第一輯
周華斌 商周古面具和方相氏驅鬼 《中華戲曲》第六輯
周華斌 中國早期劇場論 《中華戲曲》第十輯
周華斌 《蘭陵王》假面研究——兼述古歌舞戲及假面之源 《中華戲曲》第十五輯
周華斌 《蘭陵王》面具考——兼論日本樂舞蘭陵王源於中國 《民俗曲藝》第九十四、九十五輯 1985.5
周貽白 中國戲劇的起源與發展 《戲劇論叢》 1957.1
孟繁樹 說《百戲竹枝詞》 《戲曲藝術》 1984.3
林又泉 雜技的美學特徵 《文藝研究》 1991.6
林鶴宜 臺灣地區「中國古典戲曲研究」博碩士學位論文寫作概況（民國四十五年～八十二年） 國文天地 第九卷第五、六期 82.10.11

林鶴宜　從說唱到戲曲的唯美結合—談元雜劇征戰情節中的「探報」　淡江《文學與美學》研討會論文集第五集　pp.383-427

金惟諾、衛邊　唐代西州墓中的絹畫　《文物》　1975.10

金維諾、李遇春　張雄夫婦墓俑與初唐傀儡戲　《文物》1976.12

侯光復　談元代神仙道化劇與全眞教聯繫的問題　《中華戲曲》第一輯

俞大綱　中國百戲雜技發展小史　《俞大綱全集——論述卷》pp.107-151　幼獅文藝

洛地　「戲弄」辨類　《南京藝術研究》第十二輯

胡忌　「院本」之概念及其演出風貌　《中華戲曲》第八輯

胡忌　金元院本的流傳　《浙江藝術研究》第九輯

資料發現者胡忌、擬文者洛地　一條極珍貴資料發現—「戲曲」和「永嘉戲曲」的首見　《南京藝術研究》第11輯

姚寶瑄　試析古代西域的五種戲劇——兼論古代西域戲劇與中國戲曲的關係　《文學遺產》1986.5

胡雪岡、徐順平　試論早期南戲的舞臺表演藝術　《戲劇藝術》1984.4

唐瑩　雜技與舞蹈　《文化藝術》　1991.2

夏寫時　論我國民族戲劇觀的形成　《戲劇藝術》　1984.1

孫崇濤　徐宏圖　漢魏六朝俳優與散樂人說略　《藝術研究》第十四輯　浙江藝術研究所

孫崇濤　《張協狀元》與「永嘉雜劇」《名家論名劇》pp.1-20　首都師範大學出版社　1994.6第一版

孫景深　《大儺圖》名實辨　《文物》　1982.3

徐宏圖、叢樹桂 上虞的《啞目連》 《浙江戲曲史料》第二輯
柴俊澤、朱希元 廣勝寺水神廟壁畫初探 《文物》 1981.5
柴澤俊 古平陽地區戲曲文物資料彙編 《元曲鑑賞辭典》 pp.1465-1497 中國婦女出版社1988版
翁敏華 從南戲現存的幾個劇本看其表現藝術《藝術研究資料》第八輯
翁敏華 戲劇發生學二題 《戲劇藝術》 1992.1
高鑒 論中國戲曲藝術綜合媒介的歷史形態《哈爾濱劇作家》 1985.6
常任俠 談中國的雜技 《新觀察》 1954.13
常任俠 關於中國音樂舞蹈與戲劇起源的一考察 《人民戲劇》第一卷第六期
康保成 從打夜胡的被誤解看儺文化的起源 《戲曲研究》第四十二輯
張之中 從稷山戲曲雕磚看金院本的演出《戲曲研究》第十四輯
張庚 戲曲的起源 《文藝研究》 1979.1
張庚 戲曲的形成 《文藝研究》 1979.2.3
張啓超 元雜劇的「插曲」研究 《小說戲曲研究》第一集 pp.209-260
張愚 中國的民俗雜技 《復興劇藝學刊》 創刊號 1992.7
張夢庚 談雜技藝術——看中國雜技團的演出有感 《戲劇報》 1959.11
荷蘭伊維德著、胡忌譯 院本是十五、十六世紀戲劇文學的次要形式 浙江藝術研究第九集
郭亮 宋雜劇表演在臨安(杭州)《武林舊事》及其它 《藝術

研究資料》第八輯
郭亮 戲曲演員的舞臺適應——戲曲演員分工與形象構思 《戲劇藝術》 1981.4
郭亮 早期南戲表演探源《張協狀元》剖析 《戲劇藝術》 1982.4
陳古虞 場上歌舞局外指點——淺談戲曲表演的藝術規律 《戲劇藝術》 1978.4
陳多、謝明 先秦古劇考 《戲劇藝術》 1987.2
雪屏 讓雜技藝術沿著正確的方向前進 《人民戲劇》1976.4
寒聲、原雙喜、栗守田 宋金舞隊戲線刻圖看三晉文化 《中華戲曲》第十輯
寒聲、常之坦、栗守田、原雙喜 澤州三座宋金戲臺的調查 《中華戲曲》第四輯
寒聲 「五花爨弄」考析 《戲曲研究》第三十六輯
彭松 唐代舞圖與戲面——讀高千島的《舞樂圖》 《文藝研究》1981.1
景李虎 神廟與中國古代劇場 《戲劇藝術》 1993.1
曾師永義 從西施說到梁祝——略論民間故事的基型觸發合孳乳展延 《說俗文學》 p159-172 聯經出版社 1980.4第一版
曾師永義 明代帝王與戲曲 《臺大文史哲學報》第四十期 1993.6
曾師永義 論說「五花爨弄」 《中外文學》第二十三卷第四期
費秉勛 從宋代舞蹈的發展看我國戲曲形成過程中的部份軌跡 《藝術研究薈錄》第二輯 陝西省藝術研究所
黃竹三、張守中、楊太康 從北宋舞樓的出現看中國戲曲的發展

——山西中南部三通戲劇碑刻考述 《曲苑》第一輯
黃芝岡 什麼是戲曲，什麼是中國戲曲史？《戲劇論叢》1957.2
黃裳 雜技的地位 《黃裳論劇雜文》pp.331-335 四川人民 1984.6第一版
楊孟衡 宋金古劇在山西的流變——對上黨地區發現院本考辨 《戲曲研究》第二十六輯
楊泓 古文物圖像中的相撲 《考古》 1980.10
葉明生 一條通向戲曲藝術的潛流——散論「打野呵」及其形態演變 《戲曲研究》第二十五輯
葉德均 宋元明講唱文學 《小說戲曲叢考》 p.646 文史哲出版社
雷慶翼 也談《唐人勾欄圖》在戲劇發展史上的意義 《中華戲曲》第四輯
廖奔 北宋雜劇演出的形象資料——滎陽石棺雜劇雕刻研究 《戲曲研究》第十五輯
廖奔 宋元戲畫四考 《戲曲研究》第二十四輯
槐芾時 遼代寺觀樂與雜劇 《古藝拾粹》pp.116-122 時代文藝出版 1992.7
熊傳新 談馬王堆三號西漢墓出土的博陸 《文物》 1979.4
趙景深 中國戲曲的起源和發展脈絡 《文史知識》 1982.12
劉大海 釋「鶻」《戲曲研究》第二十一輯
劉峻驤 試論中國雜技藝術的源流（一、二、三）《社會科學戰線》 1980.2.3.4
劉慧芬 胡旋舞與胡騰舞 文物光華 pp.368-379 國立故宮博

物院 1991
歐陽友徽 目連戲中的啞劇藝術 《戲劇藝術》1990.2
蔣星煜 《唐人勾欄圖》在戲劇史上的意義 《戲劇藝術》1978.3
蔣星煜 雜技與中國戲曲 《上海藝術》 1994.2
鄭西村、馬必勝 「鶻伶聲嗽」考釋 《戲曲論叢》第二輯 1989.11
鄧邵基 元雜劇《薛仁貴衣錦還鄉》校讀記——兼談作者爲「喜時營教坊勾管」和作品的寫作年代問題〉《戲曲研究》第四十二輯
鄧運佳 武打戲灌口神 《中國川劇通史》pp.105-107 四川大學出版社 1993.4
黎新 談戲曲服裝的演變與發展 《戲曲研究》 1958.3
黎新 脫膊雜劇小考 《戲曲研究》 1958.1
黎薔 古代西域藝術與中國戲曲 《戲曲藝術》 1985.2
盧惠來 黃岩縣靈石寺塔戲劇雕磚 《戲曲研究》第二十九輯
薛兆瑞 宋代露臺考 《戲曲研究》第八輯
薛瑞兆 論宋代戲曲形成的標志及原因 《文學遺產》 1986.4
謝宇衡 我國戲劇正式形成時期與標志問題芻議 《成都大學學報》 1983.1
譚偉 婺劇表演藝術的特點 《戲曲研究》第十三輯
竇楷 試論「啞隊戲」 《中華戲曲》第三輯
羅錦堂 元人雜劇之分類 《錦堂論曲》pp.72-98 聯經出版社
顧峰 關於「五花爨弄」的再探討 《戲劇藝術》1983.2
山西晉城南社宋墓簡介 《考古學期刊》 1981.1
北京後英房元代居住遺址 《考古》 1972.6

吐魯蕃發現阿斯塔那——哈拉和卓古群墓發掘報告　《文物》1973.10
安陽隋張盛墓發掘記　《考古》　1959.10
西安榆林窟勘查簡報　《文物參考資料》　1956.10
武威磨嘴子48漢墓出土文物　《文物》　1979.12
法庫葉茂臺遼墓記略　《文物》　1975.12
青海大通縣上孫家寨出土的舞蹈紋彩陶盆　《文物》1978.3
泉州灣宋代海船發掘報告　《文物》　1975.10

附錄：元雜劇中八仙的穿關

	元刊本《竹葉舟》 （擺八仙隊子上） 第四折	元曲選《竹葉舟》 第四折
張果老	。勝仙花曾遊大羅	倒騎驢疾如下坡
漢鍾離	落腮鬍常帶醉顏酡	雙丫髻常喫的醉顏酡
李鐵拐	髮蓬鬆鐵拐斜拖	蓬鬆鐵拐橫拖
藍采和	綠羅衫笑舞狂歌	綠羅衫拍板高歌
韓湘子	。曾將那華陽女度脫	藍關前將文公度脫
呂洞賓	邯鄲店黃粱夢經過	夢黃粱一晌滾湯鍋
徐神翁	吹鐵笛韻美聲和	吹鐵笛韻美聲和
曹國舅		
何仙姑	。口略綽手拿著個笊籬	貌娉婷笊籬手把
張四郎	（未明確註明八仙姓氏）	

	元曲選《岳陽樓》 第四折	元曲選《鐵拐李》 (衆仙隊子上奏樂科) 第四折	元曲選《金安壽》 （八仙上歌舞科） 第四折
張果老	趙州橋騎倒驢	驢兒快	倒騎的驢兒快
漢鍾離	掌著群仙籙 做官有鬍子	有正一心	綠蟻醺酣
李鐵拐	髮亂梳 拿拐兒如皁隸	瘸腿波面上踹	四海雲遊 全憑著這條拐
藍采和	板撒雲陽木 著綠襴袍如令史	拍板雲端響	達道詼諧
韓湘子	韓愈親姪 攜花籃	仙花臘月開	傾刻花開
呂洞賓	愛打簡子愚鼓	有貫世才	紅顏不改
徐神翁	身背著葫蘆 背葫蘆		
曹國舅	宋朝的眷屬 穿紅的	神通大	
何仙姑			
張四郎		神通大	

	元曲選《城南柳》	全元雜劇外編《邯鄲店》第四折(八仙隊子上)第四折
張果老	倒騎驢登上蒼	駕煙霞驢背輕
漢鍾離	袖三卷金書出建章	天書到手離神京
李鐵拐	攜一條鐵拐入仙鄉	鐵拐隨身顯靈聖
藍采和	敲數聲檀板游方丈	清歌信口爲新令
韓湘子	種牡丹的名姓香	牡丹花開四景
呂洞賓	度柳呵道號純陽	串無心字呂洞賓
徐神翁	背葫蘆神通大	背葫蘆神游三界
曹國舅	。提笊籬不認椒房	棄皇親隱跡埋名
何仙姑		
張四郎		

	全元雜劇《度黃龍》第四折	脈望館鈔校內府穿關
張果老	趙州橋將驢跡顯	方巾、邊襴道袍、不老葉、執袋 條兒、白髮、白髯、驢扇
漢鍾離	名權	隻髻陀頭、紅雲鶴道、錦襖、不老葉 法墨趄、喬兒、網裙、雜彩條兒、素扇 執袋、行纏、布襪、八荅鞋、猛髯、
李鐵拐	鐵拐隨身	鬅髮陀頭、皀補納、錦襖、不老葉 法墨趄、喬兒、網裙、雜彩條、執袋 行纏、布襪、八荅鞋、猛髯、鐵
藍采和	拍板眞堪羨	韶巾、綠襴、偏帶、板
韓湘子	頃刻牡丹鮮	雙髻陀頭、雲鶴道袍、不老葉 條兒、執袋、花籃
呂洞賓	（載出場）	九陽巾、茶褐雲鶴道袍、錦襖、不老葉 法墨趄、喬兒、網裙、條兒、八荅鞋 腿綳護膝、隻劍、三髭髯、裙扇、執袋
徐神翁		
曹國舅	（載出場）	雙髽髻陀頭、雲鶴道袍、不老葉 執袋、條兒、金牌笊籬
何仙姑		
張四郎	（載出場）	秦巾、雲鶴道袍、不老葉、執袋 條兒、笛

	孤本元明雜劇《三化邯鄲》第四折	孤本元明雜劇《度黃龍》第四折	孤本元明雜劇《洞玄升仙》穿關	孤本元明雜劇《獻蟠桃》穿關
張果老	駕煙霞驢背輕	更通變	驢扇	驢扇
漢鍾離	天書到手離神京	名字權	稷扇	稷扇
李鐵拐	鐵拐隨身顯聖靈	鐵拐隨身 原來姓李將心修煉	鐵拐	鐵拐
藍采和	清歌信口爲新令	拍板眞堪羨	板	板
韓湘子	指牡丹花開四景	傾刻牡丹鮮	花籃	花籃
呂洞賓	串無心呂字分明	(度脫者)	雙劍裙扇	雙劍裙扇
徐神翁	背葫蘆神游三界			
曹國舅	棄皇親隱跡埋名		金牌笊籬	執袋
何仙姑				
張四郎				

	孤本元明雜劇《慶長生》第四折(八仙上壽)	孤本元明雜劇《八仙過海》第二折	孤本元明雜劇《長生會》第四折(八仙上壽穿關)	孤本元明雜劇《群仙祝壽》穿關	
				上八洞神仙	下八洞神仙
張果老	(千年仙鶴)	漾葫蘆度海洋(驢扇穿關)	(跨蹇驢)	驢扇	王喬 拘繩扁擔
漢鍾離	(獻丹砂)	踏芭蕉扇	(丹砂共祝)	稷扇	陳戚子 執袋
李鐵拐	(獻不老蒼松)	鐵拐海中漾	(鐵拐扶)	鐵拐	劉伶 執袋
藍采和	(萬年靈龜)	躧玉板	(舒檀板)	板	陳摶 執袋
韓湘子	(仙花數朵)	花籃當畫舫	(鮮花)	花籃	畢卓
呂洞賓	(五色靈芝)	踏寶劍浮海	(飛劍神數)	裙扇	任風子 執袋
徐神翁		撇鐵笛在碧波			徐神翁 執袋
曹國舅	(堅剛檜柏)	笊籬作錦舟	(笊籬金符)	金牌笊籬	海蟾公 三足蟾
何仙姑					
張四郎	(長青翠竹)		(輪竿手執)	執袋